Los comentarios exegéticos-expositivos de la Biblia son sumamente importantes por el apoyo que nos brindan para entender mejor las Escrituras. Esta serie de comentarios del Nuevo Testamento escrita por el pastor Pablo A. Deiros es especialmente valiosa para pastores, misioneros y líderes de la Iglesia de Jesucristo. El Dr. Deiros es pastor, historiador, misiólogo, educador, escritor y estudioso de la Biblia, que ha dedicado toda su vida y todo su ministerio a entender, enseñar y predicar la Palabra de Dios en forma profunda, actualizada, concreta, misiológica, latinoamericana y pastoral. Escritos por un pensador latinoamericano, basados en la versión NVI (la Biblia de los jóvenes), estos comentarios son únicos por la gran bendición que ofrecen al liderazgo latinoamericano. Todo pastor y líder de la iglesia encontrará aquí un tesoro de inspiración y sabiduría, que profundizará su relación con Cristo, su inspiración del Espíritu Santo, su conocimiento de la Biblia y sus estudios bíblicos y sermones.

—Dr. Charles (Chuck) Van Engen, Ph.D.

Arthur F. Glasser Senior Professor Emeritus de Biblical Theology of Mission, School of Intercultural Studies, Fuller Theological Seminary (Pasadena, California). Fundador, Presidente y CEO de Latin American Christian Ministries y su programa PRODOLA.

Este es un trabajo extraordinario y un aporte colosal a aquellos que amamos comunicar la Palabra de Dios a las nuevas generaciones, con fidelidad a Dios y a su texto sagrado. Pablo A. Deiros no solo escribe como un estudioso de la palabra escrita, sino como un investigador de la historia de la iglesia y en particular, como alguien que conoce el mundo de habla hispana y las diferentes expresiones de la iglesia contemporánea. Este es un comentario nuestro y para nosotros. Viaja al pasado, vuelve al presente y propone un futuro exhibiendo un análisis minucioso y a la vez, un matiz pastoral práctico. Gracias Pablo por tantas horas de trabajo para facilitar el nuestro.

—Dr. Lucas Leys, Ph.D.

Fundador del ministerio e625 y destacado líder juvenil internacional.

Le doy la más cordial y grata de las bienvenidas al nuevo comentario del Nuevo Testamento de la serie Comentario Bíblico Hispano, del buen amigo y colega Pablo A. Deiros. Se trata de un proyecto teológico extraordinario, de naturaleza exegética y expositiva, que responde efectivamente a los reclamos e inquietudes de las juventudes y las iglesias latinoamericanas. Se basa en el texto bíblico de la Nueva Versión Internacional, y toma muy seriamente en consideración, no solo las necesidades de las nuevas generaciones, sino que aprecia el mundo carismático, incentiva las misiones, propicia la educación cristiana relevante, y fomenta la predicación transformadora. Y ciertamente puede ser muy útil para líderes de jóvenes, predicadores y predicadoras, y para maestros y maestras que deseen presentar a la sociedad contemporánea un mensaje bíblico, pertinente, claro y contextual. Gracias, Pablo, por invertir tus energías y dones en la construcción del Reino.

—Dr. Samuel Pagán

Traductor de la Biblia y escritor
Decano de Programas Hispanos
Centro de Estudios Bíblicos en Jerusalén
Jerusalén y Lakeland

Comentario Bíblico Hispano 2.0

Conectando nuestra generación con Dios y su Palabra

Mateo

El Evangelio del Reino

Pablo A. Deiros

Comentario Bíblico Hispano 2.0
Mateo
Dr. Pablo A. Deiros

1a edición

Editorial Peniel
Boedo 25
Buenos Aires, C1206AAA, Argentina
Tel. 54-11 4981-6178 / 6034
e-mail: info@peniel.com
www.peniel.com

ISBN 978-1-949238-16-7

Edición y corrección: Norma H. Calafate
Diseño de portada e interior: Arte Peniel • arte@peniel.com

Impreso en Colombia

CONTENIDO

CAPÍTULO 2
RECONOCIMIENTO E INFANCIA

CAPÍTULO 3
PRECURSOR Y BAUTISMO

CAPÍTULO 4
TENTACIÓN Y MINISTERIO

UNIDAD DOS: LOS DESAFÍOS DE JESÚS

CAPÍTULO 5
EL SERMÓN DE LA MONTAÑA (I)

CAPÍTULO 6
EL SERMÓN DE LA MONTAÑA (II)

CAPÍTULO 7
EL SERMÓN DE LA MONTAÑA (III)

UNIDAD TRES: EL MINISTERIO DE JESÚS

CAPÍTULO 8
SU MINISTERIO DE SANIDAD

CAPÍTULO 9
SU MINISTERIO DE MILAGROS

CAPÍTULO 10

SU MINISTERIO DE LLAMAMIENTO Y ENVÍO

UNIDAD CUATRO: EL CARÁCTER DE JESÚS

CAPÍTULO 11
SUS TÍTULOS Y RELACIONES

UNIDAD CINCO: LAS PARÁBOLAS DE JESÚS

CAPÍTULO 12

LA VENIDA DEL REINO

CAPÍTULO 13

EL DESARROLLO DEL REINO

CAPÍTULO 14
LAS CRISIS DEL REINO

UNIDAD SEIS: LAS ENSEÑANZAS DE JESÚS

CAPÍTULO 15
SU ENSEÑANZA SOBRE EL PECADO Y SUS DISCÍPULOS

CAPÍTULO 16
SU ENSEÑANZA SOBRE CUESTIONES CONTROVERSIALES Y LAS COSAS VENIDERAS

UNIDAD SIETE: LA MISIÓN DE JESÚS

CAPÍTULO 17
JESÚS EN CAMINO A SU MISIÓN

CAPÍTULO 18
JESÚS EN JERUSALÉN Y BETANIA

CAPÍTULO 19

JESÚS EN SUS ÚLTIMAS HORAS

CAPÍTULO 20
JESÚS EN SU MUERTE Y RESURRECCIÓN

PRÓLOGO

¿Qué hacer cuando lo más importante está descuidado? Si hay algo que la Iglesia hispanoamericana necesita hoy es una vuelta a una enseñanza y una predicación de la Palabra de Dios, que sea seria, responsable y ajustada al texto bíblico. En un contexto donde la inmensa mayoría de los pastores no tienen una adecuada preparación formal, esto resulta bastante difícil. De allí que, en la biblioteca pastoral y del liderazgo, lo que no debería faltar es un buen comentario bíblico. Sin embargo, cuando uno recorre con la vista los anaqueles de las oficinas pastorales, ve muchos libros inspiracionales, pero no este tipo de herramienta, que a mi juicio es indispensable. Y uno se pregunta: ¿cómo hará este pastor para enseñar a su pueblo, pasajes que son muy importantes para la vida cotidiana de la gente, pero que al mismo tiempo son un tanto difíciles de comprender, de interpretar y de vivir? ¿Por qué será que sucede esto? Seguramente hay diversas razones.

Una primera razón es que hay muy pocos comentarios que abarquen toda la Biblia en nuestro idioma. Damos gracias a Dios por los enormes esfuerzos editoriales que, en los últimos cincuenta años nos han provisto de buenos materiales. Pero un proyecto como el Comentario Bíblico Hispano es novedoso, sumamente ambicioso, y llena un vacío muy sentido en materia de materiales bíblicos serios para el uso del liderazgo cristiano. La serie es un tesoro de recursos, que por muchos años y hasta que el Señor regrese, proveerá de gran ayuda a quienes estén involucrados en el servicio al reino en sus múltiples facetas.

Una segunda razón es que los comentarios bíblicos conocidos responden a una época de la erudición bíblica en donde la duda superaba a la fe.

Es decir, en donde el racionalismo despojaba al texto de lo sobrenatural, provocando incertidumbres en quien los leía, perdiéndose la intención básica del texto bíblico, que es despertar, impulsar y activar la fe de los creyentes. Bajo la excusa de una objetividad científica en el campo de la exégesis (que no existe) y una precisión lingüístico-literaria (que es dudosa), se trabajaba siguiendo las pautas de una teología sistemática y racionalista propia del Iluminismo, que está muy lejos de una teología dinámica, que no se basa en la especulación, sino en la experiencia viva de la fe. El enfoque carismático de este comentario es, precisamente, uno de sus aportes más interesantes.

Una tercera razón, es que la mayoría de esos comentarios están completamente alejados de la realidad cotidiana del creyente, y de la misión de la iglesia. Muchos de ellos son traducciones de comentarios publicados en Estados Unidos o Europa, en contextos culturales totalmente diferentes del nuestro en América Latina. En otros casos, se trata de textos técnicos, que poco aportan a la enseñanza y la predicación dirigidas a los hijos de Dios en sus luchas cotidianas, y menos que los animen a comprometerse con la misión de la iglesia en medio de su realidad. El enfoque misiológico de este comentario lo hace de aplicación inmediata en el campo de la misión, con todos sus matices y desafíos.

Una cuarta causa, es que muchos de estos comentarios bíblicos, incluso los mejores, han sido escritos desde una cosmovisión de la realidad que ha cambiado por completo. La mayoría de los comentarios bíblicos que disponemos en nuestra lengua fueron escritos en el siglo XIX o principios del siglo XX. Por lo tanto, esos comentarios apelan, en el mejor de los casos, a la manera de ver el mundo y la realidad de los que tenemos más de 50 años, pero, en su aproximación, están absolutamente fuera de contexto y resultan anacrónicos para los jóvenes de hoy, que son la mayoría en la iglesia de habla hispana. En este sentido, ese comentario, redactado con un lenguaje actual y juvenil, está pensado y diseñado para las nuevas generaciones, que son los grandes protagonistas en la extensión del reino de Dios en el presente de nuestro continente.

Creo que el Comentario Bíblico Hispano, escrito por el Dr. Pablo A. Deiros es una respuesta a estas y otras inquietudes, y sobre todo a las necesidades imperiosas que tenemos. Primero, nos da una herramienta maravillosa en nuestro amado idioma. Y eso es mucho más que simplemente poder leerlo en nuestra lengua. Es poder tener una comprensión del texto desde nuestra perspectiva latinoamericana.

Segundo, este comentario tiene la singularidad de combinar el rigor crítico del texto y al mismo tiempo una lectura del mismo desde la fe. Sabiendo que la vivencia espiritual siempre precede a la interpretación teológica, y que la exégesis es fiel cuando responde a la intención por la cual el Señor inspiró el texto. Sólo una mente brillante y preparada, unida a un corazón pastoral renovado por la obra del Espíritu Santo, como reúne el Dr. Deiros, puede lograr esta combinación.

En tercer lugar, tuve el privilegio de ser primeramente alumno y luego compañero de ministerio del Dr. Deiros, y jamás he visto el don docente tan desarrollado como en él. Si hay alguien que puede presentarnos un comentario que nos sirva a los pastores y líderes para la enseñanza, la predicación y la misión, no me cabe la menor duda que es el Dr. Pablo A. Deiros.

Por último, el autor del Comentario Bíblico Hispano, es un hombre de gran experiencia, pero con una mente absolutamente joven, actualizada y renovada. Su contacto permanente con jóvenes en su ministerio de enseñanza, nos asegura un comentario bíblico pertinente y relevante para nuestro tiempo. Por eso, celebro y recomiendo enfáticamente a todo pastor y líder, y en particular a los jóvenes que hoy Dios está levantando en la iglesia de habla hispana, que tengan este comentario. Si queremos una iglesia que haga diferencia en nuestro mundo, necesitamos que lo más importante, sea recuperado.

—Carlos Mraida

Pastor de la Iglesia del Centro (Buenos Aires, Argentina).
Coordinador del Consejo de Pastores de la Ciudad.
Coordinador del movimiento espiritual Argentina Oramos por Vos.

PRESENTACIÓN DE LA SERIE

Para alguien que ha predicado y enseñado el Nuevo Testamento por más de medio siglo, escribir un comentario exegético y expositivo del mismo es una manera maravillosa de coronar su ministerio profético y de enseñanza. No pretendo con esta serie de comentarios competir con las obras clásicas y eruditas de las que, gracias al Señor, ya disponemos en nuestro idioma. Pero sí es mi objetivo contribuir con los resultados de mi estudio, meditación y comunicación de la Palabra de Dios en el Nuevo Testamento a la edificación de la iglesia (1 Co. 14.3). El Señor me ha bendecido enormemente a través de cada pasaje de esta segunda parte de la Biblia, y es mi oración y deseo compartir con mis lectores los incalculables tesoros que el Espíritu Santo me ha dado a través de la lectura, estudio, predicación y enseñanza de su Palabra.

Así como toda traducción del texto bíblico es una interpretación, de igual modo toda exposición del mismo es también una comprensión revestida de la experiencia personal de quien la hace. En mi caso, la mayor parte del material que comparto en esta serie es el resultado de mis experiencias personales como pastor y maestro de la Palabra. Pero también resulta de lo mucho que he aprendido de otros a través de sus propios ministerios proféticos y de enseñanza, como voceros del Señor. El lector atento podrá detectar ambas vertientes que circulan a lo largo de cada libro de este Comentario del Nuevo Testamento.

Un elemento significativo de mi aporte en este campo bastante transitado es la perspectiva desde la que me aproximo al texto neotestamentario.

Lo hago como latinoamericano que vive y sirve en este precioso continente, y bien embebido de su cultura y cosmovisión. Me identifico con una fe evangélica y todo lo que esto significa para mí como heredero de la Reforma Protestante, especialmente en el marco de la tradición anabautista. Mi perspectiva es esencialmente misiológica, ya que considero que el eje de la vida y acción del cristiano y de la iglesia es y debe ser el cumplimiento de la misión cristiana en el mundo, conforme a la voluntad revelada de Dios. Además, mi compromiso es con la proclamación de un evangelio integral, que consiste en el anuncio de la buena noticia tocante a Jesús a todo ser humano en la totalidad de su ser y relaciones. Mi aproximación exegética al texto bíblico procura llevarse a cabo con las pautas más recientes de la ciencia hermenéutica, y mi exposición del mismo procura presentar herramientas útiles a quienes hoy tienen la responsabilidad de enseñarlo y predicarlo con todo celo y claridad. Gracias al Señor, hoy contamos con herramientas extraordinarias y sumamente útiles para llevar a cabo esta tarea con total precisión.

Para esta serie de comentarios he escogido el que me parece el mejor texto disponible en nuestra lengua: la *Nueva Versión Internacional*, producida por la Sociedad Bíblica Internacional (1999). Considero que esta traducción satisface plenamente la necesidad de disponer de un texto claro y exacto, que garantiza una gran fidelidad al sentido y mensaje de los escritores originales. En este sentido, recomiendo al lector y estudiante utilizar este comentario junto con el texto de la *NVI*, y, en particular, la *Biblia Nueva Reforma*, que he tenido el honor de editar (2017). De todos modos, la tarea exegética la he llevado a cabo desde el texto griego original y utilizando las mejores fuentes secundarias disponibles.[1] El lector notará que de tanto en tanto introduzco, en la lengua original (griego), una palabra o frase utilizando letras latinas y la transcripción mayormente aceptada. Hago esto para que el lector con cierto acceso instrumental al griego del Nuevo Testamento tenga un elemento más para su comprensión, y para que quienes no han tenido la oportunidad de estudiar esta lengua sean introducidos de algún modo a la misma.

---

1. *The Greek New Testament*, 4ta. ed. rev., ed. por Barbara Aland, Kurt Aland, Johannes Karavidopoulos, Carlo M. Martini y Bruce M. Metzger (Stuttgart: Deutsche Bibelgesellschaft, 2001).

Esta serie de comentarios exegéticos y expositivos del Nuevo Testamento es una obra en varios volúmenes, escrita por un conocido teólogo, historiador y biblista latinoamericano (argentino). No pretendo ser un erudito en este campo, pero sí alguien que ha predicado expositivamente y enseñado con rigor exegético todo el Nuevo Testamento con una perspectiva misiológica y un ordenamiento homilético. Esta colección enfatiza la comprensión y exposición del texto bíblico, con el propósito de ofrecer a los lectores materiales confiables que ayuden a la predicación y enseñanza del Nuevo Testamento, en el contexto hispanoamericano actual. El mundo hispanoparlante padece de un déficit alarmante en cuanto a la predicación y enseñanza expositiva del texto bíblico. La mayor parte de quienes cumplen este ministerio no cuentan con la formación suficiente y necesaria para hacer una exégesis y exposición adecuada de la Palabra. Este comentario espera llenar estas necesidades:

- Al hacer una contribución significativa e instrumental proveyendo de materiales de comunicación fácil y clara.
- Al ofrecer al lector las mejores y más recientes herramientas para la comprensión del texto bíblico.
- Al permitir a predicadores y maestros utilizar todo el Nuevo Testamento en sus presentaciones y no tan sólo algunos pasajes más conocidos.
- Al elevar el nivel de comprensión del texto bíblico y mejorar su propia capacidad expositiva del mismo en nuestra lengua.
- Al ayudar al lector de la Biblia a tener una experiencia más satisfactoria en la lectura y comprensión de la Palabra de Dios

Este Comentario del Nuevo Testamento está redactado para personas con un nivel medio de educación (secundario), que están comprometidas con algún ministerio en la iglesia (pastoral, docente, evangelizador, misionero, de servicio, etc.) Será también de valor para todo creyente que desee leer y estudiar la Palabra de Dios con inteligencia, bajo la guía del Espíritu Santo. A su vez, este comentario del Nuevo Testamento presentará una aproximación única y singular al texto de la Biblia, desde una perspectiva hispanoamericana y pastoral, con énfasis sobre los aspectos exegéticos, expositivos y con abundantes elementos homiléticos. Esto ayudará a los predicadores y maestros de la Palabra en nuestra lengua a contar con herramientas útiles para cumplir con su misión de proclamar "todo el propósito de Dios" (Hch. 20.27).

—PABLO A. DEIROS

ABREVIATURAS

En el presente libro se utiliza la *Nueva Versión Internacional* (1999) de la Sociedad Bíblica Internacional (NVI) para todas las citas bíblicas. En otros casos, se sigue el texto griego o se citan otras versiones de la Biblia, indicándolo mediante las siglas correspondientes. Las abreviaturas utilizadas son las siguientes:

BA	*Santa Biblia: La Biblia de las Américas,* 1986.
BJ	*Biblia de Jerusalén,* 1975.
Gr.	*The Greek New Testament.* Deutsche Bibelgesellschaft, 2002.
He.	*Biblia Hebraica Stuttgartensia,* 1984.
NA	*El Libro de la Nueva Alianza: El Nuevo Testamento,* 1967.
NVI	*Santa Biblia,* Nueva Versión Internacional, 1999.
RVR	*Santa Biblia,* versión Reina-Valera, revisión, 1960.
RV95	*Santa Biblia,* versión Reina-Valera, revisión, 1995.
VP	*Dios habla hoy,* Versión Popular, 1979.

LIBROS DE LA BIBLIA

ANTIGUO TESTAMENTO

Génesis	Gn.	2 Crónicas	2 Cr.	Daniel	Dn.
Éxodo	Éx.	Esdras	Esd.	Oseas	Os.
Levítico	Lv.	Nehemías	Neh.	Joel	Jl.
Números	Nm.	Ester	Est.	Amós	Am.
Deuteronomio	Dt.	Job	Job	Abdías	Abd.
Josué	Jos.	Salmos	Sal.	Jonás	Jon.
Jueces	Jue.	Proverbios	Pr.	Miqueas	Mi.
Rut	Rt.	Eclesiastés	Ec.	Nahum	Nah.
1 Samuel	1 S.	Cantares	Cnt.	Habacuc	Hab.
2 Samuel	2 S.	Isaías	Is.	Sofonías	Sof.
1 Reyes	1 R.	Jeremías	Jer.	Hageo	Hag.
2 Reyes	2 R.	Lamentaciones	Lm.	Zacarías	Zac.
1 Crónicas	1 Cr.	Ezequiel	Ez.	Malaquías	Mal.

NUEVO TESTAMENTO

Mateo	Mt.	Efesios	Ef.	Hebreos	He.
Marcos	Mr.	Filipenses	Fil.	Santiago	Stg.
Lucas	Lc.	Colosenses	Col.	1 Pedro	1 P.
Juan	Jn.	1 Tesalonicenses	1 Ts.	2 Pedro	2 P.
Hechos	Hch.	2 Tesalonicenses	2 Ts.	1 Juan	1 Jn.
Romanos	Ro.	1 Timoteo	1 Ti.	2 Juan	2 Jn.
1 Corintios	1 Co.	2 Timoteo	2 Ti.	3 Juan	3 Jn.
2 Corintios	2 Co.	Tito	Tit.	Judas	Jud.
Gálatas	Gá.	Filemón	Flm.	Apocalipsis	Ap.

PRESENTACIÓN

El mensaje central del Evangelio de Mateo es el reino de Dios o reino de los cielos. Este Evangelio comienza con el anuncio de la proximidad de este reino (3.2) y termina con el mandato divino de "hacer discípulos" o ciudadanos de este reino en "todas las naciones" (28.19). No hay verdad más central ni cardinal para la comprensión cabal de la fe cristiana que el reino de Dios. Nuestra reflexión sobre la experiencia cristiana, nuestra interpretación de las Escrituras, el modelamiento de nuestra conducta en obediencia a la voluntad de Dios y el testimonio de nuestra fe son el resultado de nuestro conocimiento y vivencia del reino de Dios.

Sería tedioso procurar entender a Dios a partir de un planteo teológico racional y sistemático. Podríamos ganar muy buena información, pero correríamos el riesgo de perder la necesaria formación que necesitamos para ser buenos discípulos de Jesús y servidores obedientes. Es por ello, que la consideración de la naturaleza y demandas del reino de Dios son elementos fundamentales no sólo para el conocimiento de su persona y obra, sino también para la elaboración de una adecuada identidad cristiana y un servicio efectivo.

El reino de Dios tiene que ver básicamente con Dios mismo, su carácter, su revelación de sí mismo, su acción redentora en la historia, y su amor y deseo de entrar en una relación significativa con cada uno de nosotros. El vocablo "reino" destaca ese aspecto, actividad o atributo específico de Dios, por el que él se revela como Rey o Señor soberano del universo, sus criaturas, su pueblo escogido y cada uno de sus hijos e hijas en Cristo.

Dios es el Rey de todo lo que él ha creado, por derecho de creación y de sustentación. Pero él también es el Rey de todo lo que ha re-creado. En este sentido, él es el Rey de su pueblo Israel, y su reinado es efectivo en la medida en que Israel es obediente a su voluntad según está revelada en la *Torá*, la Ley. A su vez, el reino de Dios es una realidad que se ha manifestado de manera total en la persona y obra de Jesucristo. En él y por medio de él, Dios re-crea todas las cosas, especialmente al ser humano pecador que se vuelve arrepentido a Dios con fe y confía en su amor perdonador. De este modo, cada persona que reconoce a Jesús como su Señor es regenerada por el Espíritu Santo y pasa a formar parte del reino de Dios.

Este reino no responde a la lógica de nuestro mundo, sino a la lógica de Dios. No obedece a los criterios y valores de nuestra sociedad, sino a los del Padre celestial. Es por esto que el reino de Dios critica a nuestro mundo y muestra una alternativa a la realidad de nuestro pecado y desobediencia: un mundo de amor, reconciliación y perdón, conforme con la voluntad de Dios.

De todos los materiales neotestamentarios, ninguno es tan elocuente para enseñarnos acerca del reino de Dios como el Evangelio de Mateo, y especialmente como las parábolas de Jesús sobre el reino que registra. Según este Evangelio, Jesús nos enseña qué es el reino de Dios. Las parábolas coleccionadas por Mateo oponen la realidad según Dios a la realidad según nosotros. Ellas muestran la diferencia entre nuestras costumbres, leyes y normas, por un lado, y el amor abundante y redentor de Dios por el otro. De este modo, en las parábolas, el reino de Dios confronta a nuestro reino humano de pecado y desobediencia.

Las parábolas del reino en Mateo nos colocan de frente a una nueva y más dichosa manera de vivir; nos interpelan planteándonos una alternativa de vida; y nos desafían a tomar una decisión definitiva. Las parábolas no son material para la especulación, la opinión o la eventual consideración. Ellas exigen que cada uno que las lee y estudia emita juicio, tome una decisión y declare aquí y ahora cuál es su opción. En las parábolas no hay un espectro de posibilidades; las cosas son luz o tinieblas, sí o no, viejas o nuevas, lo tomas o lo dejas. Quien se enfrenta al reino de Dios según las parábolas debe tomar partido por la vida vieja y el mundo no redimido o por la nueva realidad, que es ese reino.

Pero además de las parábolas del reino de Dios, Mateo nos ofrece un cuadro magnífico de Jesús como el Mesías prometido, cuya obra redentora se llevó a cabo conforme al testimonio de las Escrituras y en cumplimiento de las profecías del Antiguo Testamento. De esta manera, la nueva realidad del reino de Dios está presente en Jesús. Por eso se puede decir: Jesús mismo, con sus enseñanzas y acciones, es una parábola del reino. En su contacto con los marginados y los pecadores nos manifiesta e ilustra quién es Dios y de qué manera Dios quiere relacionarse con la gente. Jesús nos muestra una alternativa, la realidad del reino, pero a la vez critica profundamente nuestra realidad existente con todas nuestras costumbres, convicciones e ideas. De esa manera, Jesús provoca una reacción de parte nuestra. Ante Jesús hay que tomar una decisión. Esa decisión la provocan especialmente las parábolas y las acciones liberadoras de Jesús.

Por su reacción ante la realidad del reino, explicitada en las parábolas del reino y las acciones redentoras de Jesús, el oyente se ubica a sí mismo dentro o fuera de ese reino. Jesús es una parábola, ya que, por todo lo que hace y dice, nos muestra que en este mundo y en esta historia, Dios quiere y puede estar presente. El reino de Dios no es solamente una realidad del más allá, sino que también es una alternativa real para nosotros ya, ahora y aquí. Por ser Salvador y Señor, las acciones portentosas y liberadoras de Jesús continúan en operación, ahora a través de sus discípulos, que las ejecutan en su nombre y en obediencia a su mandato de una misión que tiene como destinatarios a los seres humanos de todas las naciones.

INTRODUCCIÓN

Los Evangelios Sinópticos no son los primeros escritos del Nuevo Testamento. Es probable que para cuando apareció por escrito el primer Evangelio (quizás el de Marcos), ya había otros escritos cristianos que estaban circulando en las comunidades judeo-cristianas palestinas y en otros ámbitos del Imperio Romano, y fuera de él hacia el este. Además, antes de que aparecieran los Evangelios en la forma actual, pasó un tiempo considerable, durante el cual la transmisión del mensaje se hizo en forma oral. Esto no presentaba mayores dificultades en cuanto al contenido del testimonio cristiano mientras todavía existían testigos presenciales de los hechos y las enseñanzas de Jesús, que eran los elementos que constituían el *kerugma* o predicación esencial de la iglesia.

Mucho antes de que estos testigos desaparecieran, en las comunidades cristianas se sintió la necesidad de tener un registro de los hechos fundamentales, que formaban parte de la tradición común a las distintas congregaciones. El Evangelio de Lucas expresa ese estado de cosas cuando dice en su prólogo: "Muchos han intentado hacer un relato de las cosas que se han cumplido entre nosotros, tal y como nos las transmitieron los que desde el principio fueron testigos presenciales y servidores de la palabra. Por lo tanto, yo también excelentísimo Teófilo, habiendo investigado todo esto con esmero desde su origen, he decidido escribírtelo ordenadamente" (Lc. 1.1-2).

Los Evangelios fueron surgiendo, pues, para satisfacer las necesidades de las iglesias de conocer la vida y el ministerio de Jesús en base a un relato confiable y auténtico. Si bien es posible que su redacción y edición definitiva refleje en parte las situaciones concretas de esas congregaciones (lo que hoy se conoce como el *Sitz im Leben*, situación en la vida), no hay que pensar que por esta necesidad fue falseado el contenido de la enseñanza o doctrina original. En cada situación concreta se recordaba la enseñanza que la tradición transmitía y se aplicaba al caso presente.

¿CÓMO ES EL LIBRO?

La primera palabra en gr. en este Evangelio es *bíblos* (libro), que no lleva artículo, pero que es definida por una serie de genitivos que le siguen. La traducción literal sería "biblia," si bien el vocablo para referirse a un libro es el diminutivo *biblíon*, que es un libro pequeño o rollo (Lc. 4.17). Éste consistía en hojas de papiro (gr. *papuros*) o papel, que se unían para formar un rollo de longitud variada, según fuese la necesidad.

Al considerar cualquiera de los libros del Nuevo Testamento es necesario recordar la diferencia entre éstos y los del Antiguo Testamento. En los libros del viejo pacto, entre las condiciones locales e históricas, buscamos los valores permanentes que están encerrados en su mensaje. En cada libro del Antiguo Testamento estamos lidiando con el registro de una revelación incompleta. Es una biblioteca que mira hacia adelante con expectativa y esperanza al cumplimiento de sus profecías sobre lo que Dios hará para redimir a su pueblo.

Cuando llegamos al Nuevo Testamento, también nos encontramos en medio de condiciones culturales e históricas, pero estamos tratando con el registro de una revelación completa, con el cumplimiento de las profecías anunciadas en el pasado. El nuevo pacto se ha cumplido en Cristo, quien es la última y definitiva palabra de Dios para toda la humanidad (He. 1.1-2). Esta buena noticia (evangelio) es la palabra final de Dios tal como se ha conjugado en su Hijo. Cuando abrimos cada libro del Nuevo Testamento, debemos buscar esa palabra final y preguntarnos cuál es su mensaje y desafío para nosotros hoy. Con el Evangelio que escribió Mateo también es así.

El libro que escribió Mateo nos llega a nosotros en lengua griega. El griego de este Evangelio es correcto, pero no colorido ni dinámico (como el de Marcos). No obstante, su gramática y sintaxis ponen de manifiesto un uso responsable del idioma, especialmente en términos de su capacidad de comunicación del mensaje. Por ejemplo, Mateo es el único autor neotestamentario que distingue correctamente entre *eis* ("hacia adentro de") y *en* ("dentro de"), que Marcos parece desconocer (Mr. 1.39, literalmente "predicando hacia adentro de las sinagogas," gr. *eis tas sunagōgas*).

Es probable que el Evangelio de Mateo haya sido el más citado de todos los Evangelios por los escritores cristianos tempranos. Sea como fuere, algunos de sus pasajes continúan siendo de lectura y estudio preferencial por parte de muchos creyentes hoy. Quizás esto es así porque su narrativa es más concisa y ordenada, con lo cual se presta mejor a su lectura pública y uso litúrgico. Contribuye también a su popularidad el hecho de que el Evangelio encierra un marcado énfasis e interés mesiánicos. La presentación de Jesús como el cumplimiento de las profecías del Antiguo Testamento es un ingrediente de gran interés, que actúa como puente temático entre la primera parte de la Biblia y la segunda. A esto se agrega cierto enfoque universalista, a pesar de su perspectiva particularista judeocristiana. Mateo destaca desde el comienzo mismo de su libro el protagonismo gentil en relación con Jesús (2.1-12) e incluso su estancia en un país gentil como Egipto (2.13-18). En la conclusión del Evangelio, Mateo registra la gran comisión, que se extiende a todas las naciones (28.18-20). Hay también en este libro elementos eclesiásticos que lo hacen atractivo para la iglesia universal. Mateo es el único Evangelio que registra alguna enseñanza específica sobre la iglesia (16.18; 18.17) o que parece aludir a ella de manera indirecta (18.19-20). Finalmente, en su libro Mateo pone de manifiesto un profundo interés escatológico. Su sección apocalíptica es más extensa que la de Marcos (capítulos 24 y 25), y su interés escatológico se ve también en algunas parábolas, que sólo él registra (13.36-43; 25.1-13, 14-30, 31-46).

¿QUIÉN ERA MATEO?

Jamás hubo un hombre con menos posibilidades de llegar a ser un apóstol que Mateo. Este Evangelio lo designa como "Mateo," un hombre "sentado a la mesa de recaudación de impuestos" (9.9; 10.3), mientras que Marcos (Mr. 2.14) y Lucas (Lc. 5.27) lo llaman Leví, y dicen que era recaudador de impuestos. Aparentemente, pues, este hombre tenía dos nombres, como Juan Marcos. Como cobrador o recaudador de impuestos estaba al servicio del Imperio Romano, es decir, era un publicano. Se lo llamaba así porque tenía que ver con el dinero y los fondos públicos. Estos recaudadores de impuestos eran odiados por todos. Estaban al servicio de los conquistadores de su país y llegaban a amasar grandes fortunas a expensas de las desgracias de sus compatriotas. Para usar un término moderno, eran traidores, corruptos e insensibles. Su deshonestidad era notoria. No sólo que estafaban a sus propios paisanos, sino que también hacían todo lo posible por escamotear al gobierno y a las fuerzas de ocupación romanas, logrando de este modo enriquecerse al recibir coimas de los ricos que querían evadir impuestos, que eran excesivos. En todos los tiempos y lugares, los recaudadores de impuestos han sido odiados, pero el odio que los judíos sentían hacia estos funcionarios a veces llegaba a ser violento. Los judíos en tiempos de Jesús eran fanáticos nacionalistas. Pero lo que los exasperaba más que ninguna otra cosa era su convicción religiosa de que sólo Dios era Rey, y que pagar cualquier impuesto a un rey mortal era una violación de los derechos exclusivos de Dios y un insulto a su majestad soberana.

Según la Ley judía, un recaudador de impuestos debía ser excluido de la sinagoga. Su persona estaba incluida entre las cosas y bestias inmundas, y se les aplicaban las palabras de Levítico 20.5: "yo mismo me pondré en contra de él y de su familia; eliminaré del pueblo a ese hombre y a todos los que se hayan prostituido con él." Los publicanos tenían prohibido ser testigos en un juicio y tenían vedada toda participación de carácter religioso. Ladrones, asesinos y recaudadores de impuestos eran considerados como miembros de una sola clase de personas, y eran fuertemente estigmatizados por la sociedad.

Cuando Jesús llamó a Mateo (9.9), llamó a un hombre a quien todos odiaban. No obstante, encontramos aquí una de las instancias más grandes del Nuevo Testamento, en la que vemos el poder de Jesús y esa maravillosa capacidad suya de ver en una persona, no sólo lo que ella es, sino también lo que ella puede llegar a ser por el poder de su amor transformador. Nadie jamás ha demostrado tener tanta fe en las posibilidades de la naturaleza humana como Jesús. El caso de Mateo es una ilustración elocuente de esto. En el relato que Mateo hace del llamamiento que le hizo Jesús (9.9-11), vemos que el Señor le hizo tres invitaciones específicas.

Por un lado, Jesús invitó a Mateo a reconocerlo como el Mesías. Esto no era nada fácil para este hombre que estaba "sentado a la mesa de recaudación de impuestos." La invitación de Jesús fue clara: "Sígueme," le dijo. Pero la respuesta era costosa, porque para ser seguidor de Jesús hay que pagar el precio del discipulado (Lc. 9.23). Mateo sabía esto porque él mismo se sentía pecador y seguramente estaba atormentado por la culpa. Había traicionado a su pueblo y había puesto lo material y sensual antes que lo espiritual. Muy probablemente había oído hablar de Jesús y sabía que su mensaje era duro y sus demandas muy radicales. No obstante, cuando Jesús le dijo "Sígueme," él "se levantó y lo siguió." Seguir a Jesús significa dejarlo todo e ir en pos de él (10:38).

Aceptar a Jesús como el Mesías significaba también para Mateo tomar una gran decisión. Esta tenía que ser una decisión rápida e inmediata. Pero Mateo no se demoró. Jesús pasaba por allí circunstancialmente ("al irse de allí") y quizás por única vez. La decisión de seguirlo no puede ser aplazada para el futuro (Pr. 27.1). Dios debe ser buscado cuando puede ser hallado (Is. 55.6). Por eso, cuando Jesús le dijo "Sígueme," él "se levantó y lo siguió" (9.9). Pero, además, esta tenía que ser una decisión pública. Mateo era un hombre público (publicano), pero no trató de ocultar su nueva fe. No se avergonzó del evangelio que había sido el poder de Dios operando para la transformación de su vida (Ro. 1.16). Esta tenía que ser también una decisión firme. Mateo no volvió atrás, sino que siguió a Jesús de corazón, con la ayuda del Espíritu Santo (Ef. 1.13-14).

Por otro lado, Jesús lo invitó a Mateo a llevar a sus amigos a él. Recordemos que los fariseos no se asociaban con los cobradores de impuestos (publicanos) y con las personas que no cumplían con todos los preceptos de la Ley (pecadores). Quienes no tenían un conocimiento amplio y una práctica consecuente de las leyes religiosas, especialmente las ceremoniales, eran despreciados. El vulgo tenía la idea de que la religión era sólo para gente culta y de recursos. Sin embargo, después de encontrarse con Jesús y de invitarlo a cenar en su casa, Mateo convocó también a este tipo de gente que, como él, estaba fuera del sistema religioso (9.10). Los fariseos no pudieron entender esto (9.11), y Jesús les respondió con una de sus grandes sentencias: "No son los sanos los que necesitan médico sino los enfermos. … No he venido a llamar a justos sino a pecadores" (9.12-13).

Además, Jesús lo invitó a Mateo a usar sus talentos para el reino. Indudablemente, Mateo tenía el talento de escribir. Como recaudador de impuestos, él sabía leer y escribir. Su capacidad de escribir fue usada para la gloria del Señor. Él es el autor del Evangelio que lleva su nombre. Él es el autor de pasajes que son únicos en el Nuevo Testamento (1.18-25; 2.1-23; 3.12-17, 23-25; 5.13-20, 27-48; 6.1-4, 16-18; 7.13-23; 9.27-38; 11.28-30; 12.15-21; 13.24-30, 36-43; 16.5-12; 17.24-27; 18.15-35; 20.1-16; 21.28-32; 22.1-14; 25.1-26; 27.1-10, 62-66; 28.11-20). Gracias a su autoría conocemos algunas de las parábolas de Jesús más hermosas (la perla de gran precio y el tesoro escondido, 13.44-46; la red, 13.47-52; etc.) Mateo tenía también el talento de contar con múltiples contactos, tanto dentro del judaísmo (las personas que le pagaban sus impuestos), como entre las autoridades romanas que lo habían empleado. Él supo usar su influencia para dar a conocer el mensaje de Jesús desde el día mismo en que comenzó a ser su discípulo. Lo hizo utilizando el mismo método que había usado para hacer sus negocios: organizar una cena con Jesús. Allí muchas personas tuvieron la oportunidad de conocerlo personalmente y, como el propio Mateo, quedar impresionado con su personalidad y sus palabras.

¿POR QUÉ ESCRIBIÓ SU EVANGELIO?

Mateo era un funcionario público acostumbrado a llevar un registro de todo lo que acontecía y a guardar archivos con documentación importante. Es muy probable que haya tomado notas de los dichos (gr. *ta logía*) de Jesús tal como los oyó de sus labios. Sea como fuere, en su Evangelio presta buena atención a las enseñanzas de Jesús. Esto se ve en el espacio que dedica al Sermón de la Montaña (capítulos 5 al 7), las parábolas (capítulo 13), las discusiones con los fariseos (capítulo 23), las enseñanzas escatológicas (capítulos 24 y 25). Era un hombre bien educado y estaba lejos de ser un judío fanático, pues su lugar de trabajo estaba en Galilea y en contacto permanente con los gentiles. En su Evangelio procura mostrar que Jesús era el Mesías que esperaban los judíos, lo cual se ve en sus reiteradas citas del Antiguo Testamento como ilustración y confirmación de esa verdad. Por eso, para él, Jesús es tanto el Mesías de los judíos como el Salvador del mundo.

El Evangelio de Mateo surgió probablemente de la necesidad de responder a la situación de los primeros cristianos palestinos (judíos) de conocer los detalles de la vida, ministerio y hechos redentores de Jesús, el Mesías, quien dio cumplimiento a las profecías del Antiguo Testamento. El primer testimonio que se conserva de la composición de este Evangelio pertenece a Papias, obispo de Hierápolis, a comienzos del siglo II, tal como fue registrado por Eusebio de Cesarea en su *Historia eclesiástica*. Según Eusebio, Papias afirmó que "Mateo compuso las Logias (gr. *ta logía*) en la lengua hebrea y cada uno las interpretó como pudo."[1] Probablemente, el mismo Mateo escribió posteriormente su Evangelio en griego cuando fue requerido para su uso en comunidades judeocristianas, que estaban dejando su idioma de origen (helenistas).

En realidad, Eusebio creía que el Evangelio de Mateo había sido el primero en ser redactado, en hebreo o arameo, y que posteriormente fue traducido al griego. A esto, el primer historiador cristiano agrega el detalle que el Evangelio fue llevado a la India por Bartolomé, quien predicó el evangelio allí.[2] No obstante, esta idea del origen semítico del Evangelio ha sido totalmente rechazada por los eruditos modernos, quienes sostienen que, en general, el Evangelio de Mateo depende del de Marcos y de ninguna manera fue el primero en ser escrito.

Una tesis interesante, pero no aceptada por todos los estudiosos, es que el Evangelio original estaba compuesto, al modo de la Ley judía, de cinco libros que constituirían algo así como el Pentateuco cristiano. Las divisiones se indicarían por giros o cláusulas de transición, que podemos ver en el texto actual. Estas cláusulas serían: "Cuando Jesús terminó de decir estas cosas..." (7.28); "Cuando Jesús terminó de dar instrucciones..." (11.1); "Cuando Jesús terminó de contar estas parábolas..." (13.53); "Cuando Jesús acabó de decir estas cosas..." (19.1); "Después de exponer estas cosas..." (26.1). Según este planteo, cada uno de estos

---

1. Eusebio de Cesarea, *Historia eclesiástica*, 3.39.
2. *Ibid.*, 3.24; 5.8, 10.

libros, escritos en arameo, tenía una sección narrativa y otra doctrinal. En este comentario procuramos seguir esta estructura y ordenamiento del material, porque nos parece adecuado.

> **José Ignacio González Faus:** "De Mateo se ha dicho muchas veces que escribe para judíos, y que su visión de Jesús gira alrededor de goznes veterotestamentarios: el nuevo Moisés, el verdadero Israel, el que cumple las promesas. … Mateo es el autor que más profecías cumplidas cita. Se dice que ha estructurado su Evangelio en cinco grandes secciones, que podrían corresponderse con los cinco libros del Pentateuco. Todo este enmarcamiento veterotestamentario permite hablar del Jesús de Mateo como el Esperado. Pero a la vez, Mateo es el evangelista que trae más numerosas y más fuertes polémicas con los judíos. Su Evangelio no es, sin más, una 'adaptación' al judaísmo. Todos sus elementos adaptadores (como quizás la cláusula del divorcio) son elementos concretos en un marco mucho más amplio que es de ruptura: 'se os dijo, pero yo os digo,' 'ay de vosotros escribas y fariseos.' … En esta ruptura Jesús ha destruido verdaderamente las esperanzas y *por eso* muere de forma tal que el pueblo asume la responsabilidad de su muerte: su sangre caiga sobre nosotros. … Y es en esta responsabilidad que el pueblo creía poder asumir con tanta seguridad y tanta tranquilidad (porque aquel hombre destruía sus esperanzas) donde el pueblo se ha destruido a sí mismo."[3]

¿CUÁNDO ESCRIBIÓ SU EVANGELIO?

Según Ireneo, obispo de Lión (Francia) a fines del siglo II, este Evangelio fue escrito cuando Pedro y Pablo estaban en Roma predicando el evangelio y fundando la iglesia en esa ciudad, y esto, antes de la composición del Evangelio de Marcos.[4] Como se indicó, Eusebio de Cesarea estaba convencido de que el Evangelio de Mateo había sido el primer Evangelio en ser escrito. Según él, el evangelista lo escribió en hebreo (o arameo). Ya registramos su cita de Papias, según la cual Mateo compiló

3. José Ignacio González Faus, *Acceso a Jesús* (Salamanca: Ediciones Sígueme, 1979), 155-156.
4. Ireneo de Lión, *Contra herejías*, 3.1-2.

los dichos de Jesús en lengua aramea, y estos fueron traducidos tan bien como se pudo.[5] Para apoyar su conclusión, Eusebio cita a Orígenes en su *Comentario sobre Mateo*, cuando dice: "Acepto el concepto tradicional de los cuatro Evangelios que son los únicos innegablemente auténticos en la iglesia de Dios sobre la tierra. El primero en ser escrito fue el de aquél que alguna vez fue un funcionario público que se transformó en apóstol de Jesucristo: Mateo. Fue publicado para creyentes de origen judío, y fue compuesto en arameo."[6]

Es difícil ponerle fecha a un escrito que todavía está sometido al debate en cuanto a su composición y si fue el primer Evangelio en ser escrito, o si es el resultado de la edición de varias fuentes anteriores. En general, los eruditos concuerdan que no hubo un Evangelio escrito y publicado *antes* del año 70. Con toda probabilidad Mateo compuso su Evangelio con posterioridad a esa fecha, pero no muy tarde en esa década del primer siglo. Lo que sí puede afirmarse con cierta seguridad es que Mateo no fue el primer Evangelio en ser redactado, si bien contiene materiales que originalmente pueden haber circulado en arameo y que pueden haber sido registrados por el propio Mateo (mayormente dichos de Jesús, gr. *ta logía*). En cuanto a la versión en griego del Evangelio (que es la que hoy tenemos) parece ser muy difícil estimar cuándo fue editada.

> **Donald Guthrie:** "Similar a esta línea de argumentación está el concepto de que el material especial de Mateo muestra intereses eclesiásticos y explicativos, que señalan a un tiempo más allá del período temprano. Pero nuevamente la fuerza de esto depende de la interpretación y el valor que se dé a los pasajes acerca de la iglesia. Si se asume que nuestro Señor no predijo y no pudo haber predicho el surgimiento de la iglesia, habría fuerza en la argumentación. Pero el carácter de Jesús nos lleva a esperar no sólo que él previó el futuro de la iglesia, sino que incluso lo preparó."[7]

---

5. Eusebio de Cesarea, *Historia eclesiástica*, 3.39.
6. *Ibid.*, 6.25.
7. Donald Guthrie, *New Testament Introduction* (Leicester, Inglaterra: Inter-Varsity Press, 1970), 45.

¿QUIÉNES FUERON SUS PRIMEROS LECTORES?

La respuesta a esta pregunta depende de la respuesta que demos a la anterior. Ireneo de Lión afirma que: "Mateo publicó un Evangelio escrito para los hebreos en su propia lengua."[8] Eusebio de Cesarea señala que "Mateo había comenzado predicando a los hebreos; y cuando se decidió a ir también a otros, puso por escrito su propio Evangelio en su lengua nativa [arameo], de manera que, para aquellos con quienes él ya no estaba presente, la brecha dejada por su partida fuese llenada por lo que escribió."[9] Además, Eusebio cita a Panteno, quien afirma que encontró que el Evangelio de Mateo lo había precedido en su llegada a la India como misionero (c. 180), y que se preservaba allí "en letras hebreas," habiendo sido llevado por el apóstol Bartolomé.[10] Finalmente, Orígenes de Alejandría coincide con esta tradición de que Mateo compuso su Evangelio en letras hebreas.[11] Parece ser, pues, que los primeros lectores de Mateo fueron judeocristianos, probablemente en Palestina. La duda es si se trata del Evangelio como lo conocemos hoy (en griego), de dichos de Jesús reunidos por Mateo (gr. *ta logía*), o de material propio que Mateo (al igual que Lucas) tomó de una fuente escrita anterior, que los eruditos designan con el nombre de Q.[12]

Parece evidente el matiz fuertemente judío de este Evangelio. Su relato del nacimiento de Jesús se centra en torno a su ascendencia davídica; el reino es llamado "reino de los cielos" (el plural es semítico: he. *shāmayim*); el Sermón de la Montaña y el capítulo 23 parecen tener como blanco a los fariseos; las antítesis en la enseñanza de Jesús generalmente van contra las enseñanzas de los judíos; Mateo retiene la orden a los discípulos de "no ir

---

8. Ireneo de Lión, *Contra herejías*, 3.1, citado por Eusebio de Cesarea, *Historia eclesiástica*, 5.8.
9. *Ibid.*, 3.24.
10. *Ibid.*, 5.10.
11. Willoughby C. Allen, *A Critical and Exegetical Commentary on the Gospel According to St. Matthew*, en *The International Critical Commentary* (Edimburgo: T. & T. Clark, 1957), lxxxi.
12. La hipótesis que sostiene la existencia de una fuente escrita anterior a los Evangelios canónicos, a la que se designa con el nombre de Q (del alemán *quelle*, fuente) es sostenida más que nada por eruditos protestantes, que sostienen la crítica de las formas más que la crítica de las fuentes. Esta hipótesis es muy respaldada por los estudiosos del Nuevo Testamento. Ver César Vidal Manzanares, *El primer Evangelio: el Documento Q* (Barcelona: Editorial Planeta, 1993).

a los gentiles" y el Hijo del hombre debe ir primero a las ciudades de Israel antes que lleguen sus discípulos.

Sin embargo, por otro lado, Mateo concluye con una nota fuertemente universalista y ve a los judíos como quienes han perdido su derecho al reino, que ahora es dado a "un pueblo que produzca los frutos del reino," y ese pueblo es la iglesia.

Así y todo, el Evangelio está relacionado con el judaísmo, por lo menos de dos maneras. Por un lado, entiende la fe y la vida cristianas no como una nueva religión, sino como una reconfiguración de Israel, donde los postreros llegan a ser los primeros; una comunidad mesiánica que es la verdadera heredera del Antiguo Testamento y que, después de la exaltación de Jesús, contiene también a los gentiles. Por otro lado, sus raíces están en el judaísmo, pero según la recreación hecha por Jesús, el Maestro de una nueva escuela (no la sinagoga), cuyos métodos de enseñanza y estudio son aplicados a una nueva causa. Uno de los elementos de su nueva hermenéutica bíblica es la repetida fórmula "para que se cumpliera lo dicho por medio del profeta."

¿CUÁL ES LA ENSEÑANZA DE MATEO?

La enseñanza principal es que Jesús es el Mesías prometido a Israel, el descendiente de la casa real de David y la simiente del patriarca Abraham, el primer destinatario de las promesas divinas y con quien comienza la historia sagrada de la salvación. De hecho, la confesión de Jesús como el Mesías fue el credo más temprano de la iglesia cristiana.[13] En un sentido, ésta es la enseñanza de todos los Evangelios, como bien señala Juan en el suyo: "Jesús hizo muchas otras señales milagrosas en presencia de sus discípulos, las cuales no están registradas en este libro. Pero éstas se han escrito para que ustedes crean que Jesús es el Cristo [Mesías], el Hijo de Dios" (Jn. 20.30-31a). No obstante, Mateo somete sus argumentos a lectores judíos, frente a quienes también presenta a Jesús como Dios. Como dice un comentarista bíblico, Mateo acaso sea

13. John Knox, *The Early Church and the Coming Great Church* (Nashville: Abingdon Press, 1957), 63-66.

de entre los Evangelios Sinópticos el que más datos, escenas y alusiones da de Cristo como Dios.

> **Luis H. Rivas:** "La imagen que Mateo nos va a dejar de Cristo es la del Enviado de Dios en quien se van a cumplir todas las expectativas del Antiguo Testamento. Cristo es la realización de todo lo que dice el Antiguo Testamento; dicho de otra manera, Mateo mirará a todos los personajes del Antiguo Testamento como figuras de Cristo, mientras que Cristo será la realidad en quien todo se cumple. Es como si todo lo que decía hasta entonces la Sagrada Escritura fuera como un marco vacío que ahora se llena, o como un esbozo que ahora hay que terminar de pintar."[14]

Además, Mateo es el Evangelio en el que más énfasis se pone sobre el reino de Dios, y el que mejor presenta a Jesús como el fundador, legislador, soberano y consumador del mismo. El pivote sobre el que gira todo este Evangelio es la declaración de Juan el Bautista y más tarde de Jesús mismo: "El reino de los cielos está cerca" (3.2; 4.17). Esta es la enseñanza central de todo este Evangelio y al examinarla descubrimos tres valores.

Primero, este es el Evangelio de la proclamación del reino. El tema fundamental en sus páginas es el reino. La palabra "reino" aparece unas 50 veces y en muchas frases, como "el reino de los cielos" (peculiar de Mateo, 32 veces); "el reino de Dios" (cuatro veces); "el reino" (ocho veces); "tu reino" (una vez con referencia a Dios y una vez con referencia a Jesús); "su reino" (dos veces con referencia al Hijo del hombre y dos veces con referencia a Dios); "el reino de mi Padre." Así como el Evangelio presenta al Rey, su mensaje es el del reino. Esta palabra tiene dos valores que son complementarios y que debemos reconocer. Estos valores se pueden expresar con dos palabras: majestad (enfatiza el hecho de que Dios es Rey) y reino (se refiere al dominio sobre el cual Dios reina). Cuando hablamos del reino de Dios generalmente enfatizamos lo segundo. Pero Mateo enfatiza la majestad o soberanía de Dios.

Segundo, este es el Evangelio de la interpretación del reino. Es decir, va más allá de la mera afirmación del hecho del reino de Dios, ya que explica

14. Luis H. Rivas, *Qué es un Evangelio* (Buenos Aires: Editorial Claretiana, 1981), 30.

el orden del reino de Dios. Pablo define el reino de Dios en Romanos 14.17. Notemos su principio: justicia. Las palabras del Rey constituyen la ley del reino y proclaman el principio de la justicia. Mateo utiliza mucho el término "justicia" en relación con el reino (6.33). Notemos su práctica: paz. Las obras del Rey manifiestan el poder del reino que opera a favor del establecimiento de la paz. Notemos el propósito: alegría. La voluntad del Rey se revela en la palabra inaugural del manifiesto del reino, que son las Bienaventuranzas ("dichosos"). Este es el propósito final del reino, es decir, alegría, felicidad y dicha.

Tercero, este es el Evangelio de la administración del reino. Por un lado, Mateo describe el régimen de la administración del reino de Dios y señala tres cuestiones importantes. El reino es gobernado por el Rey como Rey. Aquí el énfasis está colocado en la persona del Rey. Él es el Señor soberano (1 Ti. 6.14-15). El reino es extendido por el Rey como Profeta. Aquí el énfasis está colocado en la predicación del Rey. Él es el portador del mensaje de Dios (Jn. 1.18). El reino es confirmado por el Rey como Sacerdote. Aquí el énfasis está colocado en el sacrificio del Rey. Él es el único mediador entre Dios y los seres humanos (1 Ti. 2.5). Por otro lado, Mateo demuestra la base bíblica del régimen de la administración del reino de Dios. Todo el Antiguo Testamento señala a esta realidad: la Ley demanda al Sacerdote; la Historia busca al Rey; y, los Profetas revelan al Profeta. Mateo muestra cómo toda la expectativa del Antiguo Testamento se satisface en Jesús, que es Rey, Profeta y Sacerdote. A través de este ministerio triple es como se establece el reino de Dios. Como Rey, él tiene plena autoridad; como Profeta, él declara la palabra de verdad; y, como Sacerdote, él soluciona el problema del pecado.

Por último, como todos los Evangelios, Mateo presenta a Cristo como el que ofrenda su vida en la cruz para posibilitar la realidad de la participación del ser humano pecador en la nueva comunidad que Dios está formando en el mundo. Como indica Luis H. Rivas: "La principal preocupación de San Mateo será mostrar que el Reino de los Cielos (la Buena Noticia) se da en la persona de Jesús. El Reino de los Cielos anunciado y preparado en el Antiguo Testamento ya está presente entre nosotros, porque Jesús es el cumplimiento de todas las profecías."[15]

---

15. *Ibid.*

¿CUÁL ES EL MENSAJE ESENCIAL DE MATEO?

Los relatos de los cuatro Evangelios constituyen la literatura fundamental del cristianismo, dado que presentan a la persona de Jesús, registran su enseñanza y dan cuenta de su obra sobre la tierra. Cuando leemos el Evangelio de Mateo encontramos en sus páginas el mensaje central de la fe cristiana. ¿Cuál es este mensaje esencial que plantea, según Mateo? Aquí no nos quedamos flotando en la atmósfera de la especulación. El mensaje esencial de este Evangelio está contenido en una breve declaración. Esta declaración se pronuncia dos veces. Fue hecha por primera vez mediante la voz del Precursor, que anticipó la venida del Rey. Y, luego, fue repetida por el Rey mismo cuando comenzó su ministerio. El mensaje es: "El reino de los cielos está cerca." Esta es la voz del Precursor (3.2) y la palabra del Rey (4.17). El mensaje esencial es, entonces, "el reino de los cielos está cerca."

En un sentido, tanto el mensaje del Precursor como el del Rey tenían una aplicación local e inmediata. Juan el Bautista predicó esto especialmente al pueblo judío. Cuando Jesús comenzó su ministerio lo hizo como el Mesías de los judíos, y su prédica, consecuentemente, se dirigió en forma especial al pueblo del antiguo pacto. Si bien esto es cierto, no debemos olvidar que en los planes de Dios el pueblo judío existía no para sí mismo, sino para el mundo. Es necesario tener esto bien en claro, si es que vamos a entender estos planes de Dios, tanto en el caso de su pueblo Israel como en el caso del Nuevo Israel, que es la iglesia.

En consecuencia, tanto la palabra del Precursor como la palabra del Rey constituyen el gran mensaje esencial de este Evangelio de Mateo. Pero este no es el mensaje final del Señor. Con esto no quiero sugerir que Jesús haya cambiado o alterado su mensaje con posterioridad, sino que él tiene mucho más para decir que lo que leemos en el Evangelio de Mateo. El mensaje que Mateo presenta no es la última y única palabra de Jesús. En verdad, necesitamos considerar los cuatro Evangelios para tener un cuadro más completo de la personalidad de Jesús, del mismo modo que necesitamos de los mensajes de los cuatro Evangelios para componer el mensaje cristiano que debemos proclamar al mundo hoy.

¿CUÁL ES EL DESAFÍO PERMANENTE DE MATEO?

El desafío permanente, según Mateo, acompaña al mensaje esencial, y es: "Arrepiéntanse" (3.2; 4.17). En torno a esto, debemos notar tres cuestiones.

Primero, notemos el significado fundamental: consideración. "Arrepiéntanse" (gr. *metanoeite*) no significa sentir remordimiento o pena por algo. Para entender el significado fundamental del término es necesario hacer una doble consideración. Por un lado, debemos entender su significado bíblico. En el Antiguo Testamento, la palabra arrepentimiento (he. *shuv*) significa "dar vuelta," "retornar" o "volver." Esto es algo más que cambiar de idea; es una reorientación total de la vida y la personalidad, que incluye la adopción de una nueva línea ética de conducta, un olvido del pecado, un renunciamiento a su práctica y un volverse a la justicia. Este fue el desafío fundamental y permanente de los profetas. En el Nuevo Testamento, el requerimiento profético de que el arrepentimiento sea sincero es profundizado y establecido como condición indispensable para entrar al reino de Dios. El verbo gr. *metanoéō* significa literalmente un cambio de mente, pero su uso involucra la reorientación total de la personalidad, es decir, es una conversión de vida (arrepentirse, cambiar de actitud, dejar el pecado, cambiar la manera de vivir). Es en este sentido que arrepentimiento no es lo mismo que remordimiento.

Por otro lado, debemos entender su significado teológico. Hay dos aspectos a tomar en cuenta cuando hablamos de arrepentimiento: uno negativo y el otro positivo. El lado negativo del arrepentimiento corresponde al pasado y supone la constatación de una situación anormal, de un camino errado o de un estado pecaminoso. La persona que se arrepiente reconoce que erró el camino. Lamenta y admite su error, y detesta su pecado, al que concibe como dañino y destructivo. El lado positivo del arrepentimiento se orienta hacia el porvenir, y le abre al pecador un camino nuevo. Para entrar a este camino, el pecador deberá dirigir sus pasos pagando el precio de la conversión, esto es, del retorno, de volverse a Dios. Conversión o darse vuelta equivale, para quien reconoce el error cometido y los peligros de una falsa situación, a entrar por un movimiento de todo el ser, a una situación nueva y justa. El arrepentimiento involucra, por lo tanto, una confesión y abandono del pecado, como también la determinación y comienzo de una nueva vida.

Segundo, notemos la consecuencia inevitable: convicción. La consecuencia lógica de asumir el arrepentimiento será la convicción de pecado y el consiguiente sentimiento de dolor y pesar. Si bien la palabra no encierra etimológicamente estas ideas, las mismas son el corolario inevitable de quien experimenta el arrepentimiento de sus pecados.

Tercero, la actividad resultante: conversión. No debemos confundir conversión con regeneración. Regeneración es el acto redentor de Dios a través de la operación del Espíritu Santo. Conversión es el acto del ser humano a través de su entrega confiada a Cristo. Conversión es ese acto de abandono de la rebelión, que resulta de la convicción de pecado que sigue al arrepentimiento como reconsideración de la vida toda. Pero la conversión debe ser una vuelta a Cristo para confiarle a él toda la vida. Una persona puede considerarse pecadora y procurar salir de su pecado, para terminar por entrar en cualquier otro reino (especialmente religioso, filosófico, ideológico o psicológico), que en el reino de Dios. El desafío permanente de Mateo es arrepentimiento, pero en relación con el reino de Dios que "está cerca" y está abierto a todas las personas, a través de la obra de Cristo.

¿CÓMO DEBEMOS LEER HOY EL EVANGELIO DE MATEO?

El mensaje esencial y el desafío permanente de este Evangelio siguen vigentes. Sin embargo, hay una doble aplicación del mensaje y del desafío de este Evangelio para nuestros días.

Por un lado, notemos la aplicación de este mensaje a la iglesia. La iglesia de Jesucristo es ahora el Nuevo Israel, la nación santa, el pueblo adquirido por Dios que está bajo su gobierno soberano. Su función es concretar y manifestar los principios, prácticas y propósitos del reino de Dios en el mundo hasta que el Rey regrese a buscar a los suyos (16.19; 13.52). El mundo hoy puede y debe entender el significado de la majestad y el reino de Dios a través de la vida y el testimonio de la iglesia. La iglesia es responsable de manifestar plenamente el reino de Dios al mundo. En la medida en que la iglesia esté fracasando en manifestar el reino al mundo, necesitará obedecer ella también al desafío permanente de arrepentimiento. Su membresía consiste de aquellos que están sometidos a Cristo, que concretan en sus propias vidas el hecho de su soberanía y que, por tanto, a través de sus vidas transformadas, manifiestan a otros la gracia y la gloria de su reino. El fracaso de la iglesia en revelar al Rey es su fracaso en obedecerle en todo (Ap. 2.5).

Por otro lado, notemos la aplicación de este mensaje al mundo. El mensaje de Dios al mundo sólo puede ser transmitido a través de la iglesia. Dios no tiene otro camino para hacerlo. La primera nota en este proceso debe ser la insistencia sobre la permanente soberanía de Dios. Nadie puede escapar a esa soberanía. Es por esto que todos los seres humanos deben arrepentirse y volverse a él. El mensaje de Dios al mundo sólo puede ser recibido por el mundo. Dios ha acercado su reino al mundo en la persona de su Hijo, y él ha convocado a un pueblo de seguidores que, sometidos a su señorío, proclaman su evangelio de arrepentimiento al mundo. Pero el mundo es quien debe reconocerlo como Rey y único Señor.

Es por esto mismo que el objetivo principal de este comentario es ayudar al lector a enfocar la consideración de los pasajes bajo estudio desde el punto de vista del discipulado cristiano y a la luz del reino de Dios que se ha acercado en Cristo. Además de legítimo, es oportuno hacerlo, ya que hoy, como siempre, y quizá con más urgencia que en otros momentos, hace falta en América Latina el testimonio de verdaderos discípulos de Jesucristo. Las iglesias y el mundo necesitan de hombres y mujeres que sean auténticos discípulos del Señor, que tomen en serio su señorío en sus vidas, que testifiquen con sus palabras y con sus acciones que han aceptado a Cristo como Salvador y lo han reconocido como Señor, y que sean imitadores del ejemplo que Jesús dejó a sus seguidores, un ejemplo de pureza, de vigor espiritual, de absoluta confianza en el Padre y de total lealtad a la vocación celestial.

UNIDAD UNO

LOS ANTECEDENTES DE JESÚS

El mensaje central de Mateo tiene que ver con un Rey y con su reino. El anuncio fundamental del evangelio es que hay un reino que se está acercando, y quien proclama esta buena noticia es nada menos que el Rey mismo, que lo manifiesta. No hay reino sin un rey. El advenimiento del reino de Dios, que primero Juan el Bautista y luego Jesús proclamaron, se pone en evidencia a través de las palabras y acciones poderosas del Rey, que es Jesús.

La frase "reino de Dios" o "reino de los cielos" es la más importante en este Evangelio, porque enfatiza el hecho de que Dios es Rey y se refiere al reino sobre el cual él reina. Hay ocasiones cuando la frase se encuentra limitada por el contexto, pero cuando se la considera sola es la más elocuente de toda otra expresión similar y la más amplia en su significado. La frase "reino de los cielos" aparece sólo en Mateo, y merece nuestra consideración por su relación con el mensaje del evangelio. Para entenderla, es importante que comencemos por descubrir qué significaba para aquellos que la oyeron por primera vez. No deja de llamar la atención que Jesús jamás explicó esta frase, como tampoco lo hizo su precursor, Juan el Bautista. Probablemente fue así porque todos los que la oyeron sabían perfectamente qué significaba. En el libro de Éxodo, que trata con la fundación de la nación, encontramos esta declaración: "Ustedes serán para mí un reino de sacerdotes y una nación santa" (Éx. 19.6). La peculiaridad de Israel consistía en el hecho de que era una teocracia, es decir, un pueblo gobernado no por un rey humano, sino por Dios mismo como Rey. Era una nación santa y un reino de sacerdotes, el reino de los cielos. Por eso, cuando este pueblo oyó a Juan el Bautista y a Jesús decir: "Arrepiéntanse, porque el reino de los cielos está cerca" (3.2; 4.17), ellos entendieron que no estaban viviendo conforme con el principio fundamental de su vida nacional, y que era necesario que se arrepintieran en orden a poder restaurar el ideal perdido.

El significado esencial y simple de esta frase es que se refiere al establecimiento en el mundo de un orden y gobierno celestial, el destronamiento de cualquier monarca humano y la exaltación del único Rey, Dios. El advenimiento del reino de los cielos consiste en el establecimiento de un orden divino sobre la tierra, la supremacía de la voluntad de Dios en las cuestiones humanas, la soberanía de Dios en todos los órdenes del mundo creado. La enseñanza de Mateo es que la única esperanza para la humanidad se encuentra en el establecimiento del reino de los cielos, y que esto sólo puede ocurrir mediante la sumisión al gobierno de Dios. El reino de los cielos es el reino de Dios sobre la humanidad. Y este Evangelio proclama este hecho.

Ahora, el reino no viene solo, sino que se hace presente a través del Rey mismo. Jesús, el Mesías, es ese Rey. Rey y reino son lo mismo como expresión de la acción redentora de Dios en la historia humana. Allí donde está el Rey, allí se manifiesta el reino. En el relato de Mateo, la realidad del Rey es la que avala la vigencia del reino. Es por esto que considerar los antecedentes de este Rey (Jesús) es muy importante, para luego comprender las manifestaciones de su reino, a través de sus enseñanzas, acciones, relaciones, y obra redentora.

La venida de Jesús al mundo fue anticipada a lo largo de muchos siglos a través de los profetas de su pueblo, fue acompañada de sucesos maravillosos y únicos, fue reconocida por sabios y personajes importantes, y fue desarrollada a través de hechos históricos singulares, pero de trascendencia eterna. Un Rey como él no puede surgir de la nada ni presentarse sin antecedentes dignos de su realeza. Parece ser que Mateo lo entendió así, y por eso dedica una buena parte del material introductorio a su Evangelio o testimonio de Jesús el Rey, a sintetizar algunos elementos importantes, desde su perspectiva, que operan como antecedentes del Mesías-Rey Jesús.

CAPÍTULO 1

GENEALOGÍA Y NACIMIENTO

1.1-25

Como se indicó en la Introducción General, la primera palabra de este Evangelio es *biblos*, libro. Pero en este contexto, Mateo no la aplica al Antiguo Testamento ni siquiera a su propio Evangelio, sino a la "tabla genealógica de Jesucristo" (gr. *biblos geneseōs Iēsou Christou*). No tenemos manera de saber de dónde sacó Mateo la información para elaborar esta tabla genealógica, pero sí queda claro que es diferente de la de Lucas 3.23-38. Sólo se puede especular en cuanto a la razón de esta diferencia. Aparentemente en Mateo tenemos la genealogía tradicional a partir de José, que señala a la ascendencia legal de Jesús conforme a la costumbre judía. En Lucas aparentemente tenemos la genealogía a partir de María, que enfatiza la ascendencia real de Jesús como hijo carnal de María (y no de José), lo cual está más en conformidad con la costumbre gentil.

De todos modos, el primer nombre que figura en la tabla es el de "Jesucristo," a quien se lo designa como "hijo de David, hijo de Abraham." El primer nombre ("Jesús") le fue dado por el ángel a María (Mt. 1.21) y describe cuál sería la misión del niño (Salvador). El segundo nombre ("Cristo") era originalmente un adjetivo verbal que significa "ungido" (del verbo gr. *jriō*, ungir). En la versión griega del Antiguo Testamento (Septuaginta o LXX) se lo usa frecuentemente como adjetivo ("sacerdote ungido," 1 R. 2.10) y también como sustantivo para traducir la palabra hebrea para "Mesías" (ver

Jn. 1.41). De esta manera, Mateo quiere mostrar que Jesucristo es el hijo de David desde el lado humano, según se esperaba que fuese el Mesías, y el hijo de Abraham, no meramente un judío real y el heredero de las promesas, sino el cumplimiento de la promesa misma hecha a Abraham.

En la lengua hebrea (y también en el arameo), la palabra "hijo" es *ben* y señala a la calidad o el carácter de alguien. Pero aquí el énfasis cae sobre la descendencia. Los cristianos somos hijos de Dios porque Cristo nos ha otorgado esta dignidad (Ro. 8.14; 9.26; Gá. 3.26; 4.5-7). El v. 1 es la descripción de la lista que sigue en los vv. 2-17.

GENEALOGÍA DE JESÚS (1.1-17)

El primer versículo de ese capítulo nos ofrece el título de la sección bajo consideración, mientras que el último versículo resume su contenido. Mateo recurre a una genealogía para presentarnos a su personaje central: Jesús. Los beduinos del desierto usaban genealogías para comunicar sus complicados vínculos de parentesco. En la Biblia, las genealogías tienen el propósito de mostrar la continuidad de la obra de Dios en la historia.

Tres grupos (1.2-16)

Nótese que en la genealogía de Jesús los nombres se dan en grupos de tres: de Abraham a David (vv. 2-6a), de David hasta la deportación a Babilonia (vv. 6b-11), de Jeconías a Jesús (vv. 12-16). En los vv. 2-6a, la mención de los hermanos de Judá (v. 2) y de Fares y de Zera (v. 3) puede ser evidencia de que Mateo no está siguiendo o copiando una genealogía familiar, sino construyendo su propia tabla genealógica (Rt. 4.18-22). En el caso de los vv. 7-11, Mateo parece estar siguiendo a 1 Crónicas 3.10-17, pero de manera incompleta. La deportación a Babilonia se menciona al final del v. 11, al comienzo del v. 12 y dos veces en el resumen del v. 17, de modo que este evento trágico se utiliza como marcador de época en las dos últimas divisiones de manera enfática. Parece evidente que esta tabla cronológica procede de un judeocristianismo de habla griega, muy influido por la versión griega del Antiguo Testamento (la Septuaginta), pero que no utilizó de manera directa esta versión en su composición. No obstante, no hay motivos suficientes para dudar de su historicidad, a pesar de ciertas contradicciones, agregados y omisiones. Así y todo, la tabla genealógica de Jesús es sumamente interesante y muy rica en significado.

> **Ulrich Luz:** "El árbol genealógico pertenece al tipo de las genealogías 'lineales' (sin ramificaciones), que ejercían a menudo en la antigüedad una función legitimadora. Su función original en la comunidad pre-mateana pudo haber sido ésa. Jesús procede del patriarca Abraham a través de la dinastía real de Israel. Él no es sólo un verdadero judío, sino descendiente de David. El evangelista añade diversos matices al árbol genealógico tradicional. El título (1.1) ilustra dos de ellos: Jesús es hijo de David e hijo de Abraham. Más comprensible es el significado de la *filiación davídica*. El árbol genealógico lo interpreta mediante la línea regia. Jesús se integra como Mesías de Israel en continuidad con la historia de Israel. Aparece como rey de Israel. Por eso, el v. 6 presenta a David como rey. Jesús pasa de ser ya en 2.1-12 el contrapunto del rey Herodes. Él entrará en Jerusalén, según el texto de 21.5, como el otro rey, el rey 'pacífico.' Mateo preludia así un importante lema de su evangelio: Jesús es el Mesías de Israel. Más ardua es la interpretación de la *filiación abrahámica* de Jesús. El árbol genealógico sería mucho más comprensible si comenzase con David. ¿La filiación abrámica de Jesús expresa algo más que la obviedad de que Jesús es judío? Quizás las cuatro fundadoras de estirpe que aparecen en los vv. 3, 5, 6 encierran una indicación interpretativa. Su elección es llamativa. Faltan las grandes figuras femeninas judías: Sara, Rebeca, Raquel. ¿Cuál es el común denominador de estas cuatro mujeres?"[1]

Dos aclaraciones (1.16)

En el v. 16 Mateo hace una aclaración doble. Por un lado, a lo largo de toda la tabla, salvo en relación con José, el esposo de María, se utiliza el verbo gr. *egennēsen* (engendrar), que NVI traduce como "fue el padre de." Esta palabra aparece con regularidad hasta el v. 16a, al igual que en algunos capítulos de Génesis. Cuando la lista genealógica llega a Jesús hay un cambio abrupto y no se menciona a José diciendo "fue el padre de,"

---

1. Ulrich Luz, *El Evangelio según San Mateo*, 4 vols., Biblioteca de Estudios Bíblicos (Salamanca: Ediciones Sígueme, 1992), 1:120.

sino "fue el esposo de María, de la cual nació Jesús, llamado el Cristo." La diferencia es significativa. El verbo no necesariamente es indicación de un parentesco inmediato, sino más bien de una descendencia directa. La sintaxis de toda la oración enfatiza los nombres propios mediante el uso del artículo (gr. *ton Iōsēf ton ándra Marías*). Además, esta lectura respaldaría la convicción del nacimiento virginal de Jesús, es decir, sin la intervención física de José, su padre adoptivo. Por otro lado, en 1.1 se utiliza el vocablo *genéseōs*, mientras que en 1.18 la palabra que se usa es *génesis*. Esto es interesante porque el evangelista va a describir no la génesis de los cielos y la tierra, sino la génesis de Aquel que hizo los cielos y la tierra, y quien va a ser el creador de nuevos cielos y una nueva tierra.

Para los cristianos evangélicos, la confesión del nacimiento virginal de Jesús nace de la evidencia bíblica. El hecho de que Mateo repite dos veces la palabra *génesis* (1.1; 1.18) no es casualidad. Él está escribiendo un nuevo Libro de Génesis, que describe la génesis de Jesucristo, el nuevo Adán, la nueva creación. Sus cinco cumplimientos de todo aquello que "sucedió para que se cumpliera lo que el Señor había dicho por medio del profeta" (1.22), enfatizan la verdad que las cosas que anticipaban los profetas ahora estaban comenzando a ocurrir: "María … estaba encinta por obra del Espíritu Santo" (1.18), "ella ha concebido por obra del Espíritu Santo" (1.20).[2] Es probable que esta convicción no haya sido parte del *kerugma* apostólico original, pero pronto encontró su lugar en las confesiones de fe más tempranas de la iglesia y, de hecho, Mateo y Lucas la registran.

Dos versiones (Mateo y Lucas)

Mateo muestra cómo Jesús, a través de José, que lo adoptó legalmente como hijo, podía demostrar su ascendencia davídica. Esto era importante en el contexto judío y especialmente en relación con las profecías sobre el Mesías (Jn. 7.41-43). Mateo organiza la familia de Jesús en tres listas descendentes de 14 ancestros, a diferencia de Lucas que lo hace de manera ascendente desde Jesús a Adán (Lc. 3.23-38). El propósito de Mateo es señalar el carácter mesiánico de Jesús y trazar la genealogía legal del heredero

---

2. Alan Richardson, *An Introduction to the Theology of the New Testament* (Londres: SCM Press, 1979), 174.

al trono de David, mediante la enumeración del linaje de los reyes desde David hasta Jeconías. El propósito de Lucas es enfatizar la descendencia física de Jesús a través de su madre, María. Lucas quiere presentar a Jesús como un ser humano, mientras que Mateo lo hace como Rey.

Tanto Mateo como Lucas expresan, a través de la construcción de sus particulares genealogías de Jesús, su comprensión del significado universal del Mesías para las naciones y no solamente para los judíos. Es por esto que los gentiles están presentes en estos cuadros genealógicos. Tanto Mateo como Lucas registran genealogías singulares de Jesús. Lucas indica la universalidad de la relevancia de Jesús, al rastrear su origen hasta "Adán, el hijo de Dios." Mateo hace lo mismo al seguir el origen de Jesús hasta Abraham, el hombre a quien Dios prometió su bendición para todas las naciones. No obstante, Mateo va más allá al incluir en su lista de antepasados solamente a cuatro mujeres (1.3, 5, 6). Esto por sí solo llama la atención, ya que los nombres de mujeres normalmente no aparecían en las genealogías judías. Pero cada una de esas cuatro madres era una gentil: Tamar (cananea), Rajab (cananea), Rut (moabita) y Betsabé (hitita). Jesús, el Mesías de Israel, tenía también sangre gentil.

> **Ulrich Luz:** "El árbol genealógico presenta así un matiz universalista: el texto sugiere tácitamente que el hijo de David, el Mesías de Israel, trae la salvación a los paganos. De ahí también una indicación interpretativa del término 'hijo de Abraham' en 1.1, aparentemente tan obvio y sin embargo tan llamativo: el texto evoca toda la vasta tradición judía que ve a Abraham como padre de los prosélitos. El viraje de la salvación desde Israel hacia los paganos, un tema dominante del Evangelio de Mateo, está ya sugerido en su primer texto."[3]

Un resumen (1.17)

El v. 17 es una especie de resumen de los tres bloques, que suman catorce nombres en cada uno, si se cuenta a David dos veces y se omite a varios otros, lo cual es una suerte de recurso nemotécnico. En realidad, Mateo no pretende afirmar que hubo sólo catorce personajes en la

3. Luz, *El Evangelio según San Mateo*, 1:123.

genealogía de cada grupo. De hecho, no se cuentan los nombres de las mujeres (Tamar, Rajab, Rut y Betsabé), y el tercer grupo sólo contiene trece nombres, mientras que en el segundo grupo se omiten tres generaciones, según la evidencia de 1 Crónicas 1—3, que el evangelista parece estar usando como su fuente. Más bien, parece ser que la mentalidad judía de Mateo se mantiene ligada a la manera de pensar rabínica, según la cual es necesario siempre encontrar cierta simetría en el uso de los números.

> **Donald Guthrie:** "La mente metódica del autor se ve también en el gran número de veces en las que agrupa dichos o eventos similares. Su número favorito es el tres, si bien el cinco y el siete también ocurren. Ejemplos de agrupamientos de a 'tres' son la triple división de la genealogía (1.17), las tres tentaciones (4.1-11), las tres ilustraciones de justicia, las tres prohibiciones y los tres mandamientos (6.1—7.20), los tres agrupamientos de tres tipos de milagros—sanidades, poder y restauración (8.1—9.34), y muchas instancias de tres parábolas, preguntas, oraciones o negaciones. Esto no implica necesariamente que Mateo atribuya alguna importancia simbólica al número tres, pero sí ilustra vívidamente la manera en la que su mente operaba, y en cuanto a su arreglo metodológico, lo destaca de los otros escritores de Evangelios. Puede ser que Mateo citaba generalmente tres o más instancias de un tipo de dicho o evento, en razón de que estaba influido por el principio mosaico de que la evidencia se establece por dos o tres testigos. Para él, la multiplicación de ejemplos sería considerada como una autentificación del material incorporado."[4]

Además, es probable que el significado que Mateo encuentra en el número catorce responda al hecho de que el valor numérico de las consonantes hebreas en el nombre de David suma ese número. Otros eruditos han observado implicaciones más escondidas en el cálculo numérico del evangelista o su aritmética sagrada judía.

> **J. H. Ropes:** "La aritmética sagrada judía había encontrado necesario calcular el futuro mediante la ayuda de la profecía de Jeremías sobre la

4. Guthrie, *New Testament Introduction*, 32.

> salvación de Dios después de setenta años; y en Daniel encontramos esto interpretado como setenta semanas de años, o sea 490 años. Aquí en Mateo son utilizados los métodos de los rabinos, y el período desde la promesa inicial a Abraham, por la que se fundó realmente la religión judía, hasta el nacimiento del Mesías es calculado como tres veces setenta semanas de años, o sea tres veces catorce generaciones, lo que es la misma cosa. Así, al tiempo exacto fijado por la profecía y más aún por el linaje de David—en verdad el hijo de David—'nació Jesús, llamado el Cristo.'"[5]

NACIMIENTO DE JESÚS (1.18-25)

Sólo dos Evangelios—Mateo y Lucas—nos dan un relato del nacimiento de Jesús. Marcos y Juan no tratan este evento, simplemente porque el propósito que tenían al escribir sus Evangelios no lo hacía necesario. El relato de Mateo es más corto que el de Lucas y está redactado desde una perspectiva diferente. Los dos relatos son complementarios. No obstante, Mateo ofrece su versión, que él considera definitiva: "el nacimiento de Jesús, el Cristo, fue así (gr. *houtōs*)." Al mirar a la vieja y familiar historia del nacimiento del Rey dejemos que nuestros corazones se llenen de adoración a él. Naturalmente, las dos personas más involucradas con el nacimiento de Jesús fueron sus padres: María y José.

La madre (1.18)

Este versículo conecta la narración subsiguiente con la genealogía en general, y en particular con la descripción del nacimiento de Jesús en el v. 16. Nótese el doble uso de la palabra "nacimiento" en el título de la genealogía (v. 1; gr. *genéseos*) y en el v. 18 (gr. *génesis*), que enlaza con las últimas palabras del v. 16.

Sus antecedentes. No sabemos nada de la familia de María, y no mucho acerca de María misma. Es probable que fuera de la tribu de Judá y del linaje de David. Las experiencias relacionadas con la concepción y nacimiento de Jesús la muestran como una joven mujer devota y consagrada,

5. J. H. Ropes, *The Synoptic Gospels* (Cambridge, MA: Harvard University Press, 1934), 46-47.

piadosa y humilde. Conocía bien el Antiguo Testamento, según se ve por su cántico (Lc. 1.46-55). Suponemos que era una joven de buena salud, atractiva y de corazón puro. Dios sólo habría escogido a una mujer del carácter más sólido y la nobleza de espíritu más alta para ser la madre del Mesías.[6]

Los términos utilizados en los vv. 18-20, como "comprometida," "esposo," "exponerla a vergüenza pública" y "divorciarse" pueden resultarnos confusos. Entre los judíos, al igual que con otras culturas del Cercano Oriente, generalmente eran los padres los que arreglaban el matrimonio de sus hijos. Muchas veces esto ocurría cuando ellos todavía eran niños. Más tarde, cuando el muchacho y la muchacha se conocían mejor, tomaban sus votos formales. Este paso era conocido como los desposorios o el compromiso. En el contexto judío, el compromiso era cosa seria. No se entraba al mismo con ligereza ni tampoco se rompía livianamente. El varón que se comprometía con una mujer era considerado legalmente como su marido (Gn. 29.21; Dt. 22.23-24), y una cancelación informal de tal compromiso era imposible. Si bien los integrantes de la pareja todavía no vivían juntos como esposo y esposa hasta que llegara el casamiento formal, la ruptura de la fidelidad de parte de cualquiera de los comprometidos era considerada como adulterio y castigada con la muerte.

Así, pues, el desposorio judío se desarrollaba en dos partes. Primero, el intercambio del consentimiento mutuo ante testigos; y, luego, el traslado de la esposa hasta la casa del marido. Lo primero era un compromiso matrimonial formal, ya que, a partir de ese momento, el esposo tenía sobre la mujer (que tendría entre 12 y 13 años) todos los derechos maritales, con lo que una eventual infidelidad de ésta era considerada como adulterio, según ya se indicó. Sin embargo, mientras esperaba su traslado a la casa de su esposo, la esposa seguía viviendo en casa de sus padres. En otras palabras, los novios no vivían juntos como marido y mujer hasta después del casamiento formal. Sin embargo, el compromiso era un contrato serio, que sólo se podía romper con el divorcio. Duraba un año, luego del cual la pareja se casaba formalmente. Fue justamente en este período intermedio

6. Para un estudio a fondo de la evidencia neotestamentaria en cuanto a María, ver R. E. Brown, K. P. Donfried; J. A. Fitzmyer y J. Reumann, *María en el Nuevo Testamento* (Salamanca: Ediciones Sígueme, 1982). Sobre su lugar en el Evangelio de Mateo, ver pp. 79-106.

y antes de que conviviesen, que María "resultó que estaba encinta por obra del Espíritu Santo" (gr. *ek pneúmatos hagíou*).

Su situación. El embarazo de María era algo imposible de ocultar y, evidentemente, la joven no le había dicho nada a José, su prometido. La cuestión es que "estaba encinta" (literalmente. "se encontraba con un niño"), lo cual no podía ser menos que un golpe terrible para José, al descubrir el hecho. Más difícil de aceptar era el argumento teológico, de elaboración posterior, de que esto había ocurrido "por obra del Espíritu Santo" y no por intervención humana.

> **Archibald Thomas Robertson:** "El problema del nacimiento virginal de Jesús ha sido un hecho perturbador para algunos a través de las edades y lo es hoy para aquellos que no creen en la pre-existencia de Cristo, el Hijo de Dios, con anterioridad a su encarnación en la tierra. Este es el hecho primario acerca del nacimiento de Jesús. La encarnación de Cristo es afirmada claramente por Pablo (2 Co. 8.9; Fil. 2.5-11; y asumida en Col. 1.15-19) y por Juan (Jn. 1.14; 17.5). Si uno admite francamente la pre-existencia real de Cristo y su encarnación real, ha tomado el paso más largo y más difícil en la cuestión del nacimiento sobrenatural de Jesús. Siendo esto así, los hechos no se pueden explicar meramente como un nacimiento humano, sin tomar en cuenta el elemento sobrenatural. La encarnación es mucho más que la morada de Dios por el Espíritu Santo en el corazón humano. Admitir una encarnación real y también un nacimiento humano pleno, tanto con padre como con madre, crea una dificultad más grande que admitir el nacimiento virginal de Jesús engendrado por el Espíritu Santo, tal como dice aquí Mateo, y nacido de la virgen María."[7]

Según Lucas (1.35), el ángel Gabriel le había anticipado a María: "El Espíritu Santo vendrá sobre ti, y el poder del Altísimo te cubrirá con su sombra." La gloria de la *shekinah*, la presencia personal de Dios envolvió

---

7. Archibald Thomas Robertson, *Word Pictures of the New Testament*, 6 vols. (Nashville, TN: Broadman Press, 1930), 1:7.

(gr. *episkiásei*) a María (Lc. 1.35) y la preparó para concebir a Jesús, así como la gloria de la *shekinah* envolvía o cubría el templo cuando Dios manifestaba su presencia. Según Mateo, el resultado de esta acción divina fue que María quedó embarazada ("concibió") "por obra (gr. *ek*, de, a partir de) del Espíritu Santo" (ver 1.20). Esto no significa que el Espíritu haya creado una sustancia de Jesús a partir de sí mismo, sino que indica que el Espíritu fue la causa eficiente de su nacimiento.[8]

> **K. P. Donfried:** "En la intención mateana, pues, la narración refuerza y especifica [el hecho de que] en el linaje de Jesús aparece María, después que se han mencionado otras cuatro mujeres del Antiguo Testamento. No son normales las circunstancias de su matrimonio: José tenía el derecho de que su prometida le fuera llevada virgen a casa—ella lo era en efecto, aunque estaba embarazada y podía dar lugar a escándalo. Esas anomalías y la ocasión de escándalo hacen que la situación conyugal de María evoque a Tamar, Rahab, Rut y Betsabé. De la situación de cada una de estas mujeres, además, sirvióse Dios para ejecutar su propósito mesiánico; ahora hace que María conciba al propio Mesías, creando una situación todavía más extraña que las anteriores. Ese Mesías es hijo de David en virtud del nombre que le impone el davídida José; mas en virtud de la concepción por obra del Espíritu Santo, el Mesías es Emmanuel, 'Dios con nosotros.' El niño que María lleva en sus entrañas es el Hijo de Dios (2.15)."[9]

El padre (1.19-21)

Si se sabe poco de María, la madre de Jesús, todavía menos se sabe de su padre legal, José. Parece que era un carpintero en Nazaret, y que más tarde Jesús, según era la costumbre entre los judíos y otros pueblos, aprendió el oficio de su padre.[10] La responsabilidad de un padre judío era instruir a su hijo en la Ley y las costumbres de su pueblo. José probablemente

8. Gerald F. Hawthorne, *The Presence and the Power: The Significance of the Holy Spirit in the Life and Ministry of Jesus* (Dallas, TX: Word, 1991), 71.

9. K. P. Donfried, "María en el Evangelio de Mateo," en R. E. Brown, et al., *María en el Nuevo Testamento*, 90.

10. Chester Charlton McCrown, "*ho tektōn*" en *Studies in Early Christianity*, ed. por Shirley Jackson Case (Nueva York y Londres: The Century Co., 1928), 173-189.

murió antes que Jesús alcanzara su adultez, dado que no es mencionado en ningún otro momento durante su ministerio, y en Marcos 6.3, en contraste con la costumbre judía general, Jesús es llamado "el hijo de María" y no el hijo de José.

José, un esposo ofendido (v. 19a). La delicada situación de encontrarse con el hecho palmario de que su prometida estaba embarazada significó un serio problema para José. Él estaba comprometido formalmente con María. Existía la posibilidad de un enorme escándalo, dado que jamás algo así le había ocurrido a una joven (estar encinta "por obra del Espíritu Santo"), y sería algo difícil de explicar. El relato de Mateo de la complicada situación presupone las costumbres nupciales de los judíos, según las conocemos por los escritos rabínicos.

> **K. P. Donfried:** "Había dos etapas: (a) un intercambio de consentimientos ante testigos (Mal. 2.14), llamado *'erûsîn*, habitualmente traducido por 'desposorio,' aunque constituía un matrimonio legalmente ratificado, pues daba al novio ciertos derechos sobre la novia. Ésta era a partir de entonces su mujer (nótese el término *gune*, 'mujer' en Mt. 1.20, 24); si los derechos maritales del novio eran atropellados, se cometía un adulterio, que era castigado como tal. Aun así, la novia seguía viviendo en la casa paterna un año aproximadamente. (b) Después la novia era llevada a casa del novio (Mt. 25.1-31). Llamábase este traslado *nisû'în*, y a partir de él asumía el novio el sustento de su mujer. Según Mateo, José y María se hallaban entre esos dos términos; de ahí que el embarazo de María, quien no había concebido de José, parezca fruto de un adulterio."[11]

No sabemos si María conversó el asunto con José o no. Pero evidentemente José sabía algo, ya que "resolvió divorciarse de ella en secreto" (v.19b). Cualquier hombre puede comprender los sentimientos de José. Él podía acusar a María públicamente ante las autoridades, exponiéndola así a la vergüenza, o bien extenderle, en presencia de dos testigos, una carta de divorcio. En el primer caso, María habría quedado expuesta y

11. Donfried, "María en el Evangelio de Mateo," 88-89.

sin posibilidad alguna de defensa. Su convicción de que había quedado embarazada "por obra del Espíritu Santo" no iba a convencer a nadie y sólo agravaría su situación. José escogió la segunda opción, que seguramente le pareció más piadosa para con ella. Pero antes que llevara a cabo su plan, Dios intervino para ponerlo al tanto de sus propios planes eternos (v. 20). Esta seguridad era todo lo que la fe de José necesitaba en este momento de prueba e incertidumbre.

José, un hombre justo (v. 19b). Según el v. 19b, José "era un hombre justo" (gr. *dikaios*). ¿En qué sentido era "justo"? Era un hombre recto y respetuoso de la Ley, y por eso quería dejar a María y disolver el matrimonio. Se usa el mismo adjetivo en relación con Zacarías y Elisabet (1.6) y Simeón (2.25). La Ley en cuestión puede haber sido Deuteronomio 22.20-21, que condenaba a lapidación a la mujer que había perdido su virginidad antes de ser entregada a su marido. Pero, por otro lado, era un hombre bueno y magnánimo, y no quería infamar ni exponer a su esposa (literalmente hacer de ella un ejemplo público). Al querer dejarla "en secreto" intentó expresar ambos aspectos de su justicia: su obediencia a la Ley y la magnanimidad de su amor. En un sistema legal menos severo, el mandato de castigar este pecado se hubiera podido satisfacer con un divorcio en lugar de la lapidación. Quizás éste es el camino que escogió José. Pero también es posible que, por ser un fiel guardador de la Ley, José quisiera rescindir su unión con una mujer sospechada de adulterio, no porque así lo dictase una determinada ley, sino por repugnancia a casarse con una mujer que la había infringido.

Más allá de estas conjeturas, lo que parece evidente es que, al enterarse de lo que ocurría, José mismo parece haber interpretado el embarazo de su esposa como una intervención de Dios y consideró que lo mejor era quedarse al margen. De allí que "resolvió divorciarse de ella en secreto." Esto significaba deshacerse de ella en privado, o sea, darle una carta de divorcio, la *gêt* que establecía la *Mishna*, sin un juicio público, y pagar la multa (Dt. 24.1). Su plan era hacer todo esto en "secreto" para evitar todo escándalo. No cabe duda que José amaba a María y estaba herido por la supuesta infidelidad de ella. De modo que este "hombre justo" tuvo un fuerte debate interno entre su conciencia legal y su amor entrañable.

José, un hombre providencial (vv. 20-21). Este varón tenía un papel muy importante que cumplir en el plan redentor de Dios. Pero fue necesaria la intervención del ángel del Señor, para indicarle que él tenía una misión que cumplir en todo esto: darle nombre al niño y asumir su paternidad legal. Es interesante notar que el ángel lo llamó "hijo de David," mientras que María es mencionada como "esposa" (al revés que en v. 16). Generalmente los mensajes o manifestaciones angélicas o las epifanías van precedidas de una prohibición: "No temas." En este caso, el ángel usa la expresión para alentar a José a tomar a su lado (gr. *paralabein*) a la mujer que había pensado alejar de su lado mediante la carta de divorcio. Él había planeado lo que le pareció lo más justo y noble, pero Dios le reveló lo que él consideraba lo más necesario y glorioso: el advenimiento del Salvador. Así, pues, en la visitación angelical en sueños, José recibió el anunció del nacimiento del hijo de María y su responsabilidad personal de ponerle un nombre a la criatura. El niño debía llamarse Jesús (significa "el Señor salva" o "salvador"). Este nombre señala la característica principal de la misión de Jesús y el propósito fundamental de su venida al mundo. Al nombrar así al hijo de María, José estaba también profetizando sobre él: este niño "salvará a su pueblo de sus pecados" (v. 21).

José, el padre de Jesús (v. 21). Cuatro cosas se destacan en José como el padre de Jesús.

Fue un hombre como cualquier otro. Lucas 1.27 lo describe simplemente como "un hombre que se llamaba José." No conocemos su lugar de origen ni sus antecedentes familiares, salvo que era descendiente de David. José era carpintero de oficio, un artesano que trabajaba en madera, constructor (gr. *tektōn*), y, por lo tanto, de condición humilde. La tradición dice que era un hombre mayor, probablemente viudo, que estaba comprometido en matrimonio con una joven doncella, María, cuando ésta quedó embarazada. En v. 18, el vocablo "comprometida" parece aludir a los dos actos que comprendían las nupcias judías: el desposorio con una promesa formal de matrimonio, y el matrimonio en sí con la conducción de la esposa a la casa del esposo e inicio de la convivencia, como ya se indicó. Muy probablemente, José y María estaban desposados (comprometidos formalmente) y no casados cuando el ángel le anunció a José que su prometida estaba embarazada.

Fue un hombre con un problema muy serio. Cuando María regresó después de su visita a Elisabet ya estaba embarazada de tres meses (Lc. 1.56). José se quedó sorprendido ante el hecho, porque no habían convivido, pero "como era un hombre justo y no quería exponerla a vergüenza pública, resolvió divorciarse de ella en secreto" (v. 19). ¿Qué pasó por la mente de José en ese momento? Infidelidad de María cuando fue a ver a Elizabet; violación de María que ésta guardó en secreto; lo último que se le hubiera ocurrido era un hecho sobrenatural por parte de Dios con un propósito redentor. Incapaz de conciliar el embarazo de María con su virginidad, José optó por el silencio, tratando de tranquilizar su conciencia y de mantener su actitud de hombre justo y sujeto a la Ley. En lugar de exponer a su prometida a un juicio público ante el Consejo o Sanedrín, optó por dejarla en secreto rompiendo el compromiso matrimonial ante dos testigos, sin explicar el motivo de su decisión. Como ya se indicó, José tiene que haber amado mucho a María para querer satisfacer su conciencia recta, con el mínimo perjuicio para la honra de su prometida.

Fue un hombre con una misión especial. Debe haber sido muy difícil para José entender lo que estaba pasando y encontrarle sentido ("estaba considerando," v. 20; del gr. *enthuméomai*, pensar). Mientras José reflexionaba sobre lo ocurrido, el Señor le revela el misterio y lo anima a recibir a María en su casa como esposa indicándole que hay un propósito divino detrás de los hechos. En su visión, José recibió indicaciones claras de parte de Dios en cuanto a la misión que él tenía que cumplir como padre humano del Mesías (vv. 20-25). Debía asumir la responsabilidad de esposo legal de María y ser el padre legal de Jesús. Debía aceptar por fe el misterio de la encarnación y reconocer que el ser engendrado en María era "del Espíritu Santo." Debía ponerle nombre a su hijo, como padre legal, pero no el nombre que él escogiera, sino el que le fue revelado: Jesús, Salvador. Debía saber que, a través de su hijo, Dios cumpliría su propósito eterno de salvar a su pueblo de sus pecados. Debía reconocer que cada detalle de todas estas experiencias misteriosas cumplía las profecías antiguas en cuanto al Mesías y expresaba el designio de Dios de morar con su pueblo. Debía obedecer de manera total las indicaciones que Dios le revelara a fin de que el Mesías pudiese cumplir con su misión.

Fue un hombre que supo ser un buen padre. Fue un buen marido (gr. *anēr*, varón) para la madre de Jesús, ya que la recibió en su casa y cuidó de ella. Fue un padre responsable y presente para Jesús. Los Evangelios señalan fuertemente la paternidad de José (su función como padre de Jesús). Son cerca de veinte los testimonios acerca de ella (once en Lucas, cinco en Mateo, uno en Marcos y otro en Juan). José es llamado padre de Jesús, explícitamente en unión con María, su madre, cinco veces, tres en lenguaje directo y dos en lenguaje equivalente. Correlativamente, Jesús es llamado hijo de José otras tantas veces. José estuvo presente, participó y actuó en las experiencias fundamentales de la infancia y formación de Jesús.

Era un hombre respetuoso de la Ley y de la seguridad jurídica de su familia. Por eso, fue a empadronarse a Belén, probablemente su pueblo natal, junto con María. No dejó sola a María en Nazaret, sino que la llevó consigo para cuidarla, protegerla y darle cobertura legal (Lc. 2.4-5). Se preocupó por darle a María la mayor comodidad, la asistió en su parto y estuvo a su lado todo el tiempo. Los pastores "encontraron a María y a José, y al niño que estaba acostado en el pesebre" (Lc. 2.16). José actuó como cabeza del hogar y sacerdote de su familia al circuncidar a Jesús a los ocho días de vida. (Lc. 2.21). Cumplidos los días de purificación que indicaba la ley ceremonial, junto con María llevó a Jesús al templo para presentarlo al Señor (Lc. 2.22). Junto con María, se quedó maravillado de todo lo que se decía de Jesús (Lc. 2.33) y recibió con fe y alegría las profecías, la bendición y las congratulaciones relacionadas con su hijo. Actuó con valentía, decisión y presteza cuando la vida de su hijo se vio seriamente amenazada (Mt. 2.13-14). De igual modo, una vez que la amenaza pasó, regresó a su tierra (Mt. 2.19-21.

Como padre de Jesús, José actuó siempre en obediencia a la revelación divina y protegió a su hijo de todo peligro (Mt. 2.22-23). Se preocupó con angustia por su hijo, como ocurrió en ocasión de la visita al templo cuando Jesús tenía doce años (Lc. 2.48). Le enseñó a Jesús su oficio: carpintero. Jesús llegó a ser conocido como "el hijo del carpintero" (Mt. 13.55). Sobre todo,

José se preocupó por la formación integral de Jesús (Lc. 2.40, 52). José fue un buen padre para Jesús: presente, responsable, cariñoso, proveedor, protector, maestro de vida, sacerdote, pastor, guía espiritual, motivador, instructor, ejemplo y amigo. Es probable que haya muerte no mucho tiempo después de la visita al templo de Jerusalén, cuando Jesús ya contaba con doce años. Indudablemente, Jesús tuvo que hacerse cargo de la carpintería de Nazaret muy joven, para ayudar a mantener a su madre y sus otros hermanos.

Un hijo (1.21)

El anuncio del ángel a José fue que su prometida había concebido por obra del Espíritu Santo, y que daría a luz "un hijo." En torno a este hijo tan particular hay tres cosas que destacar.

El nombre ("le pondrás por nombre Jesús"). Poner nombre a un niño recién nacido es siempre una ocasión feliz. Muchos les ponen a sus hijos nombres de parientes o personajes famosos. Otros le ponen nombres según las circunstancias en que nacieron, según el Santoral católico romano o por sugerencia de otros. Entre los antiguos judíos, el nombre era escogido con mucho cuidado. Podía expresar algo relacionado con el nacimiento, como en el caso de Isaac, cuyo nombre significa "risa" (Gn. 18.10-15). Podía expresar el carácter que se suponía tendría el niño, como en el caso de Jacob, cuyo nombre significa "engañador" o "suplantador" (Gn. 25.22-23). Podía expresar una profecía de lo que se esperaba que el niño llegaría a ser, como en el caso de Israel, cuyo nombre significa "él lucha con Dios" (Gn. 32.28). Así ocurrió con el primogénito de María y el hijo de José, a quien él debía llamar "Jesús."

¿Cuál es el significado del nombre "Jesús"? Es el equivalente griego de la palabra hebrea *Yoshua* o *Yeshua*. Esta palabra significa "el Señor es ayuda" o "el Señor es salvación." El nombre *Yahweh* ("Jehová," RVR; "el Señor," NVI) es el más aplicado a Dios en el Antiguo Testamento y es su nombre exclusivo y personal. La palabra *Yahweh* es el tiempo futuro del verbo ser (Éx. 3.14, "Yo seré el que seré"). El nombre "Jehová" (RVR) traduce una expresión semítica que significa "Seré todo lo que sea necesario según sea la ocasión" (Sal. 23). En Éxodo 3, el Señor se propone liberar a Israel de la esclavitud en Egipto. Así, pues, él será todo lo necesario para lograr este propósito. Pero en Mateo 1.21 su propósito es mucho mayor. En Jesús, el Señor (*Yahweh*) es salvación completa y universal. Es necesario recordar que el nombre Jesús, a diferencia de *Yahweh*, no fue acuñado para la deidad de manera exclusiva, ya que muchos otros seres humanos llevaron y llevan ese nombre. No obstante, el nombre Jesús se refiere en la historia sólo a una Persona, que sobrepasa a todas: Jesús de Nazaret, quien es Dios actuando en la historia para la salvación de la humanidad.

La noticia ("él salvará a su pueblo de sus pecados"). Para entender estas palabras debemos hacer referencia a Isaías capítulos 7 al 9. Bajo el gobierno del rey Acaz (735-715 a.C.), el reino de Judá fue atacado por Israel y Siria. Dios, por medio del profeta Isaías, prometió al pueblo amenazado un Mesías y ofreció una señal (Is. 7.14), pero Acaz no confió en Dios. Mateo dice que Dios ha dado su promesa de salvar a los seres humanos a través de Alguien que, cumpliendo la profecía de Isaías, nacería de una mujer joven virgen y lo llamarían Emanuel ("Dios con nosotros"). Cuando Jesús vino al mundo, él también fue rechazado con incredulidad por personas que, como Acaz, buscaron otras fuentes de salvación, otros "mesías" o salvadores ungidos. Jesús vino al mundo para salvar a la humanidad de sus pecados, es decir, "vino a lo que era suyo, pero los suyos no lo recibieron" (Jn. 1.11).

La palabra que Mateo usa para "pecado" (gr. *hamartiōn*) se refiere tanto a pecados por omisión como por comisión. El sustantivo (gr. *hamartía*) viene del verbo *hamartánō* (pecar, obrar mal), y significa errar al blanco con una flecha. Nuestra vida en su totalidad yerra al blanco de la santidad y la voluntad de Dios, y por eso estamos perdidos y necesitados de un Salvador. Dios conoce nuestra necesidad y por eso actuó para proveer el remedio. Él ha dado a su Hijo unigénito como expresión de su amor redentor (Jn. 3.16). Así, pues, es importante que notemos la fuerza de esta declaración. Literalmente está diciendo (gr. *autos gar sōsei*) "él mismo salvará," o mejor todavía, "él y no otro" o "él y sólo él salvará." De esta manera, Dios coloca a Jesús en contraposición con todas las promesas falsas de salvación que los seres humanos hayan inventado o en las que hayan confiado. Si nuestro texto fuese separado del resto del Evangelio de Mateo nos asombraría, pero cuando leemos el resto de este libro, vemos lo que Dios ha hecho para nuestra salvación a través de Jesús. Por eso, Pedro está en lo cierto, cuando dice: "De hecho, en ningún otro hay salvación, porque no hay bajo el cielo otro nombre dado a los hombres mediante el cual podamos ser salvos" (Hch. 4.12).

La necesidad ("él salvará a *su pueblo* de sus pecados"). ¿Qué debemos entender por "su pueblo"? Algunos piensan que la expresión se refiere a los judíos. Este es exactamente el error que los mismos judíos cometieron. Ellos se consideraban como el exclusivo pueblo de Dios en virtud de su nacimiento en el seno del pueblo de Israel y como participantes del viejo pacto. Por eso, no buscaban una salvación espiritual, sino una liberación política. La Biblia no justifica esta posición. Aun el Antiguo Testamento considera que el verdadero pueblo de Dios es aquel que le pertenece en virtud de una relación espiritual con él y en función del nuevo pacto que él ha establecido a través de Cristo. Esta era precisamente la advertencia dramática que Juan el Bautista les hacía a los judíos de sus días: "No piensen que podrán alegar: 'Tenemos a Abraham por padre.' Porque les digo que aun de estas piedras Dios es capaz de darle hijos a Abraham" (3.9).

La expresión "su pueblo" (gr. *ton laon autoū*) significa literalmente "el pueblo de él." Ahora, "de él" se refiere a Jesús. No es el pueblo al cual Jesús pertenece, sino el pueblo que le pertenece a él. Todo el énfasis en este texto es que sólo son "su pueblo" aquellos que han llegado a serlo mediante la aceptación de la salvación que Dios ha obrado a través de Jesús (1 P. 2.9-10). Dios en Cristo llama a los seres humanos a una nueva relación, que no es genética ni religiosa ni política, sino espiritual. Uno es cristiano, es decir, pueblo del Señor, cuando arrepentido de sus pecados ha confiado en Cristo como Salvador y lo obedece como Señor.

La profecía (1.22-23)

El Evangelio de Mateo está escrito para lectores judíos y presenta al cristianismo como el cumplimiento de las promesas dadas a Israel (vv. 22-23) desde antiguo.

El cumplimiento de la profecía (v. 22). En este versículo encontramos la primera mención de la fórmula que utilizará Mateo ("lo que el Señor había dicho por medio del profeta"), para introducir los pasajes del Antiguo Testamento que funcionan como comentario de su relato o del que su relato pretende ser cumplimiento (ver 2.15, 17, 23; 4.14; 8.17; 12.17; 13.35; 21.4; 27.9). Así, el nacimiento de Jesús fue el cumplimiento de lo dicho por el profeta Isaías (7.14). No obstante, los primeros cristianos citaban el Antiguo Testamento generalmente en su "sentido pleno," más que en "sentido literal." Por ejemplo, el texto hebreo de Isaías no hace referencia a una virgen. El vocablo he. *almah* designa a una mujer joven ya sea casada o no.

El nacimiento de un rey (v. 23a). En su profecía, Isaías se refiere al nacimiento de un rey, que acontecería antes de la invasión asiria (en tiempos del rey Ezequías). Este sería el sentido literal o histórico de la profecía. Podríamos definir el sentido literal como el sentido que se supone estaba en la intención consciente del autor sagrado en el momento de redactar su narración. Pero Mateo no cita el texto profético en su sentido literal o histórico, sino que se refiere a esta escritura en su sentido pleno. ¿Qué es el sentido pleno? Es el sentido no intentado conscientemente por el autor original, sino el intentado por Dios en la letra del texto y posibilitado a través de ella, y descubierto *a posteriori* por el pueblo de Dios a la luz de acontecimientos y revelaciones ulteriores. En este sentido, y siguiendo la traducción de la Septuaginta (la versión griega del Antiguo Testamento del siglo III a.C.), la iglesia vio en Cristo la plena realización de la visitación de Dios a través del rey que nació. Él es quien merece, con entera propiedad, llamarse Emanuel (Is. 7.14), que traducido es "Dios con nosotros."

> **Roger Nicole:** "El contraste no debe buscarse tanto entre lo 'no cumplido' y lo 'cumplido' como entre lo 'parcialmente cumplido' y lo 'plenamente cumplido.' Este tipo de lenguaje enfatiza, por lo tanto, que aquello que había sido parcialmente revelado en la Escritura y contexto del Antiguo Testamento se ha hecho evidente ahora en forma más plena; o, en otros casos, que aquello que había sido simplemente anunciado en la época del Antiguo Testamento se ha cumplido ahora, en la actualidad de la historia."[12]

12. Roger Nicole, "Citas del Antiguo Testamento en el Nuevo Testamento," en *Diccionario de la teología práctica: hermenéutica*, ed. por Rodolfo G. Turnbull (Grand Rapids, MI: Subcomisión Literatura Cristiana, 1976), 31.

El nombre del niño (v. 23b). Para los hebreos, los nombres eran determinantes en cuanto a la identidad de la persona. Los nombres no eran elegidos al azar o sencillamente por su sonido agradable, sino fundamentalmente por su significado en relación con Dios, por un don recibido o la expresión de una esperanza, es decir, los nombres tenían un alto significado profético ya que involucraban el carácter y destino de la persona.

En este sentido, los tres nombres del niño a nacer, que ya han sido presentados en Mateo, son ricos en significado. (1) Jesús: que significa "el Señor es salvación" y que se confirma en la declaración profética "porque él salvará a su pueblo de sus pecados" (v. 21), tanto personales como sociales. Este niño Jesús sería quien puede perdonar pecados, dar los recursos para vencer al mal y restaurar al ser humano a una recta relación con Dios. (2) Cristo: que significa "ungido," es el Rey señalado por Dios, que salvará a todos los que esperan en él y lo siguen, que será tropiezo para los hacedores de maldad y establecerá un reino eterno. Para entrar en su reino es necesario arrepentirse y creer en el evangelio. Además, está profetizado que los reinos y los poderosos de ese mundo pasarán, pero su reino no perecerá jamás (Sal. 2 y 18). (3) Emanuel: que significa "Dios con nosotros" y expresa el origen divino de Jesús, el misterio de la encarnación, la condescendencia y buena voluntad de Dios al querer habitar entre los seres humanos haciéndose uno con nosotros. "Dios con nosotros" es el milagro de la Navidad, el encuentro de la tierra con el cielo, de la pobreza humana con la gloria divina ("la gloria que corresponde al Hijo unigénito del Padre, lleno de gracia y de verdad," Jn. 1.14).

La obediencia (1.24-25)

El ángel le dio a José una orden acompañada de palabras de seguridad ("no temas," v. 20), pero no deja de sorprender la obediencia de este hombre, golpeado por una circunstancia totalmente inesperada e impensable.

Obediencia positiva: lo que hizo (v. 24). "Hizo lo que el ángel del Señor le había mandado." José obedeció literal e inmediatamente la orden recibida y "recibió a María por esposa." Su obediencia es tanto más asombrosa cuanto que fue el resultado de un sueño y no de un hecho concreto. Él bien podía haber interpretado el mandato divino de mil maneras diferentes, como para evitar su cumplimiento. No obstante, su acción no fue de compromiso, sino cabal y extrema, ya que "recibir" aquí (gr. *parélaben* de *paralambánō*) significa que la recibió en su casa, es decir, la reconoció como esposa legítima. Uno puede imaginar el alivio y alegría de María cuando José se puso noblemente de su lado y, de esta manera, la reconoció como su esposa.

Obediencia negativa: lo que no hizo (1.25a). "No tuvo relaciones conyugales con ella." Desde el punto de vista gramatical, la construcción griega usada aquí siempre implica en el Nuevo Testamento que la acción que se niega ocurrió u ocurrirá con posterioridad al momento en el tiempo indicado por la partícula. En otras palabras, José no tuvo relaciones sexuales con María hasta que Jesús nació, pero luego sí las tuvo. La frase tiene enormes connotaciones teológicas y va más allá de un dato sobre la intimidad de la pareja de José y María. Tal como aparece en el original griego (gr. *egínōsken*, de *ginōskō*, conocer) no puede significar otra cosa en este contexto que tener relaciones sexuales (ver Lc. 1.34). De modo que, esta frase echa por tierra la teoría de la perpetua virginidad de María. Después del nacimiento de Jesús (María todavía era virgen hasta que se produjo el alumbramiento), José tuvo relaciones sexuales normales con su esposa. Prueba de ello es que María tuvo otros hijos e hijas con José (13.55-56; Mr. 6.3). A esto hay que agregar la calificación de Jesús como el "hijo primogénito" (RVR), es decir, el primero en ser engendrado, si bien esta afirmación no aparece en los mejores manuscritos del v. 25 (ver NVI; BA; NA; BJ). Es probable que la frase haya sido agregada aquí más tarde a partir de Lucas 2.7.

Obediencia trascendente: lo que significó (1.25b). Según lo ordenado por el ángel del Señor, José "le puso por nombre Jesús" al hijo recién nacido de María. La trascendencia de este hecho va más allá del marco espacio-temporal del mismo. No es el propósito de Mateo satisfacer la curiosidad de los historiadores narrando en detalle lo sucedido en torno al nacimiento de Jesús. El evangelista quiere tan sólo llamar la atención de sus lectores sobre ciertos hechos, en los que las profecías del Antiguo Testamento hallaron cumplimiento, y que demuestran que Jesús es el Mesías verdadero, que tiene autoridad y poder para salvar. El nacimiento de Jesús fue único, al menos en tres aspectos.

Fue la encarnación de Dios. El milagro insondable de aquél que siendo Dios desde el principio se despojó a sí mismo y se hizo un ser humano sin dejar de ser Dios (Fil. 2.1-11). Lo más importante en todo este acontecimiento histórico es que aquel niño que nació de María es nada menos que Emanuel: Dios con nosotros (v. 23b). Este es el eje básico de nuestra fe cristiana. Como señala J. S. Whale: "La Encarnación es el corazón de nuestra fe y el nervio vivo de nuestra adoración."[13] Con ello estamos confesando la presencia misma de Dios. El Dios que se ha revelado en la historia de múltiples maneras, ahora se manifiesta en forma total en medio de su pueblo con el argumento más incuestionable y evidente: el de la propia humanidad. Sin embargo, esta intervención de lo divino en la historia humana es también una introducción de lo humano en la experiencia divina. Así, pues, al entrar en relación con la materia cambiante y perecedera, Dios consintió, si podemos usar un lenguaje tan humano, en ampliar su propia experiencia. Algo totalmente nuevo ocurre en la relación entre Dios y los seres humanos. Ya no hay mediaciones en tal relación. Ahora es Dios mismo quien, en la persona de Jesús, interpela a los seres humanos para salvación. Y este ingreso de Dios a la experiencia humana no es momentáneo o pasajero.

Fue la obra del Espíritu Santo. Este nacimiento también es único en que quien nació fue concebido por el Espíritu Santo. La referencia que hace a este hecho Mateo es singular porque su narración resulta simple y sobria a la vez. En este sentido, su relato contrasta con la belleza del relato lucano (Lc. 2.1-20). Después de la frase inicial del v. 18a, que conecta con 1.1, el v. 18b menciona el supuesto embarazo milagroso de María "por obra del Espíritu Santo." El estilo principal sugiere que Mateo no está interesado en discutir los detalles, sino que se limita a señalar ciertos presupuestos, que se parecen más a declaraciones de fe que a hechos concretos. Es por esto que la declaración del v. 18b parece ir más allá de una mera indicación situacional o una referencia a un hecho verificable. El evangelista se limita a ofrecer sólo las informaciones más necesarias para respaldar lo que para el tiempo en que él escribe ya era parte del credo cristiano: Jesús fue concebido por obra del Espíritu Santo. El autor presupone que sus lectores ya saben lo que José recién conoce en el v.

13. J. S. Whale, *Christian Doctrine* (Londres: Fontana Books, 1965), 115.

20, y esto por revelación divina. Sea como fuere y más allá de toda posible explicación racional, José no fue el padre carnal de Jesús y María era virgen cuando lo dio a luz. Esta es la fe de la iglesia a lo largo de los siglos.

Fue de una mujer virgen. Jesús nació de una mujer virgen (José "no tuvo relaciones conyugales con ella hasta que dio a luz un hijo"). No fue el hijo de José o de otro hombre, sino el Hijo de Dios. Por lo tanto, el nacimiento "virginal" de Jesús no sólo es único, sino tremendamente importante. Vale la pena notar que todos los grandes credos cristianos, tanto católicos romanos como protestantes y ortodoxos, afirman esta doctrina. ¿Por qué la aceptamos? La evidencia documental que ofrecen Mateo y Lucas no puede ser cuestionada. En ninguna parte del Nuevo Testamento se pone en duda el hecho del nacimiento virginal. La situación misma es única, a diferencia de cualquier otra en la historia. Dado que Jesús era el Hijo de Dios, se podía esperar que se dieran circunstancias milagrosas con su advenimiento. Jesús jamás llamó padre a José o a otro hombre; siempre se refirió a Dios como su Padre.

El nacimiento virginal de Jesús es el eje central del v. 25. No obstante, la expresión "no tuvo relaciones conyugales con ella hasta que dio a luz un hijo" ha sido entendida de diversas maneras. No obstante, como ya se indicó, José y María tuvieron relaciones sexuales después del nacimiento de Jesús, y tuvieron otros hijos, que los Sinópticos y Juan mencionan (12.46-48; Mr. 3.31-33; Lc. 8.19-20; Jn. 7.3, 5, 10). Diferente es la interpretación de quienes afirman de manera dogmática la perpetua virginidad de María (como los católicos romanos). Según ellos, el vocablo "primogénito" (según la variante del texto; ver RVR) no necesariamente implica el nacimiento de otros hijos. Se dice que la frase "dio a luz a su hijo primogénito" no tiene otro significado que "no tuvo relaciones conyugales con ella cuando dio a luz un hijo, su primogénito." No obstante, como se vio, hay fuerte evidencia documental antigua para omitir la frase "su hijo primogénito," tal como hace NVI. Algunos eruditos omiten también las palabras "no tuvo relaciones conyugales con ella" señalando que están de más o son innecesarias, y que quizás fueron agregadas para prevenir cualquier duda en cuanto al nacimiento virginal.[14]

---

14. R. V. G. Tasker, *The Gospel According to St. Matthew: An Introduction and Commentary* (Londres: The Tyndale Press, 1963), 36.

CAPÍTULO 2

RECONOCIMIENTO E INFANCIA

2.1-23

Este capítulo registra material sobre la vida del niño Jesús que sólo figura en el Evangelio de Mateo. El capítulo presenta tres hechos dramáticos. El primero de ellos (vv. 1-12) narra la visita de los sabios de Oriente, con lo cual Mateo se propone hacer ver que tanto los paganos como los judíos podían llegar a conocer a Jesús. Los paganos son advertidos del nacimiento de Jesús por una estrella (v. 2b), mientras que los judíos lo saben por su lectura de las Escrituras (vv. 4-5). Además, esto queda ilustrado en la escena que se desarrolla frente a Herodes el Grande con los sabios de un lado, y los jefes de los sacerdotes y maestros de la ley del otro. Cada uno de ellos tiene su argumento, pero todos apuntan a Jesús como el "rey de los judíos" o Mesías (Cristo). El segundo (vv. 13-18) narra la huida a Egipto como consecuencia de la matanza de niños ordenada por Herodes. Esto parece estar asociado con los relatos de Éxodo 1 y 2 en relación con Moisés, quien también habría de ser el salvador de su pueblo. La frase del v. 20 reproduce las palabras de Éxodo 4.19 e invita a los lectores a hacer esta asociación. El tercer hecho es el regreso a Nazaret (vv. 19-23), que ubica geográficamente a Jesús en el lugar donde pasó su infancia y juventud.

La historia de la visita de los sabios de Oriente y la huida a Egipto, los dos relatos más importantes de este capítulo, son relatos simples. Pero una consideración cuidadosa de estas narraciones nos ayuda a verlas como verdaderas obras de arte y de gran belleza literaria, que encierran un significado mucho mayor que el que se puede extraer de una lectura superficial. Entre otras cosas, es interesante notar que Mateo describe el significado internacional de Jesús al registrar primero cómo vinieron unos sabios del este a adorarlo, y luego cómo José llevó a María y al niño al oeste, a Egipto.

En el caso de los sabios, lo que más se destaca en el relato es que estos hombres buscaban al niño Jesús. Como personas sabias que eran, llegaron a la convicción de que un rey había nacido en Judea, y se dispusieron a ir a buscarlo para darle los honores que su rango merecía. Las personas sabias de hoy, como los sabios de ayer, saben cómo buscar a Cristo. La sabiduría nuestra, como la de ellos, puede ser una sabiduría triple. Ellos sabían a quién tenían que buscar: el Rey divino del pueblo de Dios. Ellos sabían cómo tenían que buscarlo: mediante una profunda pesquisa de fe, siguiendo una estrella en los cielos. Ellos sabían qué hacer cuando lo encontraran: postrarse ante él en humilde adoración y ofrecerle sus presentes como pruebas de su reconocimiento y reverencia.

En el caso de la huida a Egipto, Mateo interpreta que este hecho fue en cumplimiento de la profecía dada por Oseas en relación con el pueblo de Israel (Os. 11.1). El mensaje del profeta tenía que ver con la decadencia y fracaso de Israel en cumplir con la voluntad de Dios, lo cual era considerado como adulterio espiritual. Hay tres ciclos en la profecía de Oseas. En el primer ciclo, el profeta trata con la corrupción y su causa; en el segundo ciclo, con la corrupción y su castigo; y, al comienzo del tercer ciclo el profeta canta la canción de amor del Señor. Cuando uno toma esta canción de amor y la analiza, se encuentra con tres movimientos: primero, la condición presente del pueblo a la luz del amor de Dios en el pasado (Os. 11.1-4); segundo, la condición presente del pueblo a la luz del amor de Dios en el presente (Os. 11.5-9); tercero, la condición presente del pueblo a la luz del amor de Dios en el futuro (Os. 11.10-11).

Mateo cita a Oseas del primer movimiento de la canción de amor de Dios de su tercer ciclo y la aplica a Jesús. ¿Qué significa esto? Cuando Dios narra la historia de su amor por Israel, les dice: Los amé y los saqué de Egipto. ¿Qué paso con ellos? Pronto se olvidaron del gran evento redentor de Dios, se fueron tras dioses extraños y desobedecieron a su Libertador. Generación tras generación los profetas denunciaron esta corrupción. Lo hicieron a lo largo de cuatrocientos años, hasta que nació un Niño, que apenas nacido tuvo que confrontar la oposición de todas las fuerzas del mal, pero en quien y con quien las esperanzas de liberación se renovaron. Nuevamente Dios interviene en la historia para levantar a un Redentor, quien, como su pueblo fracasado en la antigüedad, también es llamado desde la tierra de cautiverio, pero quien va a cumplir, como Hijo de Dios y Rey, el propósito eterno de Dios de manera definitiva.

La estadía de la Sagrada Familia en Egipto debe haber sido por un corto período de tiempo, el necesario para que cambiara la situación de terror creada por Herodes el Grande en sus últimos años de gobierno. Su sucesor, Arquelao, no era demasiada garantía para la seguridad del niño Jesús, razón por la cual José consideró prudente no quedarse a residir en Judea (quizás en Belén), sino salir de su esfera de gobierno e ir más al norte, a Galilea. Efectivamente hizo esto yendo a Nazaret, bajo expresas directivas divinas, tal como lo sugiere el lenguaje de los vv. 22-23.

RECONOCIMIENTO DE JESÚS (2.1-12)

El relato de la visita de los sabios de Oriente suena más a cuento infantil que a un hecho histórico. En buena medida, esto es así porque, como ocurre con el relato mismo del nacimiento de Jesús, ha sido tan profundamente incorporado a las culturas de Occidente, y tan contextualizado e hibridizado a lo largo de los siglos a través del arte, la literatura, la música y otras expresiones humanas, que se ha impregnado de imágenes legendarias de todo tipo. No obstante, el cuadro convencional de una estrella que guio a los sabios a lo largo de su camino desde lejanas tierras orientales está basado en lo que parece ser una traducción equivocada de los versículos 2 y 9. Según RVR, el texto dice: "Porque su estrella hemos visto en el oriente." La mención de "su estrella" hace referencia a una creencia muy difundida en la antigüedad, que señalaba que la aparición de una nueva estrella en el firmamento era indicación de que había nacido o que estaba por nacer alguien importante. A su vez, la expresión gr. *en tē anatolē* (al levantarse) es traducida como si fuese "en el oriente" (gr. *en tais anatolais*), con lo cual se define el origen de estos sabios o magos (astrólogos). La traducción de NVI parece ser más correcta, pero no reduce ni desdibuja el hecho histórico en sí.

> **R. V. G. Tasker:** "Estos astrólogos, entrenados con la insaciable curiosidad característica de los científicos, habían visto un fenómeno astrológico notable, cuya naturaleza exacta no se revela; y, estando familiarizados con la creencia bien divulgada y común de que el tiempo estaba maduro para la aparición de un rey que iba a nacer en Judea, y que reclamaría homenaje universal y traería un reinado de paz, partieron para ese país a fin de probar la verdad de su conjetura."[1]

Por otro lado, llama la atención que, a diferencia de otros acontecimientos fundamentales relacionados con el advenimiento del Mesías, Mateo no mencione el episodio de la visita de los sabios de Oriente como el cumplimiento de antiguas profecías. Más bien, parece como que el hecho mismo de su peregrinaje es una profecía que espera su cumplimiento futuro, quizás con el llamado y la reunión de los gentiles a la asamblea de los hijos e hijas de Dios, la iglesia. No obstante, en esta observación debemos de tener cuidado de no transpolar viejas tradiciones cristianas, como las de la manifestación de Cristo a los gentiles (Epifanía), al hecho histórico en sí. Siempre existe la posibilidad de que los sabios de Oriente, lejos de ser gentiles, no hayan sido otros que judíos de la diáspora. Tampoco debemos permitir que el alto contenido devocional y emotivo del relato nos lleve a hacerle decir al texto bíblico lo que no dice, como ocurre con la enorme cantidad de leyendas populares que rodean al relato (¡como que estos personajes eran tres en número!).

Unos sabios (2.1-2)

A lo largo y a lo ancho de América Latina se celebra con mayor o menor grado de entusiasmo el día de los Reyes Magos (Día de Reyes en México). Esta es una gran ocasión para hacer regalos a los niños y reavivar la memoria de uno de los episodios más populares de todo el relato evangélico. No obstante, en el contexto de Mateo, el relato está revestido de un alto

---

1. *Ibid.*, 37.

grado de significado simbólico, especialmente marcando el contraste de actitudes entre personajes encumbrados y poderosos (Herodes y los sabios de Oriente), y particularmente entre cada uno de éstos y el humilde Rey que acababa de nacer en Belén. La introducción que hace Mateo de estos peregrinos del otro lado del desierto de Arabia despierta varias preguntas.

¿Quiénes eran? La palabra "sabios" (gr. *magoi*, literalmente "magos") es incierta. Puede provenir de la raíz indoeuropea (*megas*) *magnus*, si bien algunos indican un origen babilónico. El historiador griego Heródoto habla de la tribu de los Magi entre los medos. Entre los persas había una casta sacerdotal de magos o sabios, como los caldeos en Babilonia (Dn. 1.4). Daniel llegó a ser el líder de este estamento (Dn. 2.48). El término "magos" tiene un trasfondo persa. La versión gr. más antigua de Daniel 2.2, 10 emplea la palabra para traducir el término he. para "astrólogos" (Dn. 4.7; 5.7). La palabra hebrea se puede traducir también como "magos" y en el Nuevo Testamento expresa esta idea, como en el caso de Simón el Mago (Hch. 8.9, 11) y de Elimas Barjesús (Hch. 13.6, 8). Pero en Mateo, la idea parecer ser más bien la de astrólogos. De hecho, Babilonia era conocida como un centro de la astrología oriental. Así, pues, los "sabios" (vv. 7, 16) eran magos, sacerdotes y astrólogos de Oriente, expertos en la interpretación de sueños y otras pericias, que eran consideradas como "artes mágicas." Si eran de Babilonia, seguramente conocían las esperanzas mesiánicas judías de los muchos residentes judíos que vivían en esa ciudad.[2]

Lo que parece seguro es que no eran "reyes." Por lo menos, el evangelista no dice que lo fueran. Los antiguos escritores cristianos y los monumentos de los primeros siglos no los representan de esta manera. De hecho, si hubiesen sido reyes, su presencia habría desentonado con los orígenes humildes de Jesús. Es probable que el primer autor en mencionarlos como "reyes" haya sido Cesareo de Arlés en el siglo VI.

Mateo no menciona su número, nombres o posición. A fines del siglo II, Tertuliano los llamó "reyes." Esta versión de los sabios como reyes surgió de una interpretación de Isaías 60.3 y Apocalipsis 21.24. La idea de que eran tres en número se debe a la mención de tres tipos de dones (oro,

---

2. Edwin M. Yamauchi, *Persia and the Bible* (Grand Rapids, MI: Baker, 1990), 467-491.

incienso y mirra), pero esto no prueba nada. Hacia el año 600, el Evangelio de la Infancia Armenia les puso nombres: Melcon (posteriormente Melchor), Baltasar y Gaspar. Un siglo más tarde, el Venerable Beda repite estos nombres y de allí pasan a la leyenda y al arte occidental, que los popularizó. También legendaria es la representación de estos tres personajes con Sem, Ham y Jafet. Muchos templos en Europa están llenos de reliquias (huesos y objetos personales), que pretenden recordar a estos personajes legendarios. Más importante es el hecho de que probablemente Mateo introduce el relato de la visita de los magos para indicar el reconocimiento internacional por parte de líderes de otras religiones, de que Jesús era el Rey esperado.

¿De dónde vinieron? El texto dice que eran "procedentes del Oriente" (gr. *apo anatolōn*, literalmente "desde donde sale el sol"), lo cual señala a un lugar indefinido. Pueden haber venido de Babilonia, Persia o del desierto de Arabia. La última posibilidad parece ser la más aceptable. El nombre gr. *mágoi* (magos) es de origen persa y podría en este caso designar a los sacerdotes de los cultos iranios más o menos helenizados, o a los adivinos y astrólogos que abundaban en Mesopotamia y perpetuaban las antiguas tradiciones babilónicas fuertemente influidas por el iranismo. Si lo segundo fuere el caso, entonces estos personajes hubieran procedido del norte siguiendo las rutas caravaneras a lo largo de la Medialuna del Fértil Creciente. Pero Mateo parece estar seguro al afirmar que eran "procedentes del Oriente" (v. 2), es decir, de Transjordania y de la península arábiga. Esto parece estar confirmado también por el tipo de ofrendas que traían (v. 11), que son productos característicos de la Arabia del sur y que solían transportar las caravanas procedentes de Yemen. Algunos ven en el Salmo 72.10-11 la profecía que anticipa el origen de estos peregrinos y sus ofrendas.

> **Alfred Edersheim:** "Varias sugerencias se han hecho en cuanto al país 'del Oriente,' de donde vinieron. En el período en cuestión, la casta sacerdotal de los medos y los persas estaba dispersa por varias partes del Este, y la presencia en aquellas tierras de una gran diáspora judía, a través de la cual ellos pudieron obtener conocimiento de la gran esperanza de Israel, y probablemente lo hicieron, está suficientemente atestiguada

> por la historia judía. La opinión más antigua refiere a los magos—si bien parcialmente y sobre bases insuficientes—a Arabia. Y a favor de ello está el hecho de que no sólo existía un intercambio estrecho entre Palestina y Arabia, sino que desde cerca del 120 a.C. hasta el siglo sexto de nuestra era, los reyes de Yemen profesaron la fe judía. Si, por un lado, no parece posible que magos orientales relacionaran espontáneamente un fenómeno celestial con el nacimiento de un rey judío, por el otro lado, la evidencia parece relacionar el significado ligado a la aparición de 'su estrella' en ese tiempo particular con la expectativa judía del Mesías."[3]

De todos modos, es interesante notar que estos sabios de Oriente vinieron hasta la cuna de Jesús, mientras que los sabios de Occidente (los griegos) vinieron hasta la cruz de Jesús (Jn. 12.20-23, 32-33). Así, pues, hubo sabios gentiles en su nacimiento y en su muerte.

¿Cómo vinieron? Parece ser que viajaron guiados por una estrella que apareció en el firmamento. En este caso, la interpretación de la posición de la estrella los guió a Palestina para buscar y honrar a Jesús, el Rey que acababa de nacer. La estrella apareció como un signo de Dios de que un evento maravilloso iba a suceder (v. 2). La naturaleza misma no podía permanecer inconmovible ante el nacimiento del Rey de reyes. Algunos piensan que lo que vieron estos hombres fue un cometa. Juan Keppler, el astrónomo alemán de principios del siglo XVII, infirió que se trataría de la conjunción de los planetas Saturno, Júpiter y Marte calculada hacia el año 7 a.C. Sin embargo, la palabra que usa Mateo es "estrella" (gr. *astera*) y no constelación (gr. *astron*). Más allá de toda especulación científica, el autor parece aludir a un hecho prodigioso, que fue observado por estos sabios en algún lugar hacia el Este y que los llevó a dirigirse en dirección al Oeste, donde, "en el lugar donde estaba el niño" volvieron a verla (vv. 9-10). Los magos entendieron que esta estrella era el ángel de un gran hombre. En los pueblos antiguos y el judaísmo tardío abundan las historias de estrellas anunciando nacimientos importantes (Isaac y Moisés).

---

3. Alfred Edersheim, *The Life and Times of Jesus the Messiah*, 2 vols. (Nueva York: Longmans, Green, 1903), 1:203-204.

Los judíos identificaban la estrella de Jacob (Nm. 24.17) con el Mesías. Así, pues, la señal de la estrella en el horizonte anunciaba al Mesías. Debe notarse que la palabra para este u Oriente (gr. *apó anatolōn*) significa "desde el levantamiento" del sol, con lo cual no se indica un lugar específico para el surgimiento de la estrella.

Además, los sabios dicen haber visto la estrella en cuestión "levantarse" en el Oriente, es decir, ellos estaban en el Oriente cuando la estrella se levantó y siguieron su desplazamiento hacia Occidente. Puede haber sido una estrella brillante o un cometa. Sea como fuere, para ellos, como expertos observadores del cielo, se trataba de un fenómeno nuevo y, conforme sus creencias tradicionales, era una indicación de un evento muy importante, como podía ser el nacimiento de un rey. El desplazamiento de la estrella hacia Occidente fue para ellos indicación suficiente de la dirección que tenía que tomar su búsqueda. No obstante, debemos ser cuidadosos en no prestar más atención a la estrella que se levantó en Oriente que a la Estrella ("el sol de justicia," Mal. 4.2) que se levantó y comenzó a brillar en Occidente: Jesús.

¿Qué buscaban? Buscaban al recientemente nacido "rey de los judíos." Es por esto que se dirigieron directamente a la capital del país, Jerusalén, y más específicamente al palacio real. Pero Herodes el Grande no era el rey que buscaban. Ellos esperaban encontrarse con un bebé, con un niño recién "nacido." La aparición de una nueva estrella en el firmamento era para ellos señal suficiente del nacimiento reciente de un príncipe real. Esto turbó al rey y a toda la ciudad. El Rey de justicia había nacido y todo el reino de la injusticia se sintió conmovido hasta sus fundamentos. Nuevamente, fueron gentiles los que primero reconocieron a Jesús como el "rey de los judíos" en su nacimiento, así como fueron gentiles los últimos en reconocer a Jesús como el "rey de los judíos" en su muerte (27.37; Mr. 15.26; Lc. 23.38; Jn. 19.19). Además, la razón de su búsqueda era una y bien clara: "hemos venido a adorarlo." Los sabios, ante la presencia del Rey de reyes y Señor de señores, hicieron lo que debían y querían hacer. Habían venido buscando al "rey de los judíos" y lo estaban buscando para "adorarlo." Sus acciones confirman el sentido de su búsqueda.

Los sabios ante Jesús se postraron. Dice el texto: "postrándose lo adoraron" (v. 11a). Reconocieron al niño como el Rey que buscaban. Herodes también era rey, pero de este mundo. En Jesús ellos vieron al Rey cuyo reino vence todas las fronteras porque no es de este mundo (Jn. 18.36). Ante la presencia de Cristo, todo ser humano debe postrarse, porque él es el Señor (Fil. 2.9-11).

Los sabios ante Jesús lo adoraron. Dice el texto: "lo adoraron" (v. 11b). Reconocieron el carácter sagrado de Jesús y su poder. Adoración significa reconocer a Dios como el valor supremo. Adorar a Dios es abrir nuestros corazones y mentes a él, como el valor supremo y absoluto de la vida. Cuando reconocemos a Cristo como nuestro Salvador y Señor soberano, no cabe otra cosa que la dedicación total de la vida a él.

Los sabios ante Jesús ofrendaron. Dice el texto: "abrieron sus cofres y le presentaron como regalos oro, incienso y mirra" (v. 11c). Según la tradición, Gaspar trajo el oro, que, por su valor, representa nuestros dones de subsistencia. Los bienes materiales usurparán el lugar de la vida a menos que la vida sea dedicada totalmente a Dios. La mayor parte de nuestros problemas vienen de nuestro apego a las cosas materiales (6.25). Según la tradición, Melchor trajo el incienso, que, por su fragancia, representa el tesoro interior de nuestro pensamiento e influencia. El saber o conocimiento que no se consagra a Dios, pronto se transforma en orgullo o en error. La influencia que no está rendida al Señor, pronto se transforma en algo estancado y pierde su fragancia (Fil. 4.8-9). Según la tradición, Baltasar trajo la mirra, que, por su uso funerario, representa nuestro dolor o sufrimiento. Este don amargo es el más difícil de traer a Cristo. Preferimos callar nuestro dolor antes que quebrantar nuestro orgullo y compartirlo con otros. Es importante notar que los sabios trajeron lo mejor que ellos tenían, y lo ofrendaron al Señor.

Un rey (2.3)

No es de extrañar que la noticia de un evento tan importante como el nacimiento de un Rey, acompañada del hecho curioso de la presencia de visitantes internacionales para participar y celebrar el evento, haya llegado hasta el palacio del rey Herodes el Grande, en Jerusalén.

El rey Herodes el Grande. Para un autócrata como él, un hecho así no podía quedar sin consecuencias. Aun cuando lo considerara como una más de las múltiples expresiones de las expectativas mesiánicas populares y de las fantasías que alimentaban las esperanzas de liberación de su tiranía por parte de las masas oprimidas, lo que se rumoreaba merecía su atención real. A tal efecto, convocó al Consejo de los judíos (Sanedrín) y comenzó a indagar sobre la cuestión. Nótese que no preguntaba por uno de los tantos sediciosos y rebeldes que pululaban en su reino, sino específicamente por "el Cristo," es decir, el Mesías. Por eso, su consigna a los "jefes de los sacerdotes y maestros de la ley" fue que investigaran en las Escrituras "dónde había de nacer el Cristo."

¿Quién era Herodes el Grande? Mateo es claro en señalar que Jesús nació "en tiempos del rey Herodes" (v. 1), un odiado usurpador idumeo del trono de David. Este monarca nació en el año 73 a.C. Era hijo del idumeo Antípater, y consiguió el título de "rey de Judea" con respaldo del Senado romano y el apoyo político de Antonio y de Octavio allá por el año 40 a.C., rompiendo así la sucesión de la dinastía de los Macabeos, que ostentó el poder por casi un siglo. A Herodes le costó mucho tomar control del reino y vivió entre intrigas y asesinatos.

El autócrata Herodes el Grande. En sus últimos años de vida fue presa de una gran paranoia, que lo convirtió en un asesino temible. El historiador judío Flavio Josefo señala que Herodes el Grande murió en el año 4 a.C. Había sido gobernador de Galilea, pero desde el año 40 a.C. gobernaba sobre Judea. Era un hombre perverso y pervertido, conocido por su corrupción y crueldad, pero que contaba con el favor del emperador romano. El relato de su vida que hace Josefo está plagado de tragedia. No es extraño que este hombre vil se haya turbado con la noticia del nacimiento de un posible competidor al trono, cuando él mismo se ocupó de asesinar a dos de sus hijos (Aristóbulo y Alejandro, tenidos con Mariamne, su primera esposa), a la madre de ellos, y a Antípater, otro hijo suyo y heredero al trono, además de liquidar al hermano y madre de Mariamne, y al abuelo de ella, Juan Hircano, de origen macabeo.[4] Una y otra vez había arreglado su testamento, y ahora estaba furioso con la visita de los sabios de Oriente y su búsqueda de un supuesto "rey" recién nacido. Su turbación fue tan grande que alcanzó a "toda Jerusalén con él." La ciudad no se turbó con la noticia del nacimiento de un niño, sino por el temor de las consecuencias que podía tener sobre ellos la ira del usurpador y tirano Herodes.

Mateo no indica cuánto antes de la muerte de Herodes nació Jesús, pero indudablemente nuestra fecha tradicional está equivocada en por lo menos cuatro años. La fecha que ofrece Lucas (Lc. 2.1-2) probablemente lleva la fecha del nacimiento más atrás, al año 6 o 7 a.C.

Un lugar (2.4-6)

Todo este pasaje se refiere a dos lugares en relación con el niño Jesús: el lugar de su nacimiento y el lugar al que fueron a visitarlo los sabios de Oriente, es decir, "el lugar donde estaba el niño" (v. 9).

El lugar donde nació el niño. Mateo es claro en señalar que Jesús "nació en Belén de Judea," conforme a la profecía de Miqueas 5.2, citada muy bien por los expertos religiosos judíos. "Belén" significa "casa de pan," "pelea" o "Lajamu" (nombre de un dios) y está ubicada a unos 8 Km. al sudoeste de Jerusalén (vv. 5-6). Había también una Belén en Galilea, a unos 11 Km. al noroeste de Nazaret. La Belén de Judea en tiempos de Jesús era una pequeña aldea, que es mencionada varias veces en el Antiguo Testamento (Gn. 35.19; Jue. 17.7-13, 19; Rt. 1.1-2, 19, 22; 2.4; 4.11; 1 S. 16.1-13; 17.12, 15; 2 S. 2.32; 23.14, 24; 2 Cr. 11.6; Esd. 2.21; Jer. 41.17). Fue el lugar donde vivió Rut con Booz (Rt. 1.1-2; Mt. 1.5) y el hogar de David, descendiente de Rut y ancestro de Jesús (Mt. 1.5). David nació y fue ungido rey por Samuel en este lugar (1 S. 17.12), por eso el pueblito llegó a ser conocido como la ciudad de David (Lc. 2.11). Según Miqueas 5.2, el Mesías, al igual que David, nacería en Belén y no en Jerusalén. Mateo (2.1-12), Lucas (2.4-20) y Juan (7.42) informan que Jesús nació en esta aldea humilde.

Es interesante que Jesús, quien nació en la Casa de Pan, más tarde se tituló a sí mismo como el Pan de Vida (Jn. 6.35), el verdadero maná del

4. Flavio Josefo, *Antigüedades de los judíos*, 15-17.

cielo. Mateo parece conocer los detalles del nacimiento de Jesús en Belén que ofrece Lucas 2.1-7, pero no los considera necesarios para su relato. Por Lucas sabemos que José y María fueron a Belén desde Nazaret, porque el pequeño pueblo del sur era el hogar original de ambos. El primer censo hecho por el emperador Augusto, como muestran los papiros, fue por familias (gr. *kat' oikian*). Posiblemente, José había demorado el viaje por alguna razón hasta que llegó la fecha del alumbramiento del niño. El único dato cronológico que ofrece Mateo en cuanto a tal fecha es que el nacimiento ocurrió "en tiempos del rey Herodes" (v. 1). Lucas, como se indicó, ofrece una fecha más precisa en su Evangelio (2.1-3).

El lugar donde estaba el niño. Parece claro que la visita de los sabios no se produjo en la fecha del nacimiento de Jesús ni en el lugar específico en que nació. Según Lucas (2.7), Jesús nació en una posada y su primera cuna fue un pesebre. Pero Mateo 2.11 dice que los sabios encontraron y vieron al niño con su madre en "la casa" (v. 11). Evidentemente, pasó algún tiempo entre el nacimiento en la posada y la adoración de los sabios en "la casa." De hecho, con base en la información que recolectó de manera insistente (el verbo gr. *epuntháneto* es imperfecto, v. 4), Herodes ordenó la matanza de "todos los niños menores de dos años en Belén y sus alrededores, de acuerdo con el tiempo que había averiguado de los sabios" (v. 16).

Un plan (2.7-8)

Cuando Herodes se enteró que el lugar indicado por las Escrituras como lugar del nacimiento del Mesías era "Belén de Judea," pasó a la segunda fase de su plan macabro para deshacerse del niño recién nacido.

Un plan secreto. Nótese que Herodes convocó "en secreto" a los sabios para que determinaran "el tiempo exacto en que había aparecido la estrella," es decir, la fecha de nacimiento del niño, y los envió (también en secreto) a Belén con la orden de investigar, encontrar al niño e informarle a él todos los detalles. Para el momento en que Herodes cita en secreto a los sabios, es evidente que ya había elaborado su plan siniestro de asesinar al niño que había nacido en Belén. Lo único que necesitaba era saber de parte de los sabios el "tiempo exacto" en que había aparecido la estrella que indicaba su nacimiento. Nótese la mentalidad supersticiosa y ocultista del rey, y la frialdad de su cálculo criminal. De manera cándida, los sabios le pasaron a Herodes la información que él les requirió, así como de manera cándida se habían presentado en el palacio real en Jerusalén preguntando por el niño. Se ve que ellos todavía no tenían bien precisado el lugar de nacimiento, pero esto era algo que Herodes ya había averiguado consultando también en secreto con los jefes de los sacerdotes y maestros de la ley (vv. 4-5).

Un plan hipócrita. Herodes vuelve a hacer gala de su hipocresía superlativa cuando con engaño les pide a los sabios que averigüen cuidadosamente acerca del niño y dónde estaba alojado, de modo que él también pudiera ir a adorarlo. Y así los envía a Belén, a sólo ocho kilómetros al sur de Jerusalén. La falsedad e hipocresía de este monarca no tenían límite. Todo su plan tenía como meta identificar al niño recién nacido y terminar con su vida, por las dudas que estuviese destinado a ser rey y, en consecuencia, a competir con él. Su plan cruel y macabro estaba disfrazado de piedad frente a los demás, al punto que afirmaba que su intención en dar con el niño era ir y adorarlo.

Es interesante notar que es probable que en la mente de Herodes este niño no sólo estaba destinado a ser rey, sino que él podía ser el Mesías prometido. De allí su indagación persistente e insistente en las Escrituras. Esto es todavía mucho más grave que simplemente tratar de deshacerse de un competidor político, porque significaría pretender oponerse al plan redentor de Dios mismo, tratando de borrar del mapa a su Mesías liberador. El argumento hipócrita de su búsqueda del niño "para adorarle" parece evidencia suficiente de que Herodes creía firmemente que el niño nacido en Belén era el Mesías prometido. Desde este primer atentado y a lo largo de toda su vida, Jesús estuvo expuesto a peligro de muerte por parte de aquellos que, reconociéndolo como Mesías, quisieron sacarlo de la escena humana y poner fin a su misión redentora.

Una adoración (2.9-12)

La adoración de los sabios. Al salir rumbo a Belén, la estrella que ellos habían visto originalmente reapareció de manera inesperada y los guió milagrosamente (v. 10) a donde Jesús se encontraba. Esto los llenó de alegría porque confirmó que su primera visión del fenómeno había sido legítima y correcta (vv. 1-2), y ahora porque los había guiado con éxito a su destino (v. 9). La devoción de los sabios está en agudo contraste con la crueldad de Herodes y la aparente apatía de los líderes judíos.

Guiados por la estrella, los sabios fueron a parar a "la casa" (nótese el artículo definido), donde estaba el niño con María, su madre. Llama la atención que Mateo no mencione a José. Parece evidente que en el tiempo transcurrido entre el nacimiento y este momento (casi dos años, v. 16), la Sagrada Familia dejo el alojamiento de emergencia y provisorio del "pesebre" (Lc. 2.7) y se instaló en una casa. Nótese que el interés de los sabios está en el niño Jesús y no en su madre María. La adoración de ellos está dirigida a él. Esta adoración fue más que un homenaje a un personaje superior. El verbo gr. *pesóntes* ("postrándose") sólo significa que se arrodillaron en sumisión a un rey o un amo (ver 18.26), pero el verbo gr. *prosekunēsen* ("adoraron") sólo se aplica a Dios (ver 4.9). Es decir, los sabios reconocieron al niño Jesús como Señor y Dios, la declaración cristológica más grande en el Nuevo Testamento (ver Jn. 20.28). La cristología de los sabios fue la primera cristología gentil y sumamente correcta.

Después de adorar a Jesús, los sabios abrieron sus tesoros (6.19-21; 19.21) y le dieron al niño regalos dignos de un rey: oro, incienso (Éx. 30.34-38; Lv. 2.1-2, 14-16; 6.14-18; 24.7; Neh. 13.5, 9; Is. 60.6; Jer. 6.20) y mirra (Gn. 37.25; Éx. 30.22; Est. 2.12; Sal. 45.8; Cnt. 1.13; 3.6; Mr. 15.23; Jn. 19.39). El incienso y la mirra eran resinas aromáticas que se extraían de árboles y arbustos, y se importaban desde Oriente. Los comentaristas bíblicos, desde Orígenes hasta los presentes, han encontrado un significado simbólico en estos regalos: el oro indica la realeza de Jesús, el incienso su divinidad y la mirra su muerte. Es más probable que el versículo 11 aluda a ciertos pasajes bíblicos (Sal. 72.10-12; 110.3; Is. 60.1-6). Salomón recibió muchos regalos de visitantes extranjeros, y los profetas anticiparon días gloriosos en los que los gentiles traerían tributos valiosos a Sión (Ap. 21.24-26).

La adoración nuestra. Los sabios procedentes del Oriente ofrecieron dones al niño Jesús, pero él mismo era el don de Dios a ellos y a todos los seres humanos. Hoy día damos y recibimos muchos dones o regalos en

Navidad o en el Día de Reyes, pero debemos considerar seriamente el Don inefable de Dios a todos nosotros: Cristo Jesús como Salvador y Señor de todo aquel que cree (2 Co. 9.15). ¿Qué significado tiene este regalo divino para nosotros?

Jesús es el Don inefable porque da gozo inefable. El ángel que cantó en aquella noche memorable dijo: "Miren que les traigo buenas noticias que serán motivo de mucha alegría para todo el pueblo. Hoy les ha nacido en la ciudad de David un Salvador, que es Cristo el Señor" (Lc. 2.10-11). Uno de los primeros en seguir y aceptar a Jesús como Salvador fue Pedro, quien años más tarde exclamó: "Ustedes ... se alegran con un gozo indescriptible y glorioso" (1 P. 1.8).

Jesús es el Don inefable porque da paz inefable. El canto de los ángeles (Lc. 2.14) y el testimonio de Simeón (Lc. 2.29) anuncian esta paz. Pablo, quien tenía una mente analítica y era un escritor elocuente, era capaz de usar el lenguaje para expresar de manera clara las verdades más sublimes. Pero cuando quiso describir la paz que Cristo da, sólo pudo decir: "sobrepasa todo entendimiento" (Fil. 4.7). Esta paz es tan profunda, que es imposible analizarla o describirla.

Jesús es el Don inefable porque da salvación inefable. El ángel dijo a José: "Él salvará a su pueblo de sus pecados" (Mt. 1.21). Y los ángeles cantaron: "Hoy les ha nacido ... un Salvador, que es Cristo el Señor" (Lc. 2.11). La salvación es el don supremo de Dios, porque el pecado, la culpa, el temor y la muerte son la peor maldición que agobia a la humanidad. Esta salvación abarca a todas las edades de la historia humana, alcanza los más profundos abismos del corazón, y es tan enorme y sublime, que el autor de la carta a los Hebreos sencillamente la llama "una salvación tan grande" (He. 2.3).

Jesús es el Don inefable porque es un amor inefable. Él es la expresión más inmensa del amor incomprensible de Dios. No siempre los regalos de Navidad son expresión de amor. A veces son expresión de compromiso social, el pago por favores recibidos o una manera interesada para conseguir algo que se quiere. Pero el amor de Dios es inmensurable, porque "tanto amó Dios al mundo, que dio a su Hijo unigénito" (Jn. 3.16). Es por esto que, con razón, Juan exclamó: "¡Fíjense qué gran amor nos ha dado el Padre!" (1 Jn. 3.1). Es imposible analizarlo, describirlo o medirlo; sólo podemos contemplarlo.

Jesús es el Don inefable porque es una presencia inefable. Él permanece con nosotros por siempre (Mt. 28.20b). Muchos de nuestros obsequios duran por breve tiempo. Los padres se molestan porque los regalos dados a los hijos en Navidad no duran para el año nuevo. La polilla y el óxido, e incluso los ladrones, se ocupan de acortar la duración y el disfrute de los regalos, o bien el propio tiempo los consume y desgasta. Pero no es así con el Don inefable de Dios. A quienes lo reciben, él les promete su permanencia eterna y todos los días ("estaré con ustedes siempre"). Esto significa, durante todas las etapas de la vida, durante todas las labores y problemas, y aún más allá de la muerte y a lo largo de toda la eternidad. Él es el mismo ayer y hoy y por los siglos" (He. 13.8).

Jesús es el Don inefable de Dios a todos los seres humanos de todos los tiempos. Sólo Dios podía dar un Don así. El ser humano sólo puede hacer lo mismo que los ángeles, los pastores y los sabios de Oriente hicieron, es decir, adorarlo.

Un contraste (2.1-12)

Cuando se toma esta primera sección de este capítulo en su conjunto se hace evidente el contraste entre dos reyes: el rey falso (Herodes el Grande) y el Rey verdadero (Jesús de Nazaret).

El rey falso: Herodes el Grande. A la luz de estos versículos es posible señalar algunos elementos de su falsedad y condición como antirrey. (1) El rey falso busca poder. Herodes el Grande gobernó cuarenta años hasta su muerte y usó cualquier medio para consolidar su poder. Se vistió de magnificencia utilizando a quienes lo rodeaban como medios para cumplir sus fines personales y apelando al crimen. (2) El rey falso es cruel. El episodio relatado en los vv. 16-18 pone de relieve la crueldad de Herodes. Su matanza del puñado de niños menores de dos años en la aldea de Belén se sumó a los otros crímenes ya mencionados dentro de su propia familia extendida para eliminar a competidores al trono. La cita del v. 18 (Jer. 31.15) se refiere a Raquel, madre de Benjamín, cuya tumba se creía estaba en Ramá, "en el camino que va hacia Efrata, que es Belén" (Gn. 35.19-20). Desde allí los benjamitas fueron conducidos al destierro en Babilonia. Jeremías hace salir a Raquel de su tumba para llorar a sus hijos desterrados. Este llanto se presenta en el relato de Mateo como figura del llanto de las madres de Belén por la muerte de sus hijos por la crueldad de Herodes. (3) El rey falso es dictador. Herodes redujo la influencia del Consejo de los judíos y lo usó a su conveniencia. Los jefes de los sacerdotes, que tenían un cargo único y vitalicio, fueron reemplazados a su antojo y, al igual que ellos, muchos otros líderes fueron víctimas de su autoritarismo. El pueblo le tenía terror a Herodes.

El Rey verdadero: Jesús de Nazaret. A diferencia del rey falso, que es un usurpador, el Rey verdadero es designado por Dios y su carácter es totalmente diferente. (1) El Rey verdadero es humilde. La cita de Miqueas 5.2 en el v. 6 expresa esta humildad. En el he. dice: "Belén Efrata, pequeña entre los clanes de Judá." La idea es que Jesús nació en una aldea pequeña, es decir, fue de cuna humilde. Desde el principio hasta el final, él estuvo identificado con los humildes y pequeños, los pobres y menesterosos, los marginales y discriminados. (2) El Rey verdadero es pastor. Dice el texto citado: "de ti saldrá un príncipe que será el pastor de mi pueblo Israel." Jesús es Rey, pero no dentro de los patrones comunes de conducta de los reyes terrenales. Él es el Rey-Pastor, que cuida de sus ovejas (Sal. 23; Jn. 10.1-18). Él es quien enseña y guía no de manera autoritaria y tiránica a su pueblo, sino en un clima de libertad, protección y cuidado.

INFANCIA DE JESÚS (2.13-23)

Los Evangelios Sinópticos presentan muy poca información en cuanto a la infancia de Jesús y la información que ofrecen es singular a cada uno. Probablemente esto se debe a que las fuentes orales y escritas que utilizaron no contenían demasiados datos sobre el particular, o que la atención de ellos se concentró en las enseñanzas y ministerio de Jesús, especialmente los acontecimientos ocurridos en su última semana de vida. Por cierto, esta ausencia de información más detallada dio lugar a una gran abundancia de historias y leyendas de circulación más popular, que pretendieron llenar el vacío, pero que de ninguna manera tienen la autoridad espiritual que se les reconoce a los escritos inspirados. No obstante, los pocos detalles que ofrece Mateo sobre la infancia de Jesús son muy significativos.

El sueño de José (2.13)

Los sabios de Oriente buscaban al niño Jesús para rendirle homenaje como a un rey recién nacido. El rey Herodes el Grande buscaba al niño Jesús para deshacerse de él como potencial competidor por el trono real. Pero las intrigas humanas no pueden desbaratar los planes eternos de Dios. Así como el Faraón de Egipto no pudo destruir al pueblo de Israel, porque Dios intervino para la liberación de su pueblo, Herodes tampoco pudo liquidar a Jesús porque el Señor advirtió en sueños a José del peligro que corría. Más específicamente, a través de un ángel, le dio instrucciones precisas en cuanto a cómo liberar al niño del peligro inminente que se cernía sobre él. Es interesante notar aquí la relación que existe entre las advertencias divinas de potenciales peligros a sus hijos y siervos, y el medio sobrenatural de hacerlo a través de sueños. Fue así en el caso de los sabios de Oriente (v. 12) y en este caso (v. 13). Un tercer aviso onírico a través de un ángel del Señor ocurrió más tarde en Egipto (v. 19). En todos estos casos posiblemente se trató de señales o impresiones percibidas en vigilia, pero que se hicieron claras en su interpretación a través de los sueños. Así, los sabios entendieron que no debían regresar a Herodes y "regresaron a su tierra por otro camino," y José comprendió que debía huir con su familia a Egipto, provincia romana fuera de la autoridad de Herodes.

Nótese el énfasis sobre "el niño y su madre" y la prioridad del niño sobre la mujer (v. 13). Desde el momento de su nacimiento, Jesús aparece siempre mencionado en primer lugar por sobre cualquier otro ser humano, incluyendo a su madre. Nótese también la responsabilidad de José como el agente de su protección y liberación. Dios siempre usa instrumentos humanos para llevar a cabo su plan de salvación. Lo hizo con Moisés en relación con la liberación de su pueblo de la esclavitud en Egipto; lo hizo con José en relación con la liberación de Jesús y María del peligro de muerte en Palestina. En el primer caso, el peligro estaba en Egipto y la liberación en Palestina; en el segundo caso, el peligro estaba en Palestina y la liberación en Egipto. Egipto había sido la tierra de opresión, pero ahora se convierte en tierra de refugio. En ambos casos se trataba de "huir" del peligro. Hay momentos en el plan redentor del Señor en que es mejor "huir" de las acechanzas del enemigo, para tomar fuerzas y volver a confrontarlo, como ocurrió con Jesús. Además, las instrucciones divinas no sólo contemplaban las cuestiones espaciales ("huye a Egipto"), sino también las temporales ("quédate allí hasta que yo te avise"). El peligro concreto era que "Herodes va a buscar al niño para matarlo."

El verbo gr. que se traduce como "regresar," "huir" y "partir" (*anajōréō*, vv. 12, 13, 14) se usa en otros lugares de este Evangelio para expresar la misma idea de alejarse del peligro. Por ejemplo, cuando Jesús se entera de que Juan estaba preso y que ya no era seguro para él permanecer en Judea, él "regresó" a Galilea (4.12). Cuando los fariseos comenzaron a actuar para matarlo después de la sanación del hombre con la mano seca, él se "retiró" de la región donde había hecho el milagro (12.15).

La huida a Egipto (2.14-15)

Siguiendo las instrucciones divinas al pie de la letra, José tomó al niño y a su madre y huyó con ellos a Egipto, donde permaneció hasta la muerte del monstruo perseguidor. Egipto fue desde antiguo un lugar de refugio predilecto para muchos israelitas (1 R. 11.40; Jer. 26.20-23; 41.16-18; 43.5-7; 2 Mac. 5.8-9).[5] De hecho, según Josefo, había cerca de un millón de judíos por esa época en Egipto, distribuidos en numerosas colonias. Egipto incluía la península de Sinaí y sus fronteras llegaban cerca de Belén. No obstante, Mateo parece estar pensando en el Egipto del Nilo. El camino desde Gaza hasta Pellusio duraba ocho días por el desierto, que sumados a los que habían tardado en llegar de Belén a Gaza totalizarían entre doce y catorce días. No sabemos dónde se alojaron, pero sí se calcula que su estadía en Egipto no superó los dos años. El cruce del desierto,

---

5. Robert H. Gundry, *Matthew: A Commentary on His Handbook for a Mixed Church under Persecution* (Grand Rapids, MI: Eerdmans, 1994), 33; Joachim Jeremias, *Jerusalén en tiempos de Jesús: studio económico y social del mundo del Nuevo Testamento*, 3ra ed. (Madrid: Ediciones Cristiandad, 1985), 86-87.

con falta de agua y de lugares de alojamiento y descanso representaba un gran desafío para José, María y su pequeño Jesús.

No obstante, todo esto no fue incidental ni resultado de una improvisación de emergencia. Mateo se ocupa de aclarar bien que detrás de todos estos hechos estaba en operación el cumplimiento del propósito divino. Para probar esto, el evangelista cita a Oseas 11.1: "De Egipto llamé a mi hijo." Probablemente Mateo consideró necesario hacer esta aclaración en razón de algunas leyendas populares y una mención en el Talmud, que señalaban que Jesús había aprendido en Egipto artes mágicas, que había traído con él y con las que llevó a cabo más tarde sus milagros a lo largo de su ministerio.

> **R. V. G. Tasker:** "La cita descriptiva en el v. 15 de Oseas 11.1: 'De Egipto llamé a mi hijo' parecería que tiene el propósito de sugerir al lector que el Mesías, él mismo la personificación del verdadero Israel, repitió en su propia experiencia de vida la experiencia del viejo Israel; y también que él fue un segundo y más grande Moisés. Su obra suprema de salvación tuvo como su prototipo el acto poderoso de salvación obrado por Dios a través de Moisés a favor de su pueblo escogido. Y, así como Moisés fue llamado para ir a Egipto y rescatar a Israel, el hijo de Dios, su primogénito (ver Éx 4.22), de la esclavitud física, así Jesús fue 'llamado' de Egipto en su infancia, a través del mensaje divino dado a José, para salvar a la humanidad de la esclavitud del pecado."[6]

La masacre de Herodes (2.16-18)

Herodes el Grande, quien ordenó la matanza de todos los niños varones menores de dos años en Belén, había sido hecho rey de Judea por el Senado romano debido a su amistad con Marco Antonio. Como monarca, edificó y embelleció el templo de Jerusalén y construyó muchos otros edificios importantes. Tuvo diez esposas, de entre las cuales Mariamne parecía ser su favorita. Pero la asesinó juntamente con sus dos hijos, bajo la sospecha de que estaban tratando de destronarlo. A la muerte de Herodes el Grande (v. 19), su reino fue dividido entre sus hijos Arquelao, Herodes Antipas y Felipe. El primero gobernó sobre Judea, Samaria e

6. Tasker, *The Gospel According to St. Matthew*, 42.

Idumea, pero fue tan cruel y arbitrario como su padre. Fue acusado por los judíos y Augusto lo destituyó y desterró a las Galias en el año 6 a.C. Herodes Antipas fue de carácter más apático, si bien vicioso y corrupto, y gobernó hasta el año 39 d.C. sobre Galilea y Perea. Su hermano Felipe gobernó en Iturea y Traconite (Lc. 3.1).

La matanza no fue el acto de crueldad más atroz cometido por este hombre enfermo de odio. El crimen no victimizó a más de quince o veinte niños, y quizás por eso, Josefo no lo menciona en su enumeración de los horrores del reinado de Herodes. Pero Mateo sí destaca en el v. 18 que el hecho fue en cumplimiento de la profecía en Jeremías 31.15. La cita parece estar tomada de la Septuaginta y algo modificada. Originalmente se refería al cautiverio babilónico, pero sirve como una ilustración dramática de esta matanza. Macrobio (*Saturnales*, II.4.11) nota que Augusto dijo que era mejor ser cerda o puerca (gr. *huós*) de Herodes, que ser su hijo (gr. *huiós*), porque la puerca tenía más chances de sobrevivirlo.

En realidad, la mención que hace Mateo de este episodio terrible no es tanto para darnos un dato importante y dramático en relación con la primera infancia de Jesús. Su propósito parece ser más bien el de mostrar el conflicto entre dos reinos: el de los reyes de este mundo (el antirreino) y el reino de Dios.[7] Jesús, es el descendiente y heredero legal del trono de David. Él es el Mesías que trae el reino de Dios, mientras que Herodes el Grande, el usurpador de ese trono, es el primero en atentar contra tal proyecto (2.13-23). Mateo señala tal conflicto con rasgos claros en este pasaje, pero ya lo anticipa en su relato de la genealogía de Jesús (1.1-17, donde Jesús es el Rey heredero de David), en el nacimiento de Jesús (1.18-25, donde Jesús es el Rey concebido por el Espíritu Santo) y en la adoración de los sabios de Oriente (2.1-12, donde Jesús es Rey de las naciones). Este conflicto entre estos dos reinos (el de este mundo y el eterno; el de los seres humanos y el de Dios) recorre toda la historia de la humanidad.

---

7. Algunos autores reconocen algo de este conflicto entre dos reinos en Mateo. Craig L. Blomberg, *Matthew: An Exegetical and Theological Exposition of Holy Scripture*, en *The New American Commentary*, vol. 22 (Nashville, TN: Broadman and Holman Publishers, 1992), 52; Warren Carter, *Mateo y los márgenes: una lectura sociopolítica y religiosa* (Estela, Navarra: Editorial Verbo Divino, 2007); Luz, *El Evangelio según San Mateo*, 1:129; y, Emilio Antonio Núñez, "La misión de la iglesia," en *Teología y misión: perspectivas desde América Latina*, ed. por Israel Ortiz (San José, Costa Rica: Visión Mundial Internacional, 1996), 238-239.

> **Daniel Steffen:** "Este antirreino puede ser un sistema político-social-económico o puede ser un individuo con poder sobre otros seres humanos. Puede ser una familia nuclear con un padre machista que controla a todos los demás con mano fuerte. Puede ser una iglesia evangélica local con un poderoso anciano o pastor que demanda lealtad a su persona y a la tradición de la iglesia a toda costa. Puede ser una institución de educación teológica con un poderoso presidente o decano que toma todas las decisiones y despide a quienes no están de acuerdo con su gobierno. Puede existir en una nación bajo dictadores militares que controlan todo y matan o expulsan a toda la oposición. En América Latina no hay fin a los ejemplos de antirreinos en todos estos niveles de la sociedad."[8]

El regreso a Nazaret (2.19-23)

El único rey que realmente procuró la muerte del niño Jesús fue Herodes el Grande. La frase "ya murieron los que amenazaban con quitarle la vida al niño" es una declaración general, que bien puede haber sido tomada de Éxodo 4.19, que dice: "Vuelve a Egipto, que ya han muerto todos los que querían matarte." La muerte de Herodes animó a José a regresar con su familia a su tierra ("la tierra de Israel"), pero la ascensión al trono de Arquelao en Judea hizo que prefirieran dirigirse a Nazaret en el norte (v. 22). Además, el Señor guio a José nuevamente a encontrar un destino más seguro en Galilea, mediante un sueño. Mateo no nos cuenta nada de la morada previa de José y María en Nazaret. Sabemos esto a través de Lucas, quien no dice nada de la huida a Egipto. Los dos relatos se suplementan uno al otro y de ningún modo son contradictorios.

Arquelao fue el peor de los hijos que sobrevivieron a Herodes el Grande. Este monarca fue depuesto por el emperador Augusto en el año 6 d.C., debido a las quejas de los judíos. Herodes Antipas, quien llegó a ser el tetrarca de Galilea y Perea, fue el mismo Herodes que ejecutó a Juan el Bautista (Mt. 14.10) y quien todavía reinaba cuando ocurrió la muerte de Jesús. Este Herodes repudió a su esposa para casarse con Herodías, esposa

---

8. Daniel Steffen, "El reino de Dios y los reyes de la tierra: hacia una contextualización de Mateo 1-2," en *Teología evangélica para el contexto latinoamericano*, ed. por Oscar Campos (Buenos Aires: Ediciones Kairos, 2004), 179.

de uno de sus medios hermanos, por lo cual fue reprendido por Juan el Bautista (Mt. 14.3-4). Finalmente, el emperador Calígula lo desterró en el año 39 d.C. Felipe, el hijo de Herodes el Grande, mencionado en el Nuevo Testamento solamente en Lucas 3.1, fue el tetrarca de la región oriental de Galilea (Iturea y Traconite).

Mateo ve en el establecimiento de la familia de José en Nazaret (v. 23) el cumplimiento de las Escrituras proféticas: "Con esto se cumplió lo dicho por los profetas: 'Lo llamarán nazareno'." Nótese el plural genérico ("profetas"), ya que no existe una sola profecía registrada que diga que el Mesías sería nazareno. Es probable que este término sea peyorativo (Jn. 1.46; 7.52) y que sea el resultado de varias profecías combinadas (Sal. 22.6, 8; 69.11, 19; Is. 53.2, 3, 4). El vocablo *nazaret* significa brote o rama, pero no es seguro que Mateo pensara en esto. No obstante, a pesar de ser una localidad despreciada, Jesús la hizo famosa, al punto de llegar a ser conocido en la historia como Jesús el Nazareno.

Cuatro profecías (2.5, 15, 17, 23)

El capítulo 2 de Mateo puede interpretarse a la luz de cuatro profecías, que operan como columnas que soportan su pretensión de ser el Rey del reino de los cielos. Esta realidad hace de este capítulo un material no sólo histórico, sino también profético. El relato de los acontecimientos gira en torno a estas cuatro profecías e indica el cumplimiento de su intencionalidad más profunda en la arena de la historia. Este capítulo nos muestra que el advenimiento del Rey fue en cumplimiento de las profecías del pasado.

La primera profecía (Mi. 5.2). Su contexto geográfico original es Belén. El mensaje central de esta profecía tiene que ver con autoridad. Miqueas denunció a los falsos "principales de Judá" de sus días y anticipó la manifestación de un "príncipe" verdadero. Es la voz de un profeta del orden y la autoridad; la voz de un profeta que anunciaba a un Rey, que lideraría a su pueblo como un "pastor" (esto lo agrega Mateo a la profecía original). Mateo aplica esta profecía a Jesús, nacido no en Jerusalén, sino en la pequeña Belén, tal como lo anticipó Miqueas.

Los hechos acontecidos que cumplieron esta profecía muestran a dos fuerzas en pugna. Por un lado, el reconocimiento y homenaje dado al Rey por los sabios de Oriente; y, por el otro, el odio y crueldad manifestado contra el Rey por el rey Herodes el Grande. Así, pues, de Belén viene el Rey, el Pastor, que va a ocupar su trono y sostener su cetro, y a quien hay personas que lo honran y personas que lo odian. Allí están quienes peregrinan un largo camino siguiendo a una estrella para ofrecerle preciosos presentes, y también están quienes son capaces de viajar hasta cualquier extremo, siguiendo su necedad y ceguera, y movidos por el solo deseo de destruirlo.

La segunda profecía (Os. 11.1). Su contexto geográfico original es Egipto. El mensaje central de esta profecía tiene que ver con el fracaso de Israel en cumplir con su misión en el mundo. El tema se expresa en términos de la conducta infiel del pueblo (fornicación y adulterio) en relación con Dios. Probablemente en tiempos de Oseas el deterioro espiritual del pueblo había alcanzado su grado extremo. La crisis doméstica no podía ser peor, con enemigos atacando desde afuera y la corrupción carcomiendo desde adentro. El profeta llegó a entender la gravedad de estas circunstancias al sufrir él mismo la infidelidad de su esposa y el dolor del amor no correspondido. Es en este contexto social y personal, que, inspirado por el Espíritu Santo, Oseas escribe un cántico de amor del Señor. Este cántico comienza con la confesión del amor original de Dios en la fundación de su pueblo, cuando lo llamó de su opresión en Egipto.

Ahora en Jesús, Dios vuelve a manifestar su amor, pero no sólo hacia su pueblo cautivo Israel, sino hacia toda la humanidad, a través de su "Hijo." Es a través de él que Dios libera a la humanidad de su esclavitud y opresión, y traslada a todos los que le siguen a la Tierra Prometida del cumplimiento de su propósito redentor. Nuevamente, el motivo es el amor, pero esta vez expresado de manera superlativa, si bien su primera manifestación fue a través de un Niño frágil, vulnerable, perseguido y humilde. No obstante, este Niño llamado desde Egipto para ser el Libertador de la humanidad, es el que va a ser el Salvador ("Jesús") de su pueblo, y el que lo llevará a la verdadera libertad.

La tercera profecía (Jer. 31.15). Su contexto geográfico original es Ramá. El mensaje central de esta profecía tiene que ver con la muerte de la nación. El mensaje es trágico y se expresa como lamento. Alguien más grande que Jeremías vendría y haría un lamento parecido más tarde (Mt. 23.37). No obstante, a pesar de las lágrimas y el dolor, hay un rayo de esperanza en la profecía de Jeremías. Comenzando en el capítulo 30 y hasta el capítulo 33, en el corazón de su libro, hay un mensaje de consuelo, de aliento e incluso de alegría, que ya se anticipa en 31.16-17. En estos capítulos, el profeta se remonta a las alturas y percibe un nuevo amanecer para el pueblo con el advenimiento de "un renuevo justo" y alguien que "practicará la justicia y el derecho en el país" (Jer. 33.15-16).

Generalmente no leemos la profecía que cita Mateo en el contexto del profeta Jeremías, donde se encuentra en medio de promesas de perdón, restauración, prosperidad y sanidad. Nos quedamos tildados con el "grito en Ramá" y el llanto de Raquel, y no avanzamos para leer los vv. 16-17 con su impresionante nota de esperanza. Para entender por qué Mateo cita esta profecía tenemos que considerarla completa: con su nota de lamento y con su canto de consuelo. Sí, hubo lamento y llanto cuando Jesús fue amenazado de muerte apenas nació y tuvo que ser llevado a Egipto, y cuando decenas de niños fueron masacrados por Herodes en Belén. Hubo muchas madres que, como Raquel, lloraron "a sus hijos que ya no existen." Pero uno de esos niños logró sobrevivir y su vida y ministerio trajeron verdadero consuelo y esperanza a todos los niños y madres del mundo de todos los tiempos.

La cuarta profecía. No se identifica una profecía en particular en relación con la referencia en 2.23, pero sí hay varias alusiones proféticas posibles a Nazaret y al calificativo "nazareno." El contexto geográfico original de esta profecía es Nazaret. El mensaje central de esta profecía tiene que ver con el desprecio hacia el Mesías. ¿Cuál es el significado, en esta profecía, del vocablo "nazareno"? En los días de Mateon, decir que alguien era "nazareno" era indicación de rechazo (Jn. 1.46). Hay dos interpretaciones de este hecho. Por un lado, el vocablo significa brote o rama; por el otro, significa protector o guardia. Probablemente, el nombre del pueblo (Nazaret) venía del he. *netzer*, que significa brote o retoño. En este sentido, este pequeño pueblito en las alturas de Galilea era como un retoño insignificante, en comparación con las poblaciones más desarrolladas de los valles y junto al Mar de Galilea. De hecho, no había carreteras o caminos importantes que pasaran por Nazaret. Ser llamado "nazareno" era como ser llamado "provinciano," "pueblerino" o "villero," es decir, alguien marginal y orillero.

No obstante, en Isaías 11.1, leemos: "Del tronco de Isaí brotará un retoño (he. *netzer*); un vástago nacerá de sus raíces." Este "nazareno" habría de brotar del árbol caído de Israel y, a pesar de su insignificancia y pequeñez, "el Espíritu del Señor reposará sobre él: espíritu de sabiduría y de entendimiento, espíritu de consejo y de poder, espíritu de conocimiento y de temor del Señor" (Is. 11.2). En Jeremías 33.15, leemos: "En aquellos días, y en aquel tiempo, haré que brote de David un renuevo justo, y él practicará la justicia y el derecho en el país." Nuevamente se menciona el "brote" y el "renuevo justo," y algo pequeño y despreciable se transforma en algo vital e importante: el "nazareno" gobierna con justicia y derecho. Lo minúsculo se transforma en majestuoso en Jesús el nazareno.

CAPÍTULO 3

PRECURSOR Y BAUTISMO

3.1-17; 11.1-15; 14.1-12

Los pasajes indicados para ser considerados en este capítulo tienen que ver con Juan el Bautista, quien fuera el precursor del Mesías y quién bautizó a Jesús antes que éste comenzara su ministerio. Llama la atención la cantidad y variedad de pasajes en Mateo que tratan con Juan. Indudablemente, este hombre a quien Jesús consideraba como "el más grande de los profetas" (11.11a) no sólo se caracterizó por una personalidad única y singular, sino que tenía un mensaje importantísimo en el marco del plan redentor de Dios a través del Cristo. De hecho, uno de sus logros más significativos fue como predicador de este mensaje y el impacto que provocó con el mismo en la población judía, especialmente en Jerusalén y toda Judea.

Juan habló claramente sobre el pecado y enseñó la necesidad del arrepentimiento. Predicó que el arrepentimiento se debía hacer evidente por sus frutos, es decir, por una vida transformada (3.8). Así, amonestó a sus coetáneos a no apoyarse en los privilegios externos para ganar el favor de Dios, como ser descendientes de Abraham, ni en una relación formal y legalista con la institución religiosa de sus días, especialmente el templo.

Juan el bautista habló claramente del Mesías Jesús. No tuvo problemas en reconocer que había Alguien mucho más grande y poderoso que él, que venía a su pueblo como su Mesías. No tuvo problemas en reconocer su identidad y su lugar en el plan redentor de Dios como quien iba a preparar el camino para este salvador, de quien él no era más que un humilde siervo. Marcó muy bien la diferencia entre su propio ministerio (bautizar con agua) y el del Mesías (bautizar con el Espíritu Santo y fuego). El mayor éxito en su ministerio fue, precisamente, señalar a Cristo y animar a sus seguidores a hacer lo mismo reconociéndolo como "el Cordero de Dios, que quita el pecado del mundo" (Jn. 1.29).

Juan el Bautista habló claramente acerca del Espíritu Santo. Fue él quien anticipó una forma de bautismo muy superior a su bautismo de arrepentimiento en agua. Este bautismo de conversión con el Espíritu Santo (3.11) no sería administrado por él, sino por "el que viene después de mí," o sea, el Mesías. Sólo él, por medio de la agencia regeneradora del Espíritu Santo, puede producir una vida nueva, que sea como trigo digno de ser guardado en su granero (3.12) y no condenado a ser quemado con el fuego. De esta manera, el Espíritu que regenera al arrepentido de sus pecados es el mismo que lo ayuda a crecer en Cristo y a madurar para alcanzar su estatura.

Juan el Bautista habló claramente de la condenación de los perdidos. Su mensaje, lleno de esperanza y de desafío a un cambio de vida, fue también un mensaje dramático, que no minimizó el desastre que aguarda a quienes no se arrepienten de sus pecados. El lenguaje que utilizó el predicador del desierto fue terrible: habló de "castigo," de un corte profundo y de raíz de los árboles que carecen de buen fruto, de "fuego que nunca se apagará," etc. En tiempos como los nuestros cuando predicar acerca del infierno y la condenación eterna es un tema de mal gusto, el ejemplo de Juan es aleccionador. Hoy los púlpitos parecen ser monotemáticos y abundan en referencias al amor y la misericordia de Dios, pero son pocas las voces que advierten del peligro cierto de la condena eterna.

Juan el Bautista habló claramente de la salvación de los creyentes. Así como hay un infierno, también hay un cielo; así como hay quienes por su rebeldía se consumirán como paja inútil "con fuego que nunca se apagará," también hay quienes entrarán y serán guardados como trigo bueno en el granero del Señor.

Por predicar este mensaje, Juan terminó en la cárcel. No obstante, Jesús mismo confirmó la autenticidad de su ministerio profético, indicando que su primo era el más grande de los profetas (11.11) y el precursor "que había de venir" (11.14). Jesús comenzó su ministerio público después de ser bautizado por él e identificado como el Mesías que habría de venir. Finalmente, su compromiso profético con el reino de Dios lo llevó a denunciar el pecado incluso en las esferas más encumbradas de las élites gobernantes, lo cual le costó la vida. Nótese que Juan el Bautista murió por causa de Jesús. Herodes Antipas, su cruel asesino, más tarde confundió a Jesús con Juan resucitado (14.3). Fue fiel a su misión de precursor del Mesías y fue fiel al Mesías hasta la muerte. No es extraño que Jesús haya sentido profundamente su partida y haya buscado en la soledad el consuelo del Padre celestial (14.13).

EL PRECURSOR DE JESÚS (3.1-12; 11.1-15; 14.1-12)

El Nuevo Testamento presenta a Juan el Bautista cumpliendo dos funciones importantes: preparar el camino al Mesías y bautizar a quienes se arrepintieran de sus pecados. Cuando Juan comenzó su ministerio, Palestina vivía en grave crisis. El pueblo era presionado con altos impuestos por parte de los romanos. Muchos ya habían intentado rebelarse. Todos estaban esperando un gran conductor nacional, que liberara al pueblo del yugo impuesto por la dominación romana y que uniera a Israel como nación bajo el imperio de la Ley judía. Las Escrituras (el Antiguo Testamento) les enseñaban que Dios algún día enviaría un Mesías, y ellos esperaban que viniera pronto y los liberara. Fue entonces cuando Juan apareció. Algunos pensaron que él era el Mesías, pero él dijo: "No, yo no soy. Estoy aquí para preparar el camino al Mesías." Su manera de hacerlo era por el bautismo. Éste se realizaba en el río Jordán, en la región desértica de Judea.

Juan el Bautista y su mensaje (3.1-3)

Estos versículos consideran la predicación de Juan el Bautista, que era un profeta descendiente de una familia sacerdotal, que predicó un mensaje de arrepentimiento, anunció la venida del Mesías, bautizó a Jesús y fue decapitado por Herodes Antipas. Su nacimiento (parecido al de Isaac) fue anunciado por el ángel Gabriel a su padre Zacarías, que era un sacerdote de la división de Abías. Su madre, Elizabet, era descendiente de Aarón. Juan no debía beber vino ni bebidas fuertes, sería lleno del Espíritu Santo y, como profeta, tendría el espíritu y poder de Elías. Su función era la de preparar al pueblo de Dios para la llegada del Mesías.

Su ministerio (v. 1a). Mateo coincide con la tradición de los Sinópticos en comenzar su relato del ministerio de Jesús en relación con el bautismo de Juan (Mr. 1.2; Lc. 3.1). Así lo haría más tarde el apóstol Pedro en Hechos 1.22 ("desde que Juan bautizaba hasta el día en que Jesús fue llevado de entre nosotros;" ver Hch. 10.37-43). No obstante, a diferencia de Lucas (Lc. 3.1-2), Mateo no da una fecha precisa en relación con el inicio del ministerio de Juan. Todo lo que dice es: "En aquellos días..." (v. 1). Sea como fuere, Juan tendría "en aquellos días" unos treinta años. Su nombre Juan significa "don del Señor" y es una forma abreviada de Johanan. Se lo presenta como "el Bautista" o "el que bautiza" porque este rito fue el más característico de su ministerio. Mateo lo introduce usando el verbo gr. *paragínetai*, "se presentó," es decir, entró en escena. Los judíos practicaban el bautismo, pero generalmente lo aplicaban a gentiles que se habían convertido al judaísmo. El bautismo de Juan era provocador para ellos pues al bautizar a judíos creyentes los estaba tratando como a gentiles convertidos, y, por si esto fuera poco, los desafiaba al arrepentimiento por sus pecados.

Su predicación (vv. 1b-2). Además de la práctica del bautismo, el segundo elemento llamativo del ministerio de Juan era su predicación. El texto ubica el escenario de la misma "en el desierto de Judea." Se trataba de la región inhóspita compuesta de colinas redondeadas y áridas que se extendía hacia el río Jordán y el Mar Muerto. Muy pocas personas habitaban la región, donde era muy difícil vivir. Sorprende que el Bautista haya escogido un escenario tan inhóspito y peligroso, como lugar donde congregar personas para su predicación y bautismo. Los que se acercaban a oírlo indudablemente lo hacían porque tenían una altísima motivación y ya tenían la disposición de responder a sus desafíos. Muchos predicadores hoy comienzan con grandes multitudes en lugares estratégicos, y terminan perdiendo su audiencia. Juan comenzó con muy pocas personas en el desierto, donde nadie quería ir, y terminó con enormes multitudes oyendo su mensaje y respondiendo al mismo con su bautismo de arrepentimiento.

La predicación de Juan el Bautista fue clara, directa y firme. Lleno del Espíritu Santo, este precursor del Mesías hizo tronar su voz con un mensaje totalmente novedoso para los oídos de su audiencia: "Arrepiéntanse, porque el reino de los cielos está cerca" (Mt. 3.2). Si bien la demanda de arrepentimiento no era nueva, las razones de su urgencia sí lo eran. La cercanía del gobierno soberano de Dios se presentaba como una realidad no sólo inminente, sino también inmediata.

En el v. 2, el evangelista introduce por primera vez en su Evangelio un término que repetirá en múltiples ocasiones y que tiene un importante significado en todo el Nuevo Testamento: arrepentimiento. ¿Qué es arrepentimiento? Es dolor por el pecado cometido y abandono del mismo, un volverse sincero de todo lo que es malo. Esto es más que remordimiento o pesar, actitudes que señalan a la tristeza por el pecado, pero nada más. El arrepentimiento era algo demandado por los profetas en tiempos del Antiguo Testamento (Ez. 14.6; 18.30-32). Fue la cuestión prioritaria en la predicación de Juan el Bautista (3.1-2), de Jesús (4.17) y de los apóstoles (Mr. 6.12; ver Hch. 2.38). El arrepentimiento solo no es suficiente para el perdón, hace falta la fe. Pero el arrepentimiento es indispensable. El pecado debe ser abandonado de manera definitiva. El pecador debe dejar el pecado, volverse o convertirse a Dios, y hacerlo con fe para que haya remisión de pecado. El arrepentimiento es el mensaje central que la iglesia debe proclamar al mundo (Lc. 24.47). Es una característica de la vida de la iglesia, y es una de las metas principales de la misión de la iglesia. En el Antiguo Testamento se usan dos palabras he. *naham* y *shubh*. La primera encierra la idea de gemir y lamentar. La segunda habla de volverse del pecado a la obediencia (2 Cr. 7.14). La misión de Israel como pueblo de Dios era llamar a las naciones al arrepentimiento. En el Nuevo Testamento los términos griegos que se emplean son *metamélomai*, *metanoéō* y *epistréfō*. El primero enfatiza el aspecto emocional de cuidado, preocupación y remordimiento, y puede referirse a un arrepentimiento genuino (Mt. 21.29, 32) o a un remordimiento que no necesariamente está acompañado con un abandono del pecado (Mt. 27.3). El segundo llama la atención a la necesidad de un cambio de mente, que resulta de cambiar la opinión y propósitos que se tienen (Mt. 3.2; Mr. 1.15; Hch. 2.38). La idea dominante de *epistréfō* es un cambio de mente, que resulta en ciertas emociones nuevas y en una transformación de la conducta.

Su objetivo (v. 3). El objetivo del Bautista era confrontar a sus oyentes con el mensaje transformador del evangelio, tal como él lo anticipaba en el advenimiento próximo del Mesías prometido. La llegada del Ungido de Dios y su obra redentora constituían una buena noticia, que por sí sola reclamaba un cambio de actitud moral y espiritual radical, de parte de aquellos que eran, de este modo, el objeto de la acción salvadora del Señor. En su metodología y mensaje, Juan el Bautista citaba a los profetas del Antiguo Testamento, como base de su reclamo fundamental. Él mismo se consideraba como una voz que proclamaba: "Preparen en el desierto un camino para el Señor; enderecen en la estepa un sendero para nuestro Dios" (Is. 40.3). Isaías predijo que vendría alguien a preparar el camino para el Señor. Mateo dice que ese alguien era Juan, y que "el Señor" era Jesús, de modo que las palabras de Isaías se cumplieron. ¿Conocía Isaías que Juan el Bautista sería el precursor del Señor? Probablemente él no sabía quién vendría, pero sí sabía que Dios enviaría a alguien, porque sabía que Dios nos ama. La preparación para la venida de Dios era necesaria. Juan era el preparador. Su mensaje predispuso a muchos para recibir la enseñanza de Jesús.

Juan cumplió el ministerio de preparar el terreno para la llegada del evangelio en la persona de Jesús. Fue como un campesino que arranca las malezas, para que luego el labrador venga y siembre las semillas. Hoy también hay personas como Juan. En África, había un humilde creyente, que llegó a ser conocido como "el Profeta Harris." Su contribución a la causa del evangelio fue preparar a miles de personas en la Costa de Marfil para la fe en Cristo, si bien él mismo conocía muy poco acerca de Jesús y estuvo con ellos poco tiempo. Pero después de un intervalo de diez años, cuando llegó un misionero al lugar, se encontró con que la gente estaba preparada positivamente para recibir el mensaje.

Su contenido. El Precursor tenía un mensaje muy simple y contundente: "el reino de los cielos está cerca." Juan el Bautista proclamaba la llegada del reino de Dios para incentivar cambios sustanciales y generar modificaciones importantes en la vida y en el comportamiento de sus interlocutores. Este reino, a diferencia de cualquier otro reino de este mundo, establecía demandas morales y espirituales fundadas en una relación personal y colectiva con Dios, el Creador y Redentor de su pueblo. Un mensaje así reclamaba serias decisiones éticas y espirituales. El mero hecho de verse expuesto a tremendo anuncio ponía a los oyentes en el filo de una decisión trascendente para el resto de sus vidas. Las personas de Jerusalén y de toda Judea que escuchaban el mensaje de Juan, confesaban sus pecados y eran bautizados en el río Jordán como expresión de su disposición a un cambio radical de orientación para sus vidas y de compromiso personal con el Señor.

> **Alan Richardson:** "Repentinamente, Juan el Bautista sorprendió al país por su aparición dramática en el papel de Elías, el esperado precursor del 'día del Señor, día grande y terrible' (Mal. 3.1; 4.5-6; Mt. 11.14; Mr. 9.11-13; Lc. 1.17), proclamando que el juicio mesiánico estaba a punto de comenzar (Mt. 3.10-12). El día del Señor, o el día 'grande y terrible' (Jl. 2.11, 31; Sof. 1.14; Jud. 6; Ap. 6.17), o 'el día de ira' (Sof. 1.15, 18; 2.3; Ro. 2.5; Ap. 6.17) estaba cerca. Otra forma de decir la misma cosa era declarar que el reino de Dios era inminente, y esto es de hecho como San Mateo resume la proclamación de Juan (Mt. 3.2). (Debería notarse que la expresión mateana 'reino de los cielos' es sinónimo de 'reino de Dios.' La frase es la elusión reverencial del uso de la palabra 'Dios.' 'El día de Yahweh' en el pensamiento judío significaba el día en el que Dios establecería *de facto* su reino, el día del juicio de sus adversarios y de salvación de su pueblo. Juan el Bautista revivió la vieja comprensión profética de que el día del Señor sería un día de juicio no meramente para los gentiles, sino también para los judíos mismos y para sus líderes religiosos: por lo tanto, arrepiéntanse y produzcan frutos dignos de arrepentimiento (Mt. 3.2, 8, 11)."[1]

1. Richardson, *An Introduction to the Theology of the New Testament*, 84-85.

Su audiencia. Según el v. 5, la gente que acudía a él para recibir su mensaje y ser bautizados provenía de diferentes lugares y de los más diversos estamentos sociales. El texto identifica tres lugares de procedencia: la ciudad de Jerusalén, la región de Judea al oeste del río Jordán y la región al este del río Jordán, o sea, Transjordania. Además, todo tipo de personas se vieron expuestas a tremendo anuncio. Entre los que escuchaban el mensaje juanino estaban los fariseos y los saduceos, prominentes líderes religiosos de la época. Estos se consideraban los gerentes y responsables de la religión establecida y, en consecuencia, eran tenidos como los representantes oficiales de todo lo que estuviese relacionado con Dios. Quizás por ello mismo, fueron los que más dificultades tuvieron en aceptar el desafío del profeta. No obstante, ante la predicación del evangelio del reino, personas de diferentes trasfondos religiosos y de variados sectores políticos y sociales del país respondieron positivamente. Y la proclamación y recepción del evangelio en la comunidad produjo resultados claros e inmediatos.

Su significado. Tal como el Bautista lo había anticipado, el anuncio del evangelio del reino tuvo su expresión máxima en la vida y en el ministerio de Jesús. El mensaje de Jesús puso de manifiesto que la predicación del evangelio de Dios es para toda la humanidad, y no sólo para un pueblo determinado. Si bien era necesario comenzar por algún lado, según las propias palabras de Jesús, el cumplimiento pleno de la voluntad redentora de Dios para la humanidad demanda que "primero tendrá que predicarse el evangelio a todas las naciones" (Mr. 13.10). En verdad, ésta fue la voluntad expresa de Jesús para todos sus discípulos de todos los tiempos: "Vayan por todo el mundo y anuncien las buenas nuevas a toda criatura" (Mr. 16.15). El objetivo a alcanzar, pues, es que "busque al Señor el resto de la humanidad, todas las naciones que llevan mi nombre" (Hch. 15.7).

De este modo, el objetivo es llegar a todas las naciones y a todas las esferas de la sociedad con el mensaje del reino de Dios. El mismo anuncio radical de Juan el Bautista, que Jesús proclamó en toda su magnitud, y que sus seguidores inmediatos tomaron como el punto central de su tarea misionera, debe ser llevado hasta los últimos rincones de la tierra y a todas las personas.

Este mensaje proviene de Dios, y no es el resultado de la investigación o de la especulación humana (Gá. 1.11-12). Las personas deben creer para recibir los beneficios del evangelio. En la proclamación misma de Jesús, el llamado al arrepentimiento es acompañado por una invitación a ejercer fe: "¡Arrepiéntanse y crean las buenas nuevas!" (Mr. 1.15). Por eso, el evangelio debe ser proclamado a otros. Es imposible guardarlo como tesoro escondido para el goce personal. Es propio de la naturaleza del evangelio el correr como reguero de pólvora de lugar en lugar (Ro. 15.19). Esta expansión espontánea de las buenas nuevas es libre y gratuita (1 Co. 9.14, 18; 2 Co. 10.14; 11.7).

Así, pues, el evangelio ha sido delegado a los creyentes para que lo compartan con toda la humanidad. Se trata de un legado y responsabilidad que vienen directamente del Señor a aquellos que se consideran sus seguidores (1 Ts. 2.4). De modo que el anuncio de este mensaje es más un privilegio que un motivo de orgullo; más una obligación que una opción; más una responsabilidad inexorable que una posibilidad condicional. Pablo interpreta esta realidad cuando señala desde su propia experiencia personal: "Cuando predico el evangelio, no tengo de qué enorgullecerme, ya que estoy bajo la obligación de hacerlo. ¡Ay de mí si no predico el evangelio!" (1 Co. 9.16). El evangelio en cuestión es el evangelio del reino.

> **Carlos Mraida:** "El reino viene precedido de arrepentimiento, es decir, *metánoia,* cambio de mentalidad. La iglesia en nuestro continente, si quiere vivir en permanente reforma, debe vivir en permanente arrepentimiento, en un constante cambio de mentalidad. Continuamente debe replantearse si la cultura está modelando a la iglesia o la iglesia a la cultura. Y tenemos que arrepentirnos de un pseudo-evangelio culturizado, manchado de búsqueda de poder humano, político y numérico. No es el poder político el que transformará la realidad ni el poder numérico el que impactará a una ciudad. Tampoco es el poder económico el que posicionará a la iglesia como una ciudad asentada sobre un monte. Es el poder del reino el que hará esto. Este es el poder de una iglesia que vive de manera diferente, el poder de la predicación de la verdad eterna, el poder espiritual de una iglesia que ve en las calles las señales y milagros que respaldan la palabra, el poder de una iglesia unida que vive con

autenticidad el amor que declama, el poder redentor de una iglesia que encarna el evangelio sirviendo. Es decir, una iglesia que vive, establece y extiende el reino de Dios."[2]

El mensaje de Juan era: "Arrepiéntanse, porque el reino de los cielos está cerca" (v. 2). A menos que la gente se arrepienta no puede recibir la enseñanza de Jesús o vivir en el nuevo camino que él enseñó. Muchas personas hoy saben que sus vidas no son lo que deberían ser. Estas palabras enseñan que todo individuo puede tener una vida nueva. La manera de alcanzarla es por el arrepentimiento. Arrepentirse significa: (1) reconocer que el pecado está arruinando la vida; (2) confesar el pecado; (3) dar media vuelta, dejando el viejo camino y deseando sinceramente vivir en el nuevo.

Juan el Bautista y su aspecto (3.4-6)

Hay muchas maneras de definir y categorizar a las personas en el día de hoy. Generalmente se las ubica en un nicho conforme el caudal de su fortuna, el grado de sus conocimientos o el número de honores y títulos concedidos. No obstante, no siempre estos parámetros son lo suficientemente evidentes como para tomarlos en cuenta. A nivel popular parece imponerse el criterio expresado en el dicho: "Dime cómo vistes y qué comes, y te diré quién eres." Según esta pauta, Juan el Bautista no llega a ser catalogado ni siquiera en un apéndice final. Su aspecto era deplorable. No obstante, es sorprendente su popularidad y su influencia sobre la sociedad de sus días.

Su vestimenta y alimentación (v. 4). Su manera de vestir y su menú eran extraños (Mr. 1.6; ver 2 R. 1.8). Debido a su vida en el desierto y a su trasfondo sacerdotal, su predicación sobre el arrepentimiento de Israel y la práctica del bautismo, algunos eruditos lo identifican con la secta religiosa de los esenios de Qumrán. Los esenios, conocidos por los hallazgos de los Rollos del Mar Muerto (1947), eran ascetas y llevaban una vida análoga

2. Carlos Mraida, "Mateo: hacia una iglesia que vive, establece y extiende el reino," en *Biblia Nueva Reforma*, ed. por Pablo A. Deiros (Buenos Aires: Editorial Peniel, 2017), 1463.

a la vida monástica durante la Edad Media. En sus comunidades solitarias, estos "piadosos" o "santos" procuraban alcanzar una pureza ideal y la comunión con Dios, a través de la práctica de la auto negación, de la temperancia, del trabajo (agricultura y artesanías) y de la contemplación (ver Hch. 5.17; 15.5; 26.5). Se dedicaban al estudio de la Ley y a la copia de sus manuscritos, y fueron más rígidos que los fariseos en su manera de interpretarla. Estos monjes del desierto también vestían de manera austera y muy particular, y se caracterizaban por su comida frugal y por la frecuencia de sus ayunos. También practicaban lavamientos rituales como medios de limpieza ceremonial y eran muy estrictos en su disciplina. Tenían una fuerte expectativa mesiánica y apocalíptica. No obstante, parece que Juan imitaba más el estilo y aspecto de Elías, que el de los esenios. Su modelo de profeta era Elías.

Sus antecedentes y relaciones. Se ha especulado mucho sobre la posible relación de Juan el Bautista con la comunidad esenia de Qumrán, junto al Mar Muerto. De hecho, hay muchos lazos posibles con esta secta judía. Debe recordarse que Juan comenzó su ministerio cerca del lugar de Qumrán (Lc. 1.80); era de ascendencia sacerdotal (Lc. 1.8-9), lo que le hubiese ayudado a ser aceptado entre los esenios, que era una secta dirigida por sacerdotes y cuyos miembros se denominaban a sí mismos como "hijos de Zadok" (*1QS* 8.4-10). Al igual que los esenios, Juan también enfatizaba la importancia de que el bautismo fuese acompañado de arrepentimiento (Lc. 3.7-9; ver *1QS* 3.6-11) y, como ellos, encontró la base de su ministerio en Isaías 40.3, el texto fundamental de Qumrán (Jn. 1.23; ver *1QS* 8.13-15).

A la luz de todo esto, es posible que Juan haya pertenecido a esta comunidad, al menos por un cierto tiempo, y que de esta experiencia derivara su manera de pensar y su forma de vivir. No obstante, el ministerio básico de Juan era totalmente independiente de Qumrán y, por cierto, bastante opuesto al mismo. El ministerio de Juan fue esencialmente profético, mientras que el de la secta esenia era esotérico y de alejamiento del mundo. Juan proclamó un llamado público al arrepentimiento, mientras que los esenios se retiraban al desierto con una actitud de arrepentimiento. El mensaje de Juan estaba libre del énfasis legalista que caracterizaba a la religión de Qumrán. Juan invitó a todas las personas a arrepentirse, mientras que la comunidad de Qumrán odiaba a sus enemigos y los discriminaba. Juan bautizó una sola vez a todos los que se arrepentían, mientras que en Qumrán el bautismo era un rito de limpieza repetitivo.

Su popularidad y prácticas (vv. 5-6). La popularidad de Juan atraía a multitudes a las aguas del Jordán. Allí bautizaba a aquellos que arrepentidos sinceramente confesaban en forma pública sus pecados. El bautismo era una práctica corriente entre los judíos antes del advenimiento de Juan. Su propósito era admitir en la comunidad del pacto a aquellos que no eran judíos. Es así como los integraban a esta religión. Lo realmente original del bautismo de Juan es que él lo administraba a judíos. El candidato se metía en el agua del río y sumergía todo su cuerpo en la presencia de Juan. Esto era una señal de que era limpiado de todos sus pecados pasados, y que estaba en armonía con Dios. Este acto de inmersión en agua simbolizaba más que limpieza ritual. El bautismo simbolizaba (y no causaba) el comienzo de una nueva vida y relación con Dios. Era la dramatización de una experiencia espiritual interior de reconciliación con el Señor mediante un auténtico arrepentimiento y confesión de pecados. En este sentido, el bautismo de Juan el Bautista es un buen antecedente del bautismo cristiano (Ro. 6.1-14; Col. 2.11-12).

Juan el Bautista y su denuncia (3.7)

El extraordinario éxito del Bautista en su ministerio de predicación del arrepentimiento y la práctica del bautismo se puede medir al considerar el hecho de que incluso "muchos fariseos y saduceos llegaban adonde él estaba bautizando" (v. 7). Esta es la primera mención que el evangelista hace de estas dos importantes sectas judías, y vale la pena detenerse a considerarlas con más detalle. El judaísmo del Nuevo Testamento no era monolítico, sino que estaba dividido en una variedad de sectas o facciones diferentes.

Los fariseos. Los fariseos ("los separados") constituían el grupo más numeroso y en los Evangelios se los menciona como opositores a Jesús (Mt. 3.7; 15.1; 16.1; 19.3; 23.2; Lc. 7.30; 18.10; Hch. 5.34; 23.6). Controlaban las sinagogas y tenían mucha influencia sobre el pueblo. Eran celosos observantes de la Ley, especialmente de las normas ceremoniales, y eran proselitistas (Mt. 23.15). Pablo era fariseo (Fil. 3.5). Los fariseos eran la secta judía que ostentaba mayor poder religioso en Palestina durante el ministerio de Jesús. Se los conocía porque creían que sus descripciones detalladas de cómo obedecer la Ley eran iguales en autoridad a la Ley mosaica misma, y que su meticulosa adherencia a estas tradiciones los convertían en los únicos judíos justos.

Los saduceos. Los saduceos, pretendidos descendientes del sumo sacerdote Sadoc, eran aristócratas, ricos y ligados al clero del templo (Mt. 3.7; 16.6; 22.23, 34; Hch. 4.1; 5.17; 23.8). Eran conservadores y tradicionalistas, que se oponían a la ley oral y sólo aceptaban el Pentateuco como autoridad. A diferencia de los fariseos, negaban la vida después de la muerte, y la existencia de ángeles y demonios. Apoyaban al gobierno de turno y sólo se interesaban por su posición y riqueza. La secta judía de los saduceos consistía mayormente de sacerdotes. Se los conocía como "los justos" (saduceos) porque creían que la Ley de Moisés era la autoridad suprema, y que ninguna ley oral o tradición podía ser considerada como igual a la Escritura. En contraste con los fariseos, no creían en la resurrección o en ángeles y espíritus (Hch. 23.8).

La asociación ilícita. El texto señala que fueron "muchos" los fariseos y saduceos que llegaron adonde Juan estaba bautizando. Cabe preguntarse si la presencia en el desierto de representantes de estas sectas judías adversarias respondía a un sincero deseo de arrepentimiento o, como ocurriría más tarde en relación con Jesús, estaban allí para juzgar y resistir al siervo de Dios. El texto no menciona una actitud de arrepentimiento, sino que venían por el bautismo (gr. *erjoménous epi to báptisma*). Si es así, lo único que les interesaba era el rito y no confesar sus pecados. Fueron al desierto para juzgar el bautismo de Juan. De hecho, estos partidos rivales jamás se unían en una causa común, a menos que fuese contra el plan redentor de Dios (16.1). Los fariseos lo hacían a partir de su hipocresía supersticiosa, mientras que los saduceos lo hacían a partir de su incredulidad racionalista. No es extraño que Juan detectara sus intenciones y reaccionara enérgicamente contra ellos, al punto de llamarlos "¡Camada de víboras!"

Jesús usó contra ellos el mismo lenguaje (12.34; 23.33). De esta manera, el "castigo" de Dios no era sólo para los gentiles, como afirmaban estos líderes religiosos, sino para todos los que no estuviesen preparados para participar de su reino (1 Ts. 1.10).

Juan el Bautista y su desafío (3.8-10)

El desafío del Bautista era claro: "Produzcan frutos que demuestren arrepentimiento" (v. 8). Así, pues, el arrepentimiento viene antes que el bautismo. El bautismo es un rito religioso inútil si no es expresión y símbolo de una transformación interior por obra del Señor. Los "frutos" no son una vida cambiada, sino el resultado de una vida cambiada. La asociación ilícita de los fariseos y saduceos no los calificaba para ser bautizados por Juan, por más que argumentaran el credo oficial de que tenían a Abraham por padre, es decir, que eran judíos auténticos (v. 9; ver Jn. 8.33-41). El orgullo religioso de estos hipócritas era tan grande que les impedía acceder a una sincera actitud de arrepentimiento y de sumisión al bautismo como expresión de obediencia al Señor. En este sentido, no hay esperanza de redención para ellos, y por eso el hacha del juicio divino ya está lista para sentenciarlos (v. 10).

> **Frank Stagg:** "El bautismo de Juan es descrito como 'bautismo de arrepentimiento para el perdón de pecados' (Mr. 1.4). Él negaba el bautismo a muchos porque no mostraban señales de arrepentimiento (Mt. 3.8; Lc. 3.8). Este hecho es una evidencia concluyente de que el perdón de los pecados estaba ligado al arrepentimiento y no al bautismo en agua. Si Juan hubiera visto poder salvador en el bautismo mismo, hubiera sido criminalmente negligente al negarlo a la 'camada de víboras' que más lo necesitaba. Juan declaraba que la confesión de pecados (Mr. 1.5) y la justicia social (Lc. 3.10-14) eran evidencia de un cambio radical en el propio camino de vida. Juan no estaba predicando una reforma; estaba proclamando la venida del Señor (gr. *kúrios*), quien bautizaría 'con el Espíritu Santo y con fuego' (Mt. 3.11; Lc. 3.16)."[3]

---

3. Frank Stagg, *Teología del Nuevo Testamento* (El Paso, TX: Casa Bautista de Publicaciones, 1976), 213.

Juan el Bautista y su ministerio (3.11-12)

El ministerio del Bautista se llevó a cabo casi exclusivamente entre los judíos del sur de Palestina (Jerusalén, Judea y la región del río Jordán). Este ministerio consistió en tres acciones significativas.

Bautismo con agua (v. 11a). "Yo los bautizo a ustedes con agua para que se arrepientan" (v. 11a). Los pecadores se acercaban a Juan confesando públicamente sus pecados. Cuando Juan Wesley, el fundador del metodismo, comenzó sus famosas reuniones de estudio bíblico y oración, los concurrentes se confesaban delante de los demás (Stg. 5.16). Esto puede ser algo bueno, pero no siempre es sabio hacerlo, especialmente si algunos de los presentes no saben cómo guardar silencio acerca de lo que han oído. La confesión ante el sacerdote es la norma para la mayoría en la Iglesia Católica Romana. En nuestros días hay cristianos que jamás confiesan sus pecados de ninguna manera. ¿No será ésta, quizás, una de las razones por las que la iglesia está debilitada?

Ministerio humilde (v. 11b, 12). Juan nos sorprende con su humildad: "El que viene después de mí es más poderoso que yo" (v. 11b). Juan habla de alguien "más poderoso" (gr. *isjuróterós*) que él y que viene después (gr. *opísō*) de él. De esta manera declara el carácter paradojal que esta situación tenía para los judíos que lo escuchaban, ya que para ellos el que venía más tarde era normalmente el subordinado y servidor de aquel que lo precedía. Pero en este caso, "el que viene después" no sólo es más poderoso, sino que está revestido de una potencia divina mayor (ver Ap. 5.12).[4] Con esto, Juan está diciendo que él no se considera lo suficientemente bueno ni siquiera para ser un esclavo de Jesús. El Bautista era humilde, porque se comparaba a sí mismo con Jesús. Tenía bien claro cuál era su misión en relación con el Mesías, y de ningún modo pretendió ocupar su lugar único (Jn. 3.30). Así y todo, su ministerio humilde tuvo tres cualidades importantes: fue cautivante (v. 5), fue convincente (v. 6) y fue condenatorio (vv. 7-10). Así debe ser el ministerio cristiano hoy. Y, por contraste, Jesús era

---

4. Oscar Cullmann, *Cristología del Nuevo Testamento* (Buenos Aires: Methopress, 1965), 40.

supremo en su persona ("es más poderoso que yo", y supremo en su obra ("los bautizará con el Espíritu Santo y con fuego").

Además, este ministerio humilde fue parcial e incompleto. Juan representa apenas la mitad del mensaje del evangelio. Su palabra fue condenatoria del pecado y su llamado fue al arrepentimiento. No hay en su discurso una nota de gracia y de perdón, como la que encontramos en Jesús. El lenguaje juanino es duro: habla de "castigo que se acerca," de un "hacha" lista para cortar (v. 10), de un "rastrillo en la mano" para limpiar y de "fuego" consumidor (v. 12). En contraste, la obra del Mesías también es de juicio, pero no es destructiva, sino constructiva. Él llama al arrepentimiento, pero redime; él denuncia el pecado, pero lo perdona; él juzga al pecador, pero lo justifica (lo hace justo) transformándolo en "trigo" que recoge "en su granero" (v. 12). Por eso, Juan reconoce que él "es más poderoso que yo," y que trae un bautismo mucho más completo y definitivo ("los bautizará con Espíritu Santo y fuego."

Bautismo con el Espíritu Santo y con fuego (v. 11c). Uno de los temas de discusión teológica frecuente entre evangélicos hoy tiene que ver con el bautismo con el Espíritu Santo. Los Evangelios Sinópticos parecen hablar de un doble bautismo. Esta acción fue anticipada por Juan el Bautista. El Espíritu obró en él, quien anunció que Jesús bautizaría con el Espíritu Santo y con fuego a sus seguidores (v. 11; ver Lc. 3.16). En estas palabras, Juan está haciendo referencia a dos bautismos en la experiencia de los futuros discípulos de Jesús.

Por un lado, el texto menciona el bautismo *con* el Espíritu Santo (NVI). Aquí el énfasis cae sobre quién es el que bautiza y con qué bautiza. Quien bautiza es Jesús y él sumerge a los suyos no en "algo" sino en "alguien"—el Espíritu Santo. Esta inmersión en el Espíritu se refiere a la experiencia maravillosa de su llenura, en conformidad con su promesa (Lc. 24.49; ver Hch. 1.4-5, 8).

Por otro lado, el texto menciona que el Señor bautizará con "fuego." Aquí el énfasis cae sobre una cosa y la pregunta que corresponde es "¿qué?" ¿Con qué cosa bautiza Jesús a sus seguidores? El texto responde: "con fuego." El fuego produce luz, calor y pureza, todo lo cual es lo que produce el Espíritu Santo en la vida del creyente controlado por él. La partida de

Jesús hubiese terminado en un desastre de no haber sido que él dejó una promesa, que el Padre cumplió fielmente a los pocos días. Cuando el Señor prometió a sus discípulos "dentro de pocos días ustedes serán bautizados con el Espíritu Santo" (Hch. 1.5b), selló el destino glorioso del testimonio cristiano en el mundo hasta el día de su retorno. De este modo, la primera sección de Hechos bien merece el título de "El bautismo con el Espíritu Santo que prometió el Padre."

Juan el Bautista y Jesús (11.1-15)

En estos versículos, Jesús se presenta como Maestro de sus discípulos ("terminó de dar instrucciones a sus doce discípulos," v. 1) en tres aspectos fundamentales del discipulado: confianza, autoridad y compasión. En la respuesta a Juan el Bautista notamos su deseo de fortalecer su confianza en él como el Mesías. La dura crisis por la que estaba pasando este profeta del desierto le había hecho impaciente ante los hechos, su fe se había debilitado y sus esperanzas parecían algo esfumadas. A su vez, Jesús les indica a los discípulos de Juan que le digan lo que él estaba haciendo y lo que en verdad estaba sucediendo. Es así como el Señor levanta la confianza de sus seguidores.

Llama la atención el uso de la palabra "Cristo" en el v. 2. Al utilizarla, Mateo expresa su propio conocimiento de lo que Juan el Bautista apenas sospechaba y esperaba, es decir, que Jesús era el Mesías. Los versículos de este pasaje nos muestran a Juan y a Jesús: la pregunta del primero y la respuesta del segundo (vv. 1-6). Y, luego, nos muestran a Jesús y a Juan: la vindicación del primero al ministerio del segundo (vv. 7-15).

Juan pregunta a Jesús (vv. 1-3). Parece contradictorio que Juan no supiera que Jesús era el Mesías. De modo que es mejor tomar su pregunta como una expresión de duda o perplejidad, más que como una falta de fe o confianza. Juan se está cuestionando sobre Jesús, y perplejidad no es lo mismo que deslealtad o infidelidad. Lo que había en la mente de Juan eran preguntas más que un vacío de sentido. ¿Se habría equivocado, después de todo, en cuanto al carácter y ministerio del Mesías? Por cierto, Jesús era el Mesías, pero quizás no el que Juan esperaba. Su mesianismo era conforme a lo que de él anticipaban las Escrituras (v. 5), y no lo que la tradición había elaborado y la expectativa popular había inventado. Quien siguiera esas interpretaciones equivocadas seguramente iba a "tropezar" con Jesús, ya que él no perfilaba su mesianismo por esas líneas. En cambio, quien comprendía la persona y misión de Jesús sobre la base del modelo bíblico del Mesías, podía considerarse "dichoso."

Por otro lado, la incertidumbre de Juan se explica por el hecho de estar en prisión y aislado de la realidad después de su arresto por Herodes el tetrarca de Galilea. En esa situación, la información que le llegaba sobre el ministerio de Jesús era parcial y en cierto sentido estaba filtrada por las propias presuposiciones de sus informantes (sus discípulos). De allí que enviara a dos de sus discípulos a investigar a Jesús y de algún modo ponerse al día con los acontecimientos. Lo que Juan parece querer conocer mejor y entender más cabalmente es el método de Jesús en su ministerio. Él se había declarado precursor de un Rey majestuoso e implacable en su juicio, que seguramente llevaría su propio ministerio de denuncia del pecado y llamado al arrepentimiento al siguiente nivel de condena del pecado y ejecución del juicio divino (3.7-12). Pero daba la impresión como que Jesús no había hecho, hasta ese momento, nada de esto. Había juntado a unos pocos discípulos, había enseñado algunos principios éticos, había contado algunas parábolas y había realizado algunas sanidades y milagros, pero nada más. Su misión parecía ser de misericordia y no de juicio. No es extraño que Juan estuviera perplejo, aun siendo leal a la causa, y preguntara: "¿Eres tú el que ha de venir, o debemos esperar a otro?"

Jesús responde a Juan (vv. 4-6). En su respuesta a Juan, notamos el deseo de Jesús de fortalecer la confianza de su primo en él como el Mesías. La dura crisis por la que estaba pasando este profeta del desierto le había hecho impaciente ante los hechos, su fe se había debilitado y sus esperanzas parecían algo alicaídas. Pero, sobre todo, Juan necesitaba de clarificación sobre cuál era el ministerio mesiánico de Jesús. Así, pues, Jesús les indica a los discípulos de Juan que le digan lo que él estaba haciendo y lo que en verdad estaba sucediendo. Es así como el Señor levanta la confianza de sus seguidores. Así, pues, su respuesta se basó no en palabras, sino en sus acciones de poder (vv. 4-5). Entre estas acciones (también llevadas a cabo por otros profetas de la antigüedad), se destaca el hecho singular y novedoso de que "a los pobres se les anuncian las buenas nuevas."

El anuncio de las buenas nuevas a los pobres es la esencia del evangelio cristiano. Esta ha sido también la piedra de tropiezo de la iglesia a lo largo de toda su historia. Los movimientos eclesiales más importantes, incluso la propia iglesia del Nuevo Testamento, comenzaron su proclamación del evangelio con los pobres, pero, lamentablemente, en muchísimas instancias a lo largo de la historia de su testimonio, la iglesia de Jesucristo se ha olvidado de sus raíces y de esta vocación germinal. Tentada por los poderes de ese mundo, la iglesia ha procurado más de una vez ascender la escalera del institucionalismo, para convertirse en una entidad respetable y poderosa. Esta es la médula del paradigma de cristiandad inaugurado con el emperador Constantino (siglo IV) y todavía vigente. No obstante, de tanto en tanto en la historia del testimonio evangélico, la teología cristiana ha sido redefinida desde abajo. Esto es lo que ha ocurrido en cierta medida durante la Reforma Radical y la revolución inglesa, en el metodismo inglés, así como dentro de la corriente del Avivamiento Evangélico en Norteamérica. Indudablemente, esto ha sido la contribución más notable del pentecostalismo latinoamericano a lo largo del siglo XX.

> **Guillermo Cook:** "La iglesia evangélica en América Latina hoy puede asumir el liderazgo en este redescubrimiento de sus raíces 'radicales.' Sin embargo, para hacer esto tendrá también que 'descubrir' a los pobres—que están por todas partes a su alrededor—y encontrar el verdadero significado del testimonio en comunidad en las bases de la sociedad latinoamericana. ¿Será capaz de hacer esto la iglesia evangélica en América Latina? Tal vez no por su propia voluntad. La historia parece mostrar que sólo cuando la iglesia es forzada, a menudo en función de su auto preservación institucional, a defender a los oprimidos en su medio, comenzará ella a redescubrir la Palabra de Dios 'desde abajo.' En realidad, esto es lo que ha ocurrido con la Iglesia Católica en América Latina, y puede que esté comenzando a tener lugar en algunos sectores del evangelicalismo en América Central. Este descubrimiento es, de hecho, un acto de la gracia divina, a veces doloroso, pero de todos modos necesario."[5]

5. Guillermo Cook, *The Expectation of the Poor: Latin American Basic Ecclesial Communities in Protestant Perspective* (Maryknoll, NY: Orbis Books, 1985), 232-233.

En el mensaje de Jesús hay también una amonestación al deprimido y dubitante Juan (v. 6). Jesús le recuerda a Juan que él estaba haciendo precisamente lo que Isaías había profetizado que haría el Mesías (Is. 35.5; 61.1). Por esto mismo, Juan no debía estar perplejo por él, aunque no hiciese nada por sacarlo de la cárcel. Indudablemente, cuando la respuesta de Jesús llegó a Juan, éste encontró en ella una nueva interpretación de la misión del Mesías, fundada en el programa clave ya anunciado en Isaías 61.1-2 (ver Lc. 4.18-19). Y a esto, Jesús agregó una palabra de aliento y amonestación para Juan: "Dichoso el que no tropieza por causa mía." Con esto, Jesús le estaba diciendo a su precursor: "Si estás perplejo en cuanto a mi método mesiánico, por lo menos confía en mí."

Jesús vindica a Juan (vv. 7-15). Al retirarse los discípulos de Juan, Jesús destaca, delante de quienes lo acompañaban, la importancia de Juan y de su ministerio. Lo hace delante de la multitud que había oído la pregunta del precursor. De hecho, si él era el Mesías, entonces Juan debía ser el Elías anunciado (v. 14; Mal. 4.5; Mt. 17.10-13). De allí que Jesús haga una serie de preguntas a la gente (vv. 7-10), cuyo fin era revalorizar el ministerio de Juan, y afirmar su propia condición como Mesías.

Más allá de cómo lucía, Juan era un profeta y, según Jesús, "más que profeta" (v. 9), porque otros profetas de Israel habían predicho en relación con el Mesías lo que jamás llegarían a ver con sus ojos, pero Juan era un coetáneo del Mesías y podía dar testimonio de lo que había visto y oído. En un sentido, con él la profecía había alcanzado su expresión máxima y su culminación. Juan era un heraldo divino, enviado para introducir al pueblo en la era mesiánica y anticipar el advenimiento del reino de Dios (Mal. 4.5). Pero estaba destinado a morir como mártir y no llegó a disfrutar de los beneficios de ese reino, razón por la cual "el más pequeño en el reino de los cielos es más grande que él" (v. 11).

Hay varias interpretaciones de la frase "el reino de los cielos ha venido avanzando contra viento y marea" ("sufre violencia," RVR) en v. 12. (1) Los que pugnan son los que se esfuerzan para entrar ("los que se esfuerzan logran aferrarse a él," es decir, consiguen entrar al reino). (2) Los que pugnan son los que hacen sufrir a los mártires y creyentes a quienes intentan arrebatarlos del reino. (3) Los que pugnan son la gente que se agolpaba junto a Jesús buscando algo de parte de él; querían "arrebatar" o "atrapar para sí" a Jesús. (4) Los que pugnan son la secta de los zelotes, quienes querían un reino terrenal y estaban dispuestos a todo para lograrlo. El reino "ha venido avanzando" a pesar de los esfuerzos de parte de esta gente, que pretende cambiar el carácter del reino de los cielos. En este caso, "contra viento y marea" sería resistir a aquellos que intentan tomar y convertir a los creyentes y al reino en otra cosa. La palabra es más negativa que positiva, y se refiere a arrebatar para sí y no en un sentido bueno.

De algún modo, Juan reconocía la transitoriedad de su bautismo y el advenimiento de un orden nuevo y superior. Juan, al igual que los profetas del Antiguo Testamento, recordó al pueblo las leyes de Dios que ellos estaban quebrantando, y les advirtió severamente del juicio divino que vendría. Jesús, si bien también enseñó con vehemencia a la gente a estar preparada para el juicio, habló mucho más acerca de la generosidad y misericordia de Dios. Él decía que Dios nos daría siempre de su Santo Espíritu para ayudarnos a vivir un nuevo estilo de vida. Jesús no sólo vino con un mensaje acerca del Espíritu, sino que también él mismo ofreció el don del Espíritu para fortalecernos. De modo que podemos decir que Juan vino con una advertencia, y Jesús vino con un don (v. 11).

Juan el Bautista y su muerte (14.1-12)

Los vv. 3-12 tratan con la muerte de Juan el Bautista por decapitación. Hay varios personajes que son mencionados en este pasaje: Juan el Bautista, Herodes y Herodías. Este relato se presenta aquí por la luz que arroja sobre el carácter de Herodes y porque explica su actitud en ese momento hacia Jesús (ver vv. 1-2 y 13).

¿Quién era Herodes? (vv. 1-2). Era un tetrarca, es decir, el gobernador de la cuarta parte de un reino, pero pretendía ser rey. Estaba bajo la autoridad de otro, pero era rebelde y había establecido una corte y régimen real. Era ambicioso, corrupto y políticamente rebelde. Era idumeo (descendiente de Esaú), pero reinaba sobre una porción de los descendientes de Jacob. Era un hombre disoluto, dado a todo tipo de excesos, y atormentado por una conciencia culpable. Había escuchado a Juan el Bautista con atención y admiración. No quería matar a Juan, pero terminó haciéndolo por ceder al hombre lascivo y cruel que llevaba adentro. Se mostró totalmente incapaz de resolver una serie de juramentos (el gr. *hórkous* en v. 9 es plural), que hizo estando intoxicado y sumido en la lujuria. La suma de sus pecados (su arresto y tortura de Juan, su adulterio con Herodías, sus deseos criminales, su lujuria, sus juramentos necios) finalmente llevó al estallido de su animalismo diabólico que terminó en el asesinato de Juan.

¿Por qué Herodes mató a Juan? (vv. 3-12). Herodes vio en Juan dos peligros en su contra: era muy popular con la gente (según Josefo) y decía la verdad (según Mateo). Juan había condenado el adulterio de Herodes, pues se había unido a Herodías, la mujer de Felipe su hermano (Mr. 6.17). Salomé era la hija de Herodías, quizás de unos 16 o 17 años. Como señalamos, Herodes Antipas era el tetrarca o gobernador de la cuarta parte de Palestina (Galilea y Perea). Era un hombre con una conciencia culpable. La acción de Herodes era típica de un hombre débil. Guardó un juramento necio y rompió una gran ley. La acción criminal de Herodes lo llevó a su ruina final, pues fue depuesto por el emperador Calígula y enviado al exilio. No obstante, su locura criminal terminó por afectar el ministerio público de Jesús. Cuando Herodes "se enteró de lo que decían de Jesús" es como que en su mente volvió a proyectarse la memoria del ministerio de Juan, al punto que pensó que el decapitado había resucitado (vv. 1-2). Esto forzó a Jesús a un retiro estratégico, para evitar la represión de Herodes, ya que las multitudes lo querían coronar como rey (v. 13). Nótese que Jesús decidió retirarse no en ocasión de la muerte de Juan, es decir, cuando los discípulos de éste le avisaron lo que había ocurrido (v. 12), sino más tarde, cuando Herodes "se enteró de lo que decían de Jesús" (vv. 1-2). Los vv. 3-12 son como una nota al margen para explicar por qué Herodes se alarmó al tener noticias del ministerio de Jesús.

EL BAUTISMO DE JESÚS (3.13-17)

Hasta los treinta años (Lc. 3.23) Jesús vivió en Nazaret. Hasta ese pequeño pueblo de Galilea llegaron las noticias de que Juan el Bautista estaba reuniendo a un grupo de gente, que se estaba preparando para la "venida de Dios como Rey." No sabemos qué es lo que pasó por la mente de Jesús cuando recibió esta información. Pero es evidente que sintió la necesidad de ir y unirse a este grupo. De esta manera, hacia el año 27 d.C. hizo el viaje de unos 130 Km. que lo separaban de Juan, lo cual significó viajar caminando por unos cinco o seis días. En ese lugar inhóspito ocurrieron tres eventos sumamente importantes en la historia de la salvación: el bautismo de Jesús (vv. 13-15), la unción de Jesús (v. 16) y la confirmación de Jesús (v. 17).

El bautismo de Jesús (3.13-15)

El río Jordán, en el valle circundante cerca de Jericó y a lo largo de una zona mayormente desértica, tiene una mayor profundidad. El río viene corriendo desde las faldas del monte Hermón hasta el mar de Galilea y luego da vueltas por más de 160 Km., hasta desembocar en el mar Muerto. Durante casi todo su curso corre bajo el nivel del mar. En general no es demasiado profundo. Este pasaje nos habla de la sumisión de Cristo (v. 13), puesto que entendió que su bautismo era la voluntad de Dios (v. 15); de la humildad de Cristo (v. 14; Lc. 3.21), que se sometió a ser bautizado por Juan; de la perfección de Cristo, que fue reconocida por Juan el Bautista (v. 14) y demostrada por su conducta (v. 15; He. 5.9); de la justicia de Cristo (v. 15), que fue profetizada (Jer. 23.5) y cumplida (Ap. 19.11); del ejemplo de Cristo (v. 16), que seguramente llamó la atención de algunos discípulos de Juan que luego fueron discípulos suyos; y de la divinidad de Cristo (v. 17; Jn. 1.1), que fue atestiguada en el acto. Todo este episodio fundamental despierta algunas preguntas.

¿Qué aprendió Jesús de este bautismo? Por supuesto, es imposible responder a esta pregunta con absoluta certeza. Quizá lo que él aprendió fue que era el Mesías, que él era el verdadero y unigénito Hijo de Dios, y que tendría que sufrir para cumplir con su cometido. Además, durante el bautismo supo también que Dios le estaba dando todo el poder necesario para realizar su obra. Sin embargo, nadie puede decirnos qué era lo que Jesús sabía de sí mismo antes de su bautismo. Prácticamente la única información de que disponemos sobre esta cuestión es Lucas 2.49. De modo que debemos decir que Jesús obtuvo este conocimiento por primera vez en ocasión de su bautismo, o bien cuando fue bautizado descubrió esto de una manera más profunda que antes.

¿Por qué pidió Jesús este bautismo? Notemos que la iniciativa en su bautismo fue de Jesús ("fue ... para que Juan lo bautizara"). Esto no fue, obviamente, porque él fuese un pecador necesitado de arrepentimiento. Lo hizo porque había pecado en la humanidad y él era un ser humano como cualquier otro, con una humanidad total. Era como si estuviese diciendo: "yo soy uno más en este pueblo. Sus luchas son mis luchas, y su vergüenza es mi vergüenza." Fue su total identificación con la humanidad pecadora lo que lo llevó a esta decisión (2 Co. 5.21). Por otro lado, él podía hacerse uno con la humanidad porque realmente era un ser humano pleno (Is. 53). No es que pretendía serlo: lo era realmente. Además, Jesús consideraba el bautismo de Juan como una oportunidad de dedicación al cumplimiento de la obra de su Padre en esta tierra. Juan no quería de ningún modo aceptar las razones de Jesús, pero éste finalmente le hizo entender que tal bautismo era necesario en virtud de un propósito divino y, como tal, era un paso importante en su carrera redentora. Juan era un instrumento más en este camino, que culminó en la cruz.

La unción de Jesús (3.16)

Este versículo afirma que, al salir del agua "se abrió el cielo." ¿Se abrió realmente el cielo? ¿Se oyó una voz? ¿Bajó una paloma real? Marcos 1.10 no dice que se abrió el cielo, sino que "Jesús vio que el cielo se abría." Mateo no dice que bajó una paloma, sino que Jesús "vio al Espíritu de Dios bajar como una paloma." Dios podía haber hecho que descendiera una paloma, pero no lo hizo, según lo que dice el texto bíblico. Mateo, pues, está describiendo lo que Jesús sentía en su corazón, en su ser interior, en el momento de su bautismo. Fue como una especie de visión que tuvo. Marcos enfatiza, incluso, que la voz sólo fue oída por Jesús (Mr. 1.11). No fue ésta la única visión que tuvo Jesús en su vida (Lc. 10.18). Esta fue una unción especial que recibió Jesús al comenzar su ministerio. Lo interesante es que si Mateo pudo registrar estas percepciones y experiencias íntimas de Jesús es porque en algún momento Jesús mismo las compartió con detalle a sus discípulos. No hay enseñanza más impactante que aquella que recibimos de un buen maestro, que de "la bondad que atesora en el corazón saca el bien" y abre su intimidad para bendecir a otros (12.35).

Es interesante notar también que, en la simbología hebrea, tanto el cordero como la paloma son representantes de un carácter manso y humilde (ver Mt. 10.16), como también son elementos claves como animales para el sacrificio por los pecados. Así, pues, la paloma significaba paciencia, mansedumbre, humildad y era el tipo de sacrificio al que podían acceder los pobres (Lv. 12.8; Lc. 2.24). De esta manera, Jesús, que había sido "sepultado" en agua por los pecados del mundo, ahora es ungido por el Espíritu "como una paloma," que lo representa como el sacrificio que puede salvar a todos los seres humanos, incluso a los más pobres y despreciados.

Por otro lado, estas palabras nos enseñan que Dios no está encerrado en un cielo lejano, sino que está en contacto con nosotros. No hay una barrera entre el cielo y la tierra (Gn. 28.12). Jesús también vio descender al Espíritu Santo. Con esto supo que Dios estaba haciendo caer sobre él el poder necesario para hacer su obra. Además, con esto tuvo la certeza de que él era el Mesías. Los judíos enseñaban que el derramamiento del Espíritu de Dios era una señal de que el Mesías había venido (Is. 61.1). Generalmente el Espíritu Santo hace evidente la operación de su poder a través de señales, prodigios y maravillas.

La confirmación de Jesús (3.17)

Jesús oyó una voz que le dio la certidumbre de que él era el "Hijo amado" de Dios y el Mesías (ver Sal. 2.7; cuando los judíos cantaban este Salmo, pensaban en el Mesías que había de venir). Esta es una de las referencias al Hijo de Dios más gloriosas en el Antiguo Testamento. Este concepto de que el Mesías es el Hijo de Dios corre a lo largo de las Escrituras hebreas. Pero la voz agrega: "Estoy muy complacido con él." Esta declaración arroja luz sobre los años oscuros en Nazaret, sobre los que no tenemos información (desde los doce hasta los treinta años). En las aguas del Jordán Jesús parece listo para ofrecerse como el Cordero de Dios sin mancha que quita los pecados del mundo.

Sin embargo, ¿estaba sin mancha? ¿Qué pasó a lo largo de su infancia, adolescencia y juventud? Imaginemos a un sacerdote examinando al cordero para el sacrificio, que tenía que ser sin mancha. ¿Era Jesús así? Dios mismo dice que sí: "Estoy muy complacido con él." El Padre pone su sello de aprobación y dice que a lo largo de treinta años de experiencia humana su Hijo fue perfecto y que, por lo tanto, está listo para ofrecerse como sacrificio por los pecados de la humanidad. Pero hay algo más. Jesús mismo dijo: "Por eso me ama el Padre: porque entrego mi vida para volver a recibirla" (Jn. 10.17). Y cuando el Padre dice, "Estoy muy complacido" esto fue una declaración de la confirmación divina, en ocasión del bautismo y la unción de Jesús, que indicaba la unión perfecta con Dios en su propósito redentor.

CAPÍTULO 4

TENTACIÓN Y MINISTERIO

4.1-25

Este capítulo puede fácilmente dividirse en dos secciones. La primera trata con la tentación de Jesús antes de comenzar su ministerio terrenal (vv. 1-11), y la segunda con el comienzo de tal ministerio (vv. 12-25).

En la primera parte, debemos considerar a Jesús en su relación con el reino de las tinieblas y su líder, "el príncipe de este mundo" (Jn. 12.31; 14.30; 16.11). El Rey ha venido, pero no sólo a reinar, sino también a establecer su reino. Él no viene a un reino ya en marcha y que lo está esperando listo para obedecerlo, sino que viene a un orden caracterizado por la rebeldía, la desobediencia y la anarquía. En los planes de Dios en cuanto a su reino, un Hombre (el Hijo del hombre) tiene que ser el Rey. Pero este Hombre, si realmente va a establecer el reino y reinar sobre el mismo, debe demostrarse como personalmente victorioso sobre esas fuerzas de oposición, a través de la victoria sobre su enemigo por excelencia, el malo (el diablo). El Rey ya ha probado estar en plena armonía con el orden y la belleza de los cielos. Su carácter y ministerio han sido aprobados por Dios mismo en ocasión de su bautismo: "Este es mi Hijo amado; estoy muy complacido con él" (3.17). Pero ahora debe confrontar el desorden y el caos del abismo. Él es la bondad por excelencia y la expresión perfecta de la voluntad de Dios para el ser humano. Pero debe enfrentar al malo y vencerlo.

En la segunda parte, debemos considerar a Jesús en relación con el comienzo de su ministerio. Parece claro que entre los versículos 11 y 12 hay un salto cronológico. Mateo omite algunas cosas registradas por el evangelista Juan. Es interesante y llama la atención que los tres Evangelios Sinópticos omiten una sección importante del ministerio público de Jesús, que cubre al menos ocho meses. No hay duda de que este período de tiempo es el que transcurrió entre los versículos 11 y 12, según Mateo. Allí leemos: "Entonces el diablo lo dejó; y unos ángeles acudieron a servirle" (v. 11). E inmediatamente: "Cuando Jesús oyó que habían encarcelado a Juan, regresó a Galilea" (v. 12). Para llenar el vacío temporal en el medio y conocer qué es lo que ocurrió hay que ir al Evangelio de Juan.

Parece ser que al regresar del desierto y de la tentación, Jesús anduvo un tiempo (por lo menos tres días) por la región donde Juan cumplía su ministerio. Durante el primer día, estuvo entre la multitud, sin ser reconocido por ellos, pero fue descubierto por Juan el Bautista. En ese día, Juan dijo: "Entre ustedes hay alguien a quien no conocen" (Jn. 1.26b). En el segundo día, por alguna razón, Jesús se movió pasando la multitud y llegando hasta Juan, quien lo vio venir y dijo: "¡Aquí tienen al Cordero de Dios, que quita el pecado del mundo!" (Jn. 1.29). En el tercer día, Juan vio nuevamente a Jesús, pero yéndose, y mientras se iba, Juan volvió a gritar: "¡Aquí tienen al Cordero de Dios!" (Jn. 1.36b). En esta ocasión, dos de sus discípulos lo dejaron y siguieron a Jesús. Es interesante notar que, en el primer día, Juan habló del Profeta perfecto ("yo no soy digno ni siquiera de desatarle la correa de las sandalias," Jn. 1.27b). En el segundo día, Juan habló de la Propiciación perfecta ("el Cordero de Dios, que quita el pecado del mundo," Jn. 1.29). En el tercer día, Juan habló de la Persona perfecta ("el Cordero de Dios," Jn. 1.36b).

Inmediatamente después de esto, Jesús se volvió a los dos discípulos de Juan que lo seguían, y les preguntó: "¿Qué buscan?" Uno de ellos respondió con una pregunta: "Rabí, ¿dónde te hospedas?" y Jesús respondió: "Vengan a ver," y ellos lo siguieron (Jn. 1.38b-39a). Uno de ellos era Andrés; no se da el nombre del otro, pero muy probablemente era Juan. Andrés encontró inmediatamente a Simón, su hermano, y lo trajo a Jesús. Y Jesús se encontró con Felipe. Si lo conocía de antes, no sabemos, pero lo buscó y lo encontró, y Felipe, a su vez, hizo lo mismo con

Natanael. Este grupo constituyó el primer núcleo de los discípulos, que acompañó a Jesús en su ministerio.

LA TENTACIÓN DE JESÚS (4.1-11)

La confrontación con el malo fue para Jesús un encuentro real con la realidad del mal y el pecado. Sólo así su victoria podía ser también real y definitiva. Jesús no fue un actor o simulador. En el desierto, más allá del Jordán, se encontró con el enemigo en el campo de batalla de la tentación y no en la escenografía de la parodia o de la fantasía legendaria con matices religiosos. Algo parecida fue la experiencia del salmista (Sal. 107.2). Si Jesús no hubiera dado su testimonio personal, no hubiésemos tenido un relato tan vívido de la experiencia de la tentación. Él es la única fuente posible de lo que ocurrió allí. Esta actitud de Jesús de compartir con otros lo vivido por él en su lucha contra la tentación nos enseña la necesidad y el valor de contar nuestras propias luchas y victorias. Jesús mismo se sentía fortalecido por las victorias que Dios había concedido a otros en el pasado. Y ahora quiere fortalecer a sus discípulos contando su propia experiencia ante la tentación.

A su vez, Mateo, que muy probablemente escuchó el testimonio de Jesús, a través de su relato comparte lo recibido con la iglesia y con el mismo fin. Nosotros, que ahora lo leemos, también podemos forjar, con nuestra propia experiencia personal, un eslabón más en esta cadena espiritual compartiendo nuestras luchas y victorias. El pueblo de Dios ha vencido siempre al enemigo "por medio de la sangre del Cordero y por el mensaje del cual dieron testimonio" (Ap. 12.11). Al comienzo de su ministerio, Jesús se enfrentó al malo y triunfó sobre él, y al hacerlo estableció un modelo de victoria para todos sus seguidores.

La situación de la tentación (4.1)

La situación de la tentación de Jesús fue similar a la de cualquier otro ser humano, pero tuvo matices muy particulares por tratarse de quien se trataba. Nótese que no es Jesús quien va por propia voluntad al lugar de la tentación, sino que, según Mateo: "el Espíritu llevó a Jesús al desierto." Esto significa que, lleno como estaba del Espíritu Santo (ungido) después de su bautismo, el mismo Espíritu lo impulsó a moverse hacia la soledad del desierto. Marcos expresa la acción del Espíritu con un lenguaje más fuerte (1.12) al decir que el Espíritu "lo impulsó" (gr. *ekballei*). Así, pues, hay tres cosas a tomar en cuenta aquí.

La persona que fue tentada. Es importante subrayar que la experiencia de la tentación fue real y vivida. No se trató de un estado de conciencia abstracto, imaginario o inventado, sino de una experiencia profunda vivida por un ser humano de carne y hueso, en un momento crucial de su peregrinaje por este mundo. Esto nos lleva a hacer las siguientes dos afirmaciones fundadas en hechos concretos, según el relato de Mateo.

La persona que fue tentada era un ser humano. En el relato de la tentación, el Rey se muestra como un hombre totalmente humano (valga la redundancia). Si uno se olvida del diablo y de sus maniobras, y pone su atención en la persona de Jesús, puede ver, como telón de fondo, la realidad del ideal de Dios para la humanidad. Jesús se manifiesta como el ser humano por excelencia y la tentación golpea, con una secuencia precisa, en cada una de las áreas que hacen humana a la vida humana. La precisión quirúrgica de cada tentación muestra que no fueron golpes al aire los que dio el diablo ni ataques improvisados. Por el contrario, apuntaron a demoler la humanidad de Jesús en su esencia fundamental. Primero, el diablo apeló a la naturaleza física (pan para el cuerpo); segundo, apeló a la naturaleza espiritual (confianza en Dios para el espíritu), y, tercero, apeló a la naturaleza emocional (poder para el alma). De esta manera, la totalidad del complejo humano de Jesús (cuerpo, espíritu y alma, ver 1 Ts. 5.23) se vio afectada. En Jesús, la persona humana total fue tentada por el diablo. No quedó área de su persona sin caer bajo ataque.

La persona que fue tentada era el Mesías. Resulta paradójico pensarlo y decirlo, pero es así. Uno supondría, en términos de las tradicionales expectativas mesiánicas de los judíos, que el Mesías sería alguien totalmente blindado a todo tipo de tentación del maligno. No obstante, el propio mesianismo del pueblo judío demostró su fracaso al no saber cómo resistir la tentación y caer en el pecado de quebrantar el pacto con

Dios. En términos bíblicos, el mesianismo tiene un precio, y el Mesías tenía que estar dispuesto a pagarlo. La historia de Israel muestra cómo, en muchos casos, el pueblo escogido pagó (y continúa pagando) ese precio. El mesianismo involucra dolores de muerte por el viejo mundo (muerto en transgresiones y pecados, Ef. 2.1), y dolores de parto o de vida por un nuevo mundo que está naciendo (el reino de Dios). Así, pues, lo que Israel no consiguió debido a su desobediencia, lo ha conseguido el Mesías Jesús con su obediencia. Jesús rechazó la propuesta de Satanás de evitar pagar el precio de su vocación mesiánica, y estuvo dispuesto a entregarse no a un misterio trascendente o una causa abstracta, sino al misterio inmanente e histórico de su muerte y muerte de cruz.[1]

> **Rudolf Schnackenburg:** "Satanás procuró alejar a Jesús a último momento de la senda del mesianismo que el Padre había marcado para él, esto es, de trabajar en la oscuridad del sufrimiento y la muerte como el 'Siervo de Dios,' y persuadirlo a meterse en un mesianismo político y de búsqueda de poder. Al hacerlo así, el diablo esperaba trampearlo y someterlo a él. Sin embargo, Jesús lo rechazó y permaneció leal a su vocación."[2]

El medio ambiente de la tentación. En este sentido, hay que considerar el medio ambiente externo. Esto ocurrió en el desierto de Judea, no lejos de la escena de su bautismo y donde Juan el Bautista desarrollaba su ministerio de predicación. Jesús fue tentado en el "desierto," entre Jerusalén y el mar Muerto. Los tres Evangelios Sinópticos (Mr. 1.12-13; Lc. 4.1-13) enfatizan la inmediatez con que las tentaciones siguieron al bautismo. El vocablo "desierto" (gr. *érēmon*) indica simplemente un lugar deshabitado o inhóspito. Como indica William Barclay: "En ese desierto Jesús podía estar más solo que en ninguna otra parte de Palestina. Jesús fue al desierto para estar solo. Su tarea le había llegado. Dios le había hablado. Él debía pensar en cómo iba a acometer la tarea que Dios le había dado para hacer.

---

1. Jürgen Moltmann y Laënnec Hurbon, *Utopía y esperanza: diálogo con Ernst Bloch* (Salamanca: Ediciones Sígueme, 1980), 165-168.
2. Rudold Schnackenburg, *The Moral Teaching of the New Testament* (Nueva York: Herder and Herder, 1967), 112.

Tenía que desenmarañar las cosas antes de comenzar y tenía que estar solo."[3] La soledad del desierto fue su medio ambiente externo.

Pero también hay que considerar el medio ambiente interno. Jesús estaba en una situación de necesidad, es decir, estaba pasando por un desierto interior. Estaba solo y tenía una profunda necesidad emotiva o afectiva. Tenía hambre, lo cual era una necesidad física. Tenía que tomar serias decisiones, lo que implicaba una profunda necesidad volitiva. Y estaba por iniciar su ministerio mesiánico, lo cual era una gran necesidad espiritual.

El tiempo de la tentación. Los tres Evangelios Sinópticos indican que las tentaciones ocurrieron inmediatamente después de su bautismo. En Mateo, la primera palabra en v. 1 es el adverbio *tóte*, que se traduce como "entonces, en aquel tiempo," o como "luego, inmediatamente después, en seguida" (Mr. 1.12). Estas tentaciones vinieron justo en el momento cuando podían presentar la prueba más severa sobre su misión mesiánica. En su bautismo, Jesús recibió la confirmación gloriosa de su vocación y ministerio mesiánico (3.17). Pero de la gloria del bautismo Jesús pasó a la vigilia del desierto. Del pináculo de la seguridad y confirmación se trasladó al foso de la prueba y el conflicto. El peregrinaje de la vida real del creyente es también así. Después de todo gran momento en la vida viene otro momento de reacción negativa. Esto ocurrió con Elías, quien no temió a los profetas de Baal, pero si se derrumbó de miedo ante Jezabel (1 R. 19.3).

Nótese que el vocablo "tentar" (gr. *peirázō*) aquí y en v. 3, originalmente significa probar, poner a prueba, testear. Este es su significado general en el griego clásico y en la Septuaginta. El vocablo gr. *ekpeirázō* es el que tiene un sentido malo o negativo (v. 7; Dt. 6.16) y se traduce como poner a prueba o tentar. En el v. 1 tiene el significado que es más frecuente en el Nuevo Testamento de instigar o seducir al pecado. El sentido malo del verbo viene de su uso con un propósito malo. Además, el que tienta en este caso es el "diablo" (gr. *tou diabólou*, el calumniador, acusador). Este término se aplica también a Judas Iscariote (Jn. 6.70), a ciertos hombres

3. William Barclay, *The Gospel of Matthew*, 2 vols., ed. rev. (Filadelfia: Westminster Press, 1975), 1:63.

(2 Ti. 3.3) y a ciertas mujeres (1 Ti. 3.11; Tit. 2.3), que hacen la obra del diablo, el calumniador o acusador por excelencia.

Las raíces de la tentación (4.2)

A la luz de la experiencia de Jesús, podemos identificar cuatro raíces principales, que también nos afectan a nosotros, en tanto que, como él, somos seres humanos.

La debilidad humana. El texto dice que antes de ser tentado, Jesús había estado ayunando (gr. *nēsteúsas*) por "cuarenta días y cuarenta noches." No fue un ayuno religioso (ceremonial), sino un medio para facilitar la comunión con el Padre a través de la abstención de comida, tal como lo hizo Moisés durante cuarenta días y cuarenta noches (Éx. 34.28). El resultado físico inevitable fue que "tuvo hambre" al término de los cuarenta días. Indudablemente, estaba en condiciones de gran debilidad física, con efectos colaterales de carácter mental y emocional. Cabe levantar dos preguntas aquí.

¿Qué es el ayuno? Es la abstinencia total o parcial de comida, llevada a cabo como disciplina religiosa. En las religiones primitivas generalmente era en preparación para una ceremonia de iniciación o para la limpieza espiritual. En el judaísmo y el cristianismo es una señal de compunción o arrepentimiento por el pecado. También se lo practica con mucha frecuencia como medio de obtener claridad de visión y discernimiento místico y éxtasis. En el Antiguo Testamento está prescripto por la Ley como parte del día de la expiación ("ayunarán," Lv. 16.29; 23.27; Nm. 29.7; Hch. 27.9). También se observaba otras cuatro veces en el año recordando la caída de Jerusalén (Zac. 7.3, 5; 8.19). Después del cautiverio babilónico, un judío celoso ayunaba dos veces por semana (Lc. 18.12); lo mismo hacían los discípulos de Juan el Bautista (Lc. 5.33). La práctica del ayuno es complementaria de la oración (Lc. 2.37) y fue común en la iglesia temprana (Hch. 13.2-3; 14.22). Pablo habla de sus frecuentes ayunos (2 Co. 6.5; 11.27). Ayunar es abstenerse de alimentos y en algunos casos de líquidos, sueño, relaciones sexuales (hoy puede ser también de ver televisión o entrar a Internet), para darle prioridad a las disciplinas espirituales y a la comunión con el Señor (Éx. 34.28; Dt. 9.18; Hch. 27.33). El

ayuno generalmente va acompañado de la oración (Sal. 35.13) o por compromisos específicos delante de Dios (1 S. 14.24-30). Jesús enseñó que el ayuno exhibido externamente no tiene valor espiritual, sino que, por el contrario, muestra el pecado de la hipocresía (Mt. 6.16-18).

¿Por qué ayunó Jesús? Seguramente no lo hizo como un acto de penitencia o como obra meritoria. Jesús sabía muy bien que el valor del ayuno depende de la intención y de la manera en que se lleva a cabo. No todas las personas entienden adecuadamente el sentido del ayuno religioso. Muchos en el antiguo Israel y a lo largo de la historia del testimonio cristiano han practicado el ayuno como una suerte de obra meritoria o de sacrificio para atraer la misericordia de Dios o captar alguna bendición suya. Muy frecuentemente el ayuno se transformó en un medio de exaltación personal y de llamar la atención de otros sobre la piedad personal. Los profetas condenaron este tipo de actitud hipócrita y señalaron que el ayuno carece de valor si no va acompañado por un sincero deseo de ordenar la vida en conformidad con la voluntad de Dios (Is. 58.3-7; Jer. 14.12). El ayuno también carece de valor cuando sólo se practica para enaltecer a la persona humana (Mt. 6.16). Los profetas del Antiguo Testamento y Jesús mismo no condenan el ayuno, sino la práctica hipócrita del mismo. El ayuno es un ejercicio que ayuda a la salud espiritual y a la disciplina cristiana. Jesús nunca derogó el ayuno. Por el contrario, él lo practicó en preparación para su ministerio (Mt. 4.2) y anticipó que sus discípulos ayunarían (Mt. 9.15) por la misma razón. Pero el resultado de un ayuno tan severo sobre él fue una situación de gran necesidad y debilidad, en razón de que él era un ser humano pleno en el sentido físico.

La libertad humana. La libertad implica siempre aquella capacidad que en principio tenemos todos para disponer de nosotros mismos, a fin de ir construyendo una comunión y una participación que han de plasmarse en realidades definitivas, sobre tres planos inseparables: la relación del ser humano con el mundo como señor, con las personas como hermano y con Dios como hijo. La libertad es imposible sin la práctica de la verdad (Jn. 8.32). Es derecho inalienable de todo ser humano y el valor mayor de su existencia como tal. Es la capacidad que tiene cada ser humano de vivir y actuar en forma plena como persona, sin imposiciones arbitrarias. Esta capacidad se extiende hasta el punto en que llega el derecho que tienen sus semejantes a ser también personas plenas y completas.

Jesús era totalmente humano y sabía cuál debía ser la meta de su vida, que era la proclamación y manifestación del reino de Dios. Pero ¿cuál método escogería para lograr estos fines? Como ser humano que era, tenía la libertad de elegir. Si no aceptamos este hecho, no podemos aceptar su plena humanidad. La libertad humana es la oportunidad que Satanás aprovecha para tentarnos. No habría tentación sin la libertad de elegir entre el bien y el mal. ¿Se equivocó Dios al crearnos como seres libres? No, porque sólo siendo libres podemos ser seres a su imagen y semejanza. Libertad significa responsabilidad y ésta implica el ejercicio de la voluntad, que a su vez demanda de una opción. Si no hubiera opción moral no habría qué elegir, y, por lo tanto, no habría responsabilidad, y, en consecuencia, no habría libertad. Somos tentados, como lo fue Jesús, porque somos libres para elegir como seres humanos morales. Jesús también tuvo que aprender a ejercer su libertad como ser humano pleno y en conformidad con la voluntad de Dios.

El poder humano. Poder es la aptitud o capacidad para hacer o decidir algo. De aquí que con la idea de poder se asocie la de fuerza o energía generadora de actos. Ajustando más el concepto, cabe decir que poder es la capacidad de dirigir una acción y de coordinar el actuar de otros. Y, con más precisión, poder es la facultad consciente de mover la realidad. El poder implica la energía y la voluntad que da finalidad a la acción. El poder no es representable desligado de un objeto sobre el cual recae o sobre el cual es ejercitable la capacidad de ordenar el actuar. Por esto, se puede decir que el poder implica una relación. Tampoco es posible sin que sea asumido mediante una iniciativa que se proponga fines. Así caracterizado, es evidente que se trata de una iniciativa libre, responsable y típicamente humana. Detrás de cada decisión, que implica un ejercicio del poder, hay un ser humano o un conjunto de seres humanos.

El gran poder humano de Jesús representaba una real tentación. A lo largo de su ministerio había resistido a aquellos que querían explotar su poder para obtener beneficios políticos o personales. Jesús rechazó el uso equivocado del poder aplicándolo correctamente en el marco del reino de Dios. No debemos olvidar que fue tentado a pesar de ser poderoso y especialmente porque era poderoso. Cuanto más poder tiene una persona, tanto más será tentada, especialmente cuando de poder espiritual se trata. El ser humano ha sido creado por Dios, quien lo ha dotado con poder (Gn. 1.28-30). Como ser humano pleno, Jesús tenía que aprender a utilizar de manera responsable el gran poder humano que Dios le había dado, especialmente después de su bautismo y de la unción del Espíritu Santo.

El acusador de los humanos. El término "diablo" (gr. *tou diabólou*) sólo aparece en el Nuevo Testamento. Significa calumniador, difamador, acusador. Se lo llama también Satanás y es la raíz del pecado, según las Escrituras. Como una figura sombría, el espíritu diabólico se mueve a lo largo de las páginas del libro sagrado. Se viste de muchos disfraces y aparece de múltiples maneras para alejar a los seres humanos de los destinos ordenados por Dios. Él es mentiroso y padre de mentiras, según las Escrituras (Jn. 8.44-45). Es inútil y vano tratar de elaborar una imagen del diablo para estar alertas ante su presencia, porque él es engañoso por naturaleza (2 Co. 11.14). Debemos prestar atención a sus actos y no a su apariencia. Es inútil y vano tratar de elaborar una explicación en cuanto a su origen para conocerlo más a fondo, porque además de mentiroso, él es misterioso. Mientras gastamos nuestro tiempo imaginando teorías, el diablo está más activo que nunca. Es inútil y vano tratar de elaborar una estrategia humana para combatir al diablo, porque él es poderoso y astuto. El poder de la dimensión demoníaca ha sido reconocido tanto por las personas de fe como por los que no tienen fe. Todos los seres humanos saben, como afirma Pablo, que cuando vienen las horas más oscuras nos damos cuenta de que "nuestra lucha no es contra seres humanos, sino contra poderes, contra autoridades, contra potestades que dominan ese mundo de tinieblas, contra fuerzas espirituales malignas en las regiones celestiales" (Ef. 6.12).

El diablo es el poder del mal personalizado, líder de las fuerzas espirituales y demoníacas que se oponen a Dios. Se lo considera la fuente de todo mal y su objetivo es oponerse a la voluntad de Dios. En razón de esto es que ataca al ser humano, que es corona de la creación. Fue él quien tentó a Jesús al comienzo de su ministerio público y encabezó las fuerzas demoníacas que se le opusieron. Es el "príncipe de la potestad del aire" (Ef. 2.2) a quien Pablo remite al fornicario de Corinto para su disciplina en la carne (1 Co. 5.5). Es el autor de la persecución sangrienta que anticipa el autor de Apocalipsis. Su autoridad es estrictamente subordinada a la de Dios, ya que la fe cristiana no permite el dualismo. Generalmente se cree que el diablo es un ángel caído y que no fue creado malo por Dios. La muerte de Jesús y su resurrección han asegurado la derrota final del diablo. No obstante, sigue intentando tentar y destruir a los creyentes toda vez que puede, como lo hizo con Jesús. Es por esto que se recomienda a los cristianos una actitud vigilante y militante (1 P. 5.8-9).

La naturaleza de la tentación (4.3-10)

Como se indicó, este capítulo presenta la tentación de Jesús y el comienzo de su ministerio de predicación. El verbo "tentar" (gr. *peirázō*) significa probar (Gn. 22.1). En un sentido positivo, lo que llamamos tentación no es para hacer que pequemos, sino para capacitarnos a fin de vencer al pecado. Como se indicó, el único testigo de lo ocurrido en el desierto fue Jesús mismo, de modo que lo encontramos a él contando su propia experiencia. En un sentido, esta es la historia más sagrada, porque en ella Jesús mismo abre su corazón y alma, y nos dice qué pasó, y cómo él puede ayudar a otros que son tentados. Según el v. 3a, las tentaciones de Jesús no fueron experiencias externas, sino luchas que se libraron en su ser interior (corazón, mente, alma). Prueba de ello es que no hay un monte tan alto desde el que se puedan ver "todos los reinos del mundo y su esplendor" (v. 8).

El ataque del diablo se centra en la mente y puede ser tan real, que casi es posible verlo. Por los vv. 3b-4 vemos que las tentaciones sólo pueden venir a un ser humano normal (Jesús era plenamente humano). No obstante, generalmente apuntan a necesidades sentidas ("tuvo hambre") y/o capacidades especiales o poderes sobrenaturales ("ordena a estas piedras que se conviertan en pan"). Somos tentados a través de nuestras carencias, o de los dones y talentos que Dios nos dio. Es precisamente donde nos sentimos más fuertes, que somos más vulnerables y tentados. La tentación no viene, pues, por cosas malas, sino por lo bueno y lo mejor que hay en nosotros. Una mirada cuidadosa sobre las tentaciones de Jesús nos muestra la fortaleza sutil y oculta de la tentación moral.

Convertir las piedras (vv. 3-4). La primera tentación que sufrió Jesús fue doble: que usara sus poderes para su propio beneficio en forma egoísta, y que usara el pan para ganar a la gente para su causa. Pero esto resultaría en un doble error: engañaría a las personas para que lo siguieran, y quitaría los síntomas sin curar la enfermedad, porque las hambrunas ocurren por el pecado humano. Así, pues, Jesús fue tentado para convertir las piedras en pan para satisfacer su hambre. Esta fue la tentación de usar su poder en forma egoísta, para beneficiarse sólo él. Esta tentación también tenía que ver con la decisión de Jesús en cuanto a cómo establecería su reino. ¿Lo establecería demagógicamente danto al pueblo lo que no había ganado? Esta era la política de "pan y circo" (lat. *panem et circenses*) que seguían los emperadores romanos para mantenerse en el poder.[4] Pero esto hubiera sido ofrecer al pueblo lo opuesto a lo que él vino a hacer. Su misión era convocar a las personas a vivir una vida en la que la dicha consistiera en dar más que en recibir (Hch. 20.35).

Esta primera tentación corresponde a la esfera terrenal y muestra que Jesús pertenece al orden material y es plenamente consciente de los hechos materiales de la vida humana, de sus limitaciones y necesidades. Él depende de lo material para el sostén del lado material de su naturaleza. Él es totalmente humano, un individuo que ayuna y tiene hambre, y que no puede dejar de alimentarse. Es un hombre perfecto, pero no un super-hombre. Él es igual a cualquier otro ser humano en lo físico, pero es diferente en lo moral y espiritual. Todos los seres humanos somos pecadores (Ro. 3.9-18, 23), pero él es un ser humano sin pecado (Is. 53.9; Jn. 8.46; 2 Co. 5.21; 1 P. 2.22). Nosotros estamos "privados de la gloria de Dios," pero él vive en la gloria de Dios (1 Co. 2.8; Stg. 2.1). En el desierto él era Jesús de Nazaret, pero al mismo tiempo, el Hijo amado de Dios.

---

4. La frase latina fue acuñada por Juvenal (*Sátiras*, 10.81) como palabras de amargo desprecio dirigidas a los romanos de la decadencia, que sólo pedían en el Foro romano trigo y espectáculos gratuitos.

Tirarse al vacío (vv. 5-7). La segunda tentación que sufrió Jesús tenía base bíblica (vv. 5-7). El pináculo del templo pudo haber estado cerca del ángulo del espacio cerrado original del templo, a 51 mt. de altura sobre la garganta del Cedrón, donde, como dijo Flavio Josefo, el historiador judío: "El que mira hacia abajo siente vértigos." El diablo lo tentó a la presunción, pero Jesús lo rechazó, porque atraer de esta manera a las personas involucra la necesidad de brindarles sensaciones mayores en el futuro, y porque ésta no es la manera de usar el poder de Dios (Dt. 6.16). Así, pues, Satanás presionó a Jesús a tomar el camino del sensacionalismo. Continuamente surgían falsos profetas que hacían promesas atrevidas que no podían cumplir. Jesús podía saltar del monte hasta el atrio del templo mientras el sacerdote hacía sonar la trompeta al despuntar el alba. Pero Jesús no hizo esto porque tendría que haber basado todo su ministerio en el sensacionalismo, como algunos falsos apóstoles hacen hoy. Jesús sabía muy bien que este no era el camino para usar y manifestar el poder de Dios.

Esta segunda tentación corresponde a la esfera espiritual y muestra que Jesús pertenece al orden celestial y es plenamente consciente de su vocación gloriosa. En esta esfera espiritual, Jesús es consciente de Dios, procura conocer la voluntad de Dios, se somete al orden espiritual, y se rinde a la ley de Dios. En el lado material, él pertenece a la tierra y necesita de la tierra para sobrevivir (pan). Pero en el orden espiritual, él participa de lo celestial e infinito, y esto es lo que lo sostiene. En las tentaciones, pues, vemos a un Hombre, material y espiritual, pero lo espiritual es el hecho fundamental en su vida, como lo es en la vida de cualquier ser humano. Lo material es temporario y pasajero; lo espiritual es lo que permanece y es supremo.

Adorar al diablo (vv. 8-10). La última tentación (vv. 8-10) muestra el atrevimiento del diablo al pretender ser adorado por el Hijo de Dios. Jesús no tenía por qué adorarlo, pues toda la tierra había sido creada en él, por medio de él y para él (Col. 1.16; He. 1.2, 10) y le pertenecía (Sal. 2.8). De todos modos, el diablo desafió a Jesús a transigir, a hacer un arreglo con él. Juntos podían conquistar el mundo. Esta tentación representa el esfuerzo de Satanás por lograr que Jesús admitiera que el fin justifica los medios. Jesús sabía que el compromiso con el diablo siempre significa ser conquistado por él.

Esta tercera tentación corresponde a la esfera de la voluntad y muestra que Jesús tenía una misión trascendente que cumplir en este mundo. Él no nació para ser servido, sino para servir para la redención de la humanidad (Mr. 10.45). Con este fin fue equipado, y sabía muy bien que este servicio era para la gloria de Dios, es decir, él adoraba a Dios mientras servía de esta manera (Dt. 6.4-5, 13). Aquí podemos ver una vez más al Hombre perfecto, a quien Dios ha ordenado como Rey, que entiende cuál es la esencia de su vocación humana: adorar sólo a Dios. Así, pues, las tres experiencias de tentación nos muestran la esencia de la misma. Las tentaciones de Jesús encierran el viejo problema de los fines y los medios. Los fines no justifican los medios, sino que los determinan. No hay un camino hacia la justicia, sino que la justicia es el camino.

La victoria sobre la tentación (4.11)

En la contienda contra el malo Jesús ganó. Él venció en el desierto de Judea, más tarde en el jardín de Getsemaní, luego en el monte Calvario y finalmente en todos los "valles tenebrosos" entre estos picos. Mateo cierra su relato de las tentaciones diciendo "entonces el diablo lo dejó." Lucas agrega que el diablo dejó a Jesús "hasta otra oportunidad" (Lc. 4.13).

> **Archibald Thomas Robertson:** "La victoria fue ganada a pesar del ayuno de cuarenta días y de los intentos repetidos del diablo que había probado todo medio para lograr [vencerlo]. Los ángeles pudieron alentarlo en la inevitable reacción nerviosa y espiritual a la tensión del conflicto, y probablemente también lo hicieron con comida como en el caso de Elías (1 R. 19.6-8). Las cuestiones en juego eran de vasta importancia, mientras los campeones de la luz y las tinieblas luchaban por el control de los seres humanos."[5]

¿Cómo logró Jesús alcanzar la victoria? Podemos señalar cinco cuestiones que tienen que ver con él como persona.

5. Robertson, *Word Pictures of the New Testament*, 1:34.

Jesús era protagonista de la misión divina. Él se consideraba como un embajador del reino de Dios (ver 2 Co. 5.20). Este pensamiento ocupaba su mente. Esta actitud llenaba todas sus acciones (6.33). Los expertos en la "ciencia del éxito" dicen que el primer paso hacia cualquier meta es tener bien en claro cuál es la meta. Jesús sabía hacia dónde iba en su vida. Él entendió plenamente cuál era su misión en el mundo y se entregó totalmente a ella. Esta entrega lo ayudó a campear la tormenta de la tentación. Cuando el diablo percibió esto, se dio por vencido y abandonó inmediatamente el campo de batalla. La expresión "entonces el diablo lo dejó" es elocuente en este sentido (*tóte afíēsin auton ho diábolos*). Nótese el uso de "entonces" (gr. *tóte*) una vez más (característico de Mateo) y el presente histórico. El movimiento fue inmediato y rápido, porque el diablo se quedó sin argumentos frente a la convicción de Jesús en cuanto a su misión.

Cuando tenemos certidumbre en cuanto a la misión que Dios espera que cumplamos en su nombre en el mundo, contamos con un arma de victoria contundente frente a los ataques de Satanás. Saber a dónde vamos y qué es lo que queremos es fundamental para hacer frente a las acechanzas del maligno, resistirlo y echarlo fuera de nuestro camino de servicio al Señor.

Jesús era fiel a la Palabra divina. El hecho de que Jesús respondiese a cada tentación del diablo con la Palabra de Dios no era simplemente un recurso para contrarrestar los ataques del diablo de manera mágica o usando fórmulas supuestamente milagrosas. De hecho, el diablo mismo tentaba a Jesús citando la Palabra de Dios, pero con la intención de tergiversarla y confundir a Jesús. Por el contrario, toda vez que Jesús increpó al diablo diciéndole "escrito está" afirmó su plena convicción en el poder de la Palabra, como espada de dos filos (He. 4.12), para defenderse de esos ataques y, a su vez, atacar al enemigo (Ef. 6.17). El intento del diablo de confundir a Jesús con la Palabra de Dios fracasó porque Jesús se mantuvo fiel a la Palabra divina, que conocía muy bien (Sal. 119.11).

Así, pues, Jesús respondió a todas las tentaciones citando la Palabra de Dios ("escrito está"). Indudablemente, el diablo montó una estrategia de ataque basada en la Palabra de Dios, si bien no la cita de manera explícita. Para la primera tentación (v. 3) parece tener en mente las propias palabras de Dios en ocasión del bautismo de Jesús (3.17: "Este es mi Hijo amado..."). Para la segunda tentación parece estar citando las mismas palabras de confirmación del Padre, a las que agrega una cita explícita tomada directamente del Salmo 91.11-12. En la tercera tentación, el diablo parece estar pensando en la imagen de Moisés sobre el monte Nebo, contemplando la tierra de Canaán (Dt. 34.1-3). En los tres casos, usando la Biblia, el diablo distorsiona la Palabra para confundir a Jesús y doblegar su voluntad. Pero el Mesías responde usando también la Biblia, pero interpretando "rectamente la palabra de verdad" (2 Ti. 2.15).

> **Dietrich Bonhoeffer:** "[En la] primera tentación de Jesús (Mt. 4.1-11), ... el diablo trata de atraerlo a un desencuentro con la palabra de Dios, y ... Jesús lo vence en virtud de su unidad esencial con la palabra de Dios. Y esta tentación de Jesús, a su vez, tiene su preludio en la pregunta con la que la serpiente en el Paraíso engañó a Adán y Eva y provoca su caída: '¿Es verdad que Dios les dijo ...?' Esta es la pregunta que implica todo ese desencuentro contra el que el ser humano es impotente, porque constituye su carácter esencial; esta es la pregunta que puede ser vencida (si bien no respondida) sólo desde más allá de este desencuentro. Y, finalmente, todas estas tentaciones se repiten en las preguntas que nosotros también le planteamos siempre a Jesús cuando apelamos a él por una decisión en casos de conflicto. En otras palabras, cuando lo metemos a él en nuestros problemas, conflictos y desencuentros, y le demandamos que provea la solución a los mismos."[6]

Jesús era poseedor de la sabiduría divina. Jesús había almacenado grandes reservas de sabiduría espiritual para sus horas de necesidad. La herencia espiritual de su pueblo, a quien Dios se había revelado, estaba a su alcance para nutrir su mente y para fortificar su voluntad contra los asaltos de Satanás. Solo en el desierto, él sintió la compañía de sus nobles ancestros, una "grande nube de testigos" (He. 12.1) que le aseguraban la victoria. Las referencias de Jesús al Deuteronomio pueden haberle parecido como los ecos de batallas distantes, cuando el adversario del alma

---

6. Dietrich Bonhoeffer, *Ethics* (Londres: Fontana Library, 1966), 28-29.

humana se vio confrontado y conquistado por los guerreros del antiguo Israel. Jesús respondió al diablo con la sabiduría divina registrada en la Palabra de Dios.

Jesús era partícipe de la comunión divina. Jesús sacó fuerzas para pasar la prueba de su comunión permanente con Dios el Padre. Más tarde, él iba a decir "el Padre y yo somos uno" (Jn. 10.30). Esta unicidad y unidad la debe haber sentido con mayor profundidad, cuando lejos del mundanal ruido apagó las llamas amenazantes de la tentación. En esos momentos crudos y desesperantes, una persona cae o se levanta a una comunión más plena con Dios. Jesús demostró, en términos de la más elevada matemática espiritual, que Dios más uno es uno y es siempre suficiente. Esta comunión divina es suficiente para vencer a Satanás, para mantener la integridad del alma humana, y para hacer brillar una luz que las tinieblas jamás pueden apagar.

Jesús era objeto de la asistencia divina. El v. 11b indica que una vez retirado el diablo del escenario de la tentación, "unos ángeles acudieron a servirle." El testimonio bíblico sobre la existencia y ministerio de seres angelicales es abundante. Se los menciona en relación con el completamiento de la creación (Job 38.7), con la entrega de la Ley (Gá. 3.19), con el nacimiento de Jesús (Lc. 2.13), con las tentaciones de Jesús en el desierto (Mt. 4.11; Lc. 22.43), con la resurrección (Mt. 28.2), con la ascensión (Hch. 1.10), y con el juicio final (Mt. 25-31). Un aspecto fundamental de su ministerio es el de servir a los siervos de Dios y atender a sus necesidades. Este servicio es ocasional y siempre ocurre como respuesta a la orden de Dios, es decir, los ángeles no actúan por cuenta propia ni hacen lo que se les ocurre. Dios los envía para "servir" (gr. *diēkónoun*) en situaciones especiales. No son mediadores entre Dios y los seres humanos ni debe rendírseles culto. Ellos participan como asistentes de Dios y de sus siervos humanos en el cumplimiento de su misión redentora. No obstante, cabe aclarar que los ángeles no ayudaron a Jesús a vencer al diablo, pero sí lo asistieron una vez que obtuvo la victoria sobre él.

> **Archibald Thomas Robertson:** "La victoria fue ganada a pesar del ayuno de cuarenta días y de los repetidos intentos del diablo, que había probado toda vía de ataque. Los ángeles pudieron alentarlo en la inevitable reacción nerviosa y espiritual por la tensión del conflicto, y probablemente también con comida como en el caso de Elías (1 R. 19.6-7). Las cuestiones en juego eran de vasta importancia al momento en que los campeones de la luz y las tinieblas se trenzaron en lucha por el control de los seres humanos. Lucas 4.13 agrega que el diablo dejó a Jesús sólo 'hasta otra oportunidad' (gr. *ájri kairou*)."[7]

EL MINISTERIO DE JESÚS (4.12-25)

Como se indicó, Mateo omite una buena parte del ministerio de Jesús, que es presentada por Juan en su Evangelio (las bodas de Caná; la purificación del templo; la conversación con Nicodemo; su visita a la región de Judea, donde Juan el Bautista continuaba ministrando y donde él mismo predicó y bautizó (Jn. 2.1—3.35). Esto significa que Jesús no comenzó con su ministerio oficial como Mesías hasta que terminó el ministerio de Juan el Bautista, cuando éste fue arrestado y puesto en prisión. Jesús comenzó su ministerio como Rey proclamando su reino y antes de enunciar sus leyes y mostrar sus beneficios.

En este pasaje de su Evangelio, Mateo comienza con un resumen de la enseñanza pública de Jesús en Galilea durante la primera parte de su ministerio (v. 17), y termina con una descripción general de su ministerio galileo (vv. 23-25). Entre estas dos síntesis, el evangelista coloca el relato del llamado de dos pares de hermanos, que constituyeron el núcleo del círculo apostólico. Tres de ellos (Pedro, Jacobo y Juan) fueron muy íntimos de Jesús y participaron con él de algunos fenómenos especiales (Mr. 6.37; Mt. 17.1; 26.37).

El ministerio de Jesús, si bien se realizó por "toda Galilea" (v. 23), según indica Mateo, se orientó especialmente a los judíos. Como señala el evangelista: Jesús enseñaba "en las sinagogas" de ellos. Pero pronto su fama llegó más allá de las fronteras, como a Siria, que estaba al norte y

---

7. Robertson, *Word Pictures in New Testament*, 1:34.

noreste de Palestina. No había ningún tipo de enfermedad que Jesús no pudiera curar. Entre los numerosos dolientes que le traían estaban aquellos atormentados por las formas más agudas del deterioro físico, mental y espiritual—endemoniados, epilépticos y paralíticos. Según refiere Mateo, dondequiera que fuese, grandes multitudes seguían a Jesús (v. 25).

Es interesante notar la manera en que Mateo destaca el alcance internacional del ministerio de Jesús. Lo hace presentando pequeñas reseñas redaccionales sobre estos episodios. Si bien podemos sentirnos tentados a desestimar estas notas cortas de Mateo (y de los otros evangelistas), como particularidades locales, es más probable que sean señales intencionales del impacto más amplio de Jesús. Su ministerio en realidad no quedó confinado a las fronteras de Israel, incluso si eso era lo que él quería en primer término. Su fama se extendió a lo largo y a lo ancho de la región, y representantes de diversas naciones vinieron para conocer y beneficiarse de su ministerio. En Mateo 4.24-25 encontramos una de estas notas (al igual que en Mr. 3.7-8 y Lc. 6.17-18). Es significativa la dispersión geográfica de las regiones enumeradas.

Su predicación (4.12-17)

Al leer estos versículos es necesario recordar que Mateo está escribiendo a iglesias que estaban experimentando el ingreso progresivo de gentiles en su seno. No era fácil para los judíos aceptar este fenómeno. ¿Cómo podían recibir a estos gentiles sin que éstos, primero, no pasaran por el proceso de convertirse en prosélitos judíos? Probablemente esta situación fue el trasfondo que movió a Mateo a recordar el ministerio de Jesús entre los gentiles y a sugerir las razones que lo impulsaron hacia sus regiones.

El contexto (vv. 12-16). Las tentaciones ocurrieron en el sur de Palestina, pero, según Mateo, Jesús comenzó su ministerio de predicación en el norte, en Galilea.

El contexto histórico. La ocasión de tal viaje fue el encarcelamiento de Juan y el peligro que esto representaba para él mismo. El relato del encarcelamiento de Juan no aparece en Mateo hasta el pasaje de 14.1-12. Como vimos, el Evangelio de Juan asigna a Jesús un ministerio relativamente extenso antes de la prisión y muerte de Juan el Bautista. Según estos relatos, Jesús habría estado en Jerusalén y en la región de Judea. Quienes intentan armonizar los cuatro Evangelios para reconstruir una biografía de Jesús entienden que los fariseos de Judea estaban muy disgustados con el hecho de que los discípulos de Jesús eran más numerosos que los de Juan el Bautista (Jn. 4.1-2). Por eso, estaban listos para aprovechar cualquier oportunidad para echarle mano a Jesús y ponerlo bajo el juicio de Herodes. Esta es la razón fundamental por la que Jesús salió de Judea y regresó a Galilea, pasando por Samaria (Mt. 4.12-13; Jn. 4.1-4). Así, Jesús regresó a su hogar en Nazaret y de allí bajó a Capernaúm, junto al mar de Galilea, donde residió por un tiempo. La pregunta que cabe hacerse es ¿por qué escogió este lugar?

El contexto espiritual. Dos cuestiones se destacan aquí. Por un lado, estaba el cumplimiento de las profecías. Mateo, quien permanentemente está buscando la conexión entre el ministerio de Jesús y las grandes profecías del pasado, ve en estos traslados el cumplimiento de estas profecías del Antiguo Testamento (vv. 13-16; Is. 9.1-2). En esto, llama la atención el uso de textos escriturarios enfocados en los gentiles o que llaman la atención sobre ellos (v. 15). El uso que hace Mateo de las citas de las Escrituras en relación con Jesús es penetrante. En particular dos de ellas, que no es de sorprender que estén tomadas de Isaías, vinculan a Jesús con profecías sobre la inclusión de las naciones gentiles en el propósito redentor de Dios, que se estaría cumpliendo por medio del Mesías. Así, pues, en los vv. 15-16, Mateo cita a Isaías 9.1-2 en relación con Jesús yendo a vivir a "Galilea de los gentiles," en tanto que, más adelante (12.18-21) cita a Isaías 42.1-4 en relación con el ministerio del Siervo de Dios, que se extendería a las naciones.

Por otro lado, la profecía citada no es meramente de importancia geográfica o étnica, sino que está basada en un principio misiológico fundamental. Cuando Dios visita a su pueblo para redimirlo, él va allí donde las tinieblas son mayores ("densas tinieblas"), donde las personas "habitan en la oscuridad." La región de Galilea, donde estaba Capernaúm, había sido invadida infinidad de veces a lo largo de los siglos por todos los imperios gentiles de la antigüedad, al punto que se la conocía como "la región y sombra de muerte." Y esto era cierto también en el más profundo sentido espiritual. Para Jesús, Capernaúm, "el pueblo que habitaba en la oscuridad," representaba un desafío mayor, y por eso comenzó allí su ministerio público. Así, pues, quienes "habitaban en la oscuridad" y "vivían en densas tinieblas" pudieron ver "una gran luz" y esa "luz resplandeció sobre ellos."

El mensaje (v. 17). El mensaje de Jesús era similar al de Juan el Bautista en su primera parte ("arrepiéntanse," v. 17a), pero original en su segunda parte ("el reino de los cielos está cerca," v. 17b). Mateo usa "reino de los cielos" en lugar de "reino de Dios" (Mr. 1.14), porque los judíos, a quienes escribe, no usaban el nombre de Dios. En lugar de *Yahweh*, ellos decían Señor (he. *Adonai*). Dos cosas se destacan en el v. 17.

El hecho: "el reino de los cielos está cerca." Él mismo en su persona, palabra y acción era testimonio vivo de esta realidad. La presencia del reino de los cielos se hacía evidente toda vez que la "gran luz" de su presencia resplandecía en medio de las sombras de la confusión humana. La obra redentora del Mesías se interpreta en este pasaje como una tarea de iluminación, que ahuyenta a la oscuridad y vence a las tinieblas en la vida de las personas. En la medida que los seres humanos perdidos se acercan a él arrepentidos de sus pecados, la luz comienza a brillar en su ser interior y a iluminar hacia afuera las circunstancias que los rodean.

El desafío: "arrepiéntanse." El verdadero arrepentimiento abarca varios elementos: intelectual, emocional y volitivo. Intelectualmente, el arrepentimiento involucra un cambio de mente (gr. *metánoia*) en cuanto a Dios, el pecado, Cristo y uno mismo. El resultante cambio de mente o mentalidad concibe a Dios como bueno y santo; al pecado como malo y ofensivo para con Dios y los demás; a Cristo como perfecto, necesario y suficiente para la salvación; y a uno mismo como culpable y en necesidad de salvación. El arrepentimiento es un componente esencial en la proclamación del evangelio (Mr. 1.14-15). Como cambio emocional, el arrepentimiento significa un cambio de concepto, sentimientos y propósito en la vida. El elemento emocional está ilustrado en el clamor de David por su pecado (Sal. 51.1, 2, 10, 14) y en el testimonio de Jesús en cuanto al sentimiento de remordimiento de los publicanos y rameras, que los llevó a la fe (Mt. 21.32). Sin embargo, el sentimiento de remordimiento por sí solo no es un arrepentimiento auténtico (Mt. 27.3; Lc. 18.23; ver 2 Co. 7.9-10). El dolor que lleva al arrepentimiento es tristeza por el pecado y no sólo por sus consecuencias. El elemento volitivo se ve en la actitud de volverse a Dios en fe (1 Ts. 1.9), y es el resultado anticipado de la misión de la iglesia entre las naciones

Su invitación (4.18-22)

Después de comenzar a predicar y de presentar su mensaje esencial, Jesús se dio cuenta de algo más muy importante. Su ministerio requería de ayuda y de tomar pasos que le garantizaran continuidad una vez que él no estuviera. Por eso, a medida que comenzaba su ministerio, Jesús llamó a cuatro hombres para que lo acompañaran en su empresa mesiánica. En este pasaje, podemos ver tres cosas: el llamamiento de los primeros discípulos; el propósito por el que los llamó; y, la respuesta de ellos a él.

El llamamiento de Simón y Andrés (vv. 18-20). Estos hombres (por lo menos Andrés) habían sido discípulos de Juan el Bautista. Eran hermanos y para este tiempo ya eran discípulos de Jesús (ver Jn. 1.35-42), de modo que éste no fue su primer contacto con el Rey. Ya lo habían acompañado algunas veces durante su ministerio en Judea (Jn. 1.29-51), anterior al de Galilea, pero sin dejar del todo su ocupación de pescadores. Antes de este llamamiento quizás habían sido amigos, admiradores e incluso discípulos de Jesús, pero ahora se transformaron en sus compañeros del camino, para aprender de él, para finalmente llegar a ser sus apóstoles y quienes habrían de llevar a cabo su misión en el mundo (3.13-19). Su profesión era la de pescadores. Su lugar de trabajo era el mar de Galilea, rico en varias especies de peces. Además de pescar, seguramente se dedicaban a la conservación del pescado con sal. El pescado era el alimento básico en Palestina y la actividad económica fundamental en aquella región. De modo que la empresa de estos hermanos debe haber sido floreciente. Pero Jesús los llamó a una empresa mucho más importante, la de ser "pescadores de hombres." Su llamamiento a ellos fue para que se asociaran con él en su obra redentora y fuesen sus compañeros en su ministerio mesiánico. Jesús los llama a un nuevo trabajo, a abandonarlo todo en orden a dedicarse a él y su obra.

La respuesta de Simón y Andrés nos parece muy repentina (v. 20), pero hay que recordar que ya habían hablado con Jesús con anterioridad (Jn. 1.35). Ellos dejaron su trabajo y herramientas para seguir a Jesús, pero esto no es obligatorio para todos los cristianos. Hay otras cosas más difíciles de dejar que nuestro trabajo, si de veras queremos ser seguidores de Jesús. Al seguir al Señor, ellos corrieron sus riesgos. Pero lo siguieron.

El llamamiento de Jacobo y Juan (vv. 21-22). En cuanto a su condición, no eran hombres ociosos. No estaban sin hacer nada cuando el Señor los llamó. Estaban en una barca de su padre "remendando las redes" y cumpliendo la tarea de su vocación cotidiana. Es posible que ellos fueron llamados a una relación más personal con Jesús con anterioridad, pero ahora él los está llamando a comprometerse como socios con su ministerio y obra. El Rey estaba por enunciar el gran proyecto de su reino, y para poder hacerlo él necesitaba de una banda de hombres leales que se reunieran a su alrededor y lo siguieran. Él iba a declarar las leyes de su reino, pero sólo lo podía hacer a hombres que ya fuesen ciudadanos del mismo. Cuando Dios llama a personas ocupadas en sus tareas de la vida y les asigna una nueva vocación, él las llama con infinita simplicidad y con grandes expectativas, para que lo que han estado haciendo para ellos, ahora lo utilicen para él y su reino. Estos hombres continuarían siendo "pescadores," pero desde ahora serían "pescadores de hombres," una tarea mucho más sublime.

Jesús necesita gente activa, no parásitos del evangelio. Simón y Andrés estaban pescando; Jacobo y Juan estaban preparándose para salir a pescar. Eran trabajadores, gente muy ocupada. En cuanto a su entrega, Simón y Andrés dejaron "las redes," pero Jacobo y Juan dejaron "la barca y a su padre." Su entrega fue más difícil y costosa. Muchos hoy deben decidir si van a obedecer a Cristo o a su familia, o sus negocios, o sus gustos, o sus sueños y deseos. Jesús conocía muy bien lo duro de esta decisión (Mr. 10.29; Lc. 14.26). Pero hay que recordar también el deber de cuidar de los padres, especialmente cuando son mayores. Los hijos de Zebedeo se preocuparon de que su padre no quedase solo, sino "con los jornaleros" (Mr. 1.20).

Su ministerio (4.23)

Los vv. 23-25 sintetizan la primera de las tres giras de Jesús por Galilea enseñando, predicando especialmente en las sinagogas en los pueblos, y sanando "entre la gente" en los mercados y caminos (v. 23). Estos dos escenarios eran diferentes, ya que el primero tenía un espacio limitado y cerrado, y se prestaba más para la enseñanza y la predicación, mientras que el segundo podía acoger a multitudes. Además, era difícil que se permitiera ingresar al edificio de la sinagoga de los judíos a personas con todo tipo de "enfermedades y dolencias," por cuestiones ceremoniales. Aparentemente, en esta primera gira Jesús fue acompañado por los cuatro hombres que había llamado en Capernaúm para ser sus asistentes. En la segunda gira llevó a los Doce (9.35-38) y en la tercera los envió de a dos delante de él (10.1-42).

Sea como fuere, el ministerio de Jesús en esta primera etapa fue integral. La luz de Jesús iluminó a través de un triple ministerio de predicación, sanidad y enseñanza. Este triple ministerio apuntó a la integralidad del ser humano, a la restauración de todo el ser en su contexto personal y social. Por ello, Jesús enseña, predica y sana.

Enseñanza (v. 23a). Jesús enseñó en las sinagogas, indicando claramente que venía a realizar las expectativas que la misma fe de Israel alentaba. Mateo se refiere a la sinagoga como "sus sinagogas" o "las sinagogas de ellos" (gr. *en tais sunnagōgais autōn*, v. 23; 9.35; 10.17; 12.9; 13.54; 23.32), ya que, para el tiempo en que se escribía este Evangelio, la diferenciación entre el judaísmo y el cristianismo se había hecho más nítida. Probablemente para entonces, al menos en Palestina, los cristianos ya habían sido expulsados de las sinagogas. En las reuniones sinagogales se leía un pasaje de la Ley y un pasaje de los profetas. Luego, el que presidía invitaba a alguno de los presentes a explicar las Escrituras. Cualquier judío tenía el derecho de enseñar y predicar en la sinagoga, y los visitantes generalmente eran invitados a hacerlo. Jesús, al igual que los apóstoles, aprovecharon esta oportunidad para anunciar la presencia del reino de Dios y enseñar acerca de cómo toda persona es llamada a participar de este reino y a vivir conforme a sus leyes andando en los caminos del Señor.

Predicación (v. 23b). Jesús predicó "las buenas nuevas del reino." Él proclamó el evangelio de que el reino de Dios se había acercado a los seres humanos llamándolos al arrepentimiento. Es interesante notar que Jesús predicó sobre el reino y no sobre la iglesia. Su objetivo no era el crecimiento de la iglesia o la plantación de iglesias, sino la manifestación del reino y su extensión. La iglesia es fruto del reino y no al revés. La iglesia es creada por el reino, debe ajustarse al reino y está llamada a proclamar el reino. Jesús predicó este mensaje dentro de las sinagogas, pero también fuera de ellas. La iglesia debe predicar el reino tanto dentro de las cuatro paredes de su templo como afuera, en sus cultos como en la calle. Además, no es fácil marcar una diferencia clara entre predicación y enseñanza, ya que el evangelio del reino se predica enseñando y se enseña predicando. No obstante, en la predicación el énfasis cae sobre la comunicación del *kerugma*, que es el anuncio de los hechos redentores de Dios a favor de la humanidad con un llamado al arrepentimiento y a la fe.

Sanidad (v. 23c). La sanación integral de los enfermos fue una acción redentora importantísima en el ministerio cotidiano de Jesús. Mateo destaca el hecho de que muchos de "los que padecían de diversas enfermedades" no eran judíos, sino gentiles. Nótese que el mensaje del evangelio del reino era acompañado por la sanidad de "toda enfermedad" (gr. *pāsan nóson*, toda enfermedad crónica o seria) y "toda dolencia" (gr. *pāsan malakían*, toda enfermedad ocasional o no grave) "entre la gente," incluyendo compromisos demoníacos y mentales (v. 24). Jesús estaba preocupado por las personas en su totalidad, incluyendo la mente y el cuerpo, y fue movido a compasión ante la necesidad y el sufrimiento humanos. Sus milagros de sanidad fueron signos de que el reino de Dios ya estaba operando entre los seres humanos.

Su resultado (4.24-25)

Todas estas acciones ministeriales le hicieron ganar a Jesús una fama, que se extendió más allá de los límites de Galilea y alcanzó a Decápolis, Jerusalén, Judea y la "región al otro lado del Jordán" (v. 25). Nótese que las referencias geográficas incluyen territorios mayormente gentiles (Galilea, Siria, Decápolis, etc.) El resultado de esto fue que Jesús se transformó en una suerte de hospital ambulante entre los gentiles, especialmente entre aqurllos que los médicos consideraban como casos perdidos ("los que padecían de diversas enfermedades," gr. *tous kakōs éjontas*, literalmente "los que la tenían mal"), y "los que sufrían de dolores graves" (gr. *poikílais nósois kai basánois sunejoménous*, literalmente "los que tenían enfermedades diversas y tormentos"). En otras palabras, Jesús sanaba a personas incurables, casos crónicos o de supervivencia imposible. Los endemoniados, epilépticos y paralíticos pertenecían al orden de los casos incurables e irreversibles, en parte porque se desconocía su etiología.

"Lo seguían grandes multitudes" puede ser indicación de que nunca antes se había reunido tal cantidad y variedad de personas. Nótese el plural (gr. *ójloi polloi*): no se trataba de una multitud, sino de multitudes de multitudes. Ninguna campaña política podía igualar a esta cantidad de personas que se reunían para escuchar la enseñanza y predicación del Rey Jesús, y ser objeto de su poder sanador. En verdad, esto es lo que ocurre toda vez que se enseña, predica y sana en el nombre de Jesús y en el poder de su reino. Es cierto que muchos son los que lo siguen por mera curiosidad o algún interés egoísta. Pero también es cierto que no son pocos los que ven en él el advenimiento del reino de Dios, se arrepienten de sus pecados y le reconocen como Rey de sus vidas.

UNIDAD DOS

LOS DESAFÍOS DE JESÚS

Según Mateo, Jesús desafió a sus discípulos con el planteo de una realidad nueva: el reino de Dios. ¿Qué es el reino de Dios? El reino de Dios es la totalidad del reinado de Dios en el universo. La Biblia habla con frecuencia del reino de Dios de tres maneras. Algunos pasajes lo mencionan en un sentido universal, como el gobierno de Dios sobre todas las cosas creadas. Otros hablan del reinado espiritual de Dios en la vida de los creyentes en la tierra. Otros se refieren a un reino futuro en el cual el cielo, la tierra y los seres humanos serán reunidos para experimentar la plenitud del reinado de Dios al final de los tiempos. En un sentido más restringido, el reino de Dios representa su señorío particular sobre los seres humanos, que voluntariamente le reconocen como Rey. Esto incluye el efecto de su acción sobre la historia, la influencia para bien de aquellos que le son obedientes, y su soberanía general sobre el universo. Particularmente, este reino es el reino de la salvación, al cual los seres humanos entran mediante su entrega a Jesucristo como Señor, por medio de la fe. Los cristianos debemos orar y trabajar para que venga el reino de Dios, y para que la voluntad del Rey sea hecha sobre la tierra. La plena consumación del reino de Dios se realizará cuando vuelva el Señor Jesucristo en el fin de los siglos.

> **Declaración de Quito:** "Con la llegada de Jesucristo, el reino de Dios se hizo presente entre nosotros, lleno de gracia y de verdad. El reino está en conflicto constante con el poder de las tinieblas; la lucha ocurre en las regiones celestiales y se expresa en todo lo creado a nivel personal, colectivo y estructural. Sin embargo, la comunidad del reino vive sostenida por la confianza de que la victoria ya ha sido conquistada y que el reino de Dios se manifestará plenamente al final de los tiempos. Con el poder y la autoridad delegados por Dios, ella asume su misión en este conflicto, para ser agente en la redención de todo lo creado. El Rey Jesucristo se ha encarnado y llama a su comunidad a hacer lo mismo en el mundo. Seguirle como sus discípulos significa asumir su vida y misión."[1]

Nos identificamos con la vida y misión de Cristo cuando proclamamos el evangelio de su reino. Estas buenas nuevas son acerca de un Rey y acerca de un reino. Esta realidad se ve bien expresada en uno de los bloques de enseñanzas de Jesús más importantes de todo el Nuevo Testamento: el Sermón de la Montaña (Mt. 5.1—7.27; Lc. 6.20-49). Precisamente, por su detallada representación de lo que es el reino de Dios, el Sermón de la Montaña puede ser considerado como su Carta Magna. En este documento fundamental para la vida y el ministerio de los discípulos de Jesús, el Señor contrasta la ley del pacto antiguo con la ley del nuevo pacto. Una y otra vez escuchamos a Jesús decir "Ustedes han oído que se dijo a sus antepasados" (Mt. 5.21, 27, 33, 38, 43) o "Se ha dicho" (Mt. 5.31), en contraste con "Pero yo les digo" (Mt. 5.22, 28, 32, 34, 39, 44).

Jesús enseñó en Mateo 5-7 los requisitos para recibir el reino de Dios y ser parte de él. El Sermón de la Montaña es la enseñanza que Jesús utilizó para comunicar esta verdad. Al considerar estos requisitos, se percibe claramente que el reino debe ocupar un primer lugar en nuestras vidas. Con claridad, Jesús indica: "Mas bien, busquen primeramente el reino de Dios y su justicia, y todas estas cosas les serán añadidas" (Mt. 6.33). El reino es de carácter radical y tiene metas que lo demandan todo (He. 12.2; Fil. 3.8; 2 Co. 4.7-18).

---

1. CLADE III, *Todo el evangelio para todos los pueblos desde América Latina* (Quito: Fraternidad Teológica Latinoamericana, 1992), 856.

Hay un cierto costo que hay que pagar para entrar bajo el señorío de Cristo y para establecer su reino en medio nuestro (Mt. 11.12; Hch. 14.22). Jesús enseñó que los indecisos, que miran hacia atrás, no son aptos para el reino de Dios (Lc. 9.62). Por eso, cabe preguntarnos: ¿qué evangelio estamos predicando? Debemos predicar el evangelio del reino, porque hasta que no prediquemos este evangelio, no vendrá el fin que esperamos (Mt. 24.14). Nuestra tarea es predicar el gobierno de Dios, o sea, el señorío de Cristo (He. 12.28-29).

Por su carácter fundamental, el Sermón de la Montaña contiene material que debemos conocer y aplicar a nuestra vida y ministerio como discípulos de Jesús y ciudadanos de su reino. Los desafíos que Jesús plantea en estos capítulos de Mateo son cardinales para el desarrollo de la fe cristiana conforme la voluntad de Dios revelada en Jesús. El Sermón de la Montaña puede dividirse en tres partes. Cada sección ocupa un capítulo del Evangelio, tal como lo tenemos dividido hoy. El capítulo 5 nos ofrece las leyes que deben gobernar la relación del ser humano. El capítulo 6 trata fundamentalmente de la relación del ser humano con Dios. El capítulo 7 consiste en advertencias y palabras de aliento.

CAPÍTULO 5

EL SERMÓN DE LA MONTAÑA (I)

5.1–6.4

El famoso Sermón de la Montaña está registrado en dos Evangelios: Mateo (5.1—7.27) y Lucas (6.20-49). El segundo lo ubica en "un llano" (Lc. 6.17). El primero lo ubica en "la ladera de una montaña" (v. 1). En realidad, no hay contradicción porque podría ser la parte llana de una montaña, cuya ubicación se desconoce. De todos modos, no sabemos con precisión dónde estaba exactamente la "montaña" que se menciona en v. 1. El artículo definido "la" (no "una," gr. *to óros*) indica que el lugar era bien conocido por los lectores. Mateo le dedica 107 versículos, mientras que Lucas lo resume en 30 versículos. Los destinatarios de la enseñanza son los discípulos (vv. 1b-2). Pero puede ser que hubiera otros escuchando (Lucas habla de "una gran multitud," 6.17). Durante su ministerio, Jesús estuvo rodeado de grandes multitudes. Su propósito era que el mayor número de personas oyera su mensaje y transformara sus vidas. Los rabinos enseñaban sentados y sus discípulos lo rodeaban. El sermón, tal como lo tenemos hoy, posiblemente no era un solo discurso de Jesús, sino una serie de fragmentos reunidos de varios discursos. Jesús era maestro y los maestros enseñaban de memoria conceptos fáciles de retener por medio de la memorización.

El Sermón de la Montaña puede ser dividido en tres partes. Cada sección ocupa aproximadamente un capítulo del Evangelio. El capítulo 5 nos ofrece las leyes que deben gobernar la relación del ser humano con el prójimo; el capítulo 6 trata fundamentalmente de la relación del ser humano con Dios; y, el capítulo 7 consiste en advertencias y palabras de aliento.

El Sermón comienza con las bienaventuranzas (vv. 3-12) y termina con la parábola de los dos constructores, el prudente y el insensato. Quizás Mateo ordenó de esta manera el material tomado de otras fuentes, para dirigir a los catecúmenos que ingresaban a la iglesia, a fin de indicarles cuáles eran las normas morales por las que debían conducirse.

El estilo del Sermón es poético. Si tuviésemos que imprimirlo como debiera ser impreso, lo haríamos en verso o estrofas. La mayor parte del Sermón es poesía hebrea, como la que ha sido escrita a lo largo de los siglos por salmistas, profetas y videntes. Es por esto que podemos encontrar en el texto bíblico el característico paralelismo de la poesía hebrea, que es la principal característica formal de la poesía semítica, y también podemos percibir cierto ritmo y rima. En este sentido, es una mina de pensamientos positivos que se corresponden de línea en línea. Precisamente, el Sermón asombra con esta correspondencia de sentido de una línea con otra. Mateo 7.6 es un ejemplo de paralelismo sinónimo, mientras que 7.17 lo es de paralelismo antitético. Mateo 7.7 es un verso extraordinario, al igual que la oración de Jesús (6.9-13), que es muy fácil de memorizar.

El Sermón es también gráfico o pictórico. No sólo los relatos (las parábolas), sino también el lenguaje mismo del discurso son elementos vívidos y concretos, y están ilustrados directamente por la vida común y la naturaleza. Son ilustraciones excelentes, que presentan un número importante de caracteres y personajes ejemplificadores. Por cierto, las ilustraciones se presentan en sus formas más simples y elementales. Debe recordarse que la forma más simple de una parábola es un dicho figurativo, ya sea una metáfora o un símil. Este es el caso con dichos como "Una ciudad en lo alto de una colina no puede esconderse" (5.14) o "El ojo es la lámpara del cuerpo" (6.22). La fuerza ilustrativa de estos dichos es notable.

> **A. M. Hunter:** "Afín a todo esto está la manera en que el Sermón se mantiene ligado a la vida humana y a la realidad cotidiana en sus ilustraciones. Piensa en la variedad de 'personajes' que hacen su entrada breve en los dichos del Sermón, evocados para nosotros a veces por una simple palabra. Ellos van a través de todos los niveles de la sociedad desde

> 'Salomón, con todo su esplendor' al pordiosero junto al camino (5.42). Captamos un vistazo del oficial romano 'obligando' a alguien de la raza sometida a llevar su equipaje por un kilómetro (5.41); del juez en la corte con el 'guardia' esperando encerrar al culpable en la cárcel (5.25-26); del 'farsante' religioso en la esquina de una plaza exhibiendo su piedad con un rostro que desaparece rápidamente bajo el maquillaje de un polvo santo (6.5, 16); del constructor local que empieza una casa nueva y con cuidado busca la manera de encontrar un poco de roca firme que le sirva de fundamento (7.24); del ladrón que está listo con su pico a irrumpir a través de una pared de barro en una noche oscura (6.19). Todo esto y mucho más sirve para 'ilustrar' el Sermón: las mujeres de la villa que calientan sus hornos con 'los lirios del campo' (6.30); sus hijos que piden un pedazo de pan o un poco de pescado (7.9-10). Y todo esto con las imágenes y sonidos de la naturaleza: el sol y la lluvia, el viento y la inundación, los espinos y los cardos, las uvas y los higos, junto con las aves y las polillas, los perros y los cerdos, las ovejas y los lobos. La 'divinidad del orden natural' es una premisa mayor en la enseñanza de nuestro Señor; y dado que la naturaleza y la super-naturaleza son un solo orden para él, él puede ver en estas cosas una revelación de Dios y sus caminos, y los usa en el servicio de su verdad celestial."[1]

Finalmente, el Sermón es proverbial. Los proverbios son fáciles de recordar y de carácter general en su forma. Dicen la verdad de manera vívida, extrema e hiperbólica. El Sermón presenta paradojas y hay que estar atentos para buscar el principio que sostiene al proverbio. La verdad se encuentra detrás de la paradoja (por ejemplo, "si tu ojo... sácatelo y tíralo," 5.29-30). Lo que vale aquí es el principio y no el sentido literal. Pero los principios que el Sermón presenta de manera proverbial sí tienen el carácter de imperativos morales (especialmente en 5.21-48).

La interpretación de estos imperativos categóricos ha confundido a muchos, pero la cuestión se aclara si somos capaces de distinguir entre mandatos divinos e ilustraciones humanas. Los mandatos son imperativos

1. A. M. Hunter, *Design for Life: An Exposition of the Sermon on the Mount, Its Making, Its Exegesis and Its Meaning* (Londres: SCM Press, 1965), 21-22.

que declaran principios profundos y amplios. Las ilustraciones son ejemplos de estos principios en acción o en la práctica. De esta manera, "No resistan al que les haga mal" (5.39) es un imperativo que declara un principio moral importante, que es el principio de no buscar la venganza en las relaciones personales. Esto no significa la no oposición o resistencia a los que hacen lo malo o al mal bajo cualquier circunstancia (como puede ser el caso de la represión policial o la condena de los delitos). El Sermón presenta cuatro ilustraciones vívidas de este principio de no vengarse por cuenta propia, cuando señala "vuélvele también la otra [mejilla]," "déjale también la camisa," "llévasela dos" y "no le vuelvas la espalda" (5.39-42). Si uno aplica estas ilustraciones de manera literal y las toma como principios de conducta caería en el absurdo y sería tremendamente peligroso.

De manera similar, cuando Jesús dice "No juren de ningún modo" (5.34), él está pidiendo una sinceridad absoluta en nuestra manera de hablar, y no está prohibiendo los juramentos bajo cualquier circunstancia (por ejemplo, en una corte, en una declaración jurada, el juramento a la bandera, o cumplir con una determinada función pública o un código profesional). Del mismo modo, cuando él pide a sus discípulos que "No acumulen para sí tesoros en la tierra" (6.19) no está prohibiendo todo tipo de ahorro o inversiones, ni se está oponiendo a todo sistema bancario o financiero, sino que está advirtiendo contra los peligros que hay en la devoción o el amor al dinero (1 Ti. 6.10).

Por otro lado, al leer el Sermón de la Montaña es necesario tener presente cuatro cosas. Primero, este Sermón fue dicho para ser obedecido y así es como permanece su valor. Un aire de seriedad sopla a lo largo del Sermón. Por tanto, el arrepentimiento debe ser nuestra primera reacción, pero no ha de ser la última. La última reacción debe ser la obediencia. Segundo, en el camino de la obediencia, lo específico del Sermón debe ser aplicado o traducido a principios generales, de otro modo, su enseñanza resultará inaplicable a nuestra vida diaria hoy. Tercero, a menos que haya una absoluta armonía entre el acto y la disposición interior (la actitud personal), la obediencia externa carece de valor. Cuarto, en el Sermón tenemos la proclamación de la voluntad incondicional de Dios, para nuestro medio condicionado. Allí encontramos su deseo definido para un mundo complejo. Nuestra respuesta revalida la autoridad del Sermón, pero también es cierto que a menudo lo cumplimos en forma indirecta y otras veces de maneras torcidas. Como el explorador, que conserva su vista fija en la brújula y, sin embargo, varía la dirección de sus pasos según los accidentes topográficos del terreno, así los cristianos debemos seguir la voluntad divina revelada en el Sermón de la Montaña, mientras ajustamos nuestros pasos a las condiciones que nos rodean.

LA DICHA DEL DISCÍPULO (5.3-12)

Los vv. 3-12 presentan las famosas bienaventuranzas, que introducen todo el discurso de Jesús. El nombre de estas sentencias deriva del latín *beatus*, que significa feliz, y que, a su vez, viene de un verbo que significa bendecir. De ese modo, el Sermón de la Montaña es la declaración que hace Jesús de las leyes del reino de Dios, y las bienaventuranzas definen o describen cómo son los ciudadanos del reino. En este sentido, las bienaventuranzas son una de las piezas bíblicas que mejor describen al discípulo de Jesús. A. M. Hunter las llama "el alma del Sermón del Monte."[2] Son importantes porque tienen como modelo la vida misma de Jesús. Son el retrato del ciudadano del reino de los cielos. Por cierto, "no debemos intentar dividir a los bienaventurados en grupos distintos, según las bienaventuranzas."[3] Se trata del mismo grupo; es la misma persona, que se describe desde un punto de vista ligeramente diferente en cada caso. La forma en que se expresa esta descripción es por medio de una paradoja, a la que se responde con una promesa.

Hay ocho bienaventuranzas en Mateo y cuatro en Lucas. El final de cada una de ellas nos habla de lo que Jesús quiere decir con su promesa de bendición. La palabra gr. *makários*, con que comienza cada bienaventuranza, y que le da nombre a todo el pasaje, significa literalmente "dichosos" o "felices." Se la puede traducir también como "bienaventurados," "oh, la felicidad de," o "deben ser felicitados." La felicidad es una emoción agradable, que resulta de una determinada circunstancia. Hay una diferencia entre la felicidad y

2. *Ibid.*, 33.
3. José Míguez Bonino, *El mundo nuevo de Dios: estudios bíblicos sobre el Sermón del Monte* (Buenos Aires: Federación Mundial Cristiana de Estudiantes, 1955), 24.

la felicidad verdadera. La segunda es una profunda satisfacción espiritual, que se experimenta más allá de las circunstancias o a pesar de ellas. Es este tipo de felicidad o dicha la que Jesús tiene en mente cuando dice "Dichosos los..." Bienaventurado o dichoso, según Jesús, es alguien que tiene una fuente de alegría interior, que ninguna condición exterior puede afectar.

¿Quiénes son, entonces, estos que pueden ser considerados de esta manera? ¿Cuáles son las características especiales que los capacitan para ser discípulos felices de Jesús? Estas son las preguntas que encuentran respuesta en la enumeración que se encuentra en las bienaventuranzas.

Cada bienaventuranza es una descripción de cómo es el reino de los cielos y, en consecuencia, de cómo son sus ciudadanos. Por eso, son mesiánicas, si bien Jesús no se menciona como el Mesías, pero esto se deduce de lo que él dice y promete. Por otro lado, tienen una ética de gracia y no sólo una ética de obediencia.

Las bienaventuranzas se pueden clasificar de maneras diferentes. Las hay de carácter pasivo, que enfatizan lo que uno es ("pobres en espíritu," "humildes," "compasivos," "de corazón limpio"). Una persona es pobre, es humilde, es compasiva, es limpia. Pero las hay también de carácter activo o más dinámico, que enfatizan lo que uno hace ("los que lloran," "los que tienen hambre y sed de justicia," "los que trabajan por la paz," "los perseguidos"). Si uno sufre, tiene hambre, trabaja por la paz o es perseguido seguramente hará algo. Se las puede agrupar también en dos grupos, ya que las primeras cuatro hablan de virtudes y las otras cuatro de actitudes.

Las virtudes (5.3-6)

La felicidad o dicha es una emoción agradable, que resulta de una determinada circunstancia en la experiencia humana. No obstante, como se indicó, hay una diferencia entre la felicidad y la felicidad verdadera. La segunda es ese tipo de felicidad que la Biblia califica como "bienaventuranza." Bienaventurado o dichoso es alguien que tiene una fuente de felicidad y paz interior, que ninguna condición exterior puede alterar. ¿Quiénes son los afortunados que pueden considerarse así?

Primera bienaventuranza (v. 3). Los "pobres en espíritu" (gr. *hoi ptōjoi tō pneúmati*) son los "mendigos espirituales," aquellos que no tienen vergüenza de pedir a Dios lo que necesitan. "Pobres" y "piadosos" en Salmos son sinónimos. En Mateo son los que claman a Dios por las riquezas espirituales. En Lucas (6.20) son los indefensos y oprimidos sociales y económicos; aquellos para quienes los poderosos consideran que la felicidad es imposible. Jesús declara, en el espíritu de los profetas (Sof. 2.3), que también para ellos son las bendiciones de Dios. No es su condición económica lo que los hace preferidos del Señor, sino su virtud o matriz moral, explicitada en la expresión "en espíritu." Estas personas son los humildes, que no esperan nada ni nada tienen, pero que son los candidatos más aptos para integrarse al reino de Dios. Este espíritu de pobreza o necesidad espiritual vale tanto para el rico como para el pobre. Pero generalmente con esta expresión Jesús se refiere en los Evangelios a una pobreza efectiva e integral. En definitiva, Jesús está diciendo que los que tienen conciencia de su pobreza total, de su absoluta necesidad, no sólo física sino también espiritual, son personas dichosas.

Segunda bienaventuranza (v. 4). Los que "lloran" (gr. *hoi penthountes*) es preferible a "los que están de luto" (RVR). Estos son los que lloran porque el diablo, que está operando en el mundo, los somete a un sufrimiento continuo (Is. 61.2). Los ricos y poderosos carecen de suficientes motivos para llorar, quizás porque se sienten satisfechos o son autosuficientes. Pero el oprimido y víctima de la injusticia sólo es libre para dejar correr sus lágrimas de dolor. Para ellos es la palabra de Jesús: ¡habrá consolación! De esta manera, dichosos son también los que están de duelo por su necesidad espiritual. Su característica es el arrepentimiento profundo. Era corriente entre los judíos pensar que la venida del reino sería precedida por un gran arrepentimiento (ver Mt. 3.1-6; 4.17). En ese sentido podría interpretarse: "los que lloran por sus pecados y por los de su pueblo."

> **José Míguez Bonino:** "Tal vez debemos interpretar más este 'duelo' como el dolor por el estado presente del mundo, sometido a la injusticia, a la enfermedad, a la muerte y al pecado (Sal. 126). Lutero tradujo esta expresión 'los que llevan sobre sí el dolor' (*Leidtragen*). Probablemente así ha captado el énfasis principal del dicho de Jesús. 'Porque el énfasis'—comenta Bonhoeffer—'se hace sobre llevar sobre sí el dolor. La comunidad

> de los discípulos no sacude de sobre sí el dolor como si no les concerniera, sino que lo lleva voluntariamente sobre sí. Y de esta manera muestran cuán estrechos son los lazos que la unen con el resto de la humanidad.' La segunda parte aclara más aun el significado: 'serán consolados.' ¿Por quién? ¿Cuándo? Comparemos primeramente la bienaventuranza con Isaías 61.2 (cuyo orden siguen las bienaventuranzas) … Jesús aplica a sí mismo estas palabas: él es quien viene a traer *consuelo* (ver Lc. 2.25). El Mesías es el Consolador, ya que anuncia el fin del reinado del mal, el reino y la vida permanente (Sal. 126.5; Ap. 7.17). Ya y ahora los que pertenecen a Cristo son consolados (Mt. 9.14-15). Esa consolación será final en el reino donde no habrá más muerte ni enfermedad (Ap. 21.4)."[4]

Tercera bienaventuranza (v. 5). Es una referencia al Sal. 37.11. Los "mansos" o "humildes" (gr. *hoi praeis*) son los que no defienden su causa por sus propias fuerzas. Pero esto no quiere decir que no se defiendan. Su mansedumbre y humildad no son signos de debilidad o cobardía, sino de confianza en una Justicia superior y en una vindicación más noble. No buscan lo suyo propio, sino que confían en Dios y creen que al fin Dios los defenderá. Son esas personas que sufren la maldad sin amargura o deseo de venganza. Son aquellos que ante la injusticia no ceden a la tentación de actuar con injusticia, o frente a la violencia no escogen la vía rápida de la violencia. Este es un tipo de personas que en este mundo están sujetos al peligro de ser enviados al paredón de fusilamiento y no protestan. Los mansos o humildes sobrellevan con dicha la opresión de quienes se creen los dueños de la tierra (los poderosos de este mundo), porque saben que en definitiva serán ellos quienes recibirán "la tierra como herencia." Así, pues, dichosos son los sumisos, los suaves de carácter. Su característica es el abandono total en las manos de Dios. Esta bienaventuranza no tiene paralelo en Lucas.

Cuarta bienaventuranza (v. 6). Esta bienaventuranza celebra a "los que tienen hambre y sed de justicia" (gr. *hoi peivōntes kai dipsōntes tēn dikaiosúnēn*) "Justicia" es sinónimo de "salvación" (Is. 2.3-4). Podemos parafrasear esta bienaventuranza así: "Bienaventurados los que

---

4. *Ibid.*, 18-19.

ardientemente desean la vindicación del Justo, el triunfo de la buena causa." Esta palabra no tiene tan sólo un significado individual (salvación o justicia personal), sino también colectivo, como justicia social. Describe a los oprimidos por la sociedad, que esperan la vindicación de Dios de su triste situación (Is. 55.1-2). ¡Cuánta injusticia hay en el mundo, y en particular en América Latina! Esta situación crea una desesperante "hambre y sed de justicia," que sólo en Dios puede encontrar saciedad. Jesús está diciendo aquí: "¡Dichosos los hambrientos y los sedientos de justicia!" La característica sobresaliente de ellos es que no anhelan otra cosa que la liberación integral que sólo puede venir de Dios.

Las actitudes (5.7-10)

Las actitudes tienen que ver con la orientación hacia ciertos objetos (otras personas o uno mismo) o situaciones, que se hallan emocionalmente condicionadas y poseen una relativa persistencia. Las actitudes humanas son formas aprendidas de respuestas simbólicas asociadas a objetos, personas o situaciones. En general, las actitudes son favorables o desfavorables, y reflejan su carácter emocional o motivador. Traducen formas complejas de opiniones y creencias que se refieren a uno mismo, a otras personas, al hogar, la familia, la escuela, el trabajo, etc. Las actitudes son aprendidas y se las puede considerar como una expresión más específica de un valor o una creencia (como la fe), debido al hecho de que resultan de la aplicación de un valor general a objetos o situaciones concretos. Las actitudes implican una evaluación positiva o negativa y una disposición mental (Ef. 4.23) para responder, o una tendencia a actuar frente a objetos y situaciones relacionadas, de manera consistente, característica y predecible. De allí que las actitudes son evaluaciones cognoscitivas duraderas de tipo positivo o negativo de una persona, de sus sentimientos y las tendencias de acción hacia un objeto o idea. La actitud es, pues, una disposición mental, que puede ser positiva o negativa. En ese pasaje, el Sermón pone el énfasis sobre actitudes positivas.

Quinta bienaventuranza (v. 7). Ser "compasivos" (gr. *hoi eleēmones*) no consiste en hacer algo para recibir algo, como acciones de misericordia entendidas como obras meritorias, sino actuar como Jesús, es decir, como está escrito, "como es su majestad, así también es su misericordia." Los que tienen misericordia o son compasivos merecen recibir lo mismo (Pr. 11.17). Pero ellos la han recibido ya y esto se verá en el día del juicio. Más importante que hacer obras de misericordia es ser misericordioso, porque esto resultará en la ejecución de las primeras. Más vital es ser compasivo con todos que mostrarse compasivo, porque lo segundo puede resultar en hipocresía, pero lo primero se traduce en acciones concretas a favor del prójimo sufriente. Mientras cada vez son más los que destruyen a la naturaleza y al ser humano, la persona compasiva o misericordiosa es alguien que se esfuerza por sembrar amor y sanidad. La promesa para tal individuo es que cosechará lo que sembró: será tratado con compasión y misericordia. En otras palabras: ¡dichosos los que tienen compasión, y que acercan su corazón a la miseria ajena! Su característica descollante es que se preocupan por las demandas de la ética social cristiana.

Sexta bienaventuranza (v. 8). "Los de corazón limpio" (gr. *hoi katharoi tē kardía*) no son los que están limpios de todo pecado, es decir, que tienen una pureza o moralidad perfecta. La expresión "corazón limpio" significa pureza interior. En tiempos de Jesús el corazón era considerado como el ser interior, el centro de los pensamientos más profundos y el eje de toda la condición humana de la persona. Los puros sirven a Dios de todo corazón, un corazón entregado íntegramente a la voluntad de Dios. Por eso "verán a Dios," lo cual no es un fenómeno óptico, sino más bien una cuestión de amistad y comunión espiritual (Sal. 24.4). La persona de "corazón limpio" es la que tiene pensamientos nobles y, en consecuencia, no se deja dominar por la concepción secularista, materialista y sensualista, que gobierna las mentes de las personas en el mundo posmoderno y globalizado. Es aquella que lucha por mantenerse dentro de una cosmovisión cristiana de la realidad y que, a partir de ella, asume su compromiso de fe. No es un profano. Por eso mismo, no es extraño que se le prometa que "verá a Dios." En otras palabras, en v. 8 Jesús está diciendo: "¡Dichosos los que están concentrados en un solo propósito, que tienen un corazón totalmente entregado a la voluntad de Dios!" Su característica es que viven y practican la religión verdadera.

Séptima bienaventuranza (v. 9). La expresión "los que trabajan por la paz" (gr. *hoi eirēnopoioí*) tiene dos sentidos. En este caso es el sentido activo: "los que hacen la paz" y no los que son pasivos: "los que se mantienen en paz." No se trata de pacifismo ni de impotencia frente a la agresión. Aquí se habla de aquella persona que es una gran luchadora y está activa como promotora de la paz. Es un fabricante de la paz. Es alguien que, habiendo encontrado la paz con Dios y consigo mismo, ahora hace todo lo posible por difundirla, aun corriendo los riesgos que ello implica en un mundo de violencia creciente. Los pacificadores son los testigos que hacen la obra personal a favor de la paz y que, en consecuencia, son "llamados hijos de Dios." ¿Por qué son llamados así? Porque la paz, en su sentido más profundo, sólo la conocen aquellos que la han recibido del Señor (Jn. 14.27). Esto es como si Jesús estuviera diciendo: "¡Dichosos los que son apacibles y que procuran la paz!" Su característica es que son auténticos agentes de reconciliación y que su mayor preocupación es la evangelización, es decir, la comunicación del evangelio de la paz.

Octava bienaventuranza (v. 10). La bienaventuranza del v. 10 es para quienes sufren persecución "por causa de la justicia," es decir, por causa de Cristo (gr. *hoi dediōgménoi heneken dikaiosúnēs*). Ellos recibirán el reino de los cielos. Esta es la bienaventuranza de los perseguidos y mártires, que tiene su eco en 1 Pedro 3.14. En los vv. 11-12, la segunda persona plural reemplaza a la tercera. Las versiones de Mateo y Lucas muestran variantes. Mateo presenta tres tipos de persecuciones; Lucas ofrece cuatro. En Mateo 5.11 se lee "por mi causa;" en Lucas se lee "por causa del Hijo del hombre" (Lc. 6.22). Estas variantes no afectan el sentido original. Las persecuciones contra los cristianos figuran en la horrenda crónica contemporánea en muchos lugares del mundo. Por causa de su fe en Cristo y su compromiso con la justicia cientos de miles de seres humanos están padeciendo y muriendo. Es precisamente esta vocación de lucha por la justicia a cualquier costo, lo que les da el derecho seguro de formar parte del reino de los cielos y de tener derecho de propiedad sobre él ("les pertenece"). Esta bienaventuranza celebra a aquellos que sufren por causa de la justicia, es decir, por causa de Cristo. Su característica es que están dispuestos a darlo todo por Jesús, incluso la propia vida si fuera necesario.

Afortunadamente, no carecemos de orientación para conocer el perfil del verdadero discípulo de Jesús. El paradigma que nos ofrecen las bienaventuranzas debe animarnos a procurar, con la ayuda del Señor, incorporar a nuestra personalidad cada una de las virtudes y actitudes que adornan y caracterizan al discípulo del reino. El primer paso para esto debe ser una actitud de humilde reconocimiento delante del Señor, de que sin ayuda no podremos ajustarnos a su modelo. Con él y por él todo es posible. El segundo paso será comenzar a vivir, sobre la base del poder del Señor, un nuevo estilo de vida. A medida que avancemos en este propósito, sentiremos que él nos acompaña y capacita.

La recompensa (5.11-12)

Las bienaventuranzas tienen mucho que ver con la doctrina de las recompensas. Las recompensas ofrecidas por Jesús a los justos son simplemente el resultado inevitable de la bondad en un mundo gobernado por un Dios bueno. La doctrina de las recompensas de Jesús no es mercenaria en ningún sentido. Jesús no está diciendo "Haz esto y tendrás recompensa," sino "Mantén una cierta disposición y esto te traerá felicidad aquí y en el más allá." Las recompensas de Jesús son cualitativas e iguales para todos y, en definitiva, se trata del reino de los cielos (Mt. 20.1-16). Jesús repudió claramente la doctrina de los méritos. Las recompensas son dones de la gracia de Dios. Jesús enseñó que el servicio es lo que asegura la salvación. Cuando servimos y bendecimos a otros nos aseguramos la salvación y bendición propia; cuando ponemos a otros en primer lugar, nosotros salimos resultando los primeros. Jesús promete una recompensa a aquellos que son obedientes a él sin pensar en una recompensa.

El v. 11 bien podría ser titulado como "La vergüenza de la cruz." Para el ser humano de hoy el evangelio de la cruz sigue siendo motivo de escándalo y ocasión para el insulto, la persecución y la calumnia. Las tinieblas no aguantan el fulgor de la luz ni la mentira el filo de la verdad. Por eso, quien escoge llevar un estilo de vida cristiana comprometida deberá esperar resistencia y oposición.

Jesús ordenó ciertas cosas y prohibió otras, pero sobre todo estableció algunos principios morales y espirituales. Sus seguidores deben actuar y decidir, no por la obediencia ciega a una lista de órdenes precisas, sino por la aplicación inteligente de estos principios. Es por esto que los mandamientos del Sermón de la Montaña no son negativos, sino positivos. En las bienaventuranzas, Jesús no advierte contra ciertos males, sino que encarece determinadas virtudes y actitudes. Nos dice que los ciudadanos del reino son pobres en espíritu, capaces de sufrir, de ser humildes y de ser puros. Con esta introducción, Jesús nos enseña también en su Sermón qué es lo que debemos hacer para ser justos conforme a su voluntad, en lugar de plantearnos qué es lo que tenemos que evitar para escapar del pecado. Por eso, las bienaventuranzas definen la naturaleza y el carácter de aquellos que entran al reino de Dios como discípulos de Jesús.

LA FUNCIÓN DEL DISCÍPULO (5.13-16)

¿Cuáles son los roles o funciones de los ciudadanos del reino en el mundo? Para Jesús, sus discípulos constituían el núcleo del nuevo Israel. Este nuevo Israel era el heredero de la misión que el viejo Israel dejó inconclusa. ¿Qué debían hacer sus seguidores para completar tal misión? Para responder a estos interrogantes, Jesús contó varias parábolas que tienen que ver con la sal y la luz, y las funciones que éstas juegan en la vida cotidiana.

En los vv. 13-16, Jesús presenta tres símiles para describir cómo es el creyente: la sal, la luz y una ciudad en lo alto de una colina. Si se pierde esta pasión y compromiso que ilustran estos tres símiles, entonces el mundo está condenado a echarse a perder, y a caer en la decadencia espiritual y en las tinieblas.

Ser sal (5.13)

Debemos tener presente que estas palabras de Jesús no fueron dirigidas a la multitud, sino a sus discípulos. El apelativo "ustedes" apunta a ellos, quienes, después de haber escuchado, con las Bienaventuranzas, que lo más importante en el reino es el carácter, ahora el Rey les muestra cómo expresar ese carácter como súbditos del reino y cómo influir sobre otros, que están fuera del reino.

La parábola. La parábola de la sal (gr. *to hálas*) señala al deber que tiene el seguidor de Jesús de ser sal de la tierra (Mt. 5.13). Esta parábola es parte del Sermón del Monte, en el que Jesús describe a sus discípulos como la sal del mundo, y los anima a funcionar como tal. Así como la sal da sabor y también actúa como conservante de los alimentos, así Jesús espera que sus seguidores actúen en el mundo como emisarios del reino. No se nos ofrece una aclaración en cuanto a qué significa en la práctica ser sal de la tierra, si bien en el contexto hay alguna referencia a "buenas obras" (v. 16) de tal calibre que hacen que la gente alabe "al Padre que está en el cielo". Pero sin dudas lo que Jesús tiene en mente es un estilo de vida acorde con sus enseñanzas en todo el Sermón del Monte.

La enseñanza. El nuevo Israel tiene la misión de ser sal, es decir, hacer lo que hace la buena sal: preservar y dar sabor. Nuestra misión en el mundo es preservar al mundo de corrupción y darle sabor a la vida humana (hacer más humana la vida humana), y con ello, actuar como agentes de reconciliación. Es interesante que en el Evangelio de Marcos hay un dicho paralelo de Jesús acerca de la sal, al que se le adosa un comentario: "La sal es buena, pero si deja de ser salada, ¿cómo le puede volver a dar sabor? Que no falte la sal entre ustedes, para que puedan vivir en paz unos con otros" (Mr. 9.50). La salinidad del reino es *shalom* y reconciliación. Juan 13.35 lo pone de la siguiente manera: "De este modo todos sabrán que son mis discípulos, si se aman los unos a los otros."

> **Carlos Van Engen:** "La sal en los días de Jesús era tanto para purificar como para preservar. Jesús habló, entonces, de una iglesia salero, una comunión de discípulos que son la sal de la tierra. Pero la sal debe ser sacudida fuera del salero, y luego esparcida en la comida de modo que pueda purificarla y preservarla. La sal misma desaparecerá en la comida, *pero la sal no debe perder su salinidad*, aun cuando ha sido absorbida completamente. La sal carece de valor a menos que se *disperse* en el mundo. No obstante, una vez dispersa, cada grano debe preservar su cualidad peculiar."[5]

---

5. Charles Van Engen, *God's Missionary People: Rethinking the Purpose of the Local* Church (Grand Rapids, MI: Baker Book House, 1995), 134.

Así, pues, la "sal" tiene dos funciones: la de dar sabor y la de conservar. Para ser útil, la sal debe estar en contacto con la cosa que se desea sazonar y preservar. La sal se refiere al celo y a la devoción invertida en la gran tarea del reino. Si se pierde este celo, entonces el mundo está en el camino a la decadencia y la descomposición espiritual.

Dios nos ha puesto en la tierra para sazonar y purificar las relaciones interpersonales en la sociedad humana, allí donde nos hallamos y testificamos del reino. Pero si no nos presentamos al mundo como el tipo de personas que describen las bienaventuranzas en los versículos que preceden, y si nuestras actitudes y acciones no son como las que el texto describe en los versículos que siguen, entonces nuestra vocación de ser sal y el efecto que esto produce se pierde y nosotros terminamos siendo insípidos, carentes de todo sentido.

Ser luz (5.14a, 15-16)

Es interesante notar que la parábola de la luz del mundo (Mt. 5.14-16) es paralela a la anterior y su aplicación es semejante. En este caso, la imagen es la de una lámpara que trae luz a una casa o a una habitación a oscuras. El efecto de la luz es visible como el carácter invasor de la misma, que hace huir a las tinieblas.

La parábola. Hay dos cosas más para notar en cuanto al dicho de la luz. Por un lado, llama la atención la enseñanza paralela que encontramos en el Evangelio de Juan, donde Jesús habla de sí mismo como "la luz del mundo" (Jn. 8.12). El llamado del Señor a sus discípulos en el Sermón del Monte a ser "luz del mundo" es otro ejemplo del llamado de Jesús a sus seguidores a ser y a hacer lo que Jesús mismo fue e hizo en el mundo. Nosotros debemos ser luz del mundo como él lo fue.

Por otro lado, llama la atención el trasfondo de este dicho en el Antiguo Testamento. Allí se describe la obra redentora de Dios en el futuro como la venida de la luz en medio de las tinieblas. Isaías 9 es un ejemplo de esta idea bien difundida en el Antiguo Testamento, especialmente en pasajes de carácter mesiánico. "El pueblo que andaba en la oscuridad ha visto una gran luz; sobre los que vivían en densas tinieblas la luz ha resplandecido" (Is. 9.2). Y a esta promesa de una irrupción maravillosa de luz a un mundo entenebrecido sigue el anuncio del advenimiento del Mesías (Is. 9.6-7). En Isaías 60.1-3 encontramos la misma asociación entre la luz y el Mesías.

> **David Wenham:** "Pasajes como estos son un trasfondo importante para la descripción que Jesús hace de sí mismo y de sus discípulos como 'la luz del mundo,' dado que la venida del reino es el cumplimiento de la promesa del Antiguo Testamento. El trasfondo del Antiguo Testamento puede explicar también la referencia en Mateo 5.14 a los discípulos como 'una ciudad en lo alto de una colina que no se puede esconder': la idea puede ser la del luminoso monte de Sión (es decir, Jerusalén) de Isaías 60, al que vienen las naciones. Este es el destino y el llamado de aquellos que participan en la revolución."[6]

La enseñanza. Nótese que la "luz" (gr. *to fōs*) alumbra, pero no atrae la atención sobre sí misma. Esto es un ejemplo de humildad para nosotros. La luz es la luz de la revelación divina, es decir, una luz que puede ser vista por todos (1 Co. 4.9). Así, pues, en los vv. 15 y 16, Jesús está diciendo: "Cuando cae la noche y enciendes la lámpara, no la colocas debajo de una olla, ¿verdad?" Por el contrario, su lugar es en el candelero, desde donde su resplandor beneficia a todos los que están en la habitación. El "cajón" (gr. *ton módion*; "almud," RVR) era un recipiente que se usaba como medida de capacidad, mientras que el candelero era de cerámica y pequeño. Por muchos años me pregunté qué era un "almud." Mi ignorancia perduró hasta que hice lo que hay que hacer en estos casos: consulté un diccionario. Allí se nos informa que almud es una palabra que deriva del árabe y designa una medida de áridos equivalente aproximadamente a unos 8.75 litros. Por extensión, el vocablo se aplica a cualquier recipiente que permite medir un almud de elementos sólidos o líquidos. En este sentido, puede ser un cajón, un balde, una palangana, una lata u otro recipiente dispuesto para medir.

---

6. David Wenham, *The Parables of Jesus: Pictures of Revolution* (Londres: Hodder and Stoughton, 1989), 173.

Según Mateo, parece que "todos" son los que "están en la casa," es decir, los judíos. En cambio, según Lucas (11.33), son "los que entren," o sea, los gentiles (ver Lc. 8.16-18). Este es un buen ejemplo de la manera en que los evangelistas adaptaron y aplicaron los dichos y relatos de Jesús a sus audiencias particulares y según sus necesidades misiológicas y pastorales. Según el v. 16, el evangelio está para ser expandido y no ocultado. "Su luz" es lo mismo que la luz que nos ha sido confiada (el evangelio del reino). Los seres humanos deben ver la luz del evangelio y no la lámpara (gr. *lújnos*), que somos nosotros.

De este modo, la parábola de la luz señala al deber que tiene el seguidor de Jesús de ser luz, una fuente de iluminación para un mundo sumido en tinieblas. El nuevo Israel es llamado a ser la luz del mundo (Is. 42.6). Los escribas escondieron la luz de la revelación de Dios (la *Torá*) debajo de una palangana o cajón, de modo que no pudiera irradiar su resplandor. Una lámpara encendida debe estar allí donde su resplandor alcance a todos, es decir, sobre el candelero y donde todos puedan verla. Es, pues, el deber de todo seguidor de Jesús hacer huir a las tinieblas en todas sus formas. De lo contrario, seremos como el pábilo de una vela apagada, que humea y da mal olor.

> **Juan Driver:** "Es notable destacar que los verbos en los vv. 13 y 14 están en el indicativo. Jesús no les manda a sus discípulos que sean sal y luz, sino sencillamente señala que las personas descritas en las ocho bienaventuranzas anteriores *son* sal y *son* luz. Si somos, por la gracia de Dios, la clase de personas que Jesús describe en las bienaventuranzas y si, en el poder de su Espíritu, hacemos buenas obras, tales como se señalan a continuación, nuestra presencia servirá para sazonar y purificar las relaciones interpersonales en la sociedad humana donde nos hallamos. Pero si no somos la clase de personas que describen las bienaventuranzas, y si nuestras obras no son como las que se detallan a continuación, entonces para todo propósito perderemos nuestra calidad de sal y nos volveremos insípidos."[7]

---

7. Juan Driver, *Militantes para un mundo nuevo* (Barcelona: Ediciones Evangélicas Europeas, 1978), 64-65.

Ser una ciudad sobre una colina (5.14b)

La luminosidad que proyecta una ciudad asentada sobre una colina "no puede esconderse," a diferencia de la que brilla en una lámpara, que sí se puede cubrir "con un cajón." Posiblemente, el segundo caso se refiere más específicamente al testimonio individual, mientras que el primero tiene que ver con el testimonio colectivo del evangelio del reino.

La parábola. Una parábola interesante en esta línea, que apunta a los roles o funciones que cumplen los ciudadanos del reino, es la parábola de la ciudad sobre una colina (Mt. 5.14b). El v. 14b ilustra el poder de la fuerza del testimonio cristiano. El trasfondo del Antiguo Testamento puede explicar también esta referencia a los discípulos como "una ciudad en lo alto de una colina que no puede esconderse." La idea puede ser la del luminoso monte de Sión (es decir, Jerusalén) de Isaías 60, al que vienen las naciones. Como vimos que dice David Wenham, "este es el destino y el llamado de aquellos que participan en la revolución" del reino que está viniendo. Según un manuscrito antiguo, el texto debería leerse de la siguiente manera: "Una ciudad construida sobre una colina no puede ser derribada ni esconderse." Las ideas principales de la expresión son las de inexpugnabilidad y visibilidad. Con esta imagen de una ciudad bien plantada sobre una colina, Jesús destaca la firmeza y visibilidad misionera del pueblo de Dios, congregado en torno a su Señor y viviendo conforme a las pautas del reino (Mt. 5.3-12).

La enseñanza. La parábola representa una palabra de ánimo y desafío para los discípulos. Jesús les está diciendo: "Ustedes son el pequeño rebaño de Dios (Lc. 12.32), pero, como ciudadanos de la inexpugnable ciudad de Dios (Is. 2.2-4; Mt. 16.18) son el blanco de la mirada de todo el mundo y deben actuar así, como verdaderos siervos del Señor." El testimonio de presencia y de obras en medio de la sociedad humana es importante. Dios nos llama a colocarnos en la vidriera de la sociedad, para que todos nos vean y se sientan atraídos a formar parte de la comunidad de fe que integramos en torno a Cristo. Retirarnos del mundo y recluirnos en nuestro propio negocio religioso es totalmente contrario a la estrategia del reino que plantea Jesús en esta parábola. Los creyentes debemos vivir la nueva vida del reino en forma muy visible dentro de la sociedad humana, anticipando la venida del reino en su cumplimiento final. En esta parábola tenemos la ciudad de Dios de la era del reino inaugurado por el Mesías. El Señor que habita en su medio es la fuente de su luz (Jn. 8.12).

> **Juan Driver:** "Como resultado de este testimonio altamente visible, que incluye la vida y actividad enteras de los discípulos en medio de los seres humanos, se espera que Dios sea glorificado (v. 16). Glorificar a Dios es reconocerlo como el único verdadero Dios. Los judíos no concebían un conocimiento de Dios anterior a su glorificación. Glorificarlo es conocerlo en verdad. Y esta glorificación del Dios de Israel por todos los seres humanos o naciones tenía que ser una de las más firmes características de los tiempos mesiánicos de la esperanza judaica. De modo que la vida y las obras propias del reino mesiánico son el testimonio más claro de que en verdad Dios ha intervenido en la historia y ha llegado en forma anticipada su reinado.

La presencia vital de la comunidad del reino en medio de la sociedad humana contribuirá a su transformación, no por medio de la coacción ni la violencia revolucionaria, sino a través del poder del amor penetrante y eficaz. El mejor aporte que el pueblo de Dios puede hacer a la sociedad es el de vidas y obras que participan ya del 'siglo venidero' y que apuntan a la calidad de relaciones que caracteriza el reino de Dios. A través de su forma de ser y hacer se convierte en instrumento de la acción salvadora de Dios."[8]

LA OBLIGACIÓN DEL DISCÍPULO (5.17-20)

Los vv. 17-20 presentan el principio general de la relación del Mesías con la Ley: no destrucción, sino cumplimiento. Los versículos que siguen (vv. 21-48) son ilustraciones de esa realidad. Las palabras de Jesús parecen contradictorias y, en general, el pasaje resulta difícil de interpretar.

8. *Ibid.*, 66.

La mejor guía para entenderlo es un conocimiento de la tendencia general de la enseñanza de Jesús. Es posible que algunos en aquel momento, pensaran que él había venido a abrogar la Ley. Jesús quiere corregir este concepto. Las Escrituras ("la ley o los profetas") son básicas para el sostenimiento de un orden moral estable. El Mesías vino para darle al registro de la Palabra divina su significado final. A través de su vida y ministerio, Jesús cumplió, realizando en teoría y en práctica, un ideal, al cual apuntan las instituciones y revelaciones del Antiguo Testamento, pero que no encuentra allí una expresión plena. Jesús comenzó con ese ideal tal como estaba, y lo llevó a su plena realización, logrando así expresar el espíritu de la Escritura, metiéndose en los principios fundamentales, que subyacían en la estrechez de la letra.

El cumplimiento de la ley (5.17)

Según los vv. 17-20, el Antiguo Testamento tiene su importancia y no tiene por qué ser quitado de su lugar. El Nuevo Orden es el cumplimiento del Antiguo. Es difícil que estos versículos, tal como están, sean palabras de Jesús, porque la doctrina de la permanencia de la Ley es rabinismo puro, y porque Jesús mismo "desobedeció" la Ley del sábado y otras, especialmente las ceremoniales. Él vino a realizar la intención verdadera de la Ley, lo que era el deseo de Dios respecto de la Ley, de manera que el propósito de Dios al dar la Ley fuera cumplido. En este sentido, hay tres posibilidades de interpretación en cuanto a la actitud de Jesús hacia la Ley: (1) a veces Jesús dice lo mismo que la Ley; (2) a veces Jesús dice más que la Ley; y, (3) a veces Jesús abroga la Ley. Pero aun en estos casos Jesús no hacía más que declarar el verdadero propósito de Dios al dar la Ley. El capítulo 5 habla sobre la justicia extraordinaria o superior entre los ciudadanos del reino y los fariseos. También habla de la justicia oculta de los ciudadanos del reino.

La vigencia de la ley (5.18)

En el Sermón de la Montaña, Jesús va a presentar la nueva ley del reino, pero esta nueva ley no anula la anterior, sino que la perfecciona. La nueva ley es muy superior, pero esto mismo significa que el cumplimiento de la vieja es casi requisito indispensable para el cumplimiento de la nueva. No se puede acceder al segundo piso si no se pasa por el primero, como no se puede llegar al quinto escalón de una escalera si no se suben los cuatro anteriores. En este sentido, las regulaciones morales del Antiguo Testamento no deben ser despreciadas y están vigentes, si bien deben ser superadas por regulaciones que expresan ideales más altos.

La declaración de Jesús no fue meramente una expresión de determinación personal, sino una proclama universal. No obstante, cabe preguntarse ¿qué quiso decir Jesús con la frase "mientras existan el cielo y la tierra"? Esta puede haber sido una figura de lenguaje, una manera indefinida de decir que la Ley no va a perder vigencia. Sin embargo, parece ser una declaración trascendente y no una frase dicha al descuido. En otras palabras, el orden moral que Dios ha establecido en el universo y que ha registrado en su palabra va a durar tanto como el universo mismo y más también (Mt.24.35; Mr. 13.31; Lc. 21.33). Las leyes de Dios seguirán en vigencia "hasta que todo se haya cumplido," ya sea de este lado de la eternidad o del otro lado. La Ley estará en vigencia hasta que la justicia del reino, que es el objetivo final de la Ley, se vea plenamente cumplida.

La obediencia a la ley (5.19-20)

Parece claro que, con su enseñanza, lo que Jesús sí quiere abolir son las falsas interpretaciones de la Ley y los Profetas. Es interesante notar que Jesús declara que el quebrantamiento de los mandamientos no excluye a nadie del reino de Dios, sino que quien así lo hiciere será llamado "muy pequeño" en él (v. 19). No obstante, Jesús sí condena a quienes malinterpretan los mandamientos, tal como lo hacían los escribas y fariseos, a quienes se excluye (v. 20). La Ley ceremonial y los ritos, a los que especialmente los fariseos eran tan afectos, se resumían y conjugaban en Jesús, de modo que ya no eran necesarios. Jesús aceptó la Ley del Antiguo Testamento en principio, y la vio como la revelación de Dios, que no pierde su vigencia. Además, subordinó los mandamientos rituales a los deberes morales. Se opuso al desarrollo astronómico de las reglas y normas sobre purificación, y no se ajustó a las exigencias exageradas de los fariseos en cuanto a la observancia del sábado. Su énfasis en el espíritu de la Ley y su práctica de contrastar un pasaje de la Ley con otro implica necesariamente un nuevo concepto de la *Torá* (Ley). Cuando el cristianismo llegó al mundo gentil, su enseñanza fue llevada hasta sus consecuencias lógicas por Esteban, Pablo y los primeros misioneros cristianos gentiles.

¿Para qué vino Jesús al mundo? Él vino para enseñarnos el sentido de la auténtica relación con Dios. Esta relación es nueva, porque tiene su base en la misma persona de Cristo y en su obra redentora. Pero esto no contradice los términos de los contactos redentores de Dios con los seres humanos a lo largo de la historia, según están registrados en el Antiguo Testamento.

Es por esto que la enseñanza de Jesús no contradice la Ley mosaica, si bien él se opuso a la religión legalista que los escribas y fariseos montaron sobre ella. Para Jesús, el Antiguo Testamento tenía una validez permanente. Pero también es claro que su propia enseñanza es imperativa. Seis veces en el capítulo 5 de Mateo, Jesús presenta una antítesis entre lo que previamente ha afirmado la Ley de Moisés y sus propios principios del reino. Estas antítesis no neutralizan la vigencia del propósito de la Ley. Lo que Jesús hace con su enseñanza es ampliar la visión de tal propósito y darle una nueva aplicabilidad conforme a los nuevos términos de relación en el reino de Dios por él inaugurado.

LA CONDUCTA DEL DISCÍPULO (5.21-37)

¿Cuáles son algunos de los principios guiadores de la conducta de los seguidores de Jesús que se destacan en el Sermón de la Montaña? Ya vimos que, con respecto a la relación entre el discípulo y el orden antiguo, se requiere de aquellos una justicia mayor que la de los escribas y fariseos (v. 20). Esta demanda de una justicia mayor es ilustrada en las cuatro antítesis que se desarrollan en los vv. 21-37. En este pasaje hay cuatro casos de justicia introducidos con la cláusula "Ustedes han oído que se dijo.... Pero yo les digo." En cada uno de estos casos Jesús indica que el pecado no está sólo en el hecho en sí, sino en el pensamiento o propósito que se tiene al actuar. Con esto, él hace una diferencia entre el pensamiento y el hecho en sí. Estos versículos declaran cuál es el ideal moral para el cristiano, y convencen del pecado en todas sus dimensiones. Así, el pasaje menciona el asesinato (vv. 21-26), el adulterio (vv. 27-30), el divorcio (vv. 31-32) y el juramento (vv. 33-37).

"No mates" (5.21-26)

Las antítesis que plantea Jesús en relación con la Ley judía muestran que hay ciertos grados de contraste. Así, es posible diferenciar entre dos clases o grupos de antítesis. En un grupo, el requerimiento de la Ley es aceptado y la antítesis lo intensifica. Este es el caso de los dichos sobre el homicidio y el enojo (vv. 21-26) y sobre el adulterio (vv. 27-30). En el otro grupo de antítesis, la Ley es negada con base en su mitigación a través de concesiones a la debilidad humana, y en la antítesis se establece el mandamiento divino. Este es el caso en el dicho sobre los juramentos (vv. 33-37), pero más clara y significativamente en cuanto al divorcio (vv. 31-32), y especialmente de manera radical en los dichos sobre la venganza (vv. 38-42) y el amor a los enemigos (vv. 43-48).[9]

El crimen del enojo (vv. 21-22). El enojo (la ira) es uno de los pecados más devastadores. Es un pecado que todo ser humano puede cometer. El niño más pequeño se encoleriza, trastorna su digestión y pierde lo que ha comido. El muchacho se emberrincha y trastorna el buen orden de la familia. La esposa se enoja hasta darse un buen dolor de cabeza. El esposo se llena de ira y pierde el apetito y se pone violento. Todo miembro de la familia está expuesto a caer en este pecado. Nadie hay que por naturaleza sea inmune al crimen del enojo. El enojo engendra remordimiento en el corazón, discordia en el hogar, amargura en la comunidad y desórdenes en la nación. A menudo, el torbellino del enojo doméstico deshace al hogar. Muchas veces el carácter irascible rompe las relaciones comerciales, cuando la razón cede ante el veneno de la ira. Afilado en la piedra del enojo, el agudo cuchillo de la indignación frecuentemente corta las mejores amistades. Ahora ¿por qué el enojo es un crimen?

El enojo es un pecado que Dios aborrece. Esto se afirma en varios pasajes bíblicos (Sal. 37.8; Pr. 16.32; Stg. 1.19). Por un lado, el enojo revela la naturaleza animal del ser humano. Muchas personas amables y simpáticas se transforman en repulsivas e irracionales arrastradas por la ira. Esta actitud es propia de la persona necia (Pr. 12.16). Por otro lado, el enojo

9. Schnackenburg, *The Moral Teaching of the New Testament*, 75.

estorba el testimonio cristiano. Airado contra los soldados romanos, Pedro sacó su espada y cortó la oreja de un siervo. Jesús lo reprendió, y le dijo: "Guarda tu espada, porque los que a hierro matan, a hierro mueren" (26.52). Además, el enojo hace perder la alegría de la vida. Esto es lo que le ocurrió a Caín (Gn. 4.6). Lo malo de perder la compostura es que a menudo uno pierde a la vez otras cosas también, como los buenos modales, la reputación, las amistades, las oportunidades y, sobre todo, un buen testimonio cristiano. También el enojo es el padre del homicidio y las locuras humanas (Pr. 14.17). Caín se enojó y por eso mató a su hermano Abel. La ira siempre resulta en crueldad (Pr. 27.4).

El enojo es un pecado que puede ser vencido. Si el enojo no pudiera ser vencido, entonces Dios no hubiese ordenado: "Refrena tu enojo, abandona la ira" (Sal. 37.8). Dios nunca demanda algo que sea imposible de llevar a cabo. Hay victoria en Cristo sobre el enojo. ¿Cómo podemos dominarlo?

El primer paso consiste en querer vencer este pecado. Esto significa dejar de buscar justificaciones y reconocer al enojo como un pecado detestable y venenoso. El segundo paso consiste en confesar este pecado. Debemos confesarlo a Dios pidiéndole perdón, porque él es la primera víctima de nuestro enojo (1 Jn. 1.9). Dios en su amor y misericordia ha prometido perdonarnos el pecado del enojo y limpiarnos de él. Esto no implica que nos convirtamos en débiles invertebrados, sin coraje ni valor. Pero sí significa que el temperamento que antes se desahogaba a través del enojo, ahora se convierte en un medio de bendición. Esto es exactamente lo que Jesús quiso expresar cuando dijo: "Dichosos los humildes (los mansos, RVR)".

El mandato de la reconciliación (vv. 23-24). Este es el único pasaje en la Biblia donde aparece esta forma verbal (gr. *diallágēthi*), cuando el vocablo más común para reconciliación en el Nuevo Testamento es el gr. *katallássō* (poner a alguien en paz con Dios; reconciliar). En el original, esta palabra muestra la necesidad de una concesión mutua cuando hay una hostilidad mutua. Esta es la dimensión horizontal de la reconciliación. Este pasaje es parte del Sermón de la Montaña y aquí Jesús da instrucciones en cuanto a cómo restablecer la relación entre hermanos, cuando ésta ha sido interrumpida. Nótese que el contexto es la relación del ser humano con Dios en el acto de adoración y ofrenda. Jesús está diciendo que Dios da prioridad a la necesidad de la reconciliación práctica entre cristianos, antes que a la demostración de dedicación a él por medio de las ofrendas. Nótese también que el pasaje indica que la persona que cree ser inocente tiene la responsabilidad de tomar la iniciativa en buscar la reconciliación. La exhortación de Jesús es: "Reconcíliate primero." La reconciliación mutua es prioritaria a cualquier otro ejercicio de piedad o ministerio. Esta reconciliación es mucho más que no ser enemigos. La reconciliación es una experiencia positiva, que involucra la práctica del amor cristiano, el reconocimiento mutuo y la acción cristiana conjunta. Cabe subrayar que la amonestación de los vv. 23-24 no fue sólo para los judíos, sino para nosotros también.

La parábola del adversario (vv. 25-26). Esta parábola aparece en Lucas 12.57-59 en el contexto de las señales de los tiempos, pero aquí se refiere al sexto mandamiento ("No mates," Éx. 20.13; Dt. 5.17). Jesús eleva la exigencia del mandamiento respecto al respeto por la vida humana. No se trata solamente de no quitarle la vida al prójimo, sino de no faltarle el respeto como persona humana, o sea, no llamarlo *jracá* (palabra aramea), lo cual era un insulto o una expresión de desprecio (como "estúpido"). Hoy se "mata" al prójimo humano cuando se lo aborta, se lo cosifica, se loprostituye, se lo manipula, se lo trafica, se lo tortura o se lo condena a muerte. El punto de la parábola del adversario (vv. 25-26) en este contexto es similar.

No obstante, la parábola plantea algunas dificultades para su interpretación. Mateo ubica la parábola en el Sermón del Monte, como una advertencia al cristiano a arreglar su conflicto con su oponente antes de que se transforme en un litigio. Lucas, por el contrario, ubica la parábola en un contexto de crisis, como una parábola de crisis, quizás más fiel a la situación original en que Jesús la narró por primera vez. Quizás ésta es la mejor opción para su interpretación. En este sentido, la parábola dice: ninguna persona en sus cabales, que sabe que va a perder en una disputa, se va a meter en un juicio en una corte, sino que procurará arreglarse con su adversario. Jesús dice: "A ustedes, que ahora están en camino a una corte mucho más grande, les conviene acercarse a Dios en penitencia mientras que todavía tienen tiempo." La vida es un viaje que se termina pronto, y después de la muerte viene el juicio (He. 9.27). Todos haríamos bien en tratar de arreglar las cosas entre nosotros y Cristo antes de que lleguemos al final del camino, de modo que nuestro caso no llegue jamás a la corte.

Cristo no es el oponente legal de ninguna persona, lo cual es el significado de la palabra gr. *antídikos* (adversario en un juicio, enemigo), que está detrás de la traducción que hacen la NVI y la RVR del término en el v. 25 como "adversario." Adversario en este sentido es lo que se dice que es el diablo (1 P. 5.8). Tampoco Cristo acusará a nadie, judío o gentil, delante del Padre (Jn. 5.45), como hace el diablo constantemente (Ap. 12.10). Por otro lado, Cristo sí nos testifica que hay un caso en nuestra contra: nuestras acciones son malas (Jn. 7.7); y él nos presenta su salvación. Si disputamos estas cosas con él o lo ignoramos, y nuestro caso viene delante del juicio final, él nos advierte que el veredicto no puede ser otro que culpable, y la sentencia ninguna otra cosa que eterna (Jn. 3.18-19, 36). Por lo tanto, él nos anima a juzgar por nosotros mismos nuestro caso y a procurar resolverlo aquí en esta vida, de modo que jamás llegue a la corte del juicio final.

> **Dietrich Bonhoeffer:** "Existe, por lo tanto, únicamente un camino para seguir a Jesús y adorar a Dios, y este es el de reconciliarnos con nuestro hermano. Si venimos para escuchar la Palabra de Dios y recibir el sacramento sin estar primero reconciliados con nuestros prójimos, venimos a nuestra propia condenación. A los ojos de Dios, somos asesinos. Por lo tanto, 've primero, reconcíliate con tu hermano y luego ven, y trae tu ofrenda.' Esta es una manera difícil, pero es la manera que Jesús requiere si es que vamos a seguirlo. Es una manera que produce mucha humillación personal e insulto, pero, indudablemente, es el camino hacia él, nuestro hermano crucificado, y, por lo tanto, una manera para que abunde la gracia. En Jesús, el servicio a Dios y el servicio al más pequeño de los hermanos es uno. Él recorrió su camino, se reconcilió con su hermano y se ofreció a sí mismo, como el único verdadero sacrificio a su Padre. Aún vivimos en la era de la gracia, porque cada uno de nosotros tiene un hermano; aún estamos 'con él en el camino.' El tribunal del juicio nos espera y todavía hay una oportunidad para que nosotros nos reconciliemos con nuestro hermano y paguemos nuestra deuda con él. Llega la hora en que nos hallaremos cara a cara con el juez y entonces será demasiado tarde. En ese momento, recibiremos nuestra sentencia

y pagaremos hasta el último centavo. Pero ¿somos conscientes de que en este punto nuestro hermano viene vestido no de ley, sino de gracia? Es gracia que se nos permita agradar a nuestro hermano y pagar nuestra deuda con él; es gracia que se nos permita reconciliarnos con él. En nuestro hermano encontramos gracia ante el trono del juicio."[10]

"No cometas adulterio" (5.27-30)

En el segundo caso, Jesús se refiere al séptimo mandamiento ("No cometas adulterio," Éx 20.14; Dt. 5.18). Jesús se refiere al intento deliberado de pecar y no a las pulsiones del instinto sexual. Jesús no está condenando el deseo sexual natural y legal. Lo que demanda en el v. 29 es sólo figurativo e hiperbólico, pues tal acción no quitará el mal pensamiento, pero indica que la conducta del ser humano puede depender de una disciplina personal rigurosa.

Nuevamente Jesús levanta el nivel de exigencia de su nueva ley y va más allá de la relación sexual ilegítima a explorar en la intimidad del ser interior humano y sus intenciones ("en el corazón," gr. *en tēi kardía autou*). En el concepto griego, el corazón no era meramente el centro de la circulación sanguínea, y también era más que la esfera emocional de la naturaleza humana. Aquí hace referencia al ser interior, lo cual incluye su intelecto, afectos y voluntad. La palabra es muy común en el Nuevo Testamento. Viene de una raíz que significa palpitar. Jesús coloca al adulterio en dos órganos del cuerpo muy importantes: el ojo ("cualquiera que mira") y "en el corazón," más que en el acto carnal. Los ojos y el corazón son los dos gestores principales del pecado, según Jesús. Por cierto, lo que él dice en vv. 29-30 son hipérboles destinadas a llamar la atención sobre la gravedad y seriedad de este pecado, y sería necio interpretar las demandas de Jesús de manera literal.

"No te divorcies" (5.31-32)

Jesús también menciona el divorcio (vv. 31-32). Un hombre se podía divorciar de su mujer si se le "quemaba la comida." Lo hacía de manera muy fácil y simple, dándole "un certificado de divorcio" (gr. *biblíon*

---

10. Dietrich Bonhoeffer, *El costo del discipulado: la dicotomía entre gracia barata y gracia sublime* (Buenos Aires: Editorial Peniel, 2017), 146-147.

apostasíou; Mt. 19.7; Mr. 10.4), es decir, una carta de repudio. En realidad, este certificado era para la protección de la mujer contra la ira o violencia del marido, que podía echarla de la casa a la calle, sin ningún tipo de documento que la identificara y explicara su situación. Esto generalmente terminaba en la miseria de la mujer repudiada, cuando no en su prostitución y explotación. Fue a la luz de este contexto de divorcio que los fariseos le preguntaron a Jesús si era lícito divorciarse. En respuesta a esta pregunta, Jesús describe a la Ley de Moisés como una concesión a la dureza del corazón humano; reafirma el ideal divino del matrimonio como una unión indisoluble; y, condena el volverse a casar después del divorcio. Según Jesús, la única justificación posible para un divorcio era la "infidelidad conyugal" (literalmente "excepto en base a corrupción o infidelidad," Mt. 19.9). Marcos y Lucas no mencionan esta excepción.

"No jures" (5.33-37)

Los juramentos (vv. 33-37) entran en la lista. El juramento consistía en una invocación solemne a Dios, como testigo de la verdad de una declaración. Jurar por los cielos, la tierra o Jerusalén era lo mismo que jurar por Dios. Lo que está en juego detrás de un juramento es la verdad. Según Jesús, los juramentos de cualquier tipo son innecesarios en su reino, porque el nuevo carácter de sus ciudadanos hará superfluos a los viejos juramentos, porque hablarán y actuarán bajo el imperio de la verdad. La verdad simple y llana siempre es más valiosa que cualquier juramento elaborado por seres humanos mentirosos. Los juramentos se hacen a partir de la sospecha de ausencia de la verdad o para forzar la verdad. Pero cuando la verdad impera, cualquier otro recurso humano para garantizarla "proviene del maligno." Cuando uno sigue a Jesús, quien es la Verdad, no hace falta ninguna otra garantía de la verdad que sea inferior a él (el cielo, la tierra, Jerusalén, tu cabeza, etc.) La palabra del discípulo debe ser "sí" cuando es sí, y debe ser "no" cuando es no.

EL IDEAL DEL DISCÍPULO (5.38–6.4)

Jesús pasa de considerar la verdad como eje de la conducta del discípulo a colocar a la justicia en ese lugar. Pero la justicia tiene que tener un nuevo centro, y una nueva motivación. Debe ser asegurada hacia los demás por un amor superlativo. La vieja economía procedía desde el centro de los derechos personales, pero la nueva procede desde el centro de una generosidad no merecida ni necesaria por parte del prójimo. Nadie tiene derecho alguno sobre tu mejilla, tu capa o un kilómetro extra de tu esfuerzo. Pero si vas a actuar con la justicia del reino, tu deber es ofrecer la otra mejilla tuya, tu camisa y regalarle un kilómetro de tu esfuerzo. Así es la justicia del reino: siempre va más allá de lo esperado o exigido, siempre sobrepasa la medida de amor requerida, siempre va más allá de lo necesario y hace lo que nadie tiene el derecho de esperar de él.

Renunciar a la maldad (5.38-42)

Jesús considera a la ley del talión o el deseo de venganza como un pecado (vv. 38-42). La palabra "por" (gr. *anti*) encierra la idea de cambio o sustitución ("ojo por ojo y diente por diente," ver Éx. 21.24; Dt. 19.21; Lv. 24.20). Al igual que en el caso del divorcio, la ley del talión (lat. *jus talionis*) es una medida restrictiva contra el uso de una violencia indiscriminada. De alguna manera, ponía un límite a la compensación por un daño recibido. En la *Mishna* se establece un pago en dinero con el mismo propósito. En algunos países musulmanes en el Cercano Oriente todavía esta ley está en vigencia. La propuesta de Jesús es superadora y propone al discípulo el camino de la no violencia ("no resistan") y de ganar al otro con la mejor buena voluntad. Este pasaje se entiende mejor a la luz de Romanos 12.17-21. Como discípulos del Rey somos llamados a hacer el bien y no ceder ante la maldad, especialmente expresada de maneras violentas.

> **John R. W. Stott:** "De modo que el mandato de Jesús a no resistir al mal no debe propiamente usarse para justificar la debilidad temperamental, ni la transigencia moral, ni la anarquía política, ni siquiera el pacifismo absoluto. En cambio, lo que Jesús demanda aquí de todos sus seguidores es una actitud personal hacia los que hacen mal, que está inspirada en la misericordia y no en la justicia, que renuncia a la venganza en forma tan completa que se arriesga a un sufrimiento mayor y más costoso, que

> nunca está dominada por el deseo de causarles daño, sino siempre por la determinación de proporcionarles el sumo bien."[11]

Amar al enemigo (5.43-48)

Finalmente, y en contraste, Jesús señala a la ley del amor (gr. *agápē*; vv. 43-48). La nueva justicia llega a su punto culminante con el llamado a amar a los enemigos. El viejo orden exigía que el judío amara a sus paisanos y correligionarios. El nuevo orden del reino exige el deber de amar sin distinciones de ningún tipo. De esta manera, todos los que pertenecen al reino inaugurado por el Rey llegan a ser hijos del Padre, cuya misericordia es infinita y alcanza a buenos y malos por igual. Pero tampoco es suficiente el "amor" que fingen los recaudadores de impuestos y los gentiles, que se mueven por interés y conveniencia. Lo que demanda Jesús de sus seguidores es un amor verdaderamente universal, un amor como el amor de Dios.

Para Jesús "amor" significa una buena voluntad práctica y persistente hacia todas las personas. Significa "preocuparse" por los demás y buscar su bien. "Odia a tu enemigo" no aparece en el Antiguo Testamento. Puede ser un agregado al texto. Devolver mal por bien es la forma diabólica. Devolver bien por bien es la forma humana. Devolver bien por mal es la forma divina. La conclusión de Jesús es contundente (v. 48). Mateo dice "perfectos." Lucas dice "compasivos" (Lc. 6.36). Algunos dicen que Lucas es la versión original. Debemos ser amplios, universales, como es Dios, en la vivencia del amor.

> **William Hendriksen:** "El Señor está diciendo a sus oyentes, por lo tanto, que, al imitar a los publicanos y a los gentiles en su exclusivismo, simplemente están demostrando que ellos mismos no son mejores en nada que aquellos a quienes consideraban inferiores en valor moral y espiritual. Ellos no están haciendo nada excepcional, que sobresalga o sea extraordinario. Sin embargo, para recibir una recompensa, la justicia de quienes deseaban ser discípulos de Cristo debe 'superar' la de escribas y fariseos."[12]

---

11. John R. W. Stott, *El Sermón del Monte*, 3ra ed. (Buenos Aires: Certeza Unida, 2007), 117.
12. William Hendriksen, *Comentario al Nuevo Testamento: Exposición del Evangelio según San Mateo* (Grand Rapids, MI: Libros Desafío, 2001), 331.

Dar al necesitado (6.1-4)

El pasaje de 6.1-18 menciona varias prácticas religiosas y expresiones de espiritualidad cristiana: limosnas (vv. 1-4), oración (vv. 5-15) y ayuno (vv. 16-18). Para un buen judío, las tres obras principales de una buena vida religiosa eran la limosna, la oración y el ayuno. Jesús reinterpreta estas expresiones de piedad, al igual que lo que hizo con la Ley. Él plantea una piedad diferente de la de los fariseos, que estaba signada mayormente por la hipocresía, o de la de los gentiles, que no era más que un formalismo mecánico. Jesús presenta a estas prácticas como legítimas si se llevan a cabo con una motivación correcta y no para aparentar algo que no es. El pasaje anterior (5.21-48) trata de las relaciones del ser humano con sus semejantes. Lo que sigue trata de las relaciones del ser humano con Dios. Esto invierte el orden del Decálogo. Cada punto tiene dos refranes y los tres constituyen un sermón completo sobre adoración. El énfasis principal de toda esta sección es el carácter indispensable de la sinceridad en la adoración. El agregado que hace Mateo de otros elementos (vv. 7-15), es indicación suficiente de que lo principal es la sinceridad en la adoración.

Los vv. 1-4 presentan a una de estas expresiones de piedad y adoración, que son las limosnas. "No lo anuncies al son de trompeta" es metafórico y significa "No publiques tu piedad." La hipocresía siempre significa "Mandarse la parte." Pero una limosna auténtica es un acto de justicia, lo cual dista mucho de la actitud de los hipócritas. Y esta actitud generosa va más allá de las acciones y palabras concretas que se ofrezcan, porque nace del corazón, de la mente y expresa las motivaciones correctas. Esta justicia no sólo exige una devoción sincera de todo corazón al Padre celestial, sino también una confianza sin límites en él en todas las circunstancias. La profunda relación con Dios, expresada a través de las limosnas o la ayuda a los necesitados, pone de manifiesto su profundo interés por la vida en la práctica cotidiana.[13]

---

13. *Ibid.*, 358.

CAPÍTULO 6

EL SERMÓN DE LA MONTAÑA (II)

6.5-34; 9.14-15; 11.18-19

A lo largo del capítulo 6, el Sermón de la Montaña presenta la relación del ser humano con Dios. El orden de los medios de gracia, según Mateo, es: limosnas, oración y ayuno (6.1-18), cuando en realidad, lo lógico sería ayuno, oración y limosnas, es decir, una determinada acción piadosa lleva a la otra hasta terminar expresándose de manera práctica. No obstante, seguiremos el orden inverso de Mateo. Habiendo ya considerado a las limosnas, queda por considerar la oración y el ayuno. Sobre el segundo, agregaremos aquí la consideración de otros pasajes que tocan el mismo tema en este Evangelio (9.14-15; 11.18-19). A esto, Mateo agrega algunas reflexiones de Jesús en torno a la función pública de las personas en asuntos de dinero, posesiones, comida, bebida, vestido y ambición (6.19-34).[1]

En este último pasaje se presentan varias cuestiones a considerar. La primera tiene que ver con el desafío de Jesús a hacer "tesoros en el cielo" (v. 21). El asunto de los bienes es contrastado aquí con el carácter perecedero y efímero de los mismos, en contraposición a lo que es imperecedero y eterno, como son los tesoros celestiales. Con esto, Jesús llama a cuidar que el corazón no quede prisionero de los tesoros o bienes terrenales, que

1. Stott, *El Sermón del Monte*, 159.

pueden ser legítimos, pero que son perecederos. Por el contrario, su consejo sabio es prestar toda la atención posible a los tesoros celestiales, que no serán corrompidos por los factores que hacen volátil e incierta la vida humana y sus intereses ("la polilla y el óxido").

> **R. W. John Stott:** "Sólo cuando hemos captado con nuestra mente la durabilidad comparativa de los dos tesoros (corruptible e incorruptible), la utilidad comparativa de las dos condiciones del ojo (luz y tinieblas) y la dignidad comparativa de los dos señores (Dios y Mamón), estamos preparados para hacer nuestra elección, y sólo cuando hemos elegido (el tesoro en el cielo, la luz, Dios) entendemos 'por eso les digo' así es como deben de conducirse: 'No se preocupen por su vida … ni por su cuerpo.... Más bien, busquen primeramente el reino de Dios y su justicia' (Mt. 6.25-33). En otras palabras, nuestra elección básica en cuanto a cuál de los dos señores nos proponemos servir afectaría radicalmente nuestra actitud hacia ambos. No nos afanaremos por aquél (porque lo hemos rechazado), sino que concentraremos nuestra mente y energías en el otro (porque lo hemos elegido); rehusaremos quedarnos absortos en nuestros propios intereses, y en cambio 'buscaremos primeramente' los intereses de Dios."[2]

Estas son palabras que tienen una profunda dimensión espiritual para la vida de todos los discípulos de Jesús. El resumen de toda esta enseñanza del Maestro está en el v. 33: "Busquen primeramente el reino de Dios y su justicia, y todas estas cosas les serán añadidas." Parece evidente que Jesús enseña lo que tiene que ir en primer lugar en la vida de un auténtico seguidor suyo. Si lo primero ocupa el primer lugar, entonces lo segundo (las necesidades materiales) serán suplidas por el Padre y vendrán por añadidura. Él sabe qué es lo que necesitamos. En esta frase se agrega también un elemento que es muy importante y que es "su justicia."

> **John A. Broadus:** "Esto significa la justicia personal exigida por nuestro Padre en los súbditos del reinado mesiánico y de la que debían tener hambre y sed (5.6); que debe ser mayor que la de los escribas y fariseos

2. *Ibid.*, 167.

> (5.20), extendiéndose no meramente a los actos exteriores, sino a la vida interior de propósito y deseo (5.24-48); que debe practicarse, no para alcanzar las alabanzas de los hombres, sino la aprobación y los premios del Padre que está en los cielos (6.1-18)."[3]

De esta manera, "la justicia del reino es dádiva de Dios que permite a los hombres convivir en relaciones armoniosas y rectas según la intención de Dios para sus hijos."[4] Este principio se ve bien claro en Mateo. Vivir de acuerdo a la justicia de Dios significa hacer su voluntad. Esta voluntad tiene que verse expresada en una renovada relación personal con Dios y los semejantes, y en la actitud hacia los bienes materiales. El principio de la auténtica adoración cristiana a Dios se fundamenta en una vida piadosa, caracterizada por una espiritualidad como la que Jesús bosqueja en este capítulo de Mateo.

LA ESPIRITUALIDAD DEL DISCÍPULO (6.5-18)

Al hablar de espiritualidad en este pasaje, nos referimos a ella en sentido estricto. En la tradición cristiana, la espiritualidad involucra una relación personal con Cristo, a través de las disciplinas espirituales, y está siempre relacionada con un contexto histórico determinado. La espiritualidad cristiana parte de la experiencia de la fe y no de la racionalización de la misma. Además, esta espiritualidad implica el cultivo de un estilo de vida consistente con el Espíritu del Cristo resucitado dentro del creyente y con su posición como miembro del cuerpo de Cristo. Esto significa que la espiritualidad cristiana tiene que ver con nuestra manera de ser cristianos, en respuesta al llamado de Dios, hecho a través de Jesucristo en el poder del Espíritu Santo. Es la vida en el Espíritu Santo, quien incorpora al cristiano en el Cuerpo de Jesucristo, y a través de quien el cristiano tiene acceso a Dios el Creador en una vida de fe, esperanza, amor, y servicio. La espiritualidad cristiana, por lo tanto, es trinitaria, cristológica,

---

3. John A. Broadus, *Comentario sobre el Evangelio según Mateo* (El Paso, TX: Casa Bautista de Publicaciones, n.f.), 197.
4. Juan Driver, *Siguiendo a Jesús: comentario sobre el Sermón del Monte, Mateo 5—7*, 2da ed. (Bogotá: Editorial Clara-Semilla, 1998), 99.

eclesiológica, neumatológica y escatológica. Está enraizada en la vida del Dios trino, centrada en Jesucristo, situada en la iglesia, permanentemente respondiendo al Espíritu Santo, y orientada siempre a la venida del reino de Dios en toda su plenitud al final de la historia humana. La espiritualidad cristiana es también visionaria, sacramental, relacional y transformacional. Es precisamente la coordenada que traza este doble compromiso—tanto hacia la interioridad del ser propio como hacia la exterioridad de la fe compartida con otros—la que le da a la auténtica espiritualidad cristiana dirección y significado. La espiritualidad cristiana auténtica es un verdadero diálogo creativo y redentor entre el creyente y su Creador, en el que también participa activamente el yo personal, el prójimo y el resto del mundo creado. La espiritualidad verdadera, lejos de alienarnos de un mundo en necesidad, nos envía de vuelta al mismo en un compromiso total con la misión que nos ha sido confiada. ¿Cuáles son algunos de los elementos de esta espiritualidad, según Jesús?

La oración (6.5-15)

En el Evangelio de Mateo capítulo 6 encontramos la versión completa de la oración de Jesús. Generalmente, se le da el nombre de Padrenuestro o la Oración del Señor, y es correcto llamarla así, porque ésta es la oración que debemos orar en la compañía de nuestro Señor. Cuando la oramos, contamos con su presencia personal. Él es quien pone las palabras en nuestros labios. No es que él ora esta oración con nosotros, porque él no puede orar "perdónanos nuestras deudas." El gran milagro de toda la vida de Jesús fue que él era sin pecado. No obstante, por su poderoso sacrificio, él se acerca a nosotros y nos une a él. Y esto es posible porque el Padre, "al que no cometió pecado alguno, por nosotros Dios lo trató como pecador, para que en él recibiéramos la justicia de Dios" (2 Co. 5.21). En torno a la oración, hay dos cuestiones a considerar.

El deber de la oración. Hay siete cuestiones que surgen de la enseñanza de Jesús en relación con la oración, a la luz de este pasaje. Si de veras queremos que nuestra oración sea una auténtica expresión de nuestra comunión con el Señor, entonces haremos bien en tomar en cuenta estas siete cuestiones.

Jesús da por sentado que vamos a orar. Jesús no está ordenándonos que oremos. Su lenguaje no es exhortativo ni imperativo. En estas palabras, Jesús no nos está ordenando la oración como ejercicio obligatorio de nuestra fe. El apóstol Pablo varias veces nos dejó el imperativo de orar: "Oren sin cesar" (1 Ts. 5.17); "oren en el Espíritu en todo momento, con peticiones y ruegos" (Ef. 6.18); "que en todas partes los hombres levanten las manos al cielo con pureza de corazón" (1 Ti. 2.8). Pedro nos exhorta: "Para orar bien, manténganse sobrios y con la mente despejada" (1 P. 4.7); Santiago nos dice "oren unos por otros, para que sean sanados" (Stg. 5.16). Pero Jesús en ningún momento nos ordenó que orásemos, porque la oración tiene que ser la expresión natural de nuestra fe. Como dice Emil Brunner: "La fe vive de la oración y podría decirse que, en el fondo, creer es lo mismo que orar."[5]

Así, pues, él no dice: "Tienes que orar," o "Es tu deber orar." Tampoco está diciendo: "Si es que oras" o "En caso de que ores." Lo que él está diciendo es: "Cuando oren" (v. 5). Él asume que vamos a orar cada día, porque hay una petición que sólo va a durar por un día. Cada día demanda su propia oración. Esta oración debe ser una *oración diaria*: no podemos dejar pasar un día sin orar. Necesitamos de la oración cada día. Esta oración debe ser una *oración para el día*: no es necesario ni sabio que agreguemos a las preocupaciones de hoy las preocupaciones de mañana. Como decía Alejandro Solyenitzin: "No hay que pedir en las oraciones un paquete o una porción extra de sopa. Lo que las personas colocan más alto es abominable a los ojos del Señor. Hay que rogar por el alma, para que el Señor aparte nuestro corazón del mal." Esta oración debe ser una *oración singular*, irrepetible: el Señor nos exhorta a evitar las repeticiones (v. 7). Ramón Gómez de la Serna: "En la oración, la elocuencia se arredra y la retórica es un candil sin aceite. Caen sobre nosotros como pesadas piedras las palabras que se exceden y si tenemos conciencia nos abruma haberlas dicho." Jesús dijo: "Ustedes deben orar así." Si seguimos el modelo de Jesús oraremos todos los días, por cada día y sin repeticiones. Habrá una frescura extraordinaria en nuestras oraciones.

---

5. Emil Brunner, *Nuestra fe* (Buenos Aires: Editorial La Aurora, 1959), 92.

Jesús creó una oración para sus discípulos. La oración del Señor no es para los mundanos. La oración del Señor forma parte del Sermón del Monte, que es una de las piezas magistrales de la enseñanza de Jesús acerca del reino destinada a sus seguidores. Jesús no predicó el Sermón del Monte a la multitud (4.25—5.1). Él se alejó de la multitud para enseñarles a sus discípulos ("subió a la ladera de una montaña y se sentó. Sus discípulos se le acercaron … comenzó a enseñarles," 5.1-2). Hay ciertas enseñanzas de Jesús que son exclusivas para sus discípulos. Su enseñanza sobre la oración es una de ellas.

Así, pues, la oración del Señor es sólo para sus discípulos. Son los discípulos los que vienen a él, a la cima del monte. Jesús se dirige a ellos y no a la multitud. Por eso, cuando él dice: "Ustedes deben orar así," se lo está diciendo a sus discípulos y no a la multitud. En realidad, si consideramos el contenido de la oración modelo, podemos darnos cuenta, que sólo un fiel seguidor de Jesús puede orar una oración como ésta. José Míguez Bonino señala: "La oración no tiene por objeto convencer a Dios de que nos escuche (como creían los paganos), sino presentarnos ante el Dios que nos escucha, porque es nuestro Padre por Jesucristo, tal como somos, con nuestras necesidades."[6]

Jesús creó una oración para el tiempo presente. Esta es una oración pertinente en el ahora de nuestras vidas. Algunos piensan que no es una oración para la actualidad, para el tiempo presente que vivimos. Creen que es para un tiempo ya pasado, o que es la oración que se orará una vez que el reino de Dios esté establecido en la tierra. Nuestro Señor nos enseñó a orar en todo tiempo y esta oración es válida en todos los tiempos. Así, pues, esta es una oración pertinente en el aquí de nuestras vidas. Observemos que esta oración debe ser orada sobre la montaña. El Señor subió a la montaña, y cuando se sentó allí, vinieron a él sus discípulos, y les enseñó a orar. La única manera de orar esta oración es si subimos a la montaña con el Señor, y nos quedamos allí con él en una comunión quieta y reposada.

---

6. Míguez Bonino, *El mundo nuevo de Dios*, 47.

Jesús creó una oración para toda hora. Esta es la oración de la mañana. En la mañana oramos para planificar el día que comienza. En la mañana oramos para dedicar cada hora de ese día a la gloria de nuestro Señor. Dietrich Bonhoeffer decía: "Oh Dios,/ Temprano en la mañana clamo a ti./ Ayúdame a orar,/ Y a pensar sólo en ti./ Yo no puedo orar solo."[7] Pero esta es también la oración de la noche. Para los judíos, el día comenzaba a las 6 pm. Podemos imaginar al Señor subiendo a la montaña al atardecer y, al comenzar un nuevo día, orar: "Danos hoy nuestro pan cotidiano." Cada hora del día debe ser ocasión y oportunidad para orar sometiendo cada minuto de vida al señorío amoroso y providente del Señor. Sören Kierkegaard decía: "Si usted no respira, muere. De igual modo si usted no ora, muere espiritualmente. La oración es el medio para la renovación y multiplicación de la vitalidad espiritual del ser humano."

Jesús creó una oración sencilla. Por un lado, nos llama la atención su simplicidad. La oración es bien simple: un niño la puede aprender y repetir. Pero también la puede orar un anciano. Es una oración accesible a todos: ricos y pobres, cultos e incultos. Es una oración bien personal que puede expresarse con nuestras propias palabras y en lenguaje no rebuscado. Benito Pérez Galdós señalaba: "Yo sé lo que es la oración: una súplica grave y reflexiva, tan personal, que no se aviene con fórmulas aprendidas de memoria; una expansión del alma que se atreve a extenderse hasta buscar su origen." Por otro lado, nos llama la atención su brevedad. La oración es bien breve: no es como la de los fariseos e incrédulos (vv. 7-8). La verdadera oración va al grano, y no se entretiene en palabrería y modismos inefectivos. Hay dos razones por las que una oración puede ser breve: o bien porque estamos muy lejos, o bien porque estamos muy cerca.

Jesús creó una oración de adoración. La adoración es un componente fundamental de la oración. Esta es la finalidad de la oración: adorar al Señor. "Adoración" viene del lat. *ad oratio*, que significa "a la oración," es decir, "invitación a la oración." La verdadera adoración es una oración, y toda oración debe ser adoración al Señor. No oramos para informarle al

---

7. Dietrich Bonhoeffer, *Letters and Papers from Prison* (Londres: Fontana Books, 1966), 167.

Señor de nuestra lista de necesidades (como la lista que llevamos al supermercado). Oramos para decirle: "Santificado sea tu nombre." Por eso, debemos orar adorando al Señor (Ro. 8.15; Gá. 4.6). "Clamamos, Abba, Padre": "clamar" significa orar, y "Abba, Padre" dirige nuestra atención a la Oración del Señor: el Padrenuestro. Cuando el Espíritu Santo controla nuestro corazón, él nos enseña a orar, diciendo: "Abba, Padre." Él nos guía a orar la Oración del Señor, o sea, a orar como el Señor quiere que oremos. No podemos orar correctamente a menos que el Espíritu de adopción, aquel que nos hace hijos de Dios, nos enseñe cómo hacerlo.

Jesús creó una oración que no está terminada. Se puede observar que no hay nada extraordinario en esta oración. No hay una doxología, nada especial o relacionado con algún evento espectacular o sobrenatural. La razón es porque la oración está inconclusa. En realidad, es sólo la introducción a la oración. La Oración del Señor es una oración abierta. Está abierta para que agreguemos nuestras alabanzas y acciones de gracias. Está abierta para que agreguemos nuestras peticiones personales e intercesión por otros. La iglesia temprana entendió esto, y por eso enriqueció esta oración agregando las últimas palabras: "Porque tuyos son el reino y el poder y la gloria para siempre. Amén."[8] Cada generación de creyentes, debe volver a la Oración del Señor para enriquecerla con sus propias peticiones y alabanzas.

La práctica de la oración. Los judíos (al igual que los musulmanes) oraban en público y a determinadas horas del día. Según Jesús, esto era hipocresía porque no oraban a Dios, sino para el público. El secreto de la oración (según Jesús) es la oración en secreto. Usar "muchas palabras" (v. 7) es orar cosas vacías y carentes de sentido. Algunos piensan que a Dios hay que "ganarle por cansancio," y que, para ello, cuanta más repetición haya, tanto mejor ("no hablen sólo por hablar"). Pero la oración no es para informar a Dios de lo que nos pasa, sino para convencer a nuestro corazón y mente de que él ya lo sabe todo (v. 8). Esto suscita tres preguntas.

---

8. Ver NVI nota al pie.

¿Cómo orar? (vv. 5-8). Jesús mismo practicó la oración en soledad (Mr. 1.35; 6.46; Lc. 5.16; etc.) Pero él no condena la oración pública, como es la oración en la iglesia, ya que él mismo también la practicó (Mt. 6.41; 11.25; Lc. 11.1; etc.) Lo que el Señor está condenando en estos versículos son las oraciones privadas ofrecidas en los lugares públicos. Es bien posible hacer de la oración privada un espectáculo religioso, no tanto para los demás, sino para nosotros mismos.

> **Dietrich Bonhoeffer:** "Por supuesto, existe un peligro aun aquí. La oración de este tipo puede buscar la auto exposición, puede buscar traer luz a aquello que está escondido. Eso puede suceder en la oración pública, que algunas veces (aunque no es tan común en la actualidad) degenera en un ruido vacío. Pero no hay diferencia; es aún más pernicioso si yo mismo me transformo en espectador de mi propia oración actuada, si doy un espectáculo para mi propio beneficio. Puede que disfrute de mí mismo como un espectador satisfecho o puedo descubrirme a mí mismo al orar y sentirme extraño y avergonzado. Lo público del mercado aporta solamente una forma más ingenua, que es la publicidad que me proporciono a mí mismo. Puedo apoyarme en una linda demostración para mí mismo aun en la privacidad de mi propio cuarto. Hasta ese extremo podemos distorsionar la palabra de Jesús. La publicidad que busco, entonces, la provee el hecho de que soy aquel que al mismo tiempo ora y observa. Escucho mi propia oración y, por lo tanto, respondo mi propia oración. No me contento con esperar en Dios para que responda las oraciones y nos muestre en el tiempo de él que nos ha escuchado, sino que proporcionamos nuestra propia respuesta. Observamos que hemos orado adecuadamente bien y esto sustituye la satisfacción de la respuesta a la oración. Tenemos nuestra recompensa. Ya que nos hemos escuchado a nosotros mismos, Dios no nos escuchará. Al recibir nuestra propia recompensa pública, no podemos esperar que Dios nos dé mucha más recompensa."[9]

---

9. Bonhoeffer, *El costo del discipulado*, 185.

¿A quién orar? (v. 9a). No oramos a una estatua de mármol, de yeso o de madera, que tiene oídos, pero no oye (Is. 44.6-23), ni a un ser superior espiritual alejado en el cosmos, cuya mente está ocupada con otras cosas y no puede atender las nimiedades humanas (como creían los deístas del siglo XVIII). Tampoco oramos a un Dios insensible o tan perfecto, cuyo acceso nos resulta imposible. Según Jesús, oramos a nuestro "Padre" celestial. Esta cláusula expresa la cercanía de Dios con respecto a nosotros, sin dejar de notar su trascendencia. Considerarlo a Dios como nuestro Padre es aceptar una familiaridad santa y amorosa, al tiempo que reconocemos su grandiosa majestad ("que estás en el cielo"). En este sentido, oramos a alguien que se declara nuestro Padre, pero que es muy diferente de los padres nuestros en la carne. Este concepto de la paternidad divina es el que aprendimos de Cristo mismo y es único. Es, pues, a este Padre, que conocemos y llega a ser "nuestro" en Cristo y por él, a quien oramos.

> **Emil Brunner:** "Dios es el Padre, lo cual significa que él escucha. Y es que existe una relación recíproca entre él y nosotros, entre nosotros y él. Dios espera nuestra oración y no quiere hacer esto o aquello sin que se lo pidamos. ¿Por qué? Sencillamente, porque él no quiere actuar sin contar con nosotros, sino por medio y a través de nosotros como instrumentos suyos, quiere él extender su reino. Por esta razón, nuestra oración logra que en el cielo sea posible aquello que antes no lo era. Creer esto y orar así es realmente lo más osado que puede hacer el ser humano."[10]

¿Qué orar? (vv. 9b-15). Los vv. 9-13 presentan la oración de los discípulos, más conocida como el Padrenuestro u oración modelo. Es posible que esta oración contenga la idea de los diez mandamientos. Si es así, las tres primeras peticiones se refieren a Dios, mientras que las otras tres al prójimo. Sea como fuere, la versión de Mateo es diferente de la de Lucas (11.1-4). Hay diferencias en las palabras o expresiones. Mateo dice "Padre nuestro que estás en el cielo," mientras que Lucas sólo dice "Padre" (en gr. *páter*); Mateo dice "Danos hoy nuestro pan cotidiano," Lucas dice "Danos cada día nuestro pan cotidiano;" Mateo dice "deudas," Lucas dice "pecados."

10. Brunner, *Nuestra fe*, 94.

Además, hay una diferencia en el tiempo griego usado por Mateo ("danos") y el usado por Lucas (literalmente "continúa dándonos"). En v. 9a, la invocación "nuestro" indica que es una oración colectiva y no individual.

Después de la invocación vienen seis peticiones: tres por la gloria de Dios (vv. 9b-10) y tres por las necesidades humanas (vv. 11-13). Según los vv. 9b-10, los judíos creían en la llegada del reino de Dios. Jesús dijo: "El tiempo se ha cumplido." Oramos para que se complete la obra comenzada por Jesús y que se complete a través de nuestra obediencia a su voluntad revelada. En v. 11, ¿qué significa "nuestro pan cotidiano"? Hay varias respuestas: puede ser lo necesario para nuestra subsistencia; lo necesario para el día que viene; lo necesario para la nutrición espiritual y no material; lo necesario para el día, es decir, lo que pertenece al día. El dar es seguido por el perdonar (v. 12). Deudas aquí se refiere a pecados. Pero hay una condición: que debemos perdonar a nuestros hermanos. La palabra "como" de Mateo da lugar a confusión. Sugiere que Dios sólo perdona en la medida en que nosotros perdonamos a otros. La cláusula "porque también nosotros perdonamos" de Lucas (11.4) es más clara.

El vocablo tentación (gr. *peirasmós*) de v. 13a tiene dos sentidos: uno neutral y otro malo. En el primer caso es igual a "prueba." En el segundo sería "tentación al mal." Sólo el primer caso puede ser usado aquí. El sentido sería: líbranos del mal o del malo. Dios no puede tentarnos a hacer lo malo. Algunos dicen que es una expresión semítica que significa "No nos permitas caer en la tentación." Algunos salmistas solían pedir la tentación para que su justicia pudiera ser probada. Jesús tal vez está diciendo que no pidamos la prueba. La doxología (v. 13b) no figura como parte de la oración. ¿Cuál de las dos versiones (Mateo o Lucas) es la original? Es difícil decirlo, pero la iglesia prefirió siempre la versión de Mateo. Casi la totalidad de la oración tiene su trasfondo en otras oraciones judías. De esta manera, utilizando material tradicional, Jesús elaboró una oración perfecta y singular. Su originalidad está en su brevedad, orden y universalidad.

Los vv. 14-15 son un agregado a la petición del v. 12, en los que se destaca la importancia del perdón (ver 5.6, 38-42). Nótese que no se trata de una condición para ganar el perdón de Dios. El perdón al prójimo es la señal de que el perdón de Dios realmente nos ha alcanzado. Martín Lutero, en su *Catecismo Mayor*, lo pone en estos términos: "Si perdonas, tendrás el consuelo y la seguridad de que te será perdonado en el cielo. No será por tu perdonar, puesto que Dios lo hace por completo gratuitamente, de mera gracia, por haberlo prometido, como enseña el evangelio; porque ha querido darnos esto para fortalecimiento y seguridad, como signo de verdad, al lado de la promesa que concuerda con esta oración."[11]

El ayuno (6.16-18; 9.14-15; 11.18-19)

Los fariseos consideraban l ayuno como una obra meritoria y ayunaban dos veces a la semana (Lc. 18.12). Incluso los discípulos de Juan el Bautista hacían lo propio (Mr. 2.18). Jesús condenó la práctica ostensible de los fariseos, pero aceptó el ayuno de sus propios discípulos, así como asumió que iban a orar, pero los animó a hacerlo "en secreto" y discretamente (Mt. 6.16-18). Él mismo practicó el ayuno por lo menos en una ocasión muy importante (Mt. 4.2) y lo recomendó como preparación, junto con la oración, en el ministerio de liberación (Mr. 9.29). No obstante, no parece haber establecido regla alguna en cuanto al ayuno, e incluso justificó a sus discípulos por no ayunar como hacían los discípulos de Juan el Bautista y de los fariseos (Mt. 2.18-20).

Un ayuno secreto (6.16-18). Después del agregado de los vv. 14-15, volvemos a la tercera ilustración de la adoración verdadera, que es el ayuno (vv.16-18). Jesús no condena el ayuno, sino que dice que quien ayuna con corazón contrito hará que su ayuno sea conocido sólo por Dios. El ayuno es una señal de arrepentimiento y conversión (Mr. 1.4). Pero es necesario distinguir entre el ayuno falso y el verdadero (Is. 58.5-9). Cuando el ayuno expresa un auténtico retorno a Dios, resulta en un cambio de vida. Cualquier otra cosa es falsa. Poner la "cara triste" y "demudar el rostro" (literalmente "hacer desaparecer el rostro," ya sea cubriéndolo con ceniza o con polvo) son acciones propias de los "hipócritas," y no tienen ningún valor. Ya Juan el Bautista había denunciado esta mimetización religiosa hipócrita (3.8; Lc. 3.10-15). Pero Jesús va más lejos al señalar que el arrepentimiento es para producir alegría ("perfúmate la cabeza y

11. Martín Lutero, *Obras de Martín Lutero*, 10 vols. (Buenos Aires: Editorial Paidós, 1971), 5:124; ver también Martín Lutero, *El Padrenuestro* (Buenos Aires: Editorial La Aurora, 1946), 96-99.

lávate la cara," que son señales de alegría, que estaban prohibidas en los días de ayuno y penitencia). El ayuno cristiano es expresión de alegría por causa de Cristo (Mr. 2.18-20; Lc. 7.10; 19.6-10), porque en él, Dios nos convierte y nos perdona. El arrepentimiento cristiano (y el ayuno que lo expresa) no es un acto morboso de auto flagelación o mortificación, sino la entrega confiada al Padre que está en el cielo, que nos ofrece por Cristo el perdón y la vida abundante. Por eso, es como la alegría de una fiesta de bodas.

Un ayuno nuevo (9.14-15). Los vv. 14-15 presentan el interrogante de unos discípulos de Juan a Jesús sobre el ayuno, y su respuesta a ellos. Muchos creían que el ayuno debía ser parte del estilo de vida de Jesús, si es que era cierto, como él pretendía, que era el Mesías. Evidentemente, este era el caso en cuanto a la expectativa de los discípulos de Juan el Bautista. También era el caso de los fariseos, que se destacaban precisamente por su fidelidad y meticulosidad en todo tipo de ayuno (Lc. 18.11-12). Sin embargo, en ambos casos, el ayuno que ellos practicaban y que esperaban que Jesús practicase era el ayuno tradicional y religioso. Este ayuno era señal de lamento y dolor, de contrición y remordimiento. Pero Jesús se aleja de la tradición de los fariseos y de Juan el Bautista, y pasa a destacarse más por su disposición a la fiesta que por su inclinación al ayuno. Él mismo se definió diciendo: "El Hijo del hombre. . . come y bebe" (Mt. 11.19), y sus críticos lo acusaron de ser "un glotón y un borracho" (Mt. 11.19; Lc. 7.34). Según Jesús, el tiempo del reino no es tiempo de lamento, sino de fiesta. La era del reino inaugura un tiempo de celebración y alegría, un tiempo de tanto júbilo como el que acompaña a una boda.

Un ayuno innecesario (11.18-19). En estos versículos, Jesús parece referirse a la actitud de los fariseos en cuanto al ayuno. Ellos no parecían entender que el valor del ayuno depende de la intención y de la manera en que se lleva a cabo. No todas las personas entienden adecuadamente el sentido del ayuno religioso. Muchos en el antiguo Israel y a lo largo de la historia del testimonio cristiano han practicado el ayuno como una suerte de obra meritoria o de sacrificio para atraer la misericordia de Dios o captar alguna bendición suya. Muy frecuentemente el ayuno se transformó en un medio de exaltación personal y de llamar la atención de otros sobre la piedad personal. Los profetas condenaron este tipo de actitud hipócrita y señalaron que el ayuno carece de valor si no va acompañado por un sincero deseo de ordenar la vida en conformidad con la voluntad de Dios (Is. 58.3-7; Jer. 14.12). El ayuno también carece de valor cuando sólo se practica para enaltecer a la persona humana (Mt. 6.16). Los profetas del AT y Jesús mismo no condenan el ayuno, sino la práctica hipócrita del mismo. El ayuno es un ejercicio que ayuda a la salud espiritual y a la disciplina cristiana. Jesús nunca derogó el ayuno. Por el contrario, él mismo lo practicó en preparación para su ministerio (Mt. 4.1-11) y anticipó que sus discípulos ayunarían (Mt. 9.15).

Es por esto que es necesario tener presente que estas palabras de Jesús no tienen como fin discutir la validez actual del ayuno en la vida de la iglesia y los creyentes. No era el propósito de Jesús enseñar sobre el ayuno, sino ilustrar la alegría que trae él con su anuncio del reino de Dios. Sus palabras no son el fundamento para la piedad y la espiritualidad cristiana, sino su foco está en describir vívidamente el reino y el papel de Jesús en él.

La venida de Jesús es la venida de una revolución gozosa, de la gran fiesta de Dios para los últimos tiempos. Una fiesta era una ocasión más importante para el promedio de los palestinos del primer siglo que lo que es para aquellos de nosotros que vivimos en la afluencia bien alimentada del siglo XXI (por lo menos en Occidente): era algo realmente esperado y disfrutado. La venida del reino en el ministerio de Jesús fue una ocasión así, sólo que mucho más en razón de que la fiesta que Jesús anunció era la fiesta grande y final de Dios, *la fiesta* para poner fin a todas las fiestas, aquella que no hay que perderse a ningún costo.

LOS VALORES DEL DISCÍPULO (6.19-24)

Después de ilustrar la calidad de "justicia" que requiere el reino de Dios, tanto en las relaciones con el prójimo (5.21-48) como en el culto y la espiritualidad cristiana (6.1-18), Jesús muestra en este pasaje lo que significa recibir a Dios como Señor también de las cosas exteriores y comunes de la vida humana. Con esto se completa todo este aspecto de la enseñanza de Jesús en torno a la verdad de que todo debe quedar bajo la soberanía de Dios y estar subordinado a él. Los párrafos que Mateo reúne en este pasaje (como muestra Lucas) fueron dichos pronunciados por Jesús en diversas ocasiones. No obstante, constituyen una unidad. Los vv. 22 y 24 presentan dos parábolas breves que tratan un mismo tema. Todo el pasaje trata con la posesión de las riquezas y parece estar dirigido a personas ricas.

Tesoros verdaderos en el cielo (6.19-21)

El primer párrafo (vv. 19-21) podría llevar como título "Tesoros verdaderos" o "Ricos para con Dios." La vida que aquí se condena es una vida como la del joven rico (19.16-22). La raíz de todos los males no es el dinero, sino el amor al dinero (1 Ti. 6.10). Jesús ilustra esto en el siguiente párrafo con dos parábolas: la de la visión clara (vv. 22-23) y la de la lealtad exclusiva (v. 24), o la del ojo sincero y el servicio sincero. La palabra que se traduce como "óxido" indica solamente la acción de "comer" o "corroer" (gr. *bibrōskō*), y puede referirse a la acción de la herrumbre o la de un gusano ("polilla"). En el primer caso, sería en relación con metales acumulados; en el segundo, tal vez de vestidos costosos. Los ladrones, por su parte, hacen boquetes en las frágiles paredes de adobe.

Los vv. 19-20 parecerían prohibir toda posesión de riqueza. Sin embargo, no parece ser que Jesús reclame tal cosa de sus discípulos. De hecho, había discípulos ricos que proveían para sus necesidades (Lc. 8.3; 10.38), y hombres ricos como Mateo y Zaqueo no parecen haber abandonado todos sus bienes (Mr. 2.15; Lc. 19.8). La historia del joven rico no pretende ser un modelo mandatorio para todos los cristianos, sino un caso particular (Mr. 10.21-23). El v. 20 aclara el sentido del v. 19. Jesús utiliza una idea común entre los judíos de sus días. Se decía que una persona que practicaba la justicia (en el sentido de obras de caridad) acumulaba "tesoros en el cielo," una especie de capital que iba a estar a su disposición allí. Jesús utiliza la expresión y la opone a "tesoros en la tierra." Pero, a diferencia de lo que pensaban los fariseos, que pensaban en una inversión terrenal conveniente con miras a un reembolso celestial más grande, Jesús hace un planteo diferente (ver vv. 1-18). Según él, todo lo que poseemos en la tierra está sujeto a la corrupción y la transitoriedad. ¿Qué es lo único que permanece (He. 10.34), y que no nos puede ser quitado (v. 20)?

El v. 21 presenta una respuesta implícita: el corazón (el ser interior). Para los hebreos, el corazón era la totalidad de la personalidad, el conjunto de los impulsos humanos y la suma de los mejores deseos y propósitos de la vida. Así, pues, Jesús pregunta: ¿hacia dónde está orientado el corazón humano? La dirección en que está orientado el corazón es lo importante (Mt. 5.8; Mr. 7.21). Si la voluntad y el corazón están dirigidos hacia Dios, hacia el cielo, allí encontrará el mejor y más seguro de los tesoros. El corazón busca su tesoro y posesión en el cielo, y la voluntad acompaña esta búsqueda, entonces la persona ya posee el tesoro más grande de todos, porque es eterno (13.44-46; Lc. 16.1-12). El tesoro en el cielo no es otra cosa que el reino de Dios. La gran pregunta de estos versículos es si Dios o las riquezas gobiernan sobre nosotros. Los ayes de Jesús sobre los ricos (Lc. 6.24; 16.25) y las graves denuncias de Santiago (5.1-6) obedecen a la misma razón: quien obedece a las riquezas como a su señor, se excluye del reino de Dios. Es por esto que Pablo denomina como "idolatría" a la avaricia, porque se trata de la adoración de un dios falso (Col. 3.5).

Visión clara en la tierra (6.22-23)

No se puede mirar al cielo y a la tierra al mismo tiempo. Es necesario mirar a un solo punto. A esto se refiere una parábola de la lámpara del cuerpo (Mt. 6.22-23; ver Lc. 11.34-36). Jesús contó esta parábola a los líderes del pueblo. Los líderes estaban tanto o más ciegos que el pueblo para ver la inminencia del juicio divino. Más de una vez Jesús acusó a los escribas y fariseos de ceguera espiritual (Mt. 23.16-24). Esta parábola condena la miopía de los líderes. Se supone que, como tales, ellos debían ser personas de visión. Pero "no hay peor ciego que el que no quiere ver". Así eran los escribas y fariseos: no querían ver. La medida de sus "tinieblas" era que, cuando las señales de la visitación suprema de Dios en Jesús el Mesías se hicieron evidentes, ellos permanecieron obstinadamente ciegos a ellas. Según Jesús, el caso de ellos era el de "ciegos guiando a otros ciegos" (Mt. 15.14; Lc. 6.39). El fin de esto no podía ser otra cosa que un desastre.

La ceguera interior o espiritual es indicio de dureza de corazón. No se trata de una mera ignorancia de los hechos o de incapacidad para interpretar la realidad por falta de recursos intelectuales. Esta ceguera es expresión de rebeldía y de falta de una disposición adecuada para creer en Dios y creerle a Dios. La gente y especialmente los líderes religiosos del pueblo estaban festejando y danzando, pero lo estaban haciendo sobre un volcán a punto de estallar. Lo que se avecinaba era algo tan terrible como la catástrofe que sepultó a Sodoma y Gomorra (Lc. 17.28-29). El diluvio que se estaba gestando iba a arrasar con todo lo que en el momento parecía ofrecer seguridad y estabilidad (Mt. 24.37-39; Lc. 17.26, 27).

Lealtad exclusiva en el reino (6.24)

Tampoco se puede servir a dos señores. "Servir" aquí significa "ser esclavo." Puesto que un esclavo sólo puede servir a un señor, es mejor ser un esclavo de alguien (Dios) y no de algo (las riquezas). La ilustración del v. 24 es sencilla. La ley que regía en las relaciones de esclavos y amos permitía que un esclavo tuviese, en ciertos casos, dos amos. Tal costumbre engendraba situaciones de infidelidad. En la visión de Jesús, sólo se puede tener un señor. Las dos expresiones de lo que puede ocurrir en el caso contrario ("menospreciará a uno y amará al otro, o querrá mucho a uno y despreciará al otro") significan lo mismo, es decir, una inclinación hacia uno colocándolo en primer lugar y el relegamiento del otro a un segundo lugar en términos de lealtad. "Riquezas" (gr. *mamōnāi*) hace referencia a un vocablo caldeo, sirio y púnico equivalente al latín *Plutus*, que designa al dios del dinero. En este caso, el vocablo designa sencillamente las posesiones materiales, todo lo que una persona tiene como propiedad. El vocablo no siempre es usado en sentido negativo, pero aquí sí, porque las riquezas son malas cuando disputan a Dios su derecho sobre el corazón del ser humano. El significado de la comparación es claro: los discípulos ya tienen un Señor, que no son las riquezas, sino Dios, y no se puede servir a dos dioses. Hay que optar entre el Dios único y verdadero, que conocemos por Jesús, o las riquezas, que pueden tornarse en un ídolo y esclavizar.

LA SEGURIDAD DEL DISCÍPULO (6.25-34)

Todo este pasaje trata acerca de la preocupación y el cuidado, y parece estar dirigido a personas pobres. El texto subraya que de nada sirve preocuparse. Los vv. 25-34 hablan de confianza y tranquilidad. La causa de Dios debe ser nuestra preocupación. Lo demás debe quedar en sus manos.

En Galilea en el tiempo de Jesús no había una situación económica buena. Jesús no dio a entender que los discípulos esperaran que Dios les diese la comida en la boca. Lo que aquí prohíbe Jesús no es la actitud sabia de proveer para el futuro, sino la ansiedad nerviosa e inútil por ello. Por eso, Jesús habla de la "inutilidad de la ansiedad." La ansiedad nace de entregarse a algo menor que Dios y su reino, y la justicia del mismo.

> **Dietrich Bonhoeffer:** "Las posesiones terrenales deslumbran nuestros ojos y nos ilusionan para que pensemos que pueden proporcionarnos seguridad y liberarnos de la ansiedad. Sin embargo, en todo momento son justamente la fuente de toda nuestra ansiedad. Si nuestros corazones están puestos en ellas, nuestra recompensa es una ansiedad cuya carga resulta intolerable. La ansiedad crea sus propios tesoros y ellos, llegado el momento, generan aún más preocupación. Cuando buscamos la seguridad en las posesiones, intentamos quitar la preocupación con preocupación y el resultado es precisamente lo opuesto a nuestras expectativas. Las ligaduras que nos atan a nuestras posesiones prueban ser preocupaciones en sí mismas."[12]

Es por esto que, al considerar este pasaje, es necesario que entendamos bien lo que Jesús está prohibiendo y demandando. Él no está promoviendo una actitud negligente o descuidada, como tampoco una conducta improvisada e inconsciente hacia la vida. Lo que él hace aquí es prohibir ese temor irracional e inquietante, que hace perder el goce de la vida. La palabra que se usa en el v. 25 es el verbo gr. *merimnaō*, que significa preocuparse con ansiedad. Esta es la palabra que se usaba para indicar ansiedad, preocupación y cuidado por algo. Los mismos judíos conocían bien esta actitud hacia la vida. La enseñanza de los grandes rabinos decía que una persona debía afrontar la vida con una combinación de prudencia y serenidad. Ellos insistían, por ejemplo, en que cada persona debía enseñar a su hijo un oficio, porque no hacerlo significaba enseñarle a robar. Así, pues, pensaban en la conveniencia de dar todos los pasos necesarios para poder manejar prudentemente la vida. Pero, al

---

12. Bonhoeffer, *El costo del discipulado*, 200-201.

mismo tiempo, decían: "Aquel que tiene un pan en su canasta, y que dice: '¿Qué comeré mañana?' es una persona de poca fe."[13]

De qué no hay que preocuparse (6.25-32)

Las cosas irrelevantes (v. 25). Es inútil afanarnos por las cosas que tienen menos importancia (v. 25). La preocupación por las cosas irrelevantes se resuelve cuando nos damos cuenta de que Dios nos dio la vida y que podemos confiar en que también nos dará las cosas menos importantes. Si Dios nos dio la vida, él proveerá todo lo necesario para esa vida. Si alguien nos hace un regalo muy caro, podemos suponer que no se mostrará tacaño para ofrecernos cosas de menor valor. La justicia de Dios es mucho más elevada y perfecta que la justicia humana.

> **José Míguez Bonino:** "Así se nos muestra la estrecha relación de este pasaje con el precedente, que vemos en el texto en las palabras 'Por tanto' (v. 25). 'Afanarse' significa preocuparse, la intranquilidad que nace del temor a la posible necesidad futura. De inmediato comienza el argumento 'de menor a mayor' referente a los lirios del campo y las aves del cielo ('cuánto más,' vv. 25-26, 30). Fácilmente somos llevados a pensar que Jesús pone a las aves y las flores como ejemplo. Así pensaba, entre otros, el agnóstico francés Renán, cuando describía a Jesús recorriendo los campos y disertando románticamente sobre pájaros y flores. Pero, ese cuadro es completamente ajeno al propósito de nuestro Señor. No se trata de poner las flores y los pájaros como ejemplo, sino de llamar la atención al Dios Creador. Dios creó el universo; al crear las aves y los lirios y todas las criaturas mostró su propósito que es crear una existencia que viva en dependencia completa de él, libre de toda ansiedad. Pero el ser humano, por su pecado ("poca fe," v. 30, desconfianza de la misericordia divina) ha llenado su vida de ansiedad y angustia. Al hacerlo así, nunca logra la libertad ni la seguridad que Dios otorga a su creación cuando depende enteramente de él ("ni aun Salomón…" v. 29). Es natural que aquellos que no conocen al verdadero Dios, al Creador

13. Barclay, *The Gospel of Matthew*, 1:256.

> y sustentador de cielos y tierra (los "gentiles," v. 32, cf. 1 Ts. 4.5), vivan atados a esos cuidados. Pero aquellos que han sido libertados por Cristo de la esclavitud de Satanás, que reciben el reino por promesa, que pueden llamar a Dios Padre, deben vivir de otra manera (vv. 32-33). Las referencias al Dios creador son comunes en todo el Antiguo Testamento (Sal. 104; 36.7; 147.9; Is. 40.25-31), todas destacando la fidelidad del Creador que sostiene a sus criaturas. La ansiedad es consistentemente condenada en el Nuevo Testamento como un grave pecado, porque entraña desconfianza—poner en duda la fidelidad o el poder de Dios (Mr. 4.19; Lc. 21.34; 1 Co. 7.32-34)."[14]

Las cosas incambiables (v. 27). Es inútil afanarnos por las cosas irremediables, que no podemos cambiar (v. 27). Esto puede tener dos sentidos. Puede referirse a la altura física o a la longitud de la vida. En el primer caso, ninguna persona por más que se afane o preocupe puede agregar alrededor de 50 cm. a su estatura (RVR). En el segundo caso, ninguna persona por más que se afane o preocupe puede agregar años a su vida (NVI). En otras palabras, la ansiedad es inútil porque no puede afectar el pasado, ya que el pasado es pasado. Por cierto, no debemos olvidarnos totalmente del pasado, pero no debemos dejar que el pasado paralice nuestra acción en el futuro. Además, la ansiedad es inútil porque no puede afectar el futuro ("el mañana," v. 34).

A esto hay que agregar que la ansiedad es nociva. Las enfermedades más letales de nuestra vida moderna están directamente asociadas con los elevados niveles de estrés y ansiedad con que se vive. La ansiedad afecta nuestra capacidad de juicio y decisión, y nos incapacita para vivir y disfrutar la vida. Como si todo esto fuera poco, la ansiedad es también ciega. Se resiste a aprender la lección de la naturaleza (v. 26). Las aves no tienen ansiedad ni intentan acumular bienes para un futuro que es imprevisible. Las aves trabajan, pero no se afanan ni parecen preocuparse. El ansioso también se resiste a aprender la lección de la historia (Sal. 42.6), que nos enseña que Dios no cambia y que siempre está atento a nuestras necesidades. Y, lo que es peor, el ansioso se resiste a aprender la lección más

---

14. Míguez Bonino, *El mundo nuevo de Dios*, 54-55.

importante de la vida misma, y que es que la vida es más valiosa que ninguna cosa en este mundo (v. 25).

Quizás lo más dañino de la ansiedad es que es irreligiosa (v. 32). Jesús dice que la preocupación ansiosa es característica de los paganos y no de aquellos que conocen a Dios. La ansiedad no se produce por causas externas, porque frente a las mismas circunstancias una persona puede actuar de manera diferente, es decir, estar en paz o vivir ansiosa. Más bien, parece que la ansiedad se genera en el corazón humano, en su ser interior. En definitiva, la ansiedad resulta de la desconfianza en Dios. Pero cuando Cristo reina en el corazón de la persona hay libertad de la ansiedad (Is. 26.3).

Las cosas que dependen de Dios (vv. 26, 28-32). Es inútil afanarnos teniendo en cuenta la providencia de Dios (vv. 26, 28, 32). Esto no quiere decir que actuemos de manera irresponsable, sino que no seamos tironeados en dos sentidos o en dos direcciones al mismo tiempo. El conflicto viene no por no preocuparnos, sino por hacerlo sin la suficiente confianza en Dios, como para no caer vencidos por las circunstancias. Es inútil afanarnos por el mañana (v. 34).

> **Rudolf Bultmann:** "Dios es para Jesús el creador, en el sentido de la tradición veterotestamentaria, el que gobierna el mundo con su cuidado, el que alimenta a los animales y ornamenta las flores, aquél sin cuya voluntad ningún retoño cae al suelo muerto, el que ha contado todos los cabellos de nuestra cabeza (Mt. 6.25-34; 10.29-30). Toda preocupación y toda prisa por procurarse bienes para asegurar la vida carecen de sentido; son, incluso, impiedad. El hombre se halla a merced de la voluntad del creador; no puede ni aumentar su estatura ni teñir de blanco o de negro ni siquiera un solo pelo de su cabeza (Mt. 6.17; 5.36). Si piensa haberse labrado una seguridad mediante los bienes que ha conseguido y poder disfrutar de tranquilidad, ha olvidado que esta noche puede morir (Lc. 12.16-20). Se exige, pues, del hombre tanto confianza en Dios como conciencia de su dependencia."[15]

15. Rudolf Bultmann, *Teología del Nuevo Testamento* (Salamanca: Ediciones Sígueme, 1981), 61-62.

De qué sí hay que preocuparse (6.33-34)

De lo eterno (v. 33). Cuando Dios está primero (v. 33), la ansiedad desaparece. Es necesario buscar primeramente el gobierno de Dios y su salvación ("justicia" aquí es sinónimo de salvación). Jesús ofrece una alternativa mucho más efectiva y provechosa ("más bien"). A fin de predicar el señorío de Cristo con mayor eficacia, es necesario que nosotros lo vivamos primero. Es aquí donde las palabras de Jesús se tornan fundamentales: "Pongan toda su atención en el reino de Dios y en hacer lo que Dios exige" (V.P.) En estas palabras Jesús nos desafía a tres cosas.

Jesús demanda un cambio: "busquen primeramente." Él indica de manera imperativa un cambio al decir "busquen primeramente." El verbo "buscar" (gr. *zētéō*) es indudablemente un vocablo de mucha fuerza. Incluye como sinónimos a inquirir, indagar, explorar, sondear, querer poseer y demandar. El adverbio "primeramente" (gr. *prōton*) marca no tanto una cuestión temporal como un orden de importancia (primero, en primer lugar; primero que todo, antes que nada). En el v. 32, la NVI traduce el verbo compuesto (gr. *epizētéō*, procurar, desear, pedir; buscar) como "andan tras," con lo cual indica la dirección de la búsqueda. En el v. 33, Mateo usa el verbo simple, para indicar básicamente dos cosas.

Primero, necesitamos un cambio de actitud, ya que hay dos actitudes posibles frente a su demanda. Por un lado, está la actitud carnal y de la vieja naturaleza humana. Esta es la actitud de esperar "a ver qué pasa." Es la actitud del espectador de la obra de Dios en el mundo. La renovación y el avivamiento no son para quienes se acomodan en una actitud pasiva o se apoltronan en un quietismo insensible. Dios siempre se revela "en el camino" y nunca "en el balcón," para decirlo usando la clásica metáfora de Juan A. Mackay.[16] Hay muchos creyentes e iglesias con una manía "balconista," que es la de los observadores de la obra de Dios, de los que la critican, la analizan, la miden, la estudian, pero no participan de ella. Es la actitud de querer recibir en lugar de dar, o sea, la actitud del hijo pródigo

---

16. Juan A. Mackay, *Prefacio a la teología cristiana* (Buenos Aires: Editorial La Aurora; México: Casa Unida de Publicaciones, 1957), 37-38.

en su rebeldía (Lc. 15.12). En el plano espiritual, es la actitud del neófito, del párvulo espiritual o del creyente inmaduro.

Por otro lado, está la actitud espiritual y de la nueva criatura llena del Espíritu Santo. Según Jesús, esta actitud se caracteriza porque es dinámica, se mueve, hace algo, busca. Dios no utiliza en su reino a cadáveres, sino a creyentes e iglesias que quieren ser utilizados y hacen algo por ello: lo buscan. Dios se asocia a cristianos que no esperan recibir algo, sino que comienzan a vivir a alguien: a Jesús. El señorío de Cristo no es algo que se recibe, sino una experiencia con Cristo que se vive. Según Jesús, esta actitud se caracteriza porque es obediente y responde positivamente al imperativo divino. La obediencia es la que nos coloca en la esfera del señorío de Cristo.

Segundo, necesitamos un cambio de prioridades. Jesús indica que debemos "buscar primeramente" el reino. En este caso, "primeramente" es hacerlo antes que cualquier otra cosa, pero también significa poner el reino antes de todo. Esto es colocarlo en el primer lugar dentro de un cierto orden. La palabra se refiere a la prioridad del reino tanto en cuanto al tiempo de la búsqueda como al orden de los valores buscados (2 Co. 8.5).

En este sentido, hay tres preguntas que debemos formularnos. Por un lado, ¿qué es lo primero en nuestra vida? El Señor y su causa deben ocupar el primer lugar. Toda nuestra atención debe estar puesta en obedecer al señor. Por otro lado, ¿qué es lo central en nuestra vida? Los psicólogos distinguen entre lo focal y lo marginal en nuestra atención. Una persona leyendo un libro en una sala llena de libros tiene su atención focal en las páginas que están delante de sus ojos, y su atención marginal en el resto de los libros. Nuestra vida debe ser como un sistema solar en el que Cristo ocupa el lugar central, como foco personal del reino, y todo lo demás debe girar a su alrededor. Además, ¿qué es lo mejor en nuestra vida? No se trata de lo bueno, sino de lo mejor, porque "buscar primeramente" significa desear lo mejor en nuestras vidas cristianas (Fil. 3.12-14).

Jesús lanza un desafío: "el reino de Dios y su justicia." Según él, este desafío consiste en que debemos buscar "el reino de Dios y su justicia." Si queremos participar del reino hoy, debemos hacer propio el desafío de poner toda nuestra atención en el mismo y en hacer lo que el Señor exige. El vocablo "reino" puede referirse tanto a una jurisdicción o división, como a un reino o a un dominio, según el contexto. En este caso, claramente se indica soberanía, autoridad real y dominio. Aquí se refiere a la autoridad real, el poder o el dominio de Dios. El reinado o ejercicio pleno de la autoridad todavía está por venir (He. 2.8). Esto suscita dos preguntas.

Primero, ¿qué es el reino de Dios? Ya hemos considerado una respuesta a este interrogante. Como vimos, el tema del reino de Dios es central tanto en el Antiguo como en el Nuevo Testamento, y es el eje en torno al cual gira el relato de Mateo. En verdad, es la idea más importante de toda la Biblia. En el Antiguo Testamento, el concepto fundamental es que Dios gobierna el mundo y todas las cosas por él creadas. En el Nuevo Testamento, Jesús proclamó la venida del reino de Dios y señaló que con él se inauguraba una nueva era, lo cual se ponía de manifiesto a través de sus obras de poder (milagros, señales, prodigios, etc.)

Según Jesús, la venida del reino de Dios marca el fin de todo aquello que desfigura lo que Dios ha creado como bueno. Allí donde está presente el reino de Dios hay reconciliación en todas las direcciones y dimensiones: con la naturaleza, con el prójimo, con uno mismo y con Dios. El reino de Dios significa un nuevo orden de cosas bajo el control y la soberanía de Dios. El ser humano entra al reino de Dios cuando reconoce el señorío de Cristo en la vida. No puede haber participación en este reino si Cristo no es reconocido como Señor, es decir, si él no tiene el control. La marca distintiva de los ciudadanos del reino de Dios es su sometimiento en obediencia al señorío de Cristo.

Segundo, ¿qué es la justicia del reino de Dios? "Justicia" (gr. *dikaiosúnē*) significa integridad, rectitud, conformidad a la voluntad divina en propósito, pensamiento y acción. En este caso, se trata del móvil primordial para la conducta de la vida, lo cual aclara el llamado a la santidad de corazón y de vida. Justicia denota sencillamente las características de una persona recta y justa, y se aplica primero a Dios ("su justicia") y también al ser humano. Es una cualidad del ser que se desenvuelve o traduce en un código de conducta moral.

Cuando Dios reina, cuando Jesucristo es el Señor de la vida, entonces impera la justicia, es decir, se puede hacer lo que él exige. Jesús inauguró el reino de Dios porque estableció la justicia y la paz sobre la tierra (Is. 42.1, 4). El reino de Dios se hace presente toda vez que alguien reconoce y practica la justicia de Dios, tal como se dio a conocer en la vida y obra de Jesús. Uno vive la justicia del reino de Dios cuando hace su voluntad y lo obedece en todo lo que él exige. Buscar primeramente la justicia del reino de Dios es rendirse incondicionalmente a vivir una vida humana como la de Jesús. Esta es una vida de amor abnegado, compasión, servicio, verdad, no agresión y, sobre todo, la disposición a sufrir por otros. Cuando todo esto ocurre en nuestras vidas, entonces y sólo entonces, estamos buscando primeramente el reino de Dios.

Jesús ofrece una promesa: "y todas estas cosas les serán añadidas." El contexto (vv. 19-34) señala que la expresión "todas estas cosas" (gr. *tauta pánta*) se refiere a los bienes materiales necesarios para la existencia humana. "Las riquezas" (v. 24; gr. *mamōna*) no es una mala palabra o expresión en sí misma. Significa bienes o riquezas, que pueden no ser necesarios o esenciales para vivir una vida plenamente humana. Sin embargo, comida, bebida y vestido sí son elementos materiales esenciales para poder vivir una vida plenamente humana conforme a la voluntad de Dios. Por esto mismo, son necesarios (v. 32). La expresión "les serán añadidas" (gr. *prostethēsetai humin*) implica que "todas estas cosas" (comida, bebida y vestido) se agregarán a algo que ya tenemos. Nadie puede servir a Dios y a sus bienes no necesarios (propiedades, inversiones, etc.) al mismo tiempo, por tanto, el creyente no está ansioso o preocupado por los bienes materiales. Pero esto no quiere decir que el creyente no pueda usar y disfrutar de estos bienes o riquezas. No es pecado ser rico, pero sí es pecado "servir" a las riquezas (v. 24) o poner la esperanza en ellas (1 Ti. 6.17). No es el dinero la "raíz de toda clase de males," sino el "amor al dinero" (1 Ti. 6.10).

Hay dos cosas a notar aquí para notar. Primero, notemos que Jesús no nos propone renunciamiento. La promesa de Jesús no exige un voto de pobreza, castidad y obediencia. No es su propósito hacernos monjes, privados de toda bendición. Su orden no es: "Renuncien a la comida, al vestido y a la bebida." Según Jesús, el Padre reconoce que "todas estas cosas" son necesidades humanas legítimas y él no las niega.

Segundo, notemos que Jesús nos propone ordenamiento. Él nos propone colocar "todas estas cosas" en un segundo lugar, sin que por esto renunciemos a ellas. Un gran padre de la iglesia del siglo III, Orígenes de

Alejandría, escribió: "Busquen las grandes cosas y las pequeñas cosas les serán añadidas; y busquen las cosas celestiales y las cosas terrenales les serán añadidas." Un gran predicador inglés, Henry Drummond, les decía a sus alumnos en el seminario: "No sean como los anfibios, con la mitad de la vida en un mundo y la otra mitad en otro." Siempre va a haber algo que ocupe el primer lugar en nuestra vida. ¡Que sea el reino de Dios y el hacer lo que él quiere! No podemos ser parte del reino de Dios a menos que hagamos propia la promesa de Jesús y coloquemos cada cosa en su lugar.

De lo cotidiano (v. 34). El v. 34 no aparece en Lucas. Dios conoce todas y cada una de nuestras necesidades. Cuando el creyente pone el reino de Dios en el primer lugar de su atención y deseos, la consecuencia de esto es sorprendente, porque "todas estas cosas" le vienen al creyente como resultado natural. El incrédulo, por el contrario, desea y procura ("anda tras" estas cosas), pero con angustia y ansiedad, con preocupación "por el mañana," y lo que es peor, sin Dios. El creyente, al poner a Dios en primer lugar, posee la presencia y la paz de Dios, y también "todas estas cosas." Esta realidad, le da seguridad en cuanto al futuro, aun cuando este se presente, como ocurre normalmente, plagado de "afanes" y "problemas" cotidianos.

Así, pues, es necesario adquirir la capacidad de vivir un solo día a la vez. Si vivimos cada día a medida que se nos presente, si cada tarea la hacemos en el momento oportuno y necesario, entonces encontraremos que el resultado será más feliz. El consejo de Jesús es que debemos afrontar las demandas cotidianas cuando estas se presenten, sin preocuparnos por el futuro desconocido y por las cosas que quizás nunca ocurran.

Además, hay que recordar que nadie puede servir a Dios y a las cosas materiales simultáneamente, pero si alguien pone a Dios en primer lugar, y a su reino, Dios le ayudará a vivir sin preocupaciones y suplirá todo lo que le falte. Para ello, es necesario tener presentes los requisitos del reino. Por un lado, el requisito de la prioridad: el reino de Dios y su justicia en primer lugar. Por otro lado, el requisito del interés: el cristiano debe buscar el reino de Dios, así como los paganos buscan las riquezas. Pero también es necesario tener presentes las recompensas del reino. ¿Cuáles son estas recompensas? Por un lado, seguridad en lugar de angustia, lo que se traduce no en una solución milagrosa, sino en una ayuda efectiva. La angustia es irracional, innecesaria e inútil. Cuando se coloca en primer lugar al reino de Dios y su justicia, la angustia es desplazada y en su lugar impera la confianza en Dios. Por otro lado, satisfacción en lugar de necesidad. Fuera del reino "Todas estas cosas" se necesitan y faltan; dentro del reino "Todas estas cosas" se prometen y están.

> **José Míguez Bonino:** "La mejor palabra para describir la actitud del cristiano hacia los bienes de la vida es 'desapego.' Otras religiones enseñan que el religioso debe abandonarlo todo y abrazar la absoluta pobreza: renunciar al amor y al matrimonio, a tener una morada propia, a cualquier manjar agradable, etc. A veces en el cristianismo se ha caído en un ascetismo semejante. Pero en realidad el cristianismo no condena ninguna de estas cosas, sino que sostiene más bien que se debe disfrutar de ellas—son parte de la creación de Dios y por lo tanto buenas (Mt. 11.16-19), pero manteniéndolas siempre en un lugar subordinado y siempre listo a perderlas o renunciar a ellas si es necesario. La pregunta fundamental no es: ¿qué es lo que tengo?, sino ¿estoy dispuesto a dejar todo cuando tengo si es la voluntad de Dios que así lo haga? La gran regla para la vida de 'desapego' del cristiano respecto de todos los bienes (materiales, culturales o familiares) la indicó Pablo a los corintios: 'los que tienen … sean como si no tuviesen' (1 Co. 7.29-31)."[17]

17. Míguez Bonino, *El mundo nuevo de Dios*, 57.

CAPÍTULO 7

EL SERMÓN DE LA MONTAÑA (III)

7.1-29; 8.18-22

El capítulo 7 de Mateo presenta la parte final del Sermón de la Montaña. Se trata de una colección de dichos que no tienen una unidad muy evidente. En general, se lo puede dividir en siete párrafos: (1) acerca de juzgar a otros (vv. 1-5); (2) sobre arrojar perlas a los cerdos (v. 6); (3) la respuesta a la oración (vv. 7-11); (4) la regla de oro (v. 12); (5) la puerta estrecha (vv. 13-14); (6) la prueba del discipulado y los falsos profetas (vv. 15-23); (7) la advertencia sobre cómo oír a Jesús (vv. 24-28). En el pasaje paralelo de Lucas (6.46-49) encontramos las mismas parábolas finales que presenta Mateo. También se incluyen allí tres de los siete párrafos de Mateo (la prohibición de juzgar, Lc. 6.41-43; el árbol bueno y el árbol malo y sus frutos, Lc. 6.46). Es evidente, pues, que estos dichos pertenecieron originalmente al Sermón (la forma de Lucas varía muy poco respecto de la de Mateo). No obstante, la pregunta que queda tiene que ver con el lugar de estos dichos en el Sermón.

No es fácil encontrar una conexión entre los vv. 13-18, o sea, la segunda parte del capítulo. Se trata de una serie de símiles o parábolas breves, que de manera cada vez más fuerte van colocando al oyente frente a una decisión inexorable, es decir, a favor del reino o en contra del reino. En Jesús el reino se ha acercado, presiona sobre el ser humano y ofrece una gran promesa. Es necesario tomar una decisión. El Sermón termina con la solemne advertencia de la parábola del constructor prudente y del insensato. ¿Pero qué de los versículos 1-12? Los capítulos 5 y 6 han definido al discípulo, lo han colocado frente a la gran promesa del reino, le han mostrado el nuevo camino que debe andar, lo han separado de sus antiguos lazos y costumbres (la nueva justicia, la nueva espiritualidad). Pero ahora se plantea la pregunta: ¿cuáles son las relaciones del discípulo con el mundo? El seguidor de Jesús es alguien que vive separado del mundo porque no es del mundo. Pero ¿esta condición le da algún derecho especial sobre las demás personas? ¿Constituye a los cristianos en jueces de sus prójimos? ¿Les da el derecho de forzar a los demás a aceptar lo que él o ella han recibido por gracia de Dios? Este problema de la relación de los discípulos de Jesús con quienes no lo son es probablemente el hilo que une las distintas advertencias de los vv. 1-12. La respuesta se resume en la misericordia que el discípulo experimenta en Cristo y la promesa que ha recibido. En otras palabras, el reino mismo es el que condiciona todas las relaciones del discípulo con el mundo.

LAS OPCIONES DEL DISCÍPULO (7.1-27)

Este capítulo contiene la última sección del Manifiesto del Rey, y se lo puede describir como un resumen de los principios de la acción cristiana. Su luz ilumina hacia atrás a la enseñanza del Señor y hacia adelante a la obediencia de sus discípulos. Los primeros versículos tratan con las actitudes de los súbditos del reino hacia los que están afuera. En los primeros seis versículos, el Rey describe esa actitud. En los siguientes (vv. 7-11), les habla del poder con el que podrán obedecer su mandato. En el v. 12 vuelve a la enseñanza original y la asocia con la verdad que ha declarado en cuanto al poder que está a disposición de ellos.

Martín Lutero enseñaba que "no son las buenas obras las que hacen bueno al hombre, sino que es el hombre bueno el que hace las buenas obras." Esta famosa frase resume la idea central de estos versículos y traduce la esencia misma del evangelio, que reclama de los creyentes una actitud de ser y hacer lo correcto. Ser y hacer son dos realidades que se amalgaman, en forma inseparable, en el verdadero discípulo de Jesucristo. Estas mismas condiciones ofrecen un sólido fundamento para evaluar al auténtico seguidor de Cristo.

Por otro lado, la vida humana es, inevitablemente, una serie recurrente de opciones. Continuamente nos vemos confrontados con la necesidad de decidir. Generalmente, la elección debe hacerse entre dos polos: hay dos puertas y dos caminos. Esto es bien cierto en relación con el reino de Dios. Hay una exigencia que debemos satisfacer para poder entrar por la puerta correcta o caminar por el camino correcto, y ésta es una decisión. ¿Estamos dispuestos a asumir la decisión correcta, a hacer la opción que mejor responde a la voluntad revelada de Dios? El discipulado cristiano tiene un costo, y es el de ponerse a caminar (actuar) en pos de Jesús, tomando su cruz para seguir su camino (Lc. 9.23-24). Aventurarse en este peregrinaje entraña peligros, entre ellos, el de ser engañado. Pero vale la pena.

Juzgar o no juzgar (7.1-6)

El capítulo 7 es diferente al resto del Sermón. En los otros dos (5 y 6), Jesús toma un tema y lo desarrolla, y se puede seguir el hilo de su argumentación. Pero en el capítulo 7, parece que son ideas dispersas, pero que pueden tener cierta unidad a pesar de la aparente confusión. No obstante, en este párrafo queda claro que Jesús se está refiriendo a la actitud que debe caracterizar a los súbditos de su reino en relación con los que no pertenecen al mismo. Se trata de una doble actitud.

"No juzguen a nadie" (vv. 1-5). En los vv. 1-5 Jesús dice "No juzguen." La expresión en griego (*mē krínete*) señala al hábito de actuar como censores indiscriminados de los demás, con una crítica ácida e injusta. Nuestro vocablo "crítico" viene de esta palabra griega, que encierra la idea de separar, distinguir, discriminar. Esto puede ser necesario, pero el prejuzgar (prejuicio) es injusto y expresa una crítica capciosa e indigna. Por otro lado, no se trata de un juicio público, sino privado, y de éste, cuando se hace sin un examen propio para ver si no estamos incurriendo en la misma falta. La única manera de evitar esto y tener una actitud positiva hacia el prójimo es "viendo con claridad." La expresión en griego es *diablépseis* (sólo aparece aquí en v. 5 y en Lc. 6.42 y Mr. 8.25), que significa mirar a través de, mirar de manera penetrante, en contraste con *blépeis*, que es contemplar o fijarse (v. 3). La única manera en que podemos ayudar a las personas que están fuera del reino a liberarse de la astillita que los enceguece es quitarnos la viga que no nos permite ver con claridad cómo podemos ayudarlas.

El pasaje señala al peligro de que los discípulos se constituyan en jueces arbitrarios de los demás. Al presentar el mensaje no debemos juzgar. El juicio indiscriminado puede tener un efecto boomerang, es decir, puede volverse en contra del que juzga. Cuando levantamos un dedo señalando las faltas de otros debemos tener presente que hay otros tres dedos que nos apuntan a nosotros. Jesús siendo perfecto no hizo esto, a pesar de que podía hacerlo. No obstante, debemos ejercer nuestro juicio. Hay que escoger el tiempo, la manera, y la circunstancia mejor para presentar el mensaje. Debemos recordar que nosotros mismos podemos ser juzgados por Dios.

"No den lo sagrado a los perros" (v. 6). No está claro a qué se refiere la expresión "lo sagrado" (gr. *to hágion*). Según Richard C. Trench, la referencia detrás de este proverbio o dicho popular es a la carne ofrecida en sacrificio, es decir, esta carne consagrada no debía ser dada a los perros como alimento, porque esto sería una profanación o sacrilegio (ver Éx. 22.31).[1] En cuanto a la figura de echar las perlas (gr. *margarítas*) a los cerdos, el símil puede estar en el hecho de que las perlas son parecidas a las arvejas u otras legumbres, que suelen comer los cerdos.

Aquí Jesús llama a tener cuidado en cuanto a quién entregamos el mensaje del reino. Hay personas que no son dignas de recibir este mensaje sagrado ("perros" y "cerdos"). Jesús había llamado al reino, un ministerio que más tarde les fue confiado a los apóstoles (Mr. 4.11), y lo comparó con una perla de gran precio (Mt. 13.45-46). Los perros y los cerdos son personas que no aprecian las cosas santas. El significado es que no debemos presionar el evangelio en aquellos que lo desprecian. No debemos forzar a las personas a aceptar el mensaje del reino.

Pedir o no pedir (7.7-11)

Frente al desafío de no juzgar y de no dar lo sagrado a personas indignas, ¿cómo podemos saber dónde trazar la línea? ¿Cuál es la diferencia

---

1. Richard C. Trench, *Exposition of the Sermon on the Mount*, 4ta ed. (Londres: Kegan Paul, Trench, 1886), 136.

entre las cosas que Jesús no acepta y las que él ordena? En definitiva, ¿cómo podemos hacer la opción correcta como discípulos del reino? Para ello, el Señor no establece regla alguna, pero sí dice: "Pidan," "busquen" y "llamen," es decir, oren.

La responsabilidad humana: orar (vv. 7-8). Aquí Jesús presenta tres metáforas sobre la oración: pedir, buscar y llamar. La primera palabra ("pidan," gr. *aiteite*) significa rogar con un sentido de dependencia. Es la palabra de la persona que viene con las manos vacías y dice: "No tengo nada con qué comprar." Jesús nunca oró así, como alguien paupérrimo. Pero nosotros debemos pedir al Padre así, como indigentes y carentes de todo. La segunda palabra ("busquen," gr. *zēteite*) encierra la idea de cuidado o preocupación y marca una ansiedad auténtica, es decir, debemos orar con la urgencia de un gran deseo y expectativa. La tercera palabra ("llamen," gr. *kroúete*) involucra las ideas de dependencia y esfuerzo que comunican las otras dos. Es la mejor expresión del dicho popular: "A Dios orando y con el mazo dando."

La actitud divina: responder (vv. 9-11). Si estas son las palabras que marcan la responsabilidad humana, estos versículos también presentan las palabras que revelan la actitud divina. Jesús promete a sus discípulos que Dios contestará sus oraciones, pero sólo si ellos perseveran. "Dará cosas buenas" no significa riquezas o prosperidad, como promete el evangelio de la prosperidad, pero sí el pan cotidiano, el perdón diario, la luz diaria, y la guía y protección de Dios cada día. Es interesante notar que, en este contexto, en el que Jesús parece destacar el derecho que le cabe al ciudadano del reino de pedir al Rey lo que necesita, Jesús introduce el más alto grado de responsabilidad del cristiano, que es el de amar al prójimo y hacer lo mejor por él.

Tratar bien o tratar mal (7.12)

Este versículo presenta la famosa Regla de Oro, la síntesis de todo el deber del ciudadano del reino. Lo que nos debe mover en la relación con otros es una actitud de amor. La Regla de Oro sirve como piedra angular de todo el Sermón de la Montaña. En Lucas (6.31) es más breve y posiblemente sea la versión original.

La Regla de Oro (v. 12a). La idea de la Regla de Oro aparece entre los seguidores de Confucio, los estoicos griegos y especialmente en la literatura rabínica, pero en forma negativa: no hacer lo malo o no tratar mal al prójimo. Según Hillel: "Lo que te desagrada no lo hagas a otro. Esto es toda la Ley; el resto es comentario." Jesús da la forma positiva: hacer lo bueno o tratar bien al prójimo. Con esto va mucho más lejos en su demanda.

> **José Míguez Bonino:** "La Regla de Oro dice: si queréis saber cómo debéis comportaros con los hombres, pensad como quisierais ser tratados vosotros. A los discípulos no se da ninguna ley, ni una serie de indicaciones para cada caso, sino que se coloca el deber más profundamente, en la conciencia: colócate en el lugar de tu prójimo, así sabrás lo que debes hacer. Pero cuando recordamos el tema general del Sermón, la Regla de Oro adquiere aún mayor significado. El discípulo ha sido objeto de la misericordia divina. No ha sido tratado como lo merecía, sino con infinito amor. De aquí en adelante, ¿qué otro trato querrá recibir que el trato que ha recibido en Cristo? Así pues, Jesús dice: el trato que habéis recibido de mi Padre y que quisierais recibir también de vuestro prójimo, ese mismo dadle vosotros a ellos. Jesús utiliza un refrán conocido para enseñar la misma lección de 6.14-15, relacionándola ahora a la totalidad de la vida del discípulo y de sus tratos con los demás."[2]

Es interesante notar que Jesús insiste en lo que el discípulo debe hacer, sin mencionar una recompensa. De modo que éste es un instrumento adecuado para vencer nuestro egoísmo o individualismo egocéntrico. Nótese también el contexto plural de este mandato, con lo cual el mismo no sólo apela a la persona individual, sino también a toda la comunidad de fe. Buscar el bien común es responsabilidad prioritaria de la iglesia. La iglesia debe servir a las personas en sus necesidades, por amor a ellas y no para ganar su favor y aprobación, o para evitar su oposición y persecución. La

---

2. Míguez Bonino, *El mundo nuevo de Dios*, 65.

ley suprema del reino es hacer bien a otros (Gá. 6.9-10). De esta manera, la Regla de Oro amplía el alcance del Sermón de la Montaña.

> **Juan Driver:** "Como descripción del comportamiento total del discípulo de Jesús, el Sermón del Monte es un documento incompleto. Realmente no propone cubrir toda situación en la vida del cristiano. Pero sí, es suficientemente inclusivo y concreto para señalar con claridad la forma y la dirección que toma el discipulado cristiano. La 'regla de oro' ofrece un principio que cubre situaciones no tratadas en forma específica en el Sermón del Monte."[3]

La Ley y los Profetas (v. 12b). Según Jesús, acatar la Regla de Oro es entender y obedecer la Ley y los Profetas. La frase "de hecho, esto es la ley y los profetas" no aparece en la versión de Lucas, pero este es el principio con el que culmina el verdadero espíritu del Antiguo Testamento. Es así, porque actuar de esta manera mueve al creyente en la dirección de la intención plena de Dios para la vida de su pueblo (Mt. 5.17). Esto también conduce a una conducta coherente con el Gran Mandamiento y su complemento: "Ama al Señor tu Dios con todo tu corazón, con todo tu ser y con toda tu mente. ... Ama a tu prójimo como a ti mismo" (Mt. 22.37, 39).

Entrar o no entrar (7.13-14)

El pasaje de los vv. 13-29 trata con la profesión y práctica del camino de vida. Puede ser considerado en términos de advertencia (vv. 13-23) o de juicio (vv. 24-29). La advertencia de Jesús es clara e ineludible. El sermón está llegando a su fin y se plantea una seria exhortación a entrar en la vida cristiana evitando a los guías falsos y las falsas profesiones de fe. Los vv. 13-23 nos presenta tres pares de alternativas u opciones. Así, Jesús termina el sermón con tres símiles, que hablan de dos caminos, dos árboles y dos cimientos. Los dos caminos (vv. 13-14) son el espacioso y el angosto; los dos árboles son el malo y el bueno (vv. 15-20); y, los dos cimientos son la roca y la arena (vv. 24-27).

---

3. Driver, *Militantes para un mundo nuevo*, 127.

La puerta estrecha y el camino angosto (vv. 13a, 14a). En los versículos 13 y 14, Jesús presenta una primera advertencia contra ciertos peligros que amenazan la vida de los creyentes. El tono es dramático y urgente. Se trata de un peligro que afecta a los creyentes desde adentro y desde afuera de la comunidad de fe. No es un peligro impersonal o abstracto, sino que tiene que ver con una opción de vida fundamental.

La puerta estrecha (v. 13a). En el v. 13, "la puerta estrecha" (gr. *tēs stenēs púlēs*) denota la entrada al reino. Jesús anima a sus seguidores a entrar por la "puerta estrecha," que es la que conduce al reino y a la vida. De este modo, se vuelve al pensamiento con el que comienza el Sermón de la Montaña: la admisión al reino (5.3). Estas palabras son oportunas para creyentes que piensan que las personas fuera de la comunidad de fe no tienen problemas, y que parecen llevar una vida fácil y cómoda, sin la carga y responsabilidad que significa ser discípulo de Jesús y ciudadano del reino. Esta forma de vida "light" con su correspondiente escala de valores representa una tentación para muchos creyentes. Lo que no se ve detrás de la careta o fachada de felicidad son los problemas que atormentan a quienes no conocen a Cristo ni forman parte de su reino. Los cristianos tienen que saber que, si bien resulta incómodo y hasta difícil atravesar la "puerta estrecha" que da entrada al reino, bien vale la pena hacerlo por la calidad de vida humana plena que viene después (vida eterna; Jn. 10.10).

El camino angosto (v. 14a). En el v. 14, "el camino angosto" (gr. *tethlimménē hē hodos*) señala a la vida que hay que vivir después de pasar por la puerta estrecha. El "camino" en la imagen que utiliza Jesús es un camino común, pero el término se refiere a un estilo de vida. La metáfora es un poco oscura y Jesús no especifica o aclara cuál es el camino correcto, si bien se destaca que el "camino espacioso" es el que "conduce a la destrucción," lo cual contradice la lógica humana que dice que cuanto más angosto es un camino tanto más peligroso puede resultar. De todos modos, por el contraste podemos asumir que, si el camino espacioso lleva a la destrucción, el angosto debe conducir a la plenitud de vida, a pesar de ser un camino estrecho.

Nótese que la "vida" se presenta como la meta para quienes transitan el camino "angosto" y que ellos tienen la posibilidad de encaminarse hacia esa meta después de entrar por la puerta "estrecha." Debe notarse también que esta vida es la vida verdadera, la que es digna de ser vivida, aquella en la que los seres humanos realizan plenamente el fin de sus existencias. Se trata, pues, de la "vida eterna" o la vida que es realmente vida, la que la literatura judía posterior describiría comúnmente como la "vida en la edad por venir" y que nosotros hoy podemos considerar como una vida humana plenamente humana. En otras palabras, el camino angosto es el que lleva a la vida, que en sentido simbólico es el reino de los cielos (v. 21).

La puerta ancha y el camino espacioso (v. 13b). Con estas metáforas Jesús invierte la ecuación y los resultados de la misma. Si la puerta estrecha y el camino angosto llevan a una vida plena y abundante, esta puerta ancha y el camino espacioso conducen a la "destrucción" (gr. *apōleian*, ruina total, perdición; de aquí deriva el nombre Apolión, Destructor, Ap. 9.11). Esta puerta generosa seduce a las personas fuera de la gracia de Dios con sus cantos de sirena que prometen todo tipo de satisfacciones materiales y hedonistas, sin pagar precio alguno. Muy pronto, los así captados en este estilo de vida que se desenvuelve en oposición a la voluntad revelada de Dios, introducen a sus festejantes insensibles en el camino espacioso, que orienta hacia la apetencia insaciable de dinero, la acumulación adictiva de poder, la confusión absurda entre la verdad y la mentira, la pérdida de valores y límites para la conducta personal y social, el descontrol emocional, la enajenación mental, el vacío interior, la pérdida de sentido para la vida, el olvido de Dios, una morbosa inclinación hacia la muerte, la desesperación y la depresión, y la lista continúa mientras quien transita el camino espacioso va adentrándose cada vez más en él.

No obstante, da la impresión como que, con el uso de estas metáforas, Jesús se está refiriendo más específicamente a las propuestas de vida piadosa que planteaban los fariseos y los maestros de la ley. La diferencia entre Jesús y la enseñanza judía tradicional era que la vida no se gana de otra manera que no sea por la justicia en esta vida, que siempre es un don de Dios. Ser descendientes de Abraham, como sostenían los religiosos judíos, no tenía valor alguno en términos de conducir "a la vida."

Además, el carácter único y radical de esta vida plena se subraya con el hecho de que "son pocos los que la encuentran" (gr. *hoi heurískontes autēn*). El verbo "encontrar" aquí es importante. El camino bueno es tan angosto y tan poco transitado, que muy fácilmente puede pasar inadvertido. Es por esto que debe ser buscado con cuidado y atención. La cuestión en términos simples es: ¿por qué camino estamos transitando en la vida, y cuál es la puerta que estamos atravesando? "Estos versículos son un llamamiento a seguir a Jesús el Mesías con todas las consecuencias éticas y espirituales que esta obediencia implica. ... De modo que se destaca la oposición fundamental que hay entre la ética de la puerta estrecha y el camino angosto y la de la puerta ancha y el camino espacioso."[4]

Ser oveja o ser lobo (7.15-16a)

Si deseamos encontrar el camino correcto y pasar por la puerta que "conduce a la vida" debemos tener cuidado con las personas guías a las que seguimos.

La advertencia: "Cuídense." Este vocablo (gr. *prosējete apo*, tener cuidado, cuidarse de, guardarse de) es típico de Mateo para señalar la necesidad de estar en guardia contra desviaciones o perversiones en la vida de la comunidad mesiánica (6.1; 10.17; 16.6). En este caso, el cuidado no está referido tanto a los que han pasado por la puerta ancha y transitan por el camino espacioso. Jesús no está advirtiendo contra los perdidos o los que marchan hacia su destrucción, sino contra quienes dicen haber pasado la puerta estrecha y afirman estar caminando por el camino angosto que conduce a la vida. Aquello de lo que hay que cuidarse está adentro de la iglesia, está entre nosotros. La misma idea aparece en la parábola del prudente y el insensato (7.24-27), de la mala hierba (13.24-30), del siervo despiadado (18.21-35), de las diez jóvenes (25.1-13) y del siervo perezoso (25.14-30).

Nótese que estos personajes peligrosos no están afuera de la comunidad de fe, sino adentro ("vienen a ustedes"). Se presentan, se levantan o surgen en medio de la comunidad y son difíciles de distinguir de los

---

4. *Ibid.*, 130.

verdaderos discípulos. Los peligros que más amenazan a las iglesias son aquellos que generalmente surgen en su propio seno. La historia nos enseña que las instituciones humanas tienden a corromperse desde adentro. En algunos círculos eclesiásticos existe la idea de que la iglesia evoluciona hacia una fidelidad y unidad creciente y cada vez más madura. Esto no es verdad, y la historia del cristianismo se ocupa en desmentirlo con abundancia de ejemplos. Jesús mismo advierte de este serio peligro, y con ello, manifiesta ser tan realista como lo fueron los profetas del Antiguo Testamento y, más tarde, los apóstoles del Nuevo.

El peligro: "falsos profetas." Estos "falsos profetas" son literalmente seudo-profetas (gr. *pseudoprofētōn*). En el Nuevo Testamento, se utiliza una variada gama de términos con el prefijo seudo: "falsos hermanos" (2 Co. 11.26; Gá. 2.4), "falsos apóstoles" (2 Co. 11.13), "falsos maestros" (2 P. 2.1), "falsos testigos" (Mt. 26.60; 1 Co. 15.15), e incluso "falsos Cristos" (Mt. 24.24). El fenómeno de los falsos profetas ha sido uno de los elementos constantes en la vida del pueblo de Dios. Era causa de preocupación en el Antiguo Testamento (Is. 9.14; 28.7; Jer. 6.13; 8.10; 23.11; Ez. 13.3), y casi desde sus inicios ha preocupado a la iglesia (Mt. 24.11, 24; Mr. 13.22; Lc. 6.26; Hch. 13.6; 2 P. 2.1; 1 Jn. 4.1; Ap. 16.13; 19.20; 20.10).

En los días de Jesús, la predicación era una práctica profesionalizada y estaba a cargo de personas que se presentaban con el título de profetas. El problema con los "falsos profetas" era que su falsedad consistía en que proyectaban su propia personalidad para obtener fama y prestigio personal o predicaban por ganancia deshonesta para ganar riquezas engañando a la gente. Esto no ha cambiado en dos mil años y América Latina está plagada hoy de falsos profetas.

El engaño: "ovejas y lobos feroces." Jesús nos advierte que hay "falsos profetas" que se presentan como ovejas buenitas, pero en realidad son "lobos feroces." Muy probablemente, al decir estas palabras, Jesús estaba pensando en los maestros de la ley y en los fariseos. Pero la expresión es amplia y quizás se aplique mejor a los zelotes. Su apariencia era de inocencia, pero su aspecto era sólo un ardid cuyo propósito era malo. Eran "lobos feroces," o sea, personas extremadamente violentas (Ez. 22.27; Sof. 3.3).

La alusión a la comunidad mesiánica como un rebaño de ovejas es tradicional. La figura del rebaño de ovejas se usa en el Antiguo Testamento para referirse al pueblo de Dios (Sal. 78.52; 80.1; 100.3; Ez. 34.23). Esta figura se utiliza de manera amplia en el Nuevo Testamento, donde es metáfora de la iglesia como continuadora del pueblo de Israel. El enemigo es también descrito como "lobos feroces" en el Antiguo Testamento para referirse a los peligros que confronta el rebaño de Dios (Is. 11.6; 65.25; Jer. 5.6; Ez. 22.27; Hab. 1.8; Sof. 3.3). La misma figura se usa en el Nuevo Testamento (Mt. 10.16; Lc. 10.3; Jn. 10.12; Hch. 20.29-30). El engaño de estos individuos era tanto más sutil cuanto que operaban dentro de la comunidad de fe, en la que aparentaban pertenecer al rebaño y eran muy hábiles en mostrarse de esta manera ("vienen a ustedes disfrazados así").

El término que se traduce como "feroces" (gr. *hárpages*) lleva el sentido de voraz, como en el caso de un lobo, pero también significa codicioso de lo ajeno o avaro. De modo que estos falsos profetas seguramente estaban motivados por la avaricia o se dedicaban a apartar a las ovejas de la autoridad de su Pastor para ejercer poder y dominio sobre ellas. Juan emplea el mismo término para describir la forma en que el lobo "ataca al rebaño y lo dispersa" (Jn. 10.12). Los falsos profetas de hoy también se caracterizan por esquilmar a los creyentes con sus mensajes espurios y, por si esto fuera poco, cobrándoles abusivamente por hacerlo.

El desenmascaramiento: "por sus frutos los conocerán." Es posible desenmascarar totalmente a los falsos profetas si consideramos cuidadosamente el resultado de su forma total de vida ("sus frutos"). Existe una relación estrecha entre lo que se es y los frutos que se producen. Lo que necesita cambiar es el carácter del ser humano, porque si no cambia, los frutos que produzca nunca podrán ser buenos. Cada árbol da fruto según su condición y naturaleza. Por eso, el fruto malo de los falsos profetas denuncia la mentira de su condición moral y espiritual. No son ovejas, sino lobos.

Ser árbol bueno o ser árbol malo (7.16b-23)

En el v. 16, Mateo cambia la figura en su narración. Ahora se trata del plantío de Dios (otra figura relacionada con el pueblo de Dios, Is. 61.3; Jer. 2.21; Mt. 15.13). La misma figura es usada por Juan el Bautista

(Mt. 3.10). El significado es claro: si el árbol es bueno, su fruto será bueno. Es decir, la persona y sus obras son una sola cosa; el árbol y su fruto son inseparables. Pero también en el pasaje se da el contraste entre los dos árboles (el bueno y el malo), y esto, a su vez, también tiene que ver con el futuro del Nuevo Israel (del cual los discípulos son el núcleo). En estos versículos, Jesús anticipa peligros y hace advertencias.

Los guías falsos (vv. 16b-20). Los vv. 16b-20 son una ampliación, en estilo parabólico, de la advertencia de Jesús sobre la necesidad de probar o evaluar a las personas mediante la consideración de los frutos que producen. En este contexto, los frutos probablemente son la conducta concreta de estos profetas en su conjunto (3.8, 10; 12.33; 21.43). Pero también pueden designar la clase de adeptos que ellos ganan y el comportamiento moral de éstos. De modo que a la larga se reconocerá la autenticidad o la falsedad del profeta por la vida de la comunidad que surge en torno a sus enseñanzas. Dos veces (vv. 16a, 20) se nos dice que podemos reconocer si el profeta es auténtico o espurio observando la clase de frutos que produce.

La pregunta de Jesús (v. 16b) parece señalar a un absurdo, o al menos a algo que normalmente se considera como imposible. Jesús utilizó este tipo de argumentación e ilustración en más de una oportunidad (12.33; ver Stg. 3.11-12). Por cierto, la prueba no se aplica sólo a los profetas falsos, sino que es válida para todas las personas. La situación puede ser muy sutil y el engaño muy artero, pero al menos por sus frutos, si es que no hay otros medios disponibles, se puede reconocer y exponer al falso profeta. De todos modos, la evaluación no es fácil y el v. 22 explica por qué. Esencialmente, el falso profeta es un individuo egoísta, que sólo piensa en sí mismo. El verdadero profeta, como Jesús, sólo se interesa por la verdad, la justicia, la humanidad y las necesidades de los demás. El profeta verdadero jamás piensa en sí mismo, su bolsillo, su posición o su vida.

Si deseamos encontrar el camino correcto, debemos tener cuidado de no seguir a guías falsos o infieles. Entre ellos cabe mencionar a los escribas y fariseos de los días de Jesús. Pero la expresión es amplia y quizá se aplique mejor, como se indicó, a los zelotes. Su apariencia era de inocencia, pero se trataba de un ardid, cuyo propósito era malo. Estos hombres eran como “lobos que desgarran a sus presas” (Ez. 22.27; Sof. 3.3). En los días de Jesús, la predicación era una práctica profesional. El problema con los falsos profetas era que su falsedad consistía en que proyectaban su propia personalidad para obtener poder sobre las personas, o predicaban para ganancia personal. Estos guías falsos han continuado con su oficio engañoso a lo largo de los siglos y hasta nuestros días. No obstante, es posible desenmascararlos totalmente, si estudiamos cuidadosamente el resultado de su forma total de vida.

De hecho, a lo largo de toda la historia del testimonio cristiano han surgido hombres y mujeres pretendiendo ser profetas auténticos del Señor o vociferando “Señor, Señor,” pero sin frutos buenos o con frutos podridos. Falsos profetas, falsos apóstoles, falsos maestros, falsos evangelistas y falsos pastores pululan en todas partes en América Latina, y no son pocos los creyentes que son engañados por ellos y terminan por vivir vidas arruinadas por la mentira. La *Didajé* o *Doctrina de los Doce Apóstoles*, un documento anónimo de fines del primer siglo, que gozó de gran autoridad como manual de eclesiología, presenta una síntesis moral, litúrgica y disciplinaria, que advierte de los falsos apóstoles y profetas con una actualidad notable.

> **Didajé:** “En cuanto a los apóstoles y profetas, procedan así conforme al precepto del evangelio: todo apóstol que llegue a ustedes ha de ser recibido como el Señor. Pero no se quedará por más de un día o dos, si hace falta; quedándose tres días, es un falso profeta. Al partir, el apóstol no aceptará nada, sino pan para sustentarse hasta llegar a otro hospedaje. Si pidiere dinero, es un falso profeta. Y a todo profeta que hable en espíritu, no le tienten ni pongan a prueba Porque todo pecado se perdonará; mas este pecado no será perdonado. Pero no cualquiera que habla en espíritu es profeta, sino sólo cuando tengas las costumbres del Señor. Pues por las costumbres se conocerá al seudo profeta y al profeta. Y ningún profeta, disponiendo la mesa en espíritu, comerá de la misma, de lo contrario, es un falso profeta. Pero todo profeta que enseña la verdad, y no hace lo que enseña, es un profeta falso. Todo profeta, sin embargo, probado y auténtico, que obra para el misterio cósmico de la iglesia, pero no enseña a hacer lo que él hace, no ha de ser juzgado

> por ustedes. Su juicio corresponde a Dios. Porque otro tanto hicieron los antiguos profetas. Mas quien dijere en espíritu: Dame dinero, u otra cosa semejante, no lo escuchen. Si, empero, les dice que den para otros menesterosos, nadie lo juzgue."[5]

La fe falsa (vv. 21-23). La advertencia de Jesús también tiene que ver con las profesiones de fe falsas, que en algunos casos pueden ser más dañinas o peores que los profetas falsos. Posiblemente la versión de Lucas (13.24) del v. 21 es la original. La expresión "Jamás los conocí" (v. 23) en términos rabínicos significa "no quiero ningún trato con ustedes." Esta debería ser nuestra actitud hoy frente a estos mercaderes del evangelio, que hoy están agazapados en todo el continente aguardando a sus víctimas inocentes para devorarlas.

La falsedad de las acciones que se mencionan (v. 22) reside en que no fueron hechas en el espíritu del amor, sin el cual toda profesión de fe es vana, por elocuente que sea. La adscripción exterior de honor a Cristo vale poco, a menos que haya también una lealtad interior a su voluntad. La frase "Señor, Señor" no está mal y suena muy ortodoxa. Pero la ortodoxia sin amor y sin el deseo de hacer la voluntad del Padre no vale nada. Más que ortodoxia (una doctrina correcta), lo que debemos procurar desarrollar es ortocardía, es decir, un corazón correcto delante del Señor. Además, el amor verdadero se traduce no en una sana ortodoxia, sino en una efectiva ortopraxis (un actuar correcto). El problema con los falsos discípulos es que no poseen las características esenciales que el Señor puede reconocer en quienes son auténticamente suyos. Por eso, "¡Aléjense de mí!" es una sentencia terminante, que viene de los labios del Señor. El castigo por ser un "hacedor de maldad" no es otro que la separación de él y de su gloria (Ro. 3.23).

La demanda de vivir los principios del reino es ineludible para quienes pretenden ser seguidores de Jesús. El Sermón de la Montaña es la Constitución del reino de Dios. En ella, Jesús formula los principios que deben regir el estilo de vida de sus discípulos y de la comunidad del Rey.

---

5. *Didajé*, 11.2-12.

> **Carlos Mraida:** "Debemos reemplazar la *cosm-ética* evangélica, muchas veces legalista, religiosa y de formas externas por una ética del reino de Dios. ¡El Sermón del Monte sigue vigente! La distinción entre la iglesia y el resto tiene que ser evidente. Se debe manifestar una contracultura del reino. Hay que volver a enfatizar la necesidad de ser un pueblo distinto, de manera tal que haya opción para el mundo. El cristianismo, como una verdadera contracultura, es vivir el evangelio y la fe cristiana como la verdad a partir de la cual se articulan todas las áreas de nuestro vivir. Todo debe estar permeado por el reino y sujeto a él. Esto es mucho más que asentir a un dogma y a algunas prácticas estandarizadas. Se trata de una cosmovisión diferente a partir de la verdad de Dios. Porque toda transformación viene por medio de la renovación del entendimiento de un pueblo que no se conforma a este mundo (Ro. 12.2-3). Porque nuestra verdad no es una verdad entre muchas: es *la* verdad, Jesucristo, la verdad que nos hace libres."[6]

Ser prudente o ser insensato (7.24-27)

Jesús siempre confrontó a sus seguidores con la necesidad de comprometerse con él, tomando una decisión. Esto está bien ilustrado en el final del Sermón de la Montaña, en el que Jesús propone su plan para la vida en el reino. Allí, Jesús presenta la parábola de los dos constructores o de los dos cimientos. Mateo y Lucas tienen la parábola (Mt. 7.24-27; ver Lc. 6.47-49), pero en formatos algo diferentes, si bien con los mismos puntos principales. Estos versículos nos presentan el juicio que aguarda a los ciudadanos del reino. El bien o la ruina de cada uno de los que han oído el mensaje del evangelio depende de si lo obedecen o no. "Oír" y "hacer" son dos realidades inseparables en el evangelio cristiano (Stg. 1.22-25).

La parábola. La versión de Mateo pone el énfasis en el carácter de los constructores, mientras que la de Lucas enfatiza los cimientos que se echaron. Según la versión de Lucas, todo lo que se dice en el Sermón de la Montaña, ¿puede ser cumplido por nosotros? Sí, pero sólo si lo procuramos con la Roca como fundamento. El secreto de la construcción de

6. Mraida, "Mateo: hacia una iglesia que vive, establece y extiende el reino," 1463.

una casa segura reside en la calidad de los cimientos que se pongan. Un carácter construido sobre la palabra y la persona de Jesús es fundamental. Este es el patrón de una vida buena. Si creemos en Jesús como la expresión de la voluntad divina, entonces debemos ser guiados por este patrón. No obstante, la versión de Mateo parece ser mejor que la de Lucas.

> **David Wenham:** "Las tormentas son frecuentemente cuadros del juicio divino en el Antiguo Testamento, lo cual no es sorpresa dado que difícilmente haya algo que se iguale al poder de una tormenta, incluso para aquellos de nosotros que vivimos en climas más moderados y casas más sólidas que las del pueblo de Palestina en tiempos bíblicos. Por ejemplo, en Ezequiel 13.13-14 Dios advierte: "En mi furia desataré un viento huracanado; en mi ira, la lluvia torrencial; en mi furia, granizo destructor. Echaré por los suelos la pared..." (ver también Is. 28.17-18). Este es el tipo de cuadro que Jesús está utilizando al final del Sermón de la Montaña, al hablar del venidero día del juicio de Dios."[7]

El significado. El significado de la parábola es sencillo: la casa construida sobre la roca significa el oír y el hacer las palabras de Jesús. La casa construida sobre la arena significa oír sus palabras, pero no hacerlas. La tormenta puede ser el juicio final, o bien, cualquier tiempo de prueba severa en la vida del discípulo. En un tiempo así, el secreto de la seguridad está en una vida construida sobre una obediencia activa a la enseñanza de Jesús. Jesús le está diciendo a cada uno de sus seguidores: "Obedéceme y pasarás la tormenta; olvida mis palabras y te acarrearás el desastre." De esta manera, el relato apunta a la actitud correcta que el Señor espera de parte de sus discípulos en relación con sus palabras.

> **A. M. Hunter:** "Los eruditos han descubierto una parábola rabínica que dice algo parecido a ésta. Un hombre cuyo conocer excede a su hacer es como un árbol con muchas ramas y pocas raíces. La diferencia entre la parábola del rabino y la de Jesús es ésta, que Jesús hace que todo dependa del hacer sus propias palabras. '*Mis* palabras' dice él ["el

7. Wenham, *The Parables of Jesus*, 202.

> que *me* oye estas palabras," v. 26]. Ningún profeta jamás habló así. ¡Qué tremendo reclamo! El Carpintero de Nazaret está delante de los seres humanos y les dice que él ha establecido principios de acción, que si ellos los dejan de lado correrán un riesgo eterno. Su plan para la vida es el único que perdurará."[8]

Así, pues, el constructor prudente es el que no sólo oye las palabras del Señor, sino "las pone en práctica." De este modo, la parábola de los dos constructores, el prudente y el insensato, representa una severa advertencia y va dirigida contra aquellos que no ponen en práctica la nueva ley del reino enseñada por Jesús en el Sermón de la Montaña. El relato deja en claro que Jesús espera que sus enseñanzas sean puestas en práctica por sus seguidores y no meramente atesoradas, admiradas o discutidas. Sus indicaciones precisas en el Sermón son para aquellos que ya conocen la alegría del reino y para quienes ya viven conforme a las pautas descritas en las bienaventuranzas.

Por eso, pretender militar en el reino y no practicar las enseñanzas de Jesús es una insensatez, y acarrea desastres como los que ilustra esta parábola.

Frente a esta realidad de mucha religión y poca fe, de hipocresía religiosa y falta de obediencia, de vivir como se nos da la gana en lugar de vivir conforme las leyes del reino, cabe preguntarse: ¿dónde están los que edifican su casa sobre la roca?

A lo largo de todo lo que Jesús dice en este epílogo al Sermón de la Montaña (vv. 13-27), se percibe la clara división que él hace entre dos tipos de personas: los que están a favor o en contra suya. La parábola de los dos cimientos (o de los dos constructores) es una clara ilustración de esta verdad. Cuando alguien construye su casa, lo hace para vivir en forma permanente y no transitoria, de manera segura y no vulnerable. Por eso, el constructor considera bien lo que va a hacer, y adopta las medidas que mejor lo ayuden a lograr su propósito. Cada uno es el constructor de su carácter, y la disyuntiva está entre hacerlo bien o hacerlo mal. Construir bien es hacerlo sobre Cristo y conforme a su voluntad revelada.

---

8. A. M. Hunter, *Interpreting the Parables* (Londres: SCM Press, 1966), 74.

EL ASOMBRO DEL DISCÍPULO (7.28-29)

El Sermón de la Montaña concluye con serias advertencias finales, que son un llamado a tomar una decisión. En toda esta última parte, Mateo vuelve a coincidir con Lucas (Lc. 6.43-44, 46-49), pero intercala algunos dichos que en Lucas recién aparecen en el capítulo 13 (Lc. 13.23-24, 26-27). Los vv. 28-29 son un postcripto a toda esta segunda parte del capítulo, en el que se destaca la autoridad de Jesús, que es lo que asombra. ¿Por qué viene el asombro del discípulo?

Por la enseñanza de Jesús (7.28)

Las palabras finales describen con la mayor fuerza la impresión que causaba la enseñanza de Jesús sobre las multitudes. No es fácil determinar si "estas cosas" se refieren a todo el Sermón o a la última parte. De todos modos, el v. 28 indica que las multitudes "se asombraron de su enseñanza." Debemos tener presente que el Sermón es una composición que tiene dos auditorios diferentes: los discípulos y la multitud. En este caso, las multitudes quedaron atónitas ante las palabras de Jesús, es decir, percibían la presencia misma de Dios en lo que Jesús hablaba (Mr. 1.22; 7.37; Lc. 9.43). Era la palabra del Hijo de Dios, del Mesías, del Juez y del portador del reino de Dios. Como tal, él expresaba la autoridad divina, y evocaba respeto y temor reverente. Su palabra era de juicio y de promesa a la vez. La impresión sobre las multitudes era como que Dios estaba hablando nuevamente a su pueblo desde la montaña (Éx. 19.1-25). La experiencia no podía ser más asombrosa.

> **Archibald T. Robertson:** "Ellos habían oído antes muchos sermones por parte de los rabinos regulares en las sinagogas. Tenemos ejemplos de estos discursos preservados en la Mishna y la Gemara, el Talmud judío cuando ambas partes fueron completadas, esa colección reseca y aburrida de comentarios desarticulados sobre todo problema imaginable en la historia de la humanidad. Los escribas citaban a los rabinos que tenían frente a ellos y temían expresar una idea sin apoyarla en algún predecesor. Jesús habló con la autoridad de la verdad, la realidad y frescura de la luz de la mañana, y el poder del Espíritu de Dios. Este Sermón, que

> provocó una impresión tan profunda, terminó con la tragedia de la caída de la casa sobre la arena, como la caída de un roble gigante en el bosque. No hubo un factor atenuante sobre el resultado."[9]

Por la autoridad de Jesús (7.29)

El asombro de los discípulos está también determinado por la autoridad con la que Jesús hablaba. El vocablo "autoridad" aquí es el gr. *exousía* (autoridad, potestad, derecho, libertad de escoger; poder, capacidad, habilidad; poder sobrenatural; poder gubernamental, gobierno). Como puede verse, es un término muy rico en significado. La palabra puede referirse al poder real de un monarca (Mt. 28.18), que tiene autoridad para indultar (Mt. 9.6). Esta autoridad es contrapuesta con la de los maestros de la ley o escribas, que daban enseñanzas, pero no podían corroborarlas con acciones concretas (21.28-32; 23.4). Ellos enseñaban la Ley mediante la razón; Jesús grababa la voluntad de Dios en el corazón (Jer. 31.31-34). Ellos exigían el cumplimiento de la Ley; Jesús la cumplía primero él y luego invitaba a sus discípulos a imitarlo (Mt. 5.17). Estas palabras finales del Sermón confirman que esta pieza magistral de Mateo es desde el comienzo hasta el final ni más ni menos que la palabra del Mesías para sus seguidores.

Nosotros podemos evaluar todo el Sermón de la Montaña preguntándonos hasta qué punto es original. Podemos decir que es original en el sentido de tomar con poder y autoridad (Jesús enseñaba "como quien tenía autoridad," v. 29) viejas verdades, y transformarles y perfeccionarlas haciendo de ellas nuevos desafíos. Es como tomar un pedazo de carbón mineral y transformarlo en un diamante. Con esto, Jesús sacaba mucho de lo que era accidental, transitivo o temporario, para destacar la verdad, según Dios quería que fuese conocida por los seres humanos.

En este sentido, la originalidad del Sermón se manifiesta en tres aspectos: (1) Una moralidad esencial, ya que, si bien mucho de lo que enseñó Jesús está en el Talmud, él fue original pues reinterpretó la masa caótica de la interpretación rabínica en verdades simples y eternas de comprensión fácil. (2) Un estado interior, pues hay una diferencia entre el legalismo farisaico y la originalidad en la manera en que Jesús consideró al

---

9. Robertson, *Word Pictures in the New Testament*, 1:63.

pecado como un problema interno al ser humano y no simplemente como circunstancias externas al mismo. Para Jesús el pecado nacía del corazón humano (su ser interior) y no venía de afuera del mismo. Lo que hace que un fruto sea bueno es un buen árbol. Lo importante no es lo que la persona hace, sino lo que la persona es. (3) Un alcance universal, en el sentido de que el Sermón está libre de todo exclusivismo, prejuicio y discriminación. Jesús puso su énfasis e interés no en los judíos como tales, sino en el ser humano como humano.

LA PRIORIDAD DEL DISCÍPULO (8.18-22)

Esta sección del Evangelio consiste de un párrafo breve, que no forma parte del Sermón de la Montaña, pero que revela ciertos efectos producidos por las palabras y los hechos que se han registrado anteriormente. Los vv. 18-22 discuten la actitud de los que entusiasmados por sus milagros poderosos querían seguir a Jesús. El Señor va al "otro lado" del lago de Galilea (margen oriental) en procura de un tiempo de descanso y toma de distancia de la "multitud" (gr. *ójlon*). De alguna manera, esta actitud de Jesús de querer "escapar" de la multitud nos sorprende, pues uno pensaría que la ambición de todo líder carismático es estar permanentemente rodeado por una multitud. Pero Jesús todavía necesitaba espacio y tiempo para preparar a sus discípulos en cuanto a su reino, y las multitudes representaban una agenda diferente y opuesta a su programa redentor. Dos ilustraciones personales expresan el entusiasmo que las palabras y acciones de Jesús provocaban en las personas.

Un discípulo (8.18-20)

Un escriba o "maestro de la ley" (Lucas describe otro escenario) atraído por la enseñanza de Jesús (que no apelaba sólo a la gente común), quería seguirlo como discípulo (v. 19). Pero Jesús le indica que el discipulado cristiano es más que estar de acuerdo con sus enseñanzas y que hay un costo que pagar (v. 20). Este hombre pertenecía al sector más educado de la población. Era un escriba (gr. *grammateus*), es decir, sabía leer y escribir, conocía la Ley y podía enseñarla. Había escuchado a Jesús y lo había visto actuar, y cuando Jesús se alejó de la multitud, aprovechó para abordarlo y expresarle su admiración, si bien de manera impulsiva y exagerada ("te seguiré a dondequiera que vayas"). Jesús respondió invitándolo a evaluar más detalladamente su propia realidad de pobreza, indigencia y ascetismo. Evidentemente, el escriba o maestro de la ley, deslumbrado por las palabras sabias de Jesús y sus poderosos milagros, no podía imaginar que el camino que seguía Jesús ("dondequiera que vayas") era un camino de renunciamiento y entrega total para redimir a los seres humanos. Jesús lo entregó todo en la cruz (su vida), pero a lo largo de su ministerio él también sacrificó su legítimo derecho humano a tener una casa, una esposa, hijos, un trabajo digno, y el respeto de su comunidad. Al decir "te seguiré a dondequiera que vayas" ¿estaba este hombre dispuesto a seguir a Jesús por este camino?

Algo interesante a notar en las palabras de Jesús es que no sólo hace referencia a su situación de pobreza personal, sino que hace una declaración que revela un gran ideal de vida. Él se llamó Hijo del hombre, y esta fue su descripción favorita de sí mismo. El título habla elocuentemente de su condición humana total. Esto es lo que Jesús le quiso hacer entender al maestro de la Ley deslumbrado por lo que le parecía ser un Superhombre. Y en verdad, Jesús era un Superhombre, el Hombre ideal, el Hijo del hombre, pero su humanidad perfecta no estaba en la fuerza de sus palabras ni en el poder de sus milagros, sino en su fragilidad, vulnerabilidad y pobreza. Precisamente, él alcanzó la cúspide de su condición humana cuando desnudo, lacerado, sangrando, insultado y herido murió sobre una cruz. Pero esta fue también la expresión superlativa de su grandeza humana. ¿Estaba dispuesto el escriba a tomar cada día su propia cruz y seguir a Jesús (Lc. 9.23)?

Otro discípulo (8.21-22)

Si el primer discípulo era un entusiasta, éste era un super precavido. Este otro seguidor pidió permiso para ir a enterrar a su padre antes de seguir a Jesús (v. 21). Según Lucas, sus palabras fueron en respuesta a la invitación de Jesús, que le dijo "Sígueme" (Lc. 9.59-60). La forma de la petición de este hombre puede significar: (1) que su padre ya estaba muerto y que él quería prestar el debido respeto y honor a sus restos; o (2) que él quería quedarse con su padre hasta que éste muriera. Lo último parece lo más probable, ya que los entierros en el antiguo Cercano Oriente eran inmediatos, pero esperar la muerte del padre podía tomar mucho tiempo. El significado del proverbio del v. 22 depende del doble significado de la palabra "muertos" (gr. *nekrous*). Puede ser un muerto físico o un muerto espiritual. Había algo en el interior de este discípulo que provocó la reprensión dura de Jesús. Él había sido llamado a las obras vivas y estaba preocupado por las obras muertas. Las dos narraciones que siguen (vv. 23-34) aparecen juntas en los tres Sinópticos, pero Marcos y Lucas las colocan después de las parábolas que Mateo presenta en el capítulo 13.

> **J. C. Ryle:** "Nada ha perjudicado tanto al cristianismo como la práctica de engrosar las filas del ejército de Jesucristo con cada voluntario que se manifieste dispuesto a hacer profesión de fe y a hablar dilatadamente de sus sentimientos religiosos. No es el número lo que constituye la fuerza, y puede suceder que haya mucha religión externa y muy poca gracia. Recordemos esto, y no ocultemos la realidad a los jóvenes que quieran hacer profesión de fe. Digámosles con ingenuidad que al fin de la peregrinación encontrarán una corona de gloria, pero que es preciso que por el camino lleven a cuestas una cruz."[10]

10. J. C. Ryle, *Los Evangelios explicados*, vol. 1: *San Mateo* (Nueva York: Sociedad Americana de Tratados, n.f.), 66-67.

UNIDAD TRES

EL MINISTERIO DE JESÚS

El vocablo "ministerio" tiene significados diversos. En el vocabulario evangélico señala a las variadas tareas a través de las cuales la iglesia cumple con su misión en el mundo (1 Co. 12.5; Ef. 4.11-12). Se trata de los oficios, deberes y funciones de un ministro (servidor), y el conjunto de quienes cumplen tales servicios en la comunidad de fe (Col. 4.17; 1 Ti. 1.12; 2 Ti. 4.5). El vocablo designa también a una determinada área de servicio dentro del conjunto de acciones con que la iglesia lleva a cabo su misión (por ejemplo, ministerio de oración, ministerio de adoración, ministerio de evangelización, ministerio de la palabra, ver Hch. 6.4). En América Latina, el término se usa con frecuencia para nombrar organizaciones o instituciones para-eclesiásticas o iglesias que giran alrededor de la actividad de un evangelista o predicador particular. La iglesia tiene un ministerio triple: la adoración y alabanza de Dios, la proclamación en palabra y hechos del evangelio de la gracia de Dios, y el cultivo, instrucción y discipulado de aquellos que han recibido a Jesucristo en sus vidas.

Todos los ministerios cristianos y todos los significados del vocablo ministerio en el ámbito de la iglesia tienen su centro e inspiración en el ministerio de Jesús en el mundo. Él es el modelo ministerial por excelencia. Como señala H. J. Carpenter: "El ministerio cristiano deriva su naturaleza esencial directamente de la persona y obra de Cristo, y sólo indirectamente de algo en el judaísmo, si bien algunas cosas de su organización y formas exteriores fueron tomadas de esa fuente."[1] De esta manera, el ministerio de la iglesia ha sido siempre considerado como uno con el de Cristo, y el ministerio dentro de la iglesia como el órgano de la continuación de su ministerio en la tierra. Las características fundamentales de esto, tal como se expresan en el Nuevo Testamento, son autoridad, misión, servicio, predicación, enseñanza y supervisión. Así, pues, no se puede entender el ministerio de la iglesia si no se tiene bien en claro el ministerio que desarrolló Jesús cuando sirvió entre los seres humanos.

En esta Unidad vamos a considerar a Jesús actuando con poder en las varias esferas de su ministerio mesiánico. En el curso de su Manifiesto en el Sermón de la Montaña lo vimos presentar su gran ideal de vida para sus discípulos. Pero los ideales quedan en el nivel de los sueños y de las buenas intenciones si no aterrizan en el campo de la realidad y se expresan en acciones concretas. Los seres humanos no pueden vivir meramente contemplando visiones, por más que sean tan sublimes como las visiones del reino de Dios. La visión del reino puede atraer y cautivar, pero a menos que se traduzca en victoria y en hechos redentores, no es de mucho beneficio para las personas en necesidad. Por eso, una vez que el Rey establece la ética de su reino en su Manifiesto real, ahora que sus palabras asombrosas han encontrado un lugar en los oídos atentos de sus discípulos y de las multitudes, la pregunta natural e inevitable es: ¿Qué es lo que este Hombre puede *hacer*? ¿Es su acción equivalente a sus altos ideales? ¿Es posible para él concretar una victoria redentora a través de sus actos, así como puede proyectar una visión redentora a través de sus palabras?

En los próximos tres capítulos de este comentario vamos a ver a Jesús actuando poderosamente llevando a cabo su ministerio de sanidad y milagros entre el pueblo, y también a través de su ministerio de llamamiento y envío de sus discípulos. A través de estas acciones concretas, el Rey confirmó la autoridad de su visión expresada en cada uno de sus ideales éticos y espirituales del reino por él inaugurado. En los capítulos 8 y 9 de este Evangelio (y en varios otros pasajes) encontramos nueve manifestaciones

1. H. J. Carpenter, "Minister, Ministry," en *A Theological Word Book of the Bible*, ed. por Alan Richardson (Londres: SCM Press, 1965), 146.

de su poder, que se ordenan naturalmente en tres grupos de tres cada uno. Tenemos, primero, tres ilustraciones de poder en la esfera física (8.1-17: un leproso, el siervo del centurión y la suegra de Pedro), e inmediatamente después encontramos el efecto producido sobre las personas que fueron testigos de ellas (8.18-22). Luego siguen otras tres ilustraciones de poder en la esfera espiritual (8.23—9.7: la tormenta, dos endemoniados y un paralítico) y nuevamente el efecto que estos hechos produjeron sobre las personas (9.8). Finalmente, encontramos tres ilustraciones más de poder (9.14-34: una niña muerta, una mujer enferma, y ciegos y mudos), y nuevamente el impacto que estas acciones tuvieron sobre la gente (9.33b).

Nosotros comentaremos la mayor parte del material de estos dos capítulos de Mateo, pero no todos los pasajes, y arreglaremos las perícopas sujetándolas a los temas de los dos capítulos de este comentario que siguen, agregando otros pasajes que tocan estos temas.[2] Perderemos en parte la secuencia con que Mateo organizó sus materiales, pero ganaremos en la consideración más sistemática del ministerio de Jesús de sanidad y milagros, y su ministerio de llamamiento y envío de sus discípulos. De todos modos, ningún pasaje de este Evangelio queda sin ser considerado debidamente en el lugar que entiendo mejor le corresponde en términos temáticos.

---

2. Una perícopa (o perícope) es una sección o pasaje de la Biblia que debe leerse como una unidad de pensamiento y sentido. Generalmente, se leen así en los servicios litúrgicos, en determinados tiempos o circunstancias.

CAPÍTULO 8

SU MINISTERIO DE SANIDAD

8.1-17, 28-34; 9.1-8, 18-34; 12.9-13, 22-23; 15.29-31; 20.29-34

La situación sanitaria en Palestina en tiempos de Jesús era deplorable. Todas las enfermedades orientales parecían pulular por todas partes haciendo que la expectativa de vida fuese sumamente baja. Las tasas de mortalidad eran altas, especialmente debido a la muerte de las mujeres en los partos y de los varones en accidentes de trabajo. Es interesante tomar nota del número de niños y gente joven que son mencionados con frecuencia en los Evangelios como enfermos o fallecidos. A esto hay que agregar la vulnerabilidad total de la población a las enfermedades infecto-contagiosas, las plagas, y los problemas gastro-intestinales. En general, las enfermedades provenían de tres fuentes principales: la pésima alimentación, el clima y la falta de higiene.

La dieta regular en aquellos tiempos era poco balanceada y muchas veces carecía de elementos fundamentales como proteínas, carbohidratos, minerales y otros nutrientes básicos. Además, los grados de contaminación del agua y los alimentos eran muy altos. La abundancia de leyes ceremoniales relacionadas con los alimentos es testimonio de cuán necesaria era la prevención en este aspecto. Pero el clima aportaba también un factor provocador de enfermedades. Los bruscos cambios de temperatura ambiente fácilmente resultaban en problemas respiratorios, fiebres, enfriamientos o insolaciones, mayormente debidos también a la falta de viviendas adecuadas. Las afecciones de la vista y el oído se mencionan con frecuencia (quizás debido a tormentas de polvo, sequías, insectos, etc.) La peor de todas las enfermedades era la lepra, que se presentaba de dos maneras: como hinchazones en las articulaciones y llagas que se descomponían y supuraban.

Jesús se presentó como el Mesías en un contexto donde la enfermedad era la expresión más concreta y difundida del mal. Si a esto se le agrega el componente de que en la mentalidad popular toda enfermedad era el resultado del pecado, indudablemente este dato de la realidad sirvió para fijar la agenda redentora del Señor. Su ministerio de sanidad no fue ajeno a su ministerio como Salvador de la humanidad del pecado y sus consecuencias. La manera en que él expresó el gran amor de Dios por la humanidad no fue sólo dar su vida para perdonar sus pecados, sino también sanar a los enfermos para demostrar ese mismo amor. Es interesante que en el gr. el verbo para sanar y salvar es el mismo (*sōzō*, salvar, rescatar, libertar; poner a salvo, resguardar; curar, sanar).

El gran teólogo del siglo pasado Emil Brunner decía: "El amor es el gran milagro, gracias al cual dejamos de vivir para nosotros mismos y nos ponemos a disposición del otro, ofreciéndole todo cuanto tenemos e invitándolo cariñosamente a entrar dentro de nosotros."[1] Los actos de sanidad y milagros hechos por Jesús, a los que hacen referencia los pasajes que consideraremos en ese capítulo, nos señalan precisamente la grandeza del amor compasivo de Jesús. Más que sus actos de sanidad y de multiplicación de la comida y muchos otros de diverso tipo, fue su amor inagotable el milagro más extraordinario. Por su vinculación con Cristo, el creyente es alguien que ha conocido y gustado de este amor, en el que ahora vive y con el que se nutre. Es por esto que es desafiado a vivir su discipulado siguiendo las mismas pautas. El discípulo de Jesús es alguien que se compadece del que sufre o pasa necesidad, y en el poder de Cristo, obra en consecuencia.

El interés que Jesús mostró en la salud integral de los seres humanos fue mayor que el de cualquier otro líder o sistema religioso en la historia de la humanidad. Una lectura superficial de los Evangelios Sinópticos

---

1. Brunner, *Nuestra fe*, 74.

muestra con claridad que Jesús entendió su ministerio en una triple dimensión: predicación, enseñanza y sanidad. Casi una quinta parte de los Evangelios está dedicada a las sanidades de Jesús y a las discusiones que éstas provocaron. Dondequiera que iba funcionaba como sanador. Incluso queda claro que cuando envió a sus discípulos a continuar con su ministerio básico (Mt. 10.5-10; Mr. 6.7-13; Lc. 9.1-6), las sanidades fueron una parte fundamental. El libro de los Hechos registra la manera en que ellos cumplieron con esa comisión.

JESÚS SANA A UN LEPROSO (8.1-4)

Quizás sea más correcto ubicar el v. 1 como conclusión del Sermón del Monte y hacer comenzar la serie de tres sanidades que siguen (vv. 2-17) a partir del v. 2, encabezándola con el giro idiomático "Y he aquí" (RVR), destinado a llamar la atención sobre los hechos que se sucederán.

El terror de la lepra (8.1-2a)

Los enfermos de lepra eran los parias más temidos en Palestina en los días de Jesús. Cuando iban por un camino debían hacer sonar esquilones rotos mientras gritaban "*Tamé*, *tamé*" (arameo, "Impuro, impuro"). La lepra era considerada como un golpe de látigo divino en castigo por algún pecado. De hecho, la palabra "lepra" en he. es *tzara'at* (golpe de látigo). De aquí que la lepra era la enfermedad por excelencia y la expresión máxima del juicio divino sobre el pecado humano. Había leyes bíblicas concernientes a la lepra (Lv. 13 y 14; Dt. 24.8), que abarcaba varias infecciones cutáneas. La enseñanza rabínica señalaba que era un castigo por varios pecados. Por eso, los enfermos eran aislados, no sólo por temor al contagio, sino también por considerárselos inmundos (Lv. 13.45-59).

Los leprosos sufrían, pues, un doble padecimiento y castigo, por la enfermedad y por la sociedad. La enfermedad los mataba de a poco, mientras que la sociedad los marginaba de manera total. Eran muertos vivientes. Algunos compasivos les acercaban algo de comida, pero la mayoría les arrojaba piedras para mantenerlos a distancia. Ni siquiera se les permitía beber agua de los pozos públicos o los arroyos, por temor al contagio. Eran hombres y mujeres carentes de toda esperanza y destinados a una muerte cercana.

En este contexto apareció Jesús, quien rompió con todos los prejuicios, fue más allá de la Ley y la enseñanza rabínica, y los sanó. El leproso que le salió al encuentro a Jesús cuando éste bajaba la montaña después de su famoso Sermón, hizo algo impensable y que merecía la pena de muerte: "se le acercó y se arrodilló delante de él" (v. 1).

La sanidad de la lepra (8.2b-4)

El leproso quebró todas las leyes y con su acción expuso a Jesús y a las "grandes multitudes" que lo acompañaban al contagio, a la contaminación ceremonial y al caos social. Sorprende en sus palabras la fe en Jesús como alguien que podía sanarlo ("Señor, si quieres, puedes limpiarme"). Seguramente, ya sabía algo de Jesús, si bien este fue el primer acto de sanidad de lepra que registra Mateo. También sorprende la respuesta de Jesús, quien "extendió la mano y tocó al hombre." Con este gesto, Jesús también quebranta la Ley y ofende a la enseñanza rabínica. Además de arriesgar un contagio de una enfermedad tan horrible, Jesús se contamina al tocarlo (y posiblemente tocó sus llagas mismas). Con este toque, Jesús no sólo está cargando sobre sí la enfermedad del leproso, sino también su pecado a los ojos de todo el mundo, mientras que el leproso está recibiendo de Jesús la salud y la gracia. El gesto redentor y sanador queda reforzado con la sentencia de Jesús: "Sí quiero. ¡Queda limpio!" Y el leproso quedó sano de la lepra "al instante."

> **José Luis Martín Descalzo:** "Que Jesús no había roto la ley por el placer de quebrarla, lo demuestra aún más la frase siguiente en la que ordena al recién curado que se presente al sacerdote para que éste confirme oficialmente la curación. Y también esta orden la da por dos razones: para cumplir lo prescrito y para simbolizar en ella algo más alto: lo que el pecador no podía ofrecer a Dios por sus propios méritos, puede presentarlo ahora por medio de Cristo."[2]

---

2. José Luis Martín Descalzo, *Vida y ministerio de Jesús de Nazaret*, vol. 2: *El mensaje*, 6ta ed. (Salamanca: Ediciones Sígueme, 1988), 116

La orden de Jesús al leproso de no decirle a nadie de su sanidad era de cumplimiento imposible. Primero, porque el milagro de sanidad fue público y de inmediato mucha gente lo supo. Segundo, porque el leproso era bien conocido por todo el mundo y su cuerpo sano iba a llamar la atención. Tercero, porque al ir al templo sano y hacer una ofrenda pública, todo el mundo se iba a enterar de lo ocurrido con él. Y, cuarto, porque ¿quién puede mantenerse callado cuando ha sido objeto de tremenda demostración de gracia divina? De hecho, el hombre sanado no pudo ocultar su alegría y se dedicó a propagarla.

JESÚS SANA AL SIERVO DE UN CENTURIÓN (8.5-13)

Los centuriones eran la columna vertebral del ejército romano. En una legión romana había 6.000 hombres. La legión estaba dividida en 60 centurias, cada una con 100 soldados y bajo el mando de un centurión. Estos eran soldados regulares de mayor tiempo de servicio en el ejército. Contaban con más experiencia en combate y eran responsables por la disciplina del regimiento. Eran el cemento que mantenía unida a la tropa. Sea en la paz o en la guerra, la moral del ejército romano dependía de ellos. En su descripción del ejército romano, Polibio indica cómo debe ser un centurión: "No deben aventurarse demasiado buscando el peligro, como si fueran hombres que pueden mandar, estar firmes en la acción y ser confiables; no deben estar ansiosos por correr a la pelea, pero cuando se encuentren en peligro deben estar dispuestos a guardar su lugar y a morir en sus puestos." Los centuriones eran los mejores hombres del ejército romano.[3] Es interesante notar que todos los centuriones que se mencionan en el Nuevo Testamento se mencionan con cierto honor (27.54; Mr. 15.39, 44-45; Lc. 23.47; Hch. 10.1, 22; 21.32; 22.25-26; 23.17, 23; 24.23; 27.1, 6, 11, 31, 43; 28.16). Pero el centurión de este pasaje en el Evangelio de Mateo se destaca de todos por dejarnos una lección sobre lo que significa la fe. Una palabra abstracta como "fe" sólo puede entenderse con un buen ejemplo. La experiencia de este centurión demuestra la naturaleza y el significado de una fe auténtica.

---

3. Barclay, *The Gospel of Matthew*, 1:300-301.

Un centurión romano (8.5a)

Este centurión era un personaje singular. Los centuriones generalmente eran personas crueles y duros con los esclavos. En el Imperio Romano los esclavos no importaban. Eran objetos para servir. La única diferencia entre un esclavo, una bestia y un carro era que el esclavo hablaba. Pero este centurión estaba interesado en la salud de su siervo (vv. 5-6), a quien "estimaba mucho" (Lc. 7.2). Esto último llama la atención, porque los centuriones, como representantes del Imperio Romano, despreciaban a los judíos, y más si eran esclavos. Pero este militar era todo lo contrario (Lc. 7.4-5). El centurión era gentil y quizás prosélito judío, ya que edificó una sinagoga en Capernaúm (Lc. 7.5). Quizás lo hizo siguiendo la política de Augusto, que había publicado un edicto elogioso sobre las sinagogas, ya que sabía que para mantener la paz era bueno tener contentos a los judíos desde el punto de vista religioso. Probablemente este centurión no sólo construyó el edificio, sino que también lo financió. Todavía hoy existen sus ruinas en Tell-Hum. Capernaúm era, por entonces, un destacamento de soldados de Herodes Antipas, que custodiaban el puerto y la vía comercial que cruzaba la ciudad. Era un destacamento organizado al estilo romano e integrado por militares extranjeros. Es probable que el centurión haya sido romano.

Sea como fuere, era un hombre bueno, como generalmente son los soldados que se mencionan en los Evangelios. Su sensibilidad hacia su siervo enfermo y moribundo es buena indicación de su generosidad y humanidad. Debe tenerse en cuenta que, así como los judíos despreciaban a los gentiles, estos odiaban a los judíos. Los romanos calificaban a los judíos como raza sucia, y al judaísmo como superstición bárbara. Los acusaban de odiar a la humanidad, de adorar la cabeza de un asno y de sacrificar anualmente a un gentil a Dios. Pero la atmósfera de este relato de Mateo implica un estrecho lazo de amistad entre este centurión y los judíos. Los centuriones no tenían otro dios que no fuese César, pero este romano conocía al Dios verdadero. Una persona debe estar algo más que interesada superficialmente para llegar a construir una sinagoga. Este centurión no era un cínico, sino un hombre sinceramente religioso.

Una persona en necesidad (8.5b-9)

Es probable que el centurión hubiera oído hablar de Jesús, a pesar de que la popularidad de éste era sospechosa para el estamento militar. Sin embargo, parece seguro que el centurión ya estaba convencido de que Jesús no era un hombre revoltoso o peligroso. Por eso, frente a la situación de su siervo, no dudó en acudir a Jesús para que lo curase. Probablemente, conocía el caso del funcionario de Herodes, a quien Jesús había salvado un hijo. Por eso, no dudó en salir a su encuentro para pedir su ayuda.

El centurión estaba convencido de que Jesús tenía el poder y la autoridad de Dios. Esto está expresado en su actitud de humildad ("Señor, no merezco que entres bajo mi techo," (v. 8a). Él sabía muy bien que a un judío le estaba prohibido por la Ley entrar en la casa de un gentil, porque de hacerlo se contaminaba ceremonialmente. La *Mishna* enseñaba claramente: "Los lugares de habitación de los gentiles son inmundos" (ver Hch. 10.28). Quizás fue por esto mismo que, según la versión de Lucas, él no fue el primero en encontrarse personalmente con Jesús, sino que envió a unos dirigentes de los judíos para establecer un primer contacto con él (Lc. 7.3), y luego envió a unos amigos (Lc. 7.6-7). Este hombre, que estaba acostumbrado a mandar, demostró una humildad asombrosa ante la presencia de la verdadera grandeza y majestad.

Para Jesús, el centurión era una persona en necesidad. El diálogo entre Jesús y este militar romano gira en torno a la cuestión de la autoridad. Nótese que el centurión llamó a Jesús "Señor" (gr. *kúrios*, v. 6); como vimos, se mostró humilde ante él (v. 8a); y, reconoció su autoridad (v. 8b). El v. 9 enfatiza el tema de la autoridad. Pero, sobre todo, sorprende su fe en el poder y la autoridad de Jesús: "basta con que digas una sola palabra, y mi siervo quedará sano." No es de extrañar que Jesús se sorprendiera con tal actitud de fe (vv. 10-12). Aquí habló la voz de la fe, y Jesús estableció que la fe es el único pasaporte a la bendición de Dios. La fe de este gentil fue un anticipo de la fe de todos los gentiles, que resultaría en la expansión universal del reino de los cielos.

> **José Luis Martín Descalzo:** "El milagro giraba así: ya no era sólo la curación concreta del criado—que se obró al instante—, era, además, el anuncio de que el reino se ensanchaba. Aquel centurión era el símbolo

> de la gran cosecha, las primicias de los gentiles, el poder de Dios que se dirige ante todo al judío, pero se abre al griego, al romano y al universo (Ro. 1.16)."[4]

Un ejemplo de fe (8.10-12)

Lo más destacado de todo este pasaje es la fe del centurión, que no tiene parangón en todo este Evangelio. El centurión comprendió la diferencia que existía entre el poder de Roma y el poder de Dios. El poder de Roma estaba dominado por la avaricia y la crueldad. Un esclavo paralítico y postrado no servía para nada y no valía nada. Era mejor matarlo, por lo menos para ahorrar en su alimentación y alojamiento. Pero el poder de Dios estaba dominado por el amor y la compasión hacia toda la humanidad, y especialmente hacia los indefensos y menesterosos, como el siervo del centurión.

La fe asombrosa del centurión permitió a Jesús hacer un contraste con una tradición judía vigente y vívida. Los judíos creían que cuando viniera el Mesías habría un gran banquete en el que todos los judíos gozarían junto a los padres de su pueblo (Abraham, Isaac y Jacob) en el reino de los cielos (v. 11). Este banquete sería sólo para los judíos, porque los gentiles serían destruidos. Pero movido por el ejemplo de la fe del centurión, Jesús dice que los gentiles serán los que entrarán al banquete celestial ("muchos vendrán del oriente y del occidente"), y los judíos ("los súbditos del reino") quedarán afuera en "la oscuridad." Allí su situación será como la que ellos les deseaban a los gentiles: "habrá llanto y rechinar de dientes" (v. 12). Los judíos tenían que aprender que el pasaporte a la presencia de Dios no es la ciudadanía o la religión de una nación, sino la fe. Los judíos tenían que aprender que la única aristocracia en el reino de Dios es la aristocracia de la fe, es decir, una fe asombrosa como la del centurión gentil. Cristo no es la posesión de una raza humana ni de una determinada religión, sino de todo ser humano de cualquier raza y religión, en cuyo corazón brilla la fe en él.

---

4. Descalzo, *Vida y misterio de Jesús de Nazaret*, 2:118.

Un poder universal (8.13)

Es interesante notar que los Evangelios registran que de alguna manera Jesús limitó en forma deliberada su ministerio itinerante y el de sus discípulos mayormente a las "ovejas descarriadas del pueblo de Israel" (Mt. 10.6; 15.24). Pero también muestran cierto compromiso significativo con los gentiles y una conciencia de que la llegada del reino de Dios por medio de Jesús también debía afectarlos. El milagro de sanidad del siervo del centurión romano es evidencia suficiente para demostrar la falsedad de la afirmación de que Jesús no tenía interés en el mundo más allá de su propio pueblo judío. El poder del Señor no está circunscripto a un determinado grupo de personas, sino que está disponible a todos los seres humanos. La expresión redentora de Jesús en respuesta a la fe del centurión romano es universal: "¡Ve! Todo ser hará tal como creíste" (v. 13).

> **Christopher Wright:** "Jesús responde con admiración ante la fe decidida del centurión, señalando que era mayor que la encontrada en Israel. Cabe suponer que lo significativo de la fe del centurión no fue que creyera en el poder de Jesús para hacer milagros de sanidad. Más bien era que él, un gentil, hubiera creído que la compasión y la sanidad de Jesús podían superar la división entre judíos y gentiles, y alcanzar al siervo de un gentil. Eso era algo que los mismos vecinos de Jesús en Nazaret no podían tolerar. Entonces Jesús usa esa fe gentil como una oportunidad para señalar la esperanza escatológica de la reunión de naciones para el banquete mesiánico en el reino de Dios. Jesús quizás está combinando aquí pasajes que hablan del regreso de los judíos dispersos en todos los puntos cardinales (ver Sal. 107.3; Is. 49.12), con el tema del peregrinaje y la adoración de las naciones (ver Is. 59.19; Mal. 1.11). Con seguridad muestra que, si bien Jesús limitaba su misión terrenal mayormente al pueblo judío, el horizonte final de su misión era mucho más amplio."[5]

5. Christopher Wright, *La misión de Dios: descubriendo el gran mensaje de la Biblia* (Barcelona: Ediciones Certeza Unida, 2009), 672.

JESÚS SANA A MUCHOS ENFERMOS (8.14-17)

El ministerio de sanidad de Jesús no discriminaba a nadie y rompía con todos los prejuicios. Él no tuvo problemas en tocar a un leproso (v. 3), en permitir que se le acercara un romano (v. 5) y en tocar a una mujer (v. 15), todo lo cual estaba estrictamente prohibido para un rabino como él. Las personas en todos estos casos eran marginales y ceremonialmente eran consideradas inmundas y contaminantes. Pero el amor sanador de Jesús iba más allá de estas barreras religiosas y humanas. Es así como sanó a la suegra de Pedro y en el atardecer del mismo día "a muchos endemoniados" y "a todos los enfermos."

Jesús sana a la suegra de Pedro (8.14-15)

Según el Evangelio de Juan, Pedro y Andrés eran naturales de Betsaida (Jn. 1.44). ¿Cómo se explica que Mateo ubique su casa en Capernaúm? Es posible que Pedro hubiera nacido en Betsaida y más tarde, en su edad adulta, se hubiera mudado a Capernaúm. También es posible que, en razón de su oficio de pescador, él hubiera desarrollado su actividad en el mar de Galilea desde esta ciudad pesquera, que tenía el puerto más importante. Algunos sugieren que Pedro ocupaba esta casa durante la temporada de pesca, pero lo más probable es que la casa haya sido de él. De hecho, los Evangelios Sinópticos parecen señalar de manera particular a esta casa como propiedad de Pedro. Los arqueólogos han encontrado las ruinas de Capernaúm y su sinagoga, pero todavía no se ha ubicado a Betsaida. De allí que hay quienes suponen que Betsaida era un barrio de Capernaúm. Es interesante notar que Betsaida significa "casa de pesca," por ser un lugar donde moraban pescadores.

También es interesante observar que, al estar frente a la suegra de Pedro, Jesús "le tocó la mano" en señal de afecto "y la fiebre se le quitó" inmediatamente (v. 15). La fiebre es un mecanismo de defensa de algún otro problema orgánico o emocional. La idea aquí es que la mujer se sanó completamente. No sólo que la fiebre disminuyó (como cuando hoy se toma un antipirético), sino que ella "se levantó y comenzó a servirle" (a Jesús). La curación fue instantánea y total, lo que le permitió a la mujer servir a Jesús y también a sus discípulos. La mujer recuperó sus fuerzas y su capacidad de trabajar. Salud es más que ausencia de síntomas; es también la capacidad de trabajar, amar, crear y servir a los demás. El servicio que la suegra de Pedro le ofreció a Jesús y a quienes lo acompañaban, fue un gesto de agradecimiento. Somos salvados y sanados para servir a Jesús. En casa de Pedro, Jesús demostró que él tiene poder para vencer al pecado y a todos los poderes de maldad que quieren destruir al ser humano.

Jesús sana a todos los enfermos (8.16-17)

El v. 16 presenta un cuadro dramático. Después de un largo día de servicio, cuando llegaba el momento del descanso y el reposo, Jesús vuelve a involucrarse en un ministerio integral de sanidad que, además de toda suerte de enfermos físicos incluía a enfermos mentales, espirituales y emocionales ("endemoniados … todos los enfermos," ver 4.24). Es necesario recordar que en los días de Jesús y ya desde el período intertestamentario, se consideraba a la enfermedad en general como un castigo por el pecado. Frecuentemente se la atribuía a la actividad de espíritus malignos o demonios. Incluimos los casos de demonización en el campo de la sanidad porque, más allá de cómo interpretemos hoy la etiología de ciertas enfermedades, debemos ser cuidadosos de no negar la realidad de la obra de los demonios, interpretándola como meros problemas psiquiátricos o psicológicos. Tampoco debemos considerar que todo trastorno mental y emocional es obra de Satanás. Precisamente para saber diferenciar entre una esfera y otra (o la combinación de ellas) es que el Espíritu Santo da a los creyentes el don de discernimiento de espíritus (1 Co. 12.10; He. 5.14; 1 Jn. 4.1). Esto significa que, como hizo Jesús, somos responsables de sanar "a todos los enfermos" desde la fe y en obediencia a su mandato (10.1; Mr. 16.15-18; Lc. 9.2; 10.9, 17-18).

Mateo ve en la palabra y en el toque sanador de Jesús de todo tipo de enfermedades y dolencias, el cumplimiento de la palabra profética en relación con el Mesías: "Él cargó con nuestras enfermedades y soportó nuestros dolores" (Is. 53.4). Su sanidad a todos los enfermos fue expresión de su obra redentora total e integral. Él dio su vida para salvarnos de nuestros pecados y sanarnos de nuestras enfermedades (Is. 53.5). Él dio su vida para que nosotros podamos vivir una vida plena, saludable y abundante (Jn. 10.10). Su sufrimiento vicario es el que permite que nos veamos libres de nuestros sufrimientos de este lado de la eternidad. Pedro entendió esto cabalmente, cuando afirmó: "Por sus heridas ustedes han sido sanados" (1 P. 2.24).

JESÚS SANA A DOS ENDEMONIADOS (8.28-34)

Los vv. 28-34 narran la experiencia de los endemoniados gadarenos, con lo cual continúa el contexto de guerra espiritual. En Mateo, los registros de discursos se intercalan con los de milagros. Jesús vino a predicar y a sanar (4.23), porque él es Maestro y Señor. De modo que, junto al poder de su palabra (gr. *exousía*) aparece el poder de su obrar (gr. *dúnamis*). Además, nótese que la decisión de cruzar el mar de Galilea vino de Jesús mismo, aunque él sabía muy bien que el otro lado del lago era territorio gentil.

La situación (8.28)

La situación con que se encuentra allí presenta una cuádruple impureza desde el punto de vista religioso judío. Primero, en las proximidades hay una manada de cerdos impuros ("a cierta distancia de ellos estaba paciendo una gran manada de cerdos," v. 30). Segundo, las dos personas que le salen al encuentro vivían en el mundo impuro de los muertos ("salieron al encuentro de entre los sepulcros"). Tercero, los dos hombres estaban "endemoniados" y "eran tan violentos que nadie se atrevía a pasar por aquel camino." Cuarto, los endemoniados en cuestión eran gadarenos o gergesenos (gerasenos) que vivían en territorio gentil. Frente a estos hechos, que eran suficientes como para que ningún judío piadoso y mucho menos un rabí se atreviera a contaminarse, Jesús no teme penetrar y actuar en esta polución gentil, que él transforma con su presencia y sus palabras.

El significado (8.29-32)

Al igual que otros relatos, éste es esquemático (el relato de Marcos es más detallado, Mr. 5.1-20) y presenta varios tópicos: presentación y súplica, curación, constatación, temor reverencial, encuentro redentor. El triple clamor de los demonios (vv. 29, 31) declara una gran verdad teológica ("Hijo de Dios") y expresa dos supersticiones comunes. Por un lado, según la creencia popular, los demonios encontraban un cierto alivio mientras vivían en una persona y temían más que nada verse encerrados en el infierno. Por eso, suplicaron a Jesús que no los echase de donde estaban y que no anticipase su tortura infernal del fin de los tiempos. Por otro lado, los demonios parecen rogar por una escapatoria metiéndose en una manada de cerdos. Hay en este ruego una mezcla de superstición e ironía. Al pedir entrar en los cerdos renuncian a poseer a otras personas y pretenden chantajear a Jesús al rogarle que les envíe a criaturas que, para él, como buen judío, eran despreciables. Parecen querer decirle: "Ese es un lugar apto para un demonio, ¿acaso los cerdos no son impuros?" Quizás por la gritería de los demonios los cerdos se asustaron y se precipitaron al mar. Más allá de algunos detalles desconcertantes, el desenlace deja en claro que el mal es siempre destructor de sí mismo.

La secuencia (8.33-34)

El relato se cierra (vv. 33-34) con los endemoniados que quedaron libres y sanos, los dueños de los cerdos que se llenaron de temor y huyeron, y toda la ciudad que le pidió a Jesús "que se alejara de esa región." Tal parece como que siempre los seres humanos prefieren al demonio con los "cerdos" (su fuente de ganancia), antes que a Dios sin ellos. Vale la pena subrayar los tres resultados de este episodio.

Los endemoniados quedaron libres. Mateo, en su resumen de lo ocurrido en la región de los gerasenos no nos informa esto. Pero sí lo hacen los pasajes paralelos (Mr. 5.15-16; Lc. 8.35-36). Según estos testimonios, los endemoniados (el endemoniado según Marcos y Lucas) estaban tranquilos ("sentados" a los pies de Jesús), vestidos y "en su sano juicio." Mateo no lo refiere, pero Lucas señala que el hombre que había sido liberado le rogaba a Jesús "que le permitiera acompañarlo," lo cual el Señor no aceptó, sino que lo despidió y envió de regreso a su hogar y a contar todo lo que Dios había hecho por él (Lc. 8. 38-39). A esto, Marcos agrega que "el hombre se fue y se puso a proclamar en Decápolis lo mucho que Jesús había hecho por él" (Mr. 5.18-20).

Los cuidadores quedaron temerosos (v. 33). Fue el temor a lo desconocido y su actitud supersticiosa lo que movió a estos hombres a salir corriendo al pueblo (Gerasa o Gadara). Eran personas que se ocupaban del oficio más bajo y despreciable de todos. Sus vidas no valían mucho más que la de los cerdos, ya que probablemente eran esclavos y no tenían cómo responder por la pérdida de toda la manada. Mucho menos podían explicar lo que había ocurrido. No obstante, fueron al pueblo y a la región (ver Mr. 5.14; Lc. 8.34) y "dieron aviso de todo" especialmente "de lo que había sucedido con los endemoniados," ya que éstos eran bien conocidos por todos. Sin quererlo, se transformaron en los primeros "evangelistas" del otro lado del mar de Galilea, ya que contaban todo lo que habían visto y oído de lo que había hecho Jesús. En un sentido, con este relato, lo hacían a Jesús responsable por la pérdida de la manada de cerdos delante de sus amos. Y frente a los demás ciudadanos, justificaban su pérdida por el cambio radical en la vida de los que habían estado endemoniados y que habían sido un problema para el pueblo (Mr. 5.15-16; Lc. 8.35-36).

Los del pueblo quedaron preocupados (v. 34). Su temor visceral y su asombro frente a lo ocurrido los llevaron a tomar una decisión equivocada. Pensaron que era mejor que Jesús se fuera a otra parte a hacer sus milagros. La pérdida de los cerdos y el impacto de lo sobrenatural eran para ellos más graves que la posibilidad de ser redimidos y sanados por Jesús. Así también hoy, hay muchos que consideran que Jesús es más problemático que los problemas que él puede resolver. La incapacidad o indisposición de ver y experimentar el poder redentor de Jesús lo único que produce es situaciones más graves. El rechazo de Jesús en muchas sociedades modernas es elocuente evidencia de dónde está la raíz de la mayor cantidad de males que padecemos. Al igual que los líderes de Gadara o Gerasa, muchos líderes políticos, sociales, económicos y culturales hoy, lejos de precipitar "al lago por el despeñadero" a los demonios de la injusticia y la corrupción, prefieren seguir alimentando a los cerdos de sus múltiples pecados, mientras alejan a Jesús de sus dominios.

JESÚS SANA A UN PARALÍTICO (9.1-8)

En los vv. 1-8 encontramos el relato en el que Jesús sana y perdona a un paralítico. Nuevamente, el relato de Mateo es más breve que el de Marcos

(2.3-12) y Lucas (5.18-26). No obstante, con gran habilidad el evangelista destaca a sus personajes principales.

Un hombre paralítico (9.1-2a)

Como se indicó, el estado sanitario del pueblo judío era lamentable en tiempos de Jesús. Todas las enfermedades orientales parecían concentrarse en Palestina, y provenían de cuatro fuentes principales: una pésima alimentación, el clima hostil, la falta de higiene y los traumas físicos. Las discapacidades físicas, especialmente las motoras, generalmente se debían a situaciones traumáticas. El paralítico que fue traído a Jesús por sus amigos estaba "acostado en una camilla." Esto ocurrió probablemente mientras Jesús estaba predicando o enseñando en una casa (¿la casa de Pedro?) en Capernaúm (8.14). En la mentalidad popular era muy común identificar su situación con el pecado (de él o de sus padres). La enfermedad era interpretada como consecuencia y castigo por el pecado (Jn. 9.3; Lc. 7.21). La escena estaba llena de gente (discípulos, amigos del paralítico, fariseos, maestros de la ley), que había estado escuchando a Jesús enseñar por varios días (Mr. 2.1-2; Lc. 5.17) y que ahora eran testigos de lo que ocurría.

Un hombre blasfemo (9.2b-6)

Cuando el paralítico fue presentado delante de Jesús y de la multitud, el Señor hace dos cosas. Jesús perdona al hombre sus pecados y luego lo sana de su parálisis. De esta manera, Jesús salva y sana. De hecho, como ya vimos, el verbo "salvar" significa también "curar." Jesús expresa esta identificación, según la cual su tarea de médico divino es parte y símbolo de su función de redentor (ver Lc. 7.50; Mr. 5.34). Por otro lado, la acción sanadora-redentora de Jesús puso en evidencia su condición como Mesías divino. Por eso, los escribas o maestros de la ley lo acusaron de blasfemia. Lo que la mayor parte de los lectores de Mateo recuerdan de este texto es que Jesús una vez más sanó a una persona enferma. No obstante, esto no fue lo más importante en ese momento. Lo más importante es que algunos de los testigos allí presentes lo acusaron de ser blasfemo: "¡Este hombre blasfema!" (v. 3).

Esta acusación era sumamente grave. Blasfemia es toda palabra, acción o pensamiento en contra de Dios. Los líderes judíos consideraron blasfemo a Jesús mismo. Más tarde, el Sanedrín o Consejo de los judíos juzgó sus pretensiones de ser el Mesías como blasfemia contra Dios (Mt. 26.62-65; Lc. 22.67-71), lo cual merecía la muerte (Mt. 26.66-67; Mr. 14.63-65). No obstante, según el Nuevo Testamento, blasfemos son aquellos que niegan el mesianismo de Cristo y rechazan su divinidad (Mr. 15.29-32; Lc. 22.65; 23.39).

¿Por qué Jesús fue considerado un hombre blasfemo? Porque se atrevió a decirle al paralítico "tus pecados quedan perdonados" y el único que puede perdonar pecados es Dios. Lo que Jesús estaba diciéndole a la multitud era que él tenía la autoridad y el poder divinos para perdonar. Y para probar este poder y autoridad, procede a sanar al paralítico de manera milagrosa. Perdonar pecados y sanar a los enfermos son operaciones exclusivas de la divinidad. De allí su pregunta a sus interlocutores: "¿Qué es más fácil, decir: 'Tus pecados quedan perdonados,' o decir: 'Levántate y anda'?" (v. 5). Parecía imposible sanar a una persona de su parálisis, pero si Jesús podía hacer tal milagro, entonces esto daba credibilidad a su pretensión de perdonar pecados. ¿Qué ocurrió? El hombre fue sanado totalmente, tomó su camilla y se fue a su casa tal como Jesús se lo ordenó (vv. 6-7). Mientras tanto, la multitud "se llenó de temor, y glorificó a Dios" por lo ocurrido.

Con esta acción, Jesús dio vuelta el tablero y de acusado de blasfemia pasó a exponer a sus acusadores como blasfemos. Desde el punto de vista judío, una persona era blasfema cuando (1) se rehusaba a darle a YHWH su debida alabanza; (2) cuando lo insultaba; o (3) cuando rebajaba a Dios al nivel de la humanidad o exaltaba a la humanidad al nivel de YHWH. Los maestros de la ley eran blasfemos porque, frente al milagro divino ocurrido, no le dieron la debida alabanza, como sí hizo la multitud (v. 8), insultaron su nombre con "sus "malos pensamientos" (v. 4b), y se consideraron moral y espiritualmente superiores al Hijo del hombre desconociendo su autoridad divina (vv. 3, 6).

Un hombre sanado (9.7-8)

Ejerciendo el don de palabra de ciencia (v. 4), Jesús expone los pensamientos de ellos y redobla la apuesta (vv. 5-6), combinando nuevamente el poder de su acción sanadora-redentora como Mesías. El resultado fue que la gente que oyó sus palabras y vio el milagro "se llenó de temor, y glorificó a Dios" (v. 8). Es más, la multitud pudo reconocer lo que los maestros de la ley no pudieron, y es que en Jesús operaba una autoridad desconocida para los seres humanos. La multitud "glorificó a Dios por haber dado tal autoridad a los mortales." Esto fue el resultado de lo que Jesús hizo y dijo: "Si, Dios tiene el poder de perdonar pecados. De hecho, sólo Dios tiene ese poder. Por eso, si yo perdono pecados y sano lo que parece no tener cura, entonces yo soy Dios." De esta manera, Jesús se eleva al nivel de YHWH. Para el paralítico curado y la multitud esto era motivo suficiente para glorificar a Dios. Para los maestros de la ley esto era motivo suficiente para seguir acusando a Jesús de blasfemia, lo cual estaba penado con la muerte.

¿Dónde quedamos nosotros en todo esto? O bien Jesús es un blasfemo, como pensaban los fariseos y los maestros de la ley, y debemos crucificarlo como tal; o las pretensiones que él hace respecto a su poder y autoridad son ciertas y nuestro deber es glorificar a Dios por ello.

JESÚS SANA A UNA NIÑA MUERTA (9.18-19, 23-26)

El pasaje de los vv. 18-38 presenta la tercera parte del relato de los milagros de Jesús. En los vv. 18-26 se nos narra la curación de una mujer con hemorragias y la resucitación de una niña aparentemente muerta. De esta manera, Mateo presenta a Jesús como el Señor y el dador de la vida, que ejerce su poder restaurador en respuesta a la fe.

Un padre desesperado (9.18-19)

El "dirigente judío" que se acercó a Jesús desesperado llegó a él con una determinación firme. Indudablemente había oído de la fama de Jesús, y quizá el Señor mismo había enseñado en la sinagoga de la que él era jefe, quizás en Capernaúm. La cuestión es que vino a Jesús con una actitud de humildad y reverencia, al punto que "se arrodilló delante de él" (gr. *prosekúnei autō*). El verbo "arrodillarse" a menudo se traduce como "adorar" ("postrarse en adoración"). Esto expresa el grado de desesperación de este hombre (Marcos y Lucas lo llaman Jairo, Mr. 5.22; Lc. 8.41) y a su vez, su gran fe en Jesús. Lejos de quedarse encerrado con su angustia, él hizo lo que siempre se debe hacer en estos casos, que es recurrir a Jesús con el problema, cualquiera que sea. En este caso, este hombre le notificó a Jesús que su hija acababa de morir (v. 18). Mateo resume los eventos ocurridos al mínimo, ya que Marcos y Lucas indican que cuando Jairo llegó hasta donde estaba Jesús, le dijo que su hija estaba gravemente enferma. Pero, luego, cuando Jesús se dirigía a la casa de este hombre y después de haber sido interrumpido por una mujer con hemorragias, alguien (Lc. 8.49) o algunos (Mr. 5.35) de la casa llegaron para avisarle que ya había muerto, y que no era necesario seguir molestando al Maestro.

A pesar de esta situación desesperante y terminal, Jairo le comunicó a Jesús lo ocurrido ("Mi hija acaba de morir") y siguió esperando que el Señor pudiera hacer algo y tal vez resucitarla. Su convicción era muy firme y bien concreta: "Ven y pon tu mano sobre ella, y vivirá" (v. 18b). Esto es lo que se esperaba de un verdadero profeta y del Mesías, y este hombre lo sabía muy bien por ser conocedor de las Escrituras. Jairo esperaba un milagro de resucitación. Resucitación significa el retorno de una persona a esta vida después de que la ha dejado con la muerte. En el Antiguo Testamento se mencionan algunos casos, ligados directamente al ministerio de los grandes profetas, como, por ejemplo, la del hijo de la viuda por Elías (1 R. 17.17-24), la del hijo de la sunamita por Eliseo (2 R. 4.18-37), y la del hombre cuyo cadáver tocó los huesos de Eliseo (2 R. 13.20-21).

Hasta ahora Jesús no había levantado a ningún muerto, pero después resucitaría al hijo de la viuda de Naín (Lc. 7.11–17) y a Lázaro (Jn. 11.1–44).

Se nota también cómo Jesús se movía libremente y sin reservas entre todos los sectores de la sociedad. Él podía ministrar y relacionarse con los recaudadores de impuestos o publicanos, con los leprosos, con la mujer con hemorragia, con personas endemoniadas, y ahora con Jairo, un líder religioso de cierta influencia. Libre de prejuicios, él no hacía distinción de personas y atendía a las necesidades de todos los que, por alguna razón, estaban desesperados.

Una niña muerta (9.23-24)

Se ha discutido hasta el cansancio si la niña estaba muerta o, como afirma Jesús, estaba dormida. La conclusión a este debate depende de cómo se interpreten las palabras de Jesús y el contexto en que las pronunció.

Las palabras de Jesús. En cuanto a lo primero, sus palabras "La niña no está muerta sino dormida" bien puede ser un eufemismo común entre los judíos y los cristianos en aquel entonces para referirse a la muerte (ver 1 Co. 11.30; 15.6, 18, 20, 51; 1 Ts. 4.13-15; 5.10). En este caso particular, Jesús parece estar enfatizando el carácter temporario de la muerte. El mismo juego de ideas se encuentra en Juan 11.11-15. En otro sentido, las palabras de Jesús pueden entenderse de manera literal. La expresión de Jesús puede ser entendida de manera literal y no metafórica, ya que no hay muchas instancias en el Nuevo Testamento en que el verbo gr. *katheúdō* ("dormir") se use metafóricamente con referencia a la muerte. Por otro lado, Mateo asocia este milagro con casos de ceguera y sordera, lo cual podría indicar que no se trata necesariamente de la pérdida de la vida, sino de una pérdida temporaria de los signos vitales. Sea como fuere, esto no significa que Jesús no pudo haber resucitado a la niña, ya que él es el Mesías con el poder divino de resucitar muertos (11.5), y esto también fue parte de la misión que les encomendó a sus discípulos (10.8).

El contexto del velorio. En cuanto a lo segundo, Jesús dijo estas palabras en medio de un velorio judío de una niña perteneciente a una familia notoria en la ciudad. La gente en aquel entonces vivía permanentemente amenazada con la muerte y sabía muy bien cómo diagnosticar cuando una persona estaba muerta, catatónica o viva. El siervo o los enviados de la casa de Jairo, que fueron a informarle del estado de su hija, dieron un diagnóstico certero: "Tu hija ha muerto." Jairo mismo llegó a la misma conclusión: "Mi hija acaba de morir." Es más, la gente que estaba participando del velorio ya tenía su conclusión clara: "sabían que estaba muerta" (Lc. 8.53). Para cuando Jesús llegó a su casa, el velorio ya estaba organizado y en curso: allí estaban los "flautistas y el alboroto de la gente." Además, "la gente lloraba y daba grandes alaridos" (Mr. 5.38), estaban "muy afligidos por ella" (Lc. 8.52), y "todos sabían que estaba muerta" (Lc. 8.53). Incluso, ¿por qué razón iban a burlarse de Jesús cuando éste dijo que estaba "dormida," si no era evidente que estaba bien muerta? En esa casa se estaba velando a una persona muerta, y como en todo buen funeral judío, según el *Talmud Babilónico*, aun los más pobres en Israel debían contratar a no menos de dos flautistas y una llorona.[6]

Sea como fuere, deberíamos tener cuidado en no enredarnos en una discusión ociosa en torno a si la niña estaba muerta (sentido literal) o dormida (sentido metafórico). Lo importante es que la niña "se levantó," "comenzó a andar" (Mr. 5.42) y se alimentó (Lc. 8.55). Y todo esto, gracias a Jesús que le ministró con su amor poderoso.

Una niña viva (9.25-26)

Es interesante que, en este caso, al igual que lo que ocurrió en los relatos de Elías, Eliseo y en el caso de Pedro con Tabita (Hch. 9.40), la multitud alborotadora y burlona fue expulsada de la casa, y Jesús entró solo (según Mateo) o junto con los padres de la niña y tres de sus discípulos (Marcos y Lucas) al cuarto de la niña. Probablemente lo hizo porque la incredulidad manifiesta de los curiosos perturbaba la fe firme de Jairo y de su esposa. Además, el diagnóstico definitivo de Jesús era diferente: "La niña no está muerta, sino dormida" (v. 24). Es probable que Jesús haya dicho esto para alentar la fe de los padres de la niña allí presentes.

Una vez frente a ella, Jesús hizo literalmente lo que el padre de la niña le había pedido, y "tomó de la mano a la niña" (ver v. 18b). La imposición de manos es una práctica bien ilustrada en la Biblia. En el Antiguo Testamento se usaba como método para otorgar la bendición y la gracia divina. En el Nuevo Testamento la frase está relacionada con la bendición y sanidad de los enfermos (Mr. 16.18; Hch. 9.12). Jesús utilizó muchas veces esta "terapia del toque" y lo hizo como un gesto que comunica amor y fe. Además, al tomar a la niña muerta de la mano, Jesús estaba expresando una acción que llamó la atención de todos los testigos que estaban allí presentes, pues el hecho de tocar un cadáver lo dejaría contaminado con un alto grado de inmundicia ceremonial. Pero Jesús no temió ninguna contaminación. Por el contrario, él impartió sanidad y limpieza. El Autor de la vida (Hch. 3.15), al tomar de la mano a la niña, le impartió vida, la vida abundante que él promete a todos (Jn. 10.10). De esta manera, Jesús demostró su autoridad sobre el último enemigo de la humanidad, que es

---

6. *Ketubot*, 4.4.

la muerte (1 Co. 15.26). Más tarde, Jesús mismo le diría a Juan el Bautista que estas evidencias comprobaban que él era el Mesías (11.5). La resucitación de la hija de Jairo, como la de Lázaro, fue un anticipo espectacular y simbólico del día cuando todos los creyentes seamos resucitados para nunca más volver a morir. De todos los hechos milagrosos llevados a cabo por Jesús hasta este momento, éste sin duda es el más impresionante. Jesús "dio órdenes estrictas de que nadie se enterara de lo ocurrido" (Mr. 5.43; Lc. 8.56), pero "la noticia se divulgó por toda aquella región" (v. 26).

JESÚS SANA A UNA MUJER (9.20-22)

El lugar de las sanidades milagrosas es asombroso en los Evangelios Sinópticos. Casi un quinto de todos ellos está dedicado al ministerio de sanidad de Jesús y a las discusiones que el mismo generó. Este énfasis es de lejos el más grande dado a cualquier otro tipo de experiencia en los relatos. Es interesante comparar este énfasis sobre la sanidad física, emocional y espiritual con la poca atención que se presta a la sanidad moral.[7] En Mateo, Jesús se destaca como sanador y, especialmente, como alguien que sana casos incurables o inaccesibles por su marginamiento en razón de leyes ceremoniales (como los leprosos, los recaudadores de impuestos, y los gentiles). Tal era la situación de la mujer que se menciona en estos versículos. Notemos su condición y su acción.

Su condición (9.20)

El pasaje presenta la situación de una mujer agobiada por la debilidad y el dolor. Nuevamente, Mateo nos cuenta muy poco sobre ella, pero lo suficiente como para que entendamos su condición. Su diagnóstico es: "hacía doce años padecía de hemorragias." Este tipo de dolencia resultaba de un mal funcionamiento orgánico, probablemente debido a un desequilibrio hormonal. Más específicamente se conoce a esta condición patológica como menorragia, o sea, el sangrado excesivo o profuso durante el período menstrual. Sea como fuere, el énfasis de Mateo no cae tanto

7. Morton T. Kelsey, *Healing and Christianity: A Classic Study* (Minneapolis, MN: Augsburg Fortress, 1995), 42.

sobre la gravedad de la dolencia como sobre la imposibilidad de que esta mujer pudiera ser curada por Jesús (un rabí) en razón de su condición de impureza (Lv. 12.1-8; 15.19-33). Esta situación la descalificaba totalmente para hacer lo que hizo: "se le acercó por detrás y tocó el borde del manto."

Mateo y Lucas concuerdan contra Marcos en señalar que esta mujer tocó el "borde" del manto de Jesús. Esto puede ser una mera coincidencia o, quizás, Lucas aquí está copiando a Mateo. Si la referencia no es meramente al borde de la vestidura, sino a los flecos o borlas que la adornaban y que servían al que vestía el manto como recordatorio de la Ley sagrada (Nm. 15.38; Dt. 22.12), entonces es muy probable que un escritor judío como Mateo, a diferencia de un gentil como Lucas, quiera llamar la atención sobre su importancia y significado.[8] Este detalle que agrega Mateo magnifica el atrevimiento de la mujer al tocar el manto de Jesús y contaminarlo totalmente. En aquel tiempo, una acción así por alguien en la condición física en que estaba esta mujer era considerada como un acto de contaminación absoluta. La mujer estaba totalmente inhabilitada para todo intercambio social y, lo que era peor, para toda actividad religiosa. Tenía terminantemente prohibido ir al templo o entrar en una sinagoga. La misma ley la obligaba a divorciarse de su esposo, si lo tenía, y a alejarse de sus hijos. Además, por los registros de Marcos y Lucas (Mr. 5.25-34; Lc. 8.43-48) sabemos que esta mujer había gastado todo su dinero con médicos procurando encontrar una solución a su dolencia, pero sin que nadie pudiera sanarla. Su ostracismo social era completo.

Su acción (9.21-22)

La acción de esta mujer de tocar a Jesús fue cuádruplemente culposa. Primero, porque ella sabía muy bien que una mujer con una menstruación crónica era inmunda y estaba excomulgada desde el punto de vista religioso (Lv. 12.7; 15.9-27). Segundo, ella sabía que, al igual que un leproso, debía evitar el contacto con otras personas. Tercero, su infracción era tanto más grave porque contaminó a un rabino, un maestro de la sinagoga, es decir, a alguien de quien se esperaba la mayor de las purezas. Y, cuarto, actuó arteramente tocando y contaminando a Jesús "por detrás," sin que él

---

8. Tasker, *The Gospel According to St. Matthew*, 102.

pudiera evitarlo. No obstante, nótese que fue ella la que tomó la iniciativa en acercarse y "tocar" a Jesús. Y esto fue todo lo necesario para ponerla en contacto con el poder sanador del Señor. Su acción temeraria puso de manifiesto su fe, que si bien estaba envuelta en una concepción supersticiosa de la sanidad ("Si al menos logro tocar su manto, quedaré sana"), fue suficiente para que Jesús se diera vuelta, la mirara y la declarara sana. En este caso, como en muchos otros, el milagro de sanidad fue instantáneo, ya que "la mujer quedó sana en aquel momento."

JESÚS SANA A DOS CIEGOS (9.27-31)

Algo que caracteriza a Mateo es cierta inclinación por el plural, especialmente el número dos. Muchos de los relatos en los que otros evangelistas mencionan a una sola persona, Mateo dice que fueron dos (dos endemoniados, 8.28; dos ciegos, 20.30).

La condición de los ciegos (9.27a)

En el mundo oriental de la antigüedad los ciegos eran parte del escenario natural cotidiano. Solos, en parejas o en grupos, los no videntes o personas con problemas en los ojos (glaucoma) llenaban las veras de los caminos, las puertas de entrada a las ciudades, las plazas o estanques. Casi todos ellos eran limosneros, que dependían de la caridad pública para sobrevivir. No es extraño, pues, que una de las metáforas bíblicas más populares para describir la venida del Mesías es que los ciegos van a ver (Is. 29.18; 35.5; 42.7). De aquí también que los milagros de sanidad de los ciegos realizados por Jesús llenen las páginas de los Evangelios.

> **Morton T. Kelsey:** "La ceguera era otra maldición del mundo romano, como lo ha sido de cada cultura no alcanzada por la medicina e higiene modernas. Dado que era una de las grandes tragedias que podían ocurrir a un ser humano en ese mundo, no es de sorprender que se den tantos ejemplos de su sanidad. Allí está, antes que nada, el relato elaborado del hombre nacido ciego en Juan 9, que ocupa todo este capítulo. Luego vienen los relatos del ciego Bartimeo en Marcos 10.46-52 y Lucas 18.35-42; de los dos hombres ciegos en Mateo 20.30-34; del

hombre traído a Jesús en Betsaida en Marcos 8.22-25; de los dos hombres ciegos en Mateo 21.14."[9]

En los vv. 27-32, Jesús devuelve la vista a dos ciegos. Los vv. 27-31 son peculiares de Mateo. El relato enfatiza el papel vital de la fe en los milagros de Jesús. Los dos ciegos reconocen a Jesús como el Mesías ("Hijo de David," v. 27), pero él pone a prueba la autenticidad de la fe de ellos (v. 28). El pedido de Jesús de que no contaran a nadie lo ocurrido era imposible de cumplir (v. 31), como lo fue en algunos casos de sanidades anteriores.

La fe de los ciegos (9.27b-28)

Estos versículos son peculiares de Mateo. El relato enfatiza una vez más el papel vital que jugaba la fe de las personas en los milagros de Jesús. El clamor de los dos ciegos es expresión de esta fe ("¡Ten compasión de nosotros!"). Pero se trata de una fe bien fundada y madura, en la convicción de que Jesús es el Mesías ("Hijo de David"). Su teología tan avanzada se explica, quizás, por el hecho de que, en razón de ser discapacitados visuales, sus otros sentidos, especialmente el oído, estaban más agudizados. Seguramente en su puesto de limosneo habían escuchado más de una vez de los milagros de Jesús y llegaron a la convicción de que era el Mesías prometido. De allí también su persistencia en ir a buscarlo a "la casa" donde se hospedaba en Capernaúm.

La sanidad de los ciegos (9.29-31)

La pregunta de Jesús ("¿Creen que puedo sanarlos?") suena fuera de lugar, porque parecía evidente que la actitud de los ciegos era demostración suficiente de que tenían esta convicción. No obstante, Jesús hace la pregunta para medir y profundizar la fe de ellos. De hecho, Jesús sabía que ellos creían que él podía sanarlos. Y frente a la confirmación de ellos, esto es lo que hizo. Jesús les tocó los ojos y les dijo, para afirmar la fe de ellos: "Se hará con ustedes conforme a su fe." Y los ojos se abrieron y los dos hombres "recobraron la vista." La alegría de ellos fue tan desbordante que, a pesar de la advertencia firme de Jesús de que nadie se enterase

---

9. Kelsey, *Healing and Christianity*, 57.

de lo ocurrido (algo imposible), los dos hombres sanados "salieron para divulgar por toda aquella región la noticia acerca de Jesús." Nótese que el evangelio que predicaron no fue el de su sanidad, sino el de su Sanador.

JESÚS SANA A UN MUDO (9.32-34)

Los incidentes que se describen en los vv. 32-34 son característicos de Mateo y parecen haber sido tomados del Documento Q. El pasaje se parece más al de Lucas 11.14 que su posible paralelo de Marcos 12.22. Se puede sospechar también cierto contacto con el relato del sordo que tenía problemas para hablar en Marcos 7.32-37. En realidad, todos estos problemas de discapacidades (sordera, mudez, y ceguera) muchas veces respondían a patologías orgánicas debidas a infecciones, pero también podían ser resultado de causas psicológicas, como ocurre con los brotes histéricos. Sea como fuere, hoy son cuadros bien conocidos por la medicina, pero en tiempos de Jesús eran atribuidos a la obra demoníaca o a pecados personales, como posiblemente ocurría en el caso que se menciona en estos textos.

Un mudo endemoniado (9.32)

Llama la atención el ministerio continuado e intensivo de Jesús. Todavía no se habían ido los dos ciegos por él sanados, cuando ya le traían a una persona muda, cuya discapacidad era atribuida a los demonios. La palabra que se traduce como "mudo" (gr. *kōfós*) puede significar también sordo (11.5; Lc. 7.22; Mr. 7.32, "sordo tartamudo"). La palabra hebrea correspondiente se usa en los escritos rabínicos para referirse a los sordomudos. En este caso, se trataba de una persona muda, ya que el contexto presupone ese sentido. Nótese que, en el caso del mudo, su dolencia era resultado de la operación de un demonio (v. 32). El mudo estaba "endemoniado" (gr. *daimonizómenon*). "Así que Jesús expulsó al demonio, y el que había estado mudo habló" (v. 33). Nótese la secuencia del problema y la solución: el hombre estaba endemoniado, de suerte tal que el demonio le produjo un problema físico, que probablemente era la sordera, y en razón de esto, el hombre no podía hablar. Expulsado el demonio, el hombre volvió a oír y esto le permitió imitar los sonidos que escuchaba y así hablar.

Una multitud maravillada (9.33)

La multitud que fue testigo de esta acción sorprendente de Jesús se maravillaba a su vez con lo que veía y oía. También ellos pudieron hablar y testificar, diciendo: "Jamás se ha visto nada igual en Israel." En un sentido, la multitud estaba equivocada al pensar así y decir esto. Una experiencia como la que habían vivido ya había sido experimentada en Israel hacía largo tiempo en los días de los profetas, si bien resultaba extraña e inusual en su propio tiempo. No obstante, la mudez del endemoniado resultó en la alabanza asombrada de la multitud, que no fue ciega para ver el poder de Dios manifestado a través de Jesús. Como desafiara Carlos Wesley en uno de sus famosos himnos:

¡Vosotros sordos, oídlo a él,
Vosotros mudos, emplead vuestras lenguas liberadas
Vosotros ciegos, contemplad a vuestro Salvador venir,
Y vosotros cojos, saltad de gozo!

Una oposición confundida (9.34)

En contraste con la actitud seguramente agradecida del mudo que habló, y la actitud maravillada de la multitud que alabó, los enemigos y opositores de Jesús, los fariseos, lejos de festejar el milagro, aprovecharon la oportunidad para atacar al Señor. Jesús, el predicador y sanador, estaba en la cúspide de su popularidad en este momento, pero los fariseos representaban la nube oscura de la oposición que habría de rodearlo en grado creciente hasta llevarlo a la cruz.

El v. 34, si bien no aparece en algunos manuscritos (Códice Beza), probablemente es original y genuino. No es posible que haya sido insertado de 12.24, ya que no se menciona en el mismo a Beelzebú. La manera en que Jesús contraatacaba esta crítica constante por parte de los fariseos se puede ver en 12.25-30. Los fariseos ya se estaban poniendo nerviosos con Jesús y se mostraban incapaces de negar la realidad de sus milagros y sanidades. El único camino que veían viable era el del descrédito, ligándolo a Jesús con Satanás mismo o bien intentando acusarlo de hechicería y ocultismo.

La expresión "príncipe de los demonios" (gr. *tōi árjonti tōn daimoníōn*), que Mateo pone en labios de los fariseos, coincide con el concepto que Jesús mismo tenía de Satanás, ya que tres veces lo menciona así, como "príncipe (gr. *árjōn*) de este mundo" (Jn. 12.31; 14.30; 16.11). El término árjōn era usado en contextos seculares para denotar a los oficiales más altos en una ciudad o región.[10] De esta manera, Jesús reconocía que Satanás era el poder más alto de este presente mundo caído, al menos en términos de su influencia presente. Es por esto que Jesús confronta a este "príncipe" malo como el líder de un ejército relativamente unificado y perverso de poderes espirituales y demonios. Es de esta manera que Satanás es llamado "príncipe de los demonios" y los ángeles caídos son llamados "sus ángeles" (25.41). Sobre la base de esta supuesta unidad militar diabólica, Jesús refuta la acusación absurda de los fariseos de que él expulsa a los demonios por medio del poder de Satanás en lugar del poder de Dios. Si fuera así, arguye Jesús, el reino de Satanás estaría operando contra sí mismo (Mr. 3.24) y no podría exhibir el poder que exhibe en este mundo.[11]

Además, utilizando un concepto bastante generalizado, los fariseos parecen querer involucrar a Jesús en un delito mucho más grave que simplemente ser un agente del "príncipe de los demonios." Se percibe detrás de la acusación de ellos el intento de acusar a Jesús de hechicería, es decir, de expulsar demonios haciendo uso de malas artes, propias del ocultismo. De ser así, su acusación sería tremendamente grave y podía resultar en que Jesús fuese cargado con un crimen que era castigado con la lapidación. De hecho, más de una vez Jesús se vio amenazado con el peligro de ser lapidado (Lc. 4.29; Jn. 8.59; 10.31-36; 11.8.[12]

Es interesante que los ciegos del milagro anterior no se pudieron quedar mudos y "salieron para divulgar por toda aquella región la noticia

---

10. Clinton E. Arnold, *Powers of Darkness: Principalities and Powers in Paul's Letters* (Downers Grove, IL: InterVarsity Press, 1992), 81.
11. Gregory A. Boyd, *Satan and the Problem of Evil: Constructing a Trinitarian Warfare Theodicy* (Downers Grove, IL: InterVrsity Press, 2001), 35.
12. Joachim Jeremias, *Abba: el mensaje central del Nuevo Testamento* (Salamanca: Ediciones Sígueme, 1981), 133.

acerca de Jesús," y lo ocurrido con el mudo hizo que la gente dijera: "Jamás se ha visto nada igual en Israel." De esta manera, en Jesús, los mudos hablan de él y los ciegos hacen ver su poder.

En la oración final de este párrafo se pone de manifiesto el antagonismo no sólo de sus opositores y adversarios (los fariseos), sino también los ataques de su enemigo por excelencia, Satanás, que es también el nuestro. En este caso, la estratagema diabólica se expresó a través de los líderes religiosos de ese tiempo, que acusaban a Jesús de actuar "por medio del príncipe de los demonios." Así, pues, el Rey, maravilloso en su enseñanza y poder, no puede producir convicción de fe en las mentes prejuiciosas, que tuercen sus acciones de amor para acreditárselas a aquel que vino a robar, matar y destruir a los seres humanos. Esto es una advertencia para cualquier persona religiosa que, por prejuicio o fanatismo, ignorancia o falta de fe, confunde la obra de Dios con la obra de Satanás. Este es el pecado de incredulidad o "pecado imperdonable" del que va a hablar ampliamente Jesús más adelante (12.24-32).

JESÚS SANA A UN MANCO (12.9-13)

Hay tres movimientos en el capítulo 12 y todos ellos tratan con el conflicto entre Jesús y los líderes judíos. El primero es el conflicto en cuanto al sábado (vv. 1-21); el segundo es el conflicto en cuanto a su poder (vv. 22-37); y, el tercero es el conflicto en cuanto a una señal (vv. 38-45). En relación con el primer conflicto, la discusión sobre el sábado, cabe destacar que se dio en dos contextos diferentes: uno ocurrió cuando "pasaba Jesús por los sembrados en sábado" (v. 1), y el otro cuando, "pasando de allí, entró en la sinagoga" (v. 9). En el segundo escenario, la curación del hombre con la mano paralizada, también era el día sábado y la sanidad ocurrió dentro de la sinagoga (¿de Capernaúm?)

Un hombre discapacitado (12.9-10a)

Jesús vino a la sinagoga y allí se encontró con un hombre "que tenía una mano paralizada" (vv. 9-10a). Dos cosas se destacan aquí: la presencia de Jesús y la presencia del hombre manco. El resto de la gente en el local pasó a un segundo plano, si bien hubo un reconocimiento inmediato de que, frente a la necesidad del paralítico o discapacitado, muy probablemente Jesús iba a hacer algo. A diferencia de los casos de ceguera, mudez o sordera, aquí estaba bien claro que la condición de esta persona no era psicológica (un posible cuadro histérico), sino física. La mano estaba atrofiada (gr. *xērán*, paralítica), no "seca" como traduce RVR (*hē xērá* se refiere a la tierra, ver Mt. 23.15). Para sanarlo, Jesús tenía que reconstruir su mano.

La situación de este discapacitado, como cualquier paralítico de todos los tiempos, era doblemente grave pues no podía trabajar, en un contexto donde el trabajo manual era fundamental. "Es fácil para nosotros pasar por alto la importancia vital de estas sanidades. Por supuesto, no había tal cosa como compensación por desempleo o seguro por discapacidad, y cualquier enfermedad invalidante que impidiera a una persona ganar su sustento planteaba dificultades imposibles, generalmente sobre la familia y los amigos, así como sobre el individuo."[13] No es extraño que Jesús se concentrara en sanar específicamente aquella parte del cuerpo que estaba deteriorada y que era tan necesaria y útil para este hombre, como era su mano (gr. *jeír*).

Una oposición discapacitada (12.10b-12)

Esta convicción y disposición sanadora de Jesús fue el disparador del desafío de sus enemigos, que permanentemente estaban buscando una oportunidad para atacarlo, y que le preguntaron (y desafiaron): "¿Está permitido sanar en sábado?" Había malicia detrás de la pregunta porque, como comenta Mateo, "buscaban un motivo para acusar a Jesús." Jesús ya se había pronunciado en cuanto al sábado con una declaración extremadamente atrevida y desafiante: "Sepan que el Hijo del hombre es Señor del sábado" (v. 8). Ahora ellos quieren recoger una evidencia más de su blasfemia y violación de la Ley.

Jesús responde a la pregunta de ellos formulando otra, que está fundada en la experiencia práctica (v. 11). Nótese que Jesús no dice "si alguno de ustedes *ve* una oveja ...," sino "si alguno de ustedes *tiene* una oveja ..." Jesús personaliza la cuestión e involucra los intereses económicos de sus oponentes. En otras palabras, si *tu* oveja se cae en un hoyo, la sacas

13. Kelsey, *Healing and Christianity*, 56.

porque es *tuya*. Tú eres dueño de tus ovejas, las cuidas y las rescatas. Con esto, Jesús da un giro radical a la discusión, y de la cuestión del sábado se enfoca en el hombre manco. Ahora no dice que él es el Señor del sábado, sino que él es el dueño de este hombre sufriente. "Este hombre manco me pertenece, y estoy aquí para rescatarlo, y para liberarlo de su discapacidad. Ustedes, que quieren condenarme, saben muy bien que por una oveja de su propiedad estarían dispuestos a violar el día de reposo, porque la oveja es suya. Entiendan de una buena vez, que la obra suprema del sábado es la de alcanzar a los oprimidos y liberarlos."

Todo el énfasis del argumento de Jesús está sobre el concepto de propiedad. Jesús no está justificando lo que está haciendo sobre la base de una autoridad arbitraria o caprichosa. Lo que él hace se funda en la necesidad real del hombre sufriente. Jesús no podía dejarlo con su mano paralizada, porque este hombre era suyo, era su creación. No obstante, a pesar de lo claro y directo de su argumento, sus opositores estaban discapacitados moral y espiritualmente para entenderlo y aceptarlo.

Un discapacitado sano (12.13)

Jesús sana al manco pidiéndole que haga lo que no podía hacer: extender la mano. La expresión "extiende la mano" (gr. *ékteinón sou tēn jeira*) puede referirse a que estirara el brazo, pero no parece que toda la extremidad superior estuviera comprometida con la parálisis, sino solamente la mano. De todos modos, el hombre fue desafiado por Jesús a hacer lo que, para él, hasta ese momento, había sido imposible. Y ocurrió la sanidad: la mano "le quedó restablecida, tan sana como la otra." Con un poco de imaginación uno puede pensar que este hombre levantó su mano y con su dedo índice señaló a los incrédulos fariseos, mientras éstos "salieron y tramaban cómo matar a Jesús" (v. 14). Seguramente estos opositores vieron muy bien lo que había ocurrido (Mr. 3.2), pero no había evidencias suficientes para ellos para dejar de atacar a Jesús como blasfemo y violador del sábado, y aceptarlo como el Mesías prometido. Así, pues, mientras el que había estado discapacitado disfrutaba de su mano sana, los fariseos se alejaron de la sinagoga con su corazón enfermo.

JESÚS SANA A UN ENDEMONIADO CIEGO Y MUDO (12.22-23)

Estos versículos se encuentran en el segundo movimiento de este capítulo (vv. 22-37), en relación con las maniobras de los enemigos de Jesús para acusarlo de un crimen terminal. Los vv. 22-23 presentan la ocasión del estallido de este segundo conflicto, que fue la liberación de un endemoniado. El diagnóstico general era que estaba endemoniado, y el demonio era el responsable de dos dolencias físicas: ceguera y mudez.

Un hijo del diablo (12.22)

En los días de Jesús se creía que toda enfermedad o condición física era el resultado del pecado de la persona sufriente o de la operación de toda suerte de demonios. No obstante, el relato bíblico es claro en señalar que las dos dolencias de este hombre (ceguera y mudez) eran consecuencia directa de su compromiso demoníaco. La ciencia moderna ha descalificado toda interpretación demonológica de esta situación, señalando que la ceguera y mudez de este hombre eran resultado de patologías físicas, y que tales cosas como entidades espirituales (demonios) no existen o deben ser interpretados de otra manera que como personas de existencia real. Esto que, hasta no hace mucho tiempo parecía una verdad indiscutible, ha sido altamente cuestionado por la práctica pastoral e incluso por los planteos científicos posmodernos y más recientes. Los demonios "no existen" hasta que uno los desafía, como hizo Jesús a lo largo de su ministerio, y se manifiestan.

El texto no nos explica la raíz del compromiso demoníaco de este hombre, pero sí es claro en marcar sus consecuencias: el hombre estaba ciego y era mudo. Sin aplicar conjuros ni un ritual de exorcismo, propios de aquel tiempo, "Jesús lo sanó" y el hombre "pudo ver y hablar." Jesús hacía esto permanentemente como parte de su ministerio mesiánico. Él no perdía su tiempo procurando desarrollar una teoría sobre el mal o una demonología, sino que echaba fuera a los demonios y sanaba integralmente a las personas. A los Doce les enseñó y ordenó que hicieran esto (10.7-8; Lc. 9.1), lo mismo a los setenta y dos discípulos (Lc. 10.1, 9, 17, 19), y éste fue también su mandato para toda la iglesia (Mr. 16.15-18), incluso hoy.

El Hijo de David (12.23)

El efecto producido por este milagro particular sobre la gente revela el significado real de las quejas y ataques de los fariseos. Cuando la gente vio lo que Jesús había hecho con este sufriente "se quedó asombrada." Pero más importante fue que muchos se preguntaban: "¿No será éste el Hijo de David?" lo cual era una sospecha fuerte de mesianismo por parte de una multitud que estaba perpleja. No es extraño, pues, que los fariseos quisieran desacreditarlo y borrarlo del mundo.

No fue esta la primera vez que se le atribuyó este título a Jesús. De hecho, él era descendiente de David (1.17) y tenía todo derecho legal para llamarse así. Las dudas e incertidumbres aparecían cuando el título "Hijo de David" era tomado como indicador de mesianismo (Jn. 7.25-36). Lo mismo ocurría con la diversidad de opiniones (22.41-46). Incluso, el título con esta connotación mesiánica ya había sido aplicado por los dos ciegos de 9.27, y lo mismo ocurrió más tarde con los dos ciegos y la multitud de Jericó (20.30-31), la mujer cananea (15.22) y la gente que salió a recibirlo cuando hizo su entrada triunfal a Jerusalén (21.9). La sanación del endemoniado por el Hijo de David era prueba suficiente de que él era el Mesías.

JESÚS SANA A MULTITUDES (15.29-31)

En los vv. 29-31 vemos a Jesús sanando multitudes. Mateo resume el contenido de Marcos (7.31-37), pues las sanidades eran mayormente de gentiles, pero declara que los gentiles "alababan al Dios de Israel" (v. 31). En un sentido, las sanidades que Jesús había obrado entre los judíos (9.1-8, 27-33) ahora las lleva a cabo entre gentiles, que terminan por glorificar al Dios de los judíos. Así, pues, Jesús bendice a los extranjeros, así como había bendecido a los de su propio pueblo.

Las multitudes (15.29-30)

El regreso de la región de Fenicia (Tiro y Sidón, 15.21) y la llegada a la costa oriental del mar de Galilea debe haber tomado varias semanas, si no meses. Esto le permitió a Jesús dedicar tiempo a la enseñanza de sus discípulos de manera más privada, lo cual no está registrado en ninguna parte. Mateo sí registra que tan pronto como llegó a Galilea "subió a la montaña y se sentó." Seguramente, hizo esto para continuar con su enseñanza al grupo de discípulos que lo acompañaba. Los rabinos buscaban lugares tranquilos donde enseñar a sus discípulos y se sentaban para enseñar las Escrituras. Jesús hizo uso frecuente de esta práctica docente (13.1; 23.2 nota; Mr. 9.35; Lc. 2.46; 4.20; 5.3; Jn. 6.3). Esta no fue la primera vez que Jesús hizo esto (5.1). Pero en este caso, las multitudes se acercaron rápidamente, pero no para escuchar la enseñanza de Jesús, sino para llevarles a todos los enfermos de la región.

¿Quiénes integraban estas "grandes multitudes"? En todas las márgenes del mar de Galilea, pero especialmente en la costa oriental, que Marcos denomina como Decápolis (Mr. 7.31), en la tetrarquía de Herodes Felipe, había muchos asentamientos no judíos. Esto significa que Jesús se encontraba en una región altamente helenizada, de modo que posiblemente la mayor parte de las personas que se le acercaron con sus necesidades físicas eran gentiles. Seguramente por esto, ante la evidencia del poder divino que operaba en Jesús para sanidad, ellos "alababan al Dios de Israel." Es interesante recalcar esto, pues si es así, tendríamos aquí un ejemplo del ministerio de Jesús a los gentiles. Lo maravilloso, precisamente, de este pasaje es la manera en que Jesús, lleno de compasión y misericordia, atendió las necesidades inmediatas de aquellos que no figuraban en la lista de los "preferidos de Dios." En esto vemos un anticipo de lo que es un aspecto central del evangelio cristiano, y que queda ilustrado inmediatamente en el episodio de la alimentación de los cuatro mil: delante del Mesías todos los seres humanos son iguales y todos son destinatarios de la provisión divina (15.32-39).

Las sanidades (15.31)

Sorprende la lista de dolencias que registra Mateo: "cojos, ciegos, lisiados, mudos y muchos enfermos más." El catálogo de enfermedades es una fotografía del estado sanitario de cualquier región o ciudad en Palestina en los días de Jesús. Pero también muestra la cantidad de personas que fueron atendidas y la variedad de patologías que fueron sanadas.

> **Pablo A. Deiros:** "Jesús hizo de su ministerio de sanidad una cuestión central en su ministerio. Los Evangelios indican una cantidad más bien

> numerosa de personas que recibieron todo tipo de sanidad de parte de Jesús. Aparte de sanidades individuales, hay también diecinueve incidentes en los primeros tres Evangelios en los que se dice que un buen número de personas fueron sanadas, sin dar demasiados detalles en cuanto a los tipos particulares de enfermedad que fueron atendidos. Muchos pasajes simplemente dicen que Jesús sanó 'diversas enfermedades' o que 'él puso las manos sobre cada uno de ellos [los enfermos] y los sanó' (Lc. 4.40). Estas sanidades fueron una parte esencial del ministerio e identidad de Jesús. Son propias de él y están inseparablemente ligadas a él como Salvador y Señor, y son evidencia de la presencia del reino de Dios en él. Si bien la enfermedad y la muerte son reales, ambas pueden ser vencidas por el poder de Dios en Cristo, con el resultado de que las personas pueden ver su gloria y experimentar su reino."[14]

El texto dice que la gente de las multitudes "llevaban" a las personas enfermas hasta Jesús. El verbo gr. *érripsan* (aoristo de *hríptō*) es fuerte o intensivo y significa literalmente arrojar, echar (abajo) o poner. En su desesperación, la gente traía a sus enfermos y los echaban a los pies de Jesús (gr. *kai érripsan autous para tous pódas autou*). No hacían esto por descuido o falta de sensibilidad, sino por urgencia y desesperación, porque eran demasiados los que necesitaban ser atendidos por Jesús.

Esta operación terapéutica en masa puso en evidencia la debilidad y mentira de los dioses gentiles, que no pudieron hacer nada por mejorar la situación de tanta gente. Por el contrario, al sanar a todos los enfermos que le fueron traídos de emergencia, Jesús demostró que el Dios de Israel era el verdadero y único Dios, y que él era su Mesías. El poder que operaba en Jesús para sanar no era tampoco el del Dios de los fariseos o de la religión del viejo pacto, sino el del Dios del Nuevo Israel que se estaba revelando en el ministerio compasivo de Jesús.

---

14. Pablo A. Deiros, *La iglesia como comunidad terapéutica* (Buenos Aires: Certeza Argentina, 2009), 95-96.

JESÚS SANA A DOS CIEGOS EN JERICÓ (20.29-34)

En los vv. 29-34 se nos refiere que Jesús sanó a dos ciegos cerca de Jericó. Esta ciudad se encontraba sobre el río Jordán y a unos 25 Km. al noreste de Jerusalén. El camino hacia la gran ciudad era empinado ya que en un tramo tan corto había que escalar más de 1.000 mt. Si bien no se puede comparar a Jericó con Jerusalén, la pequeña ciudad era muy floreciente en tiempos de Jesús. Es probable que Jesús llegara a ella desde el este y cruzara por los vados del río Jordán vecinos a esta ciudad. Jericó era su última escala antes de llegar a la gran ciudad que Herodes el Grande había embellecido con grandes obras.

Mateo menciona a dos ciegos en Jericó, mientras que Marcos y Lucas mencionan uno solo, y Marcos lo nombra dando detalles (10.46-52). O bien Mateo no es claro en la información o Marcos se concentra en el más conocido de los dos ciegos. Otra contradicción está en que, según Mateo y Marcos, Jesús y sus discípulos salían de Jericó (gr. *apo Iereijō*), mientras que Lucas (Lc. 18.35) dice que se acercaban o venían a Jericó (gr. *eis Iereijō*). Probablemente la curación ocurrió cuando Jesús salía de la vieja Jericó y se acercaba a la nueva Jericó, construida por Herodes el Grande a poca distancia. Otra posibilidad es que los ciegos hicieron su súplica cuando Jesús se aproximaba a la ciudad, pero no fueron sanados sino hasta la mañana siguiente, cuando Jesús salió de la misma (ver Mt. 15.23-28; Mr. 8.22-26). Todos los Sinópticos coinciden en señalar que un ciego en Lucas, Bartimeo en Marcos, o los dos ciegos en Mateo estaban "sentados junto al camino" (gr. *kathēmenoi para tēn hodon*) y que le gritaron a Jesús cuando pasaba junto a ellos. En los tres Evangelios el grito es el mismo: "¡Hijo de David, ten compasión ..." Además, Mateo dice que Jesús tocó sus ojos (v. 34), mientras que Marcos y Lucas no dicen esto, pero agregan varios otros detalles. Tres cosas se destacan en la versión de Mateo.

Una gran multitud (20.29, 31a)

Una "gran multitud" es una pluralidad de personas reunida más o menos fortuitamente, pero que reacciona como un todo ante un determinado estímulo suficientemente fuerte. Lo característico de su comportamiento es que en ella se da una especie de mutuo contagio (*rapport*), en virtud del cual todos y cada uno reaccionan espontáneamente y de manera favorable a los sentimientos de los demás. Una multitud es siempre una masa, mientras que una masa de individuos no es necesariamente una multitud. Por ello, una multitud es caótica, inestable, desordenada y susceptible de ser impulsada emocionalmente.

La multitud seguía a Jesús (v. 29). Mateo llama la atención del lector al hecho de que Jesús era seguido por "una gran multitud" mientras salía de Jericó con sus discípulos para ir a Jerusalén. Una multitud es una agregación física y compacta de seres humanos llevados a un contacto directo temporal y no organizado, que en su mayoría reaccionan ante los mismos estímulos y de una manera semejante. El ministerio de Jesús estuvo rodeado de multitudes que oyeron sus enseñanzas (Mt. 5.1-2; 15.10-11) y fueron testigos de sus milagros (14.15-21; 15.29-39; 19.1-2; 20.29-34). Jesús tuvo compasión por las multitudes llenas de necesidades sentidas (Mt. 9.26; 14.14). Estas multitudes celebraron su ingreso triunfal en la ciudad de Jerusalén y lo confesaron como profeta (Mt. 21.8-11). Lamentablemente, quizás fue ésta la misma multitud en Jerusalén la que lo rechazó (Mt. 27.20) y reclamó a gritos su muerte (Mt. 27.21-23). La "gran multitud" de Jericó no era una excepción a la regla.

La multitud reprendía a los ciegos (v. 31a). Mientras los dos ciegos sentados junto al camino clamaban al Señor apelando a su compasión para que los sanara, la "gran multitud" los reprendía para que se callaran. Probablemente no querían que estos dos pordioseros marginales interrumpieran la peregrinación triunfal de Jesús hacia Jerusalén o lo distrajeran de hacer otros milagros entre ellos. Pero ellos insistieron y Jesús "se detuvo y los llamó." Esto es muy interesante porque ni sus discípulos ni la multitud eran conscientes de su misión mesiánica, y de que su ida a Jerusalén era para cumplir con esa misión entregando su vida por la humanidad. Sin embargo, estos dos ciegos con su grito parecían estar predicando el evangelio del reino. Estos dos ciegos tenían una comprensión del reino y del Rey más clara, que la que tenían sus discípulos y la gran multitud que lo seguían.

Un par de ciegos (20.30, 31b)

Fue andando su camino de salida de Jericó, que Jesús se encontró con los dos ciegos a la vera del camino. Estaban en gran necesidad y arriesgaron todo para solucionar su problema. Oyeron la gritería de la multitud que acompañaba a Jesús y se dieron cuenta de que esa era su única oportunidad de apelar a él para que los sanara. Seguramente habían oído de Jesús y de sus muchos milagros. Quizás, incluso, de sus sanidades a otros ciegos. Sus ojos estaban cerrados, pero sus oídos estaban bien abiertos, no sólo para oír los testimonios del poder sanador de Jesús, sino también lo que de él se decía: que era el Mesías prometido, el Hijo de David. Si el grito desesperado de ellos fue el resultado de su fe es algo que no sabemos, pero sí fue resultado de su esperanza: "¡Señor, Hijo de David, ten compasión de nosotros!" Nótese el tono mesiánico de su exclamación.

Un Jesús compasivo (20.32-34)

Nuevamente podemos ver en acción la actitud que movía a Jesús a obrar. Cada una de sus acciones estuvo saturada de amor por los sufrientes. Primero, "Jesús se detuvo." ¡Qué diferencia notable con los más encumbrados líderes religiosos de todos los tiempos, que sólo se detienen en su carrera cuando están comprometidos sus intereses personales! Segundo, "Jesús los llamó." Ellos no podían verlo a él, pero él sí los veía a ellos, y los identificó y particularizó con su llamado. Tercero, Jesús no les preguntó que les pasaba o cuál era su necesidad, sino directamente "¿Qué quieren que haga por ustedes?" Nuevamente, ¡qué contraste con tantos líderes actuales que esperan ser servidos antes que servir? Cuarto, "Jesús se compadeció de ellos y les tocó los ojos" (gr. *hēpsato tōn ommátōn*). El vocablo gr. *ommátōn* (ojos) es sinónimo de *ofthalmōn* en Marcos 8.25.

El resultado es lo que se ha repetido una y otra vez a lo largo de los siglos, cada vez que Jesús actúa como redentor: "Al instante recobraron la vista y lo siguieron." Otra vez vemos en operación la terapia del toque. El verbo gr. *haptomai* (tocar) es muy común en los Evangelios Sinópticos, y generalmente se aplica al método de Jesús para curar todo tipo de enfermedades: hacer contacto físico con el sufriente. El toque de la mano de Jesús debe haber servido para suavizar los ojos mientras eran curados. Pero, sobre todo, este gesto sirvió para afirmar la fe de ellos, expresar el afecto de Jesús y romper con los prejuicios religiosos de los testigos circundantes y su temor visceral a la contaminación. La sanidad de estos hombres fue instantánea. Lo primero que ellos pudieron ver fue al Rey y lo primero que hicieron después de verlo fue seguirlo como sus discípulos en su camino hacia la cruz.

CAPÍTULO 9

SU MINISTERIO DE MILAGROS

8.23-27; 11.20-24; 14.13-36; 15.21-28, 32-39; 17.14-21; 21.18-22

La palabra griega para milagros es *dúnamis* (obra de poder, milagro), que literalmente significa "poder." Se trata de la manifestación de un poder que no obedece a ninguna ley física o natural conocida. Es un suceso espiritual y sobrenatural producido por el poder de Dios, un prodigio, una maravilla, una señal (Hch. 2.22; He. 2.4). Es un evento que parece desafiar toda explicación racional, involucra la superación de las leyes naturales conocidas o la intrusión de lo sobrenatural en el reino de lo natural, y es atribuido a la intervención divina. Es un acto sobrenatural en el plano natural. La conversión es también un acto sobrenatural, pero en el reino de lo espiritual, y por eso no es propiamente un milagro.

El milagro es siempre un acto de poder que opera sobre las leyes que rigen la naturaleza. Una ilustración de esto la encontramos en el caso de Elimas, quien quedó ciego bajo la palabra de Pablo (Hch. 13.8-12). Así, el milagro es un acontecimiento de poder sobrenatural, palpable a los sentidos, que acompaña al siervo del Señor para autenticar la comisión divina. En el sentido de un evento que es incomprensible, lo que es milagroso para una edad se torna a veces en lugar común para otra. No obstante, si Dios es soberano de toda la creación, es lógico suponer su libertad y poder de intervenir en ella.

Jesús apoyó y confirmó su predicación con milagros para excitar y robustecer la fe de los oyentes, pero no para ejercer coacción sobre ellos. Él y los apóstoles realizaron milagros con el propósito de dar un testimonio divino a favor de la verdad del evangelio cristiano y así acreditarlo ante la gente (Hch. 14.3; 2 Co. 12.12; He. 2.4). Lo mismo debe hacer la iglesia hoy. Los milagros son una confirmación de que el reino de Dios ya llegó a la tierra. Un milagro es un fenómeno observable llevado a cabo por la operación directa del poder de Dios, una desviación impresionante de las secuencias ordinarias de la naturaleza, desviación calculada para producir un asombro que provoque la fe, una irrupción divina que autentica a un agente de revelación. Se podría decir simplemente que un milagro es una interferencia en la naturaleza por parte del poder sobrenatural de Dios.

Los Evangelios Sinópticos y Juan narran numerosos milagros llevados a cabo por Jesús. En un sentido lato, la lista incluye los siguientes sucesos sobrenaturales, entre otros: Jesús pasa por en medio de una multitud airada (Lc. 4.28-30); la pesca milagrosa (Jn. 5.1-11); el hijo de una viuda es resucitado (Lc. 7.11-15); Jesús calma una tempestad (Mt. 8.23-27; Mr. 4.37-41; Lc. 9.22-25); Jesús alimenta a cinco mil personas (Mt. 14.15-21; Mr. 6.35-44; Lc. 9.12-17; Jn. 6.5-13); la oreja de Malco es curada (Jn. 22.50-51); un estatero aparece en la boca de un pez (Mt. 17.24-27); Jesús transforma el agua en vino (Jn. 2.1-11); Lázaro es resucitado (Jn. 11.1-44); la segunda pesca milagrosa (Jn. 21.1-11); Jesús camina sobre el mar (Mt. 14.25; Mr. 6.48-51; Jn. 6.19-21); Jesús libera a la hija de la mujer cananea (Mt. 15.21-28; Mr. 7.24-30); Jesús alimenta a cuatro mil personas (Mt.15.32-38; Mr. 8.1-9); una higuera se seca (Mt. 21.18-22; Mr. 11.12-26). La lista no se agota con estos ejemplos.

Jesús afirma: "Se me ha dado toda autoridad en el cielo y en la tierra" (Mt. 28.18). El Cristo resucitado y vivo no nos dice que él tiene toda autoridad y poder tan sólo para nuestro interés e información. ¿Acaso un hombre rico le mostraría a un pobre e indigente su abultada billetera sin darle siquiera una moneda? ¡Por cierto que no! Del mismo modo, Jesús nos habla de su poder ("toda autoridad," gr. *exousía*) porque todo lo que él tiene está al alcance de sus hijos. Todo el poder que obró en Jesús mientras él ministró en este mundo, está a nuestra disposición. Él prometió: "Cuando venga el Espíritu Santo sobre ustedes, recibirán poder (gr. *dúnamin*) y serán mis testigos" (Hch. 1.8). Él ya cumplió con su promesa. Y la tarea que él nos ha ordenado llevar a cabo en el mundo requiere de la operación del mismo poder milagroso que obró en él. Si alguna vez una misión demandó de poder milagroso, ésa es la misión que Jesús nos ha confiado.

Así, pues, junto con las sanidades que hizo, los milagros que obró fueron el sello más distintivo del ministerio de Jesús. El enfoque de Mateo sobre los milagros de Jesús es muy particular. Mateo combina los milagros con las enseñanzas, y la imagen de Jesús como Señor (gr. *kúrios*) y Maestro (gr. *didáskalos*). Junto al poder de su palabra (gr. *exousía*) aparece el poder de sus milagros (gr. *dúnamis*). Además, Mateo ve la divinidad de Jesús no tanto en su praxis (como hace Marcos), sino en su presencia personal. En su Evangelio, los milagros remiten a Jesús porque apuntan al poder trascendente de su persona. Su presencia misma es el mayor milagro. Finalmente, la fe es un elemento que entra en la escena del milagro, pero no es una profesión doctrinal ni universal, sino confianza en la bondad y el poder de Jesús (por ejemplo, "¿Creen que puedo sanarlos?" 9.28). El reproche a la falta de fe (confianza, gr. *thársei*) es casi exclusivo de Mateo (ver Mt. 6.30). De esa manera, el milagro ocurre cuando la fe está en operación. Por eso, Mateo prefiere cambiar la frase probable de Jesús "tu fe te ha salvado," por la que afirma "todo se hará como creíste" (8.13; 9.29; 15.28). Sea como fuere, Mateo deja bien en claro que detrás de cada milagro está el Rey obrando con su *dúnamis*. El énfasis es ciento por ciento cristológico.

JESÚS CALMA UNA TORMENTA (8.23-27)

Los vv. 23-27 narran un gran milagro de Jesús. Todo este párrafo es una versión abreviada de Marcos 4.36-41. Los relatos de tormentas y naufragios han circulado de manera oral por milenios y han llenado páginas de literatura desde que existe la escritura. De hecho, el repertorio judío de este tipo de historias, incluyendo la salvación milagrosa de los navegantes afectados por una tormenta, es abundante (Sal. 18.16-17; 42.6-7; 65.7; 69.1-2; 107.28-30), siendo la más recordada la experiencia del profeta Jonás (Jon. 1—2). Así, pues, la Biblia menciona ciertas tempestades notables y terribles (Gn. 19.24; Ex. 9.23; Jos. 10.11; Hch. 27.18, 20).

La barca (8.23)

Los Evangelios Sinópticos mencionan frecuentemente el ministerio de Jesús relacionado con una barca. En la tradición cristiana, la barca se ha transformado en un símbolo de la iglesia. Los viajes de Jesús a través del mar de Galilea (Mr. 4.35; 5.1-21; 6.32, 45, 53; 8.10, 14) presentan el mínimo común denominador de experiencias de iluminación para los discípulos, en términos de una creciente comprensión de quién era Jesús y para qué había venido a este mundo. En este caso, "la barca" fue el medio de transporte necesario para trasladarse de un lado del mar de Galilea al otro, desde la costa occidental a la oriental. Pero no por ello dejó de ser un instrumento significativo para una gran lección de Jesús a sus discípulos. La "barca" probablemente pertenecía a Pedro o a los hijos de Zebedeo, y estaba siempre lista para servir a Jesús, especialmente cuando necesitaba trasladarse a algún lugar apartado para descansar (Mr. 4.35-36).

La tormenta (8.24-25)

Las tormentas como ésta (v. 24) son comunes en el mar de Galilea en razón de estar muy por debajo del nivel del mar (-190 mt.) y rodeado de colinas. Esto hace que el viento procedente del monte Hermón se embotelle cuando sopla en dirección norte-sur y genere fuertes tormentas y oleaje. Generalmente estas tormentas son repentinas, como en este caso ("de repente se levantó en el lago una tormenta"). En tiempos de Jesús, estas tormentas tomaban de sorpresa a los navegantes, mayormente pescadores, aun cuando la navegación era mayormente costera. Las barcas no eran muy grandes ni estables, y se impulsaban con remos y especialmente con una vela. De todos modos, la tormenta que sorprendió a Jesús y sus discípulos fue muy fuerte. El vocablo gr. que se traduce como "tormenta" (*seismos*) es literalmente terremoto o sismo, y el texto la califica como "fuerte" (gr. *mégas*, grande), lo que destaca su carácter repentino y violento. Marcos y Lucas (Mr. 4.37; Lc. 8.23) usan el vocablo gr. *lailaps* (tempestad, huracán), que se puede traducir como "ráfaga furiosa."

Para los hebreos el mar era sinónimo de caos y en general le tenían una gran aversión al agua, especialmente cuando eran olas encrespadas y sacudidas por el viento. De hecho, los hebreos nunca fueron grandes navegantes y no se animaban a ir mar adentro. Le tenían un gran respeto al mar y cuando éste se embravecía con una tormenta, su consciencia de fragilidad y vulnerabilidad frente al mismo se incrementaba en grado exponencial. La angustia crecía cuando parecía haber más agua adentro de la barca que afuera ("las olas inundaban la barca"). En el caso del episodio que narra este párrafo, la barca parecía hundirse, mientras Jesús dormía profundamente. El texto dice que "estaba dormido" (gr. *ekátheuden*) profundamente, porque evidentemente estaba agotado, muerto de cansancio. El verbo gr. *katheúdō*, según el contexto se traduce como "dormir" o "estar muerto" (1 Ts. 5.10).

El milagro (8.26-27)

Mateo se ocupa de mostrar que la acción de Jesús es similar a la acción de Dios. Sólo Dios puede calmar tormentas terribles (Sal. 89.8-9). Con el milagro que narra este pasaje, Jesús muestra que el poder que opera en él es el mismo poder del Creador sobre su creación. Esto es lo que finalmente aprenderían los discípulos de esta experiencia dramática en esta excursión naval: "¿Qué clase de hombre es éste, que hasta los vientos y las olas le obedecen?" Marcos, seguramente bien informado por Pedro, que quizás era el dueño de la barca, ofrece más detalles sobre la situación a bordo. Pero los tres Sinópticos coinciden en subrayar la desesperación de los discípulos, que fueron a despertar a Jesús a los gritos: "¡Señor, sálvanos, que nos vamos a ahogar!" El vocablo "sálvanos" (gr. *sōson*) es el mismo que se usa para salvar del pecado y su condenación, y sanar de una dolencia. Aquí el verbo es un aoristo, con lo cual se trata de una acción puntual y urgente ("sálvanos ya"), mientras que "nos vamos a ahogar" es un presente linear ("nos estamos ahogando"). ¡Expertos marineros (pescadores) recurrieron a un carpintero de tierra firme para que los salvara del hundimiento (v. 25)! Los discípulos reaccionaron a lo que parecía ser cierta indiferencia o descuido por parte de Jesús (Mr. 4.38). Jesús se despertó y respondió a la emergencia de dos maneras.

Jesús reprende a los discípulos (v. 26a). La expresión de Jesús suena como un tanto dura. Sin mediar una frase introductoria, Jesús los amonestó: "Hombres de poca fe" (gr. *oligópistoi*). Aquí "fe" (gr. *pístis*, fe, confianza, creencia) es confianza en Dios (Ro. 4.20). Y ante la emergencia, los discípulos demostraron tener una confianza muy pobre y escasa (gr. *olígos*, poco). Aquí el Rey perfecto reprende a los súbditos imperfectos; el Maestro que perfecciona disciplina a los discípulos perfectibles. Ellos son hombres, algunos avezados en el mar, pero todos haciendo frente a un meteoro increíble que los llenó de temor. Como suele ocurrir en las situaciones límites y más peligrosas de la vida humana, en momentos así sale a relucir la firmeza de espíritu o las debilidades escondidas, que ponen en evidencia nuestra fragilidad humana.

La poca fe de ellos resultó del miedo que los asaltó. El temor debilita la fe y da lugar al diablo. El problema de los discípulos es que se llenaron de temor a pesar de que estaban junto a Jesús, quien, aunque estaba dormido profundamente, no dejaba de velar por ellos. Todavía no habían entendido que mientras estuvieran llenos del amor de Jesús, el temor no iba a encontrar lugar en sus corazones; todavía no habían sido "perfeccionados en el amor" (1 Jn. 4.17b-18). De esta manera, el temor que los desbordó fue una revelación de la debilidad de su fe, que, a su vez, reveló su condición plenamente humana y frágil.

Jesús reprende a la tormenta (v. 26b-27). Así como la tormenta reveló la condición humana de los discípulos, esa misma tormenta sirvió para revelar la condición divina de Jesús. La desesperación de los discípulos fue la oportunidad para la manifestación del poder redentor y la autoridad soberana del Mesías.

El poder de Jesús. Jesús se revela como el Creador que tiene el control de su creación. Las olas y los vientos están bajo sus órdenes. Él es el Señor de sus seguidores, pero también es el Señor de su creación. Por esto mismo, podía dormir tranquilo mientras a su alrededor el mundo natural parecía venirse abajo. Los elementos en la naturaleza están sujetos a él por su poder creador. Él tiene el poder de poner orden en el caos, tal como lo hizo desde el primer momento de la creación a través de su Espíritu (Gn. 1.1-2). Los discípulos todavía no podían entender esto, y su maravilla era porque Jesús podía controlar el clima y los elementos naturales ("a los vientos y a las olas"). Él es el Creador y no la criatura; él es el Hijo del Hombre y no un mero hombre. Frente a tal revelación de quién era, "los discípulos no salían de su asombro." No es extraño, pues, que se preguntasen: "¿Qué clase de hombre es éste, que hasta los vientos y las olas le obedecen?"

La autoridad de Jesús. Mateo omite las palabras de reprensión de Marcos ("¡Silencio! ¡Cálmate!" Mr. 4.39a). Jesús les habla a las olas y los vientos como si fuesen espíritus destructivos con capacidad de liquidar al ser humano. Es posible ver este episodio no sólo como un fenómeno natural, sino también como un evento sobrenatural. Esto significa que es posible hacer una interpretación espiritual de lo sucedido, tal como parece haberla hecho Jesús mismo. En este sentido, el uso del verbo "reprendió" (gr. *epetímēsen*, de *epitimáō*, reprender; ordenar, mandar; exigir severamente) es el mismo que se registra en relación con la reprensión y expulsión de demonios (17.18; Mr.1.25; 3.12; 8.33; 9.25; Lc.4.35, 39, 41; 9.42). Las órdenes dadas, según Marcos, son típicas del trato de Jesús con las personas demonizadas. Es interesante notar, a su vez, que la calma que siguió a la reprensión es equivalente a la calma que experimentaron los endemoniados del episodio siguiente al ser liberados por Jesús, según los relatos de Marcos y Lucas (Mr. 5.15; Lc. 8.35).

El temor que sintieron los discípulos, a pesar de que seguramente habían pasado por varias tormentas como ésta, es el resultado directo de la obra de Satanás. De allí que son los malvados los que se llenan de un espíritu de temor (Job 15.24; 18,11). Además, la falta de fe o el debilitamiento de su fe no parece haber sido anterior al suceso, sino que la perdieron o la vieron disminuida ante el mismo (Lc. 8.25). La tormenta no era un fenómeno provocado por fuerzas de la naturaleza, sino por fuerzas espirituales de maldad. Por eso Jesús "reprendió a los vientos y a las olas." No era un problema de meteorología, sino de guerra espiritual, de choque de poder, y de ejercicio de la autoridad espiritual. Ante su orden "todo quedó completamente tranquilo." Como señala James Kallas: "Si el lenguaje de algún modo significa algo, parece que Jesús consideró esta tormenta ordinaria en el mar, este evento ordinario de la naturaleza, como una fuerza demoníaca, y él la sofocó."[1]

1. James Kallas, *The Significance of the Synoptic Miracles* (Greenwich, CN: Seabury Press, 1961), 65.

JESÚS HACE MUCHOS MILAGROS (11.20-24)

La denuncia de los vv. 20-24 sobre las ciudades no arrepentidas aparece en Lucas inmediatamente después de la misión de los Setenta y Dos (Lc. 10.12-15). Jesús ya está en su viaje final a Jerusalén y no regresará más a estos lugares. Estas ciudades han perdido su última oportunidad. El pensamiento en aquel tiempo era que quien hacía milagros tenía una conexión especial con Dios. Estas ciudades demostraron ser tan paganas, que incluso desecharon esta señal que les fue hecha. Dos cuestiones se destacan en este párrafo.

Indiferencia (11.20-21)

Corazín estaba probablemente en un lugar a una hora de viaje al norte de Capernaúm. Sólo se la menciona aquí y en Lucas 10.13. Betsaida era una villa pesquera, en la costa occidental del Jordán. Algunos piensan que era un barrio portuario de Capernaúm. No hay un registro de lo que Jesús hizo en estas ciudades. Este es un ejemplo interesante del hecho de que los Evangelios Sinópticos no presentan todos los hechos y enseñanzas de Jesús, sino algunos cuidadosamente seleccionados (ver Jn. 21.25). Es probable que la incredulidad y no arrepentimiento de estas poblaciones sea la razón principal de tal vacío.

La expresión "¡Ay de ti!" traduce el vocablo gr. *ouaí*, que expresa pena, dolor al punto de traer enojo, pero el enojo de un corazón quebrantado por el dolor. ¿Cuál fue el pecado de estas ciudades? Fue el pecado de las personas que olvidan las responsabilidades del privilegio. Ellas tuvieron y oyeron a Jesús, y no sólo esto, sino que, según Mateo, fue en ellas donde Jesús hizo "la mayor parte de sus milagros." Y repite dos veces este hecho. El uso del superlativo (gr. *hai pleistai dunámeis autou*) destaca la abundancia de milagros que se hicieron. Y éstos no fueron meros fenómenos sobrenaturales, ya que el gr. *dúnamis* (vv. 20 y 21) conlleva la idea del despliegue de un gran poder (¡como el de la dinamita!) Hay otras palabras que se pueden traducir como "milagro" en el Nuevo Testamento, pero *dúnamis* es la más poderosa.[2] Lo ocurrido con Corazín y Betsaida deja bien en claro que la fórmula que hoy sostienen algunos, de que a más milagros mayor cantidad de conversiones, no funciona. Por lo menos, no es esto lo que ocurrió con el tremendo ministerio milagroso de Jesús en estas dos ciudades de Galilea.

Su pecado no fue principalmente la incredulidad, sino el pecado de la indiferencia. No lo atacaron a Jesús, pero fueron indiferentes a su apelación a arrepentirse y aceptar el reino de Dios. Y así estamos cara a cara con una gran verdad conmovedora: también es un pecado no hacer nada. "Nunca hice nada" es un pecado grave, lo mismo que "Yo no me meto" o "Yo no opino." Como bien dijera el teólogo Harvey Cox: *Not to decide is to decide* ("No decidir es decidir"). Es típico de la modernidad que cada uno haga lo que quiera y crea lo que quiera, sin pensar en las consecuencias. Cada uno tiene su verdad y la Verdad absoluta no existe. Fácilmente esta cosmovisión lleva a la indiferencia, que es tan característica de nuestros días. Jesús condenó terminantemente esta actitud, especialmente hacia él y su reino.

Juicio (11.22-24)

No era la práctica de Jesús ejecutar el juicio divino sobre las personas o ciudades que rechazaban sus acciones y mensajes del reino. Él se resistió a tal práctica, por más que algunos de sus discípulos, como Jacobo y su hermano Juan (los hijos del trueno, Mr. 3.17) esperaban que hiciera esto (Jn.) El pasaje menciona dos juicios por parte de Jesús.

El juicio histórico. El primer juicio es el inmediato, que surge del hecho palmario del rechazo de Corazín y Betsaida que no se arrepintieron ante la magnitud de los milagros hechos por Jesús en ellas. Esta condenación es el resultado inmediato de la sentencia de Jesús frente a la actitud de esta

2. La palabra *téras* es maravilla, portento, prodigio, *miraculum* (milagro) como en Hechos 2.19. Aparece sólo en el plural y siempre con *sēmeia*. La palabra *sēmeîon* significa señal (Mt. 12.38) y es frecuente en el Evangelio de Juan, así como la palabra *érgon* (obra, tarea), como en Juan 5.36. Otras palabras similares son *parádoxos*, de donde viene paradoja, algo extraño, increíble o maravilloso (Lc. 5.26); *éndoxos*, algo glorioso, grandioso (Lc. 13.17); y *thaumastós*, maravilloso, asombroso (Mt. 21.15).

gente: “no se habían arrepentido.” La comparación con Tiro y Sidón es un golpe de efecto para destacar la gravedad de la indiferencia de estas ciudades judías, y su mención opera como contraste agudo, ya que eran ciudades paganas y gentiles. Dada la cantidad de milagros asombrosos de Jesús en las ciudades galileas, probablemente al comienzo de su ministerio allí (alrededor de Capernaúm), “ya hace tiempo que se habrían arrepentido con muchos lamentos.” La nota temporal muestra que no sólo fueron testigos de muchísimas acciones poderosas de Jesús, sino que tuvieron tiempo suficiente para convertirse, es decir, volverse de sus pecados y cambiar su conducta. La expresión “con muchos lamentos” (gr. *en sákkōi kai spodōi*) es literalmente “en saco y ceniza” o “cilicio y ceniza,” la manera tradicional de expresar un arrepentimiento y lamento profundo (Est. 4.1, 3; Job 2.8; 42.6; Is. 58.5; Jer. 6.26; Dn. 9.3; Jon. 3.6; Lc. 10.13).

El juicio eterno. Jesús hace referencia a este juicio divino al mencionar “el día del juicio” (v. 22). Este juicio venidero es inapelable y, a diferencia del histórico, es final y definitivo, es decir, no tiene oportunidades nuevas. En consecuencia, el “castigo” es terrible y mayor. La falta de arrepentimiento agotará los plazos de la paciencia divina y la sentencia del castigo eterno se cumplirá inexorablemente y con todo su rigor. La misma suerte correrá para Capernaúm. Algunos de los milagros que Jesús hizo en esa ciudad están registrados en los Sinópticos. Es probable que, por su prosperidad material, su cosmopolitismo, su desarrollo cultural helenista la población de esta ciudad se haya considerado privilegiada ante los ojos de Dios (como “levantada hasta el cielo”). Sin embargo, en razón de su incredulidad y rechazo del Mesías, Capernaúm iría a parar al “abismo” (gr. *háidou*, Hades; ver Lc. 16.23). Jesús aplica aquí a Capernaúm el juicio que Isaías había lanzado contra Babilonia (Is. 14.13-15). Este es el lugar de los muertos (en he. *Sheol*), un lugar oscuro y de olvido total. En este caso la comparación no es con ciudades gentiles y paganas, sino con ciudades de la historia sagrada, pero que se destacaron por su rebeldía y pecado, como Sodoma (y Gomorra). Nótese que su desaparición del escenario histórico es atribuida al castigo divino. En ese sentido, Capernaúm también desapareció del escenario histórico y hoy sólo quedan algunas piedras y ruinas de lo que fue una gran ciudad. No obstante, Capernaúm, al igual que Sodoma, está a la espera del juicio final y eterno.

JESÚS ALIMENTA A CINCO MIL (14.13-21)

En los vv. 13-21, Jesús alimenta nada menos que a más de cinco mil personas. Esta es la primera vez que el relato de Mateo corre paralelo con el de Juan (Jn. 6.1-13), en donde Jesús es presentado como "el pan de vida." En realidad, es el único milagro que está registrado en los cuatro Evangelios. Se trata de un milagro en la esfera natural (milagro de creación), y es imposible pretender explicarlo de otra manera que no sea aceptar por fe que Jesús es en verdad el Señor del universo, como afirma Juan (Jn. 1.1-18) y como sostiene Pablo (Col. 1.15-20). El pasaje destaca cuatro necesidades.

La necesidad de Jesús (14.13)

Según Mateo, Jesús se retiró para escapar de los dominios de Herodes Antipas, que acababa de ordenar la decapitación de Juan el Bautista (vv. 1-12). "Cuando Jesús recibió la noticia" de lo ocurrido (v. 13) procuró irse lo más lejos posible de la región, pero no lo hizo por cobardía. Jesús no le tenía miedo a Herodes, a quien había desafiado con firmeza (Lc. 13.31-33). El Rey verdadero no tenía por qué huir del rey falso. Más bien, Jesús se retiró por prudencia, ya que su hora todavía no había llegado. Además, según Marcos (6.30-32) y Juan (6.2-3), él se retiró para evitar a las multitudes y poder descansar. Es importante reconocer la humanidad plena de Jesús en el hecho de su cansancio físico, emocional y espiritual. Jesús no era una especie de Superman, el Hombre de Acero, sino que los Sinópticos lo presentan tan frágil y vulnerable como cualquier ser humano. No obstante, no hay contradicción en cuanto a los motivos de su retiro, porque ambos (la necesidad de alejarse de Herodes y la necesidad de descansar) son respuesta a necesidades sentidas de Jesús y de los discípulos. Por otro lado, Jesús todavía tenía muchas cosas que enseñar a sus seguidores y la presión de las multitudes no dejaba margen de tiempo para cumplir con este cometido impostergable.

La necesidad de la gente (14.14-15)

Por más que quisiera encontrar un espacio para sí mismo, le resultó casi imposible a Jesús lograrlo en aquel momento de gran popularidad en su ministerio. Las multitudes de Capernaúm, que no fueron capaces de arrepentirse ante la manifestación de su mesianismo (11.23-24), no obstante, no querían perderse el espectáculo de sus milagros. Por eso, se adelantaron por tierra y (Marcos dice que fueron "corriendo," Mr. 6.33) y llegaron antes que él y sus discípulos al "lugar solitario" y tranquilo por él elegido (Lucas dice que era Betsaida, Lc. 9.10, mientras que Juan dice que "se fue a la otra orilla del mar de Galilea," Jn. 6.1). Da la impresión que el grupo de gente que se enteró del viaje de Jesús en Capernaúm fue creciendo a medida que pasaban por "los poblados" en el camino a este lugar apartado. La cuestión es que cuando Jesús desembarcó, lo estaba esperando muchísima gente. Estas personas se presentaron ante Jesús con dos grandes necesidades.

Algunos estaban enfermos (v. 14). Las personas que lo estaban esperando eran más que espectadores pasivos, ya que la mayoría lo estaba buscando porque tenían muchas necesidades, especialmente de sanidad física, y emocional y espiritual. Ellos sabían muy bien que las sanidades de todo tipo eran una acción permanente en el ministerio de Jesús. Habían sido testigos de esto en múltiples ocasiones. Como en esas instancias, ahora también Jesús "tuvo compasión de ellos" (gr. *kai esplagjnísthē ep' autois*). Es precisamente esta actitud de compasión (gr. *splagjnízomai*, compadecerse, tener lástima) por los sufrientes la que habilita a quien ministra sanidad a cumplir su ministerio con efectividad. La palabra castellana "compasión" está compuesta de dos palabras latinas y significa "sentir con" o "sufrir con." Jesús sufre con el enfermo y lleva consigo todas sus heridas y dolores (Mt. 8.17; Is. 53.4).

> **Ken Blue:** "El tipo de compasión que Jesús tuvo por la gente no fue meramente una expresión de su buena voluntad, sino una erupción de lo más profundo de su ser. La palabra utilizada para describir su compasión expresa el involuntario suspiro de dolor de una mujer asaltada por

los dolores de parto. Fue de esta profunda compasión que surgieron las obras poderosas de Jesús de rescate, sanidad y liberación."[3]

Así, pues, movido por compasión, Jesús "sanó a los que estaban enfermos" (gr. *kai etherápeusen tous arrōstous autōn*). Lucas dice que "sanó a los que lo necesitaban" (Lc. 9.11b). Podemos suponer que, como ocurrió en otras ocasiones, Jesús sanó a todos los enfermos.

Pablo A. Deiros: "No hay un solo caso de alguna persona enferma que haya sido rechazado por Jesús o de alguien a quien él indicara la bondad de una enfermedad. No hay una sola bienaventuranza registrada para los enfermos y débiles. Jesús jamás hizo una apología de la enfermedad y el dolor. Las obras de sanidad de Jesús expresan su compasión por todas las cosas que no están en armonía con la voluntad soberana del Padre y por todos los que sufren las consecuencias de ello. El motivo gobernante en las acciones poderosas de sanidad de Jesús fue siempre y en todas partes la compasión (Mt. 4.14; 9.25-26; Mr. 1.40-41; 8.1-2; Lc. 7.13)."[4]

Todos tenían hambre (v. 15). El "atardecer," es decir, cuando anochecía (v. 15a), cerca de las 18:00 hs., era el tiempo de la cena. Fueron los discípulos los que le presentaron a Jesús la segunda gran necesidad de la gente allí reunida: tenían hambre. El problema es que el lugar evidentemente era apartado y ya era tarde para regresar a sus hogares a tiempo para cenar o comprar algo de comida en algún pueblito vecino (v. 15b). Es muy probable que la multitud no había comido en todo el día, primero, por haber estado caminando y corriendo hacia el "lugar solitario," y, segundo, porque pasaron varias horas viendo a Jesús sanar a los enfermos y escuchando sus enseñanzas (Mr. 6.34; Lc. 9.11).

---

3. Ken Blue, *Authority to Heal* (Downers Grove, IL: InterVarsity Press, 1987), 76-77.
4. Deiros, *La iglesia como comunidad terapéutica*, 177.

La necesidad de los discípulos (14.16-18)

Los discípulos se acercaron a Jesús para alertarlo de la necesidad de comida que tenía la gente reunida. Pero la realidad es que probablemente ellos mismos eran los primeros en tener hambre en ese momento y no tenían nada que comer. Fue más preocupados por su propia necesidad que por la de la multitud que se acercaron a Jesús con su reclamo de desentenderse del problema. Pero el Señor responde a su necesidad con una gran ironía: "Denles ustedes mismos de comer" (v. 16) La falta de alimentos para la multitud era grave y planteaba un problema de no fácil resolución, pero más grave e imposible era que los discípulos se hicieran cargo de alimentarlos. ¿Cómo podían satisfacer la necesidad de "cinco mil hombres, sin contar a las mujeres y a los niños"? Para convencer a Jesús del absurdo de su propuesta, le plantearon la realidad palmaria de sus escasos recursos, que ni siquiera eran suficientes para alimentarlos a ellos y a Jesús: "No tenemos aquí más que cinco panes y dos pescados" (v. 17). Jesús, entonces, les da una orden todavía más absurda: "Tráiganmelos acá" (v. 18) ¿Para qué?

La necesidad de todos satisfecha (14.19-21)

Es interesante el procedimiento que siguió Jesús en su milagro de la alimentación de esta multitud. Jesús siguió el orden de un buen chef: (1) tendió la mesa ("mandó a la gente que se sentara sobre la hierba"); (2) preparó la comida ("tomó los cinco panes y los dos pescados y, mirando al cielo los bendijo"); (3) sirvió la comida ("partió los panes y se los dio a los discípulos, quienes lo repartieron a la gente"); (4) disfrutó con los comensales del menú ("todos comieron hasta quedar satisfechos"); y, (5) guardó las sobras para su consumo posterior ("los discípulos recogieron doce canastas llenas de pedazos que sobraron").

Nótese que Jesús "bendijo" la comida (v. 19) ofreciendo una alabanza agradecida a Dios. Parece clara la relación teológica que existe entre el relato de este milagro y la celebración de la eucaristía por parte de la iglesia temprana. Como indica José Ignacio González Faus: "Este es el único milagro común a los cuatro evangelistas, aunque probablemente no se deba esta coincidencia a la presencia del milagro en fuentes diversas, sino a una importancia teológica grande que tuvo para todos ellos, quizás por su relación con la eucaristía."[5]

De hecho, Juan se ocupa de aclarar que "faltaba muy poco tiempo para la fiesta judía de la Pascua" (Jn. 6.4). En este sentido, ésta fue una celebración anticipada de la Pascua, que Jesús hizo con la multitud de sus seguidores, o sea, fue la primera de una serie de "últimas cenas" de Jesús antes de llegar a la cruz. En este caso, cenó con la multitud; en el hogar de Betania, cenó con sus amigos (Jn. 12.1-2); en el aposento alto en Jerusalén, cenó con sus discípulos (Mt. 26.26-30). Jesús continúa cenando con sus seguidores toda vez que ellos se reúnan con él (1 Co. 11.23-26), y lo seguirá haciendo por toda la eternidad (Ap. 19.9).

El pasaje de la alimentación de los cinco mil nos deja varias enseñanzas: (1) debemos liberar a las personas de sus necesidades físicas, pero más de las espirituales; (2) debemos creer que Jesús puede suplir para todas las necesidades; (3) la fe es la condición para recibir la vida que Jesús da; (4) Cristo espera nuestra ayuda en la tarea de predicar el evangelio y servir a las personas; (5) la bendición de Cristo precedió a la realización del milagro; (6) debemos estar listos para llevar a cabo sus mandamientos y cumplir sus órdenes; (7) debemos ser cuidadosos y no permitir que se pierda nada que pueda ser útil para el cuerpo, la mente y el alma.

JESÚS CAMINA SOBE EL AGUA (14.22-36)

En los vv. 22-36 tenemos el relato de cuando Jesús caminó sobre el agua. Mateo presenta el relato más completo de este episodio y muestra a Jesús como el Rey universal y el Señor de la naturaleza, pero también como el Mesías y el Hijo de Dios. El pasaje menciona tres reinos.

El reino en miniatura (14.22-24)

Mateo subraya el hecho de que, inmediatamente después del milagro de la multiplicación de los panes y los peces, Jesús despidió a los discípulos y los mandó de vuelta probablemente a Capernaúm, vía marítima,

5. José Ignacio González Faus, *Clamor del reino: estudio sobre los milagros de Jesús* (Salamanca: Ediciones Sígueme, 1982), 76.

mientras él "despedía a la multitud." La expresión "en seguida" (gr. *euthéōs*, inmediatamente, al instante) conlleva la idea de urgencia. La idea del adverbio es reforzada con el verbo "hacer" (gr. *ēnágkasen*, compeler, forzar; ver Lc. 14.23). La explicación del uso de esta palabra fuerte aquí y en Marcos 6.45 se encuentra en Juan 6.15. Como resultado del milagro impresionante de la alimentación de los cinco mil, hubo un intento firme ("querían llevárselo a la fuerza," Jn. 6.15) de la multitud por consagrarlo como rey. ¡A qué pueblo no le interesa tener un monarca que es capaz de darle de comer abundantemente y gratis! Jesús apuró a sus discípulos para que desaparecieran de esta escena y no se engancharan ellos también en tal comprensión mezquina del reino por él inaugurado. Además, él necesitaba subir a la colina "para orar a solas," cosa que hasta ese momento no había podido hacer.

En la próxima escena de este acto impresionante ya nos encontramos "al anochecer," es decir, pasadas las 18:00 hs. La escena presenta dos imágenes en simultáneo: la de Jesús en la montaña, que "estaba allí él solo," y la de los discípulos, que estaban "bastante lejos de la tierra" en la barca. Durante toda la noche, Jesús se dirigió al Padre en oración, como era su costumbre (26.36, 39; Mr. 1.35; Lc. 918, 28-29). Si alguna vez necesitó de la sabiduría y dirección del Padre, era justamente ahora. La tentación a transformarse en un rey de este mundo (ver 4.8-9) nunca lo dejó. La multitud misma insistía en favorecer el proyecto satánico, y los discípulos no estaban lejos de prestar también su apoyo a un mesianismo terrenal y mundano (Hch. 1.6).

Durante toda la noche, los discípulos intentaron dirigirse "al otro lado" (v. 22), en la barca (que era su pequeño reino), "zarandeada por las olas, porque el viento le era contrario." Marcos (6.45) dice que se dirigían a Betsaida. Si no había otra Betsaida, cosa que es improbable, el relato debe ser armonizado suponiendo que "la montaña" a la que Jesús subió a orar estaba cerca de Betsaida, pero separado de ella por una bahía, a través de la cual los discípulos debían navegar. Quizás ellos pensaron que Jesús tenía la intención de caminar por alrededor de la bahía para alcanzarlos, pero el viento contrario los trajo de vuelta a Genesaret (v. 34). En realidad, la barca no estaba en medio del mar, sino afuera en el mar ("bastante lejos de la tierra").

El reino en magnificencia (14.25-31)

Después de las tres de la mañana (literalmente "en la cuarta vigilia de la noche," es decir, entre las tres y las seis de la mañana), Jesús se les aparece caminando sobre el agua. Los romanos dividían la noche en cuatro vigilias de tres horas cada una, comenzando a las 18:00 horas. El reino en miniatura de los discípulos (la barca), con todos sus problemas y temores, es sacudido por un evento que irrumpe con una magnificencia más fuerte que los vientos contrarios. Nuevamente, Jesús los sorprende manifestando su control de la naturaleza y su poder sobre la creación. Humanamente hablando era imposible caminar sobre el lago.

¿Cuál fue la intención de Jesús al manifestarse de esta manera a sus discípulos? Según Marcos, él quería mostrarse a ellos, pero no entrar en la barca (6.48). Sin embargo, las circunstancias lo obligaron a hacerlo. Según Mateo, esas circunstancias fueron que Pedro quiso caminar sobre el agua (vv. 28-31). La lección que podemos aprender de este episodio es que los seguidores de Cristo podemos creer siempre en su presencia y la realidad de su reino magnífico aun en medio de la noche y de las tormentas. La experiencia de Pedro nos muestra cómo la fe puede vencer los obstáculos y cómo la duda trae consigo desastres.

> **José Ignacio González Faus:** "El episodio de Jesús caminando sobre el lago de Genesaret se nos ha conservado en un triple testimonio de Marcos 6.45-52, Mateo 14.22-33 y Juan 6.16-21. … Una lectura del conjunto de las tres narraciones deja fácilmente la siguiente impresión: para Marcos se trata de un episodio que acontece *a los discípulos*, mientras que en Mateo el protagonista verdadero es el propio Jesús. … Mateo narra de manera que, prácticamente, el correlato de Jesús se convierte en 'la nave' en abstracto; mientras que en Marcos están constantemente en juego 'ellos,' pronombre que repite en cinco ocasiones más que Mateo, subrayando además por su cuenta que 'todos' lo vieron. Y en contraste con este relieve dado a los discípulos por Marcos, Mateo subraya a Jesús, a quien nombra expresamente (14.27) y de quien señala que se retiró 'solo' a orar (14.23)."[6]

6. *Ibid.*, 72-73.

El reino manifestado (14.32-36)

Cuando Jesús finalmente entró al reino en miniatura de los discípulos, el viento se calmó. Esta nueva manifestación del poder y autoridad de Jesús sobre el orden natural hizo que "los que estaban en la barca" lo adoraran. La vez anterior (8.23-27), la acción de Jesús resultó en una pregunta: "¿Qué clase de hombre es éste?" (8.27). Ahora, la manifestación del reino en Jesús resultó en una respuesta de fe: "Verdaderamente tú eres el Hijo de Dios" (v. 32b).

Finalmente, desembarcaron en Genesaret y aquí una vez más el reino de Dios vuelve a manifestarse a través del ministerio de Jesús. Nuevamente son las personas enfermas las que le dan la oportunidad de manifestar quién es él como Mesías y de operar la sanidad de ellos como expresión de la presencia del reino por él inaugurado. Nuevamente son las multitudes de personas las beneficiarias de su acción redentora. Nótese que Jesús obró milagros, aun a pesar del hecho de la fe supersticiosa y mágica de las personas, que pensaban que su sanidad se producía por tocar el manto de Jesús (v. 36; ver 9.20-21). En la antigüedad el fetichismo estaba a la orden del día. Un fetiche es cualquier objeto que es reverenciado (como el manto de Jesús), porque se cree que aloja un poder sobrenatural o mágico. Se le atribuyen al fetiche poderes mágicos o sobrenaturales, que se supone le permiten a quien lo usa o posee obtener lo que desea. Jesús no es un rey político ni un mago de ocasión. Él es el Mesías, el Hijo de Dios.

JESÚS SANA A LA HIJA DE UNA MUJER CANANEA (15.21-28)

La clave para la comprensión de este párrafo en su relación con el progreso de las pretensiones mesiánicas del Rey se encuentra en el v. 21: "Partiendo de allí, Jesús se retiró a la región de Tiro y Sidón." Una declaración similar ("se retiró," gr. *anejōrēsen* de *anajōreō*, retirarse, alejarse) ya apareció varias veces antes en este Evangelio (2.12-13, 22; 3.12; 9.13; 12.15; 14.13), solo que aquí, el pasaje parece estar diciendo que Jesús se retiró de la infidelidad de la religión tradicional, a la fe que vive fuera del pacto. Jesús había estado cumpliendo su ministerio en medio de su pueblo con grandes resultados, pero también bajo una oposición creciente.

Ahora él se retira de todo esto, para cumplir su ministerio en medio de un pueblo que no es el propio, es decir, entre gentiles. Hay tres cosas que se destacan en este episodio.

Una fe tenaz (15.22-23)

El caso de la fe de la mujer cananea, al igual que el de la curación del siervo del centurión romano (8.5-13), presenta a una persona gentil que sorprende a Jesús por la tenacidad de su fe. Y esto en el marco de la realidad clara de la brecha que separaba a judíos de gentiles, tal como el propio Jesús admite (v. 24). La ubicación del relato es también muy significativa. El pasaje narra el viaje de Jesús a Tiro y Sidón. Tanto Mateo como Marcos registran el hecho en el inicio de la discusión entre Jesús y los fariseos y otros maestros de la ley, en relación con las comidas limpias y no limpias. En el debate, Jesús hace una reinterpretación radical, en la que declara que la diferencia entre lo limpio y lo no limpio ahora debe entenderse en términos morales y no de comida, es decir, en términos de lo que sale del corazón y no de o que entra por la boca. "Con esto," comenta Marcos, "Jesús declaraba limpios todos los alimentos" (Mr. 7.19). Pero la distinción entre limpio y no limpio en Israel era fundamentalmente un símbolo de la distinción entre Israel y las naciones. Por lo tanto, si Jesús abolía la distinción en relación con la comida (el símbolo), al mismo tiempo abolía la distinción en relación con judíos y gentiles (la realidad a la que apuntaba el símbolo). Esto hace más significativo que Mateo y Marcos registren dos milagros para gentiles a continuación de esta discusión (la curación de la hija de una mujer cananea y el sordomudo de Decápolis), y probablemente un tercero, si es que la alimentación de los cuatro mil ocurrió en el lado de Decápolis, junto al mar de Galilea. Por medio de su palabra y acción, Jesús está señalando a las naciones como el horizonte amplio del alcance del poder salvador de Dios.

La mujer cananea (gr. *gunē jananaia*) era fenicia porque los fenicios eran descendientes de los cananeos, los habitantes originales de Palestina. Eran de raza semita (igual que los judíos), pero paganos. La mujer tenía un grave problema y era que su hija estaba endemoniada. Nótese que la mujer aborda a Jesús como si ella misma fuese la sufriente y tal como lo hicieron otros antes y después que ella: "¡Señor, Hijo de David, ten compasión de mí!" (9.27; 20.30-31). Los discípulos, al igual que la multitud en el caso de dos ciegos más tarde (20.31), se sintieron perturbados por los gritos de ella. Pero Jesús no dejó de responder a su clamor. De todos modos, le aclaró cuál era la prioridad de su misión en ese momento. Él había sido enviado (gr. *apestálēn* de *apostellō*, de donde viene el vocablo "apóstol") por el Padre "a las ovejas perdidas del pueblo de Israel." A diferencia de los fariseos que se consideraban salvos por pertenecer al pueblo de Israel, Jesús los califica de "ovejas perdidas."

Una acción paradójica (15.24-26)

Según Marcos (7.24) Jesús entró en una casa en una localidad pagana intentando esconderse y sin que nadie lo supiera. Según Mateo, una mujer cananea (gentil) le salió al encuentro en aquella región, con un grave problema. Jesús permaneció en silencio y terminó rechazándola. Hay dos puntos de interés aquí: la tardanza de Jesús en curar a la hija de la mujer y el uso de la palabra "perros" (gr. *kunaríois*) cuando los judíos trataban despectivamente a los gentiles de "perros." Nótese también el contraste agudo entre "ovejas" y "perros." Algunos puntos de vista o explicaciones de estos hechos son los siguientes. (1) Puede ser que Jesús estaba probando la fe de la mujer y la expresión "perros" era para probarla aún más. (2) "Perros" en realidad es el diminutivo del vocablo ("perritos") y puede ser una expresión de cariño. Aunque otros dicen que la forma diminutiva era lo mismo que la normal. (3) Jesús está enseñando a los Doce, y la fuerza de la expresión es esta: "Mis discípulos creen que usted es un perro. ¿Qué pensamos nosotros dos?" (4) El incidente representa una nueva etapa en la misión de Jesús. Se tuvo que ir de Galilea, pues él no podía llevar a cabo su misión en medio de su pueblo, y entre los gentiles hubo resultados positivos. Jesús pasó a la región de Tiro y Sidón por el este y no cruzó desde Galilea.

Una oración persistente (15.27-28)

La escena de este milagro de Jesús es evidentemente paradójica. La aparente dureza de Jesús no deja de sorprender y sólo puede entenderse si se la interpreta con un fin pedagógico, que va más allá de la mujer cananea con la que Jesús entra en conversación. Efectivamente, encontramos que esta escena extraña es, sin embargo, extraordinariamente coherente con todo lo que Jesús enseña sobre la oración y la necesidad de ser persistentes en ella delante de Dios. Él mismo conoció esta experiencia más tarde en el jardín de Getsemaní. En este milagro tenemos una ilustración de cómo debe ser la oración persistente y tenaz del cristiano. La oración no deja de ser una lucha con el Señor, como la concebía Martín Lutero. En verdad, es Dios mismo quien nos enseña la manera de luchar con él en oración. Jesús mismo, al tiempo que se mostraba duro con la mujer cananea estaba inspirándole la fe de la que brotó el cumplimiento de su deseo. Su tenacidad fue la misma que la de Jacob cuando luchó con el Señor al grito de: "¡No te dejaré hasta que me bendigas!" (Gn. 32.26).

JESÚS ALIMENTA A CUATRO MIL (15.32-39)

En los vv. 32-39 encontramos el relato de la alimentación de los cuatro mil. El relato bíblico levanta inmediatamente la pregunta: ¿Qué fue lo que hizo Jesús? Este milagro (Mr. 8.1-10) no es un duplicado del anterior, que contó con la presencia de cinco mil judíos alrededor del lago, además de mujeres y niños. Aquí se trató de cuatro mil gentiles de las vecindades de Decápolis, pero no en el territorio de Felipe (Traconite). En esta secuencia se cumple el adagio "primero a los judíos, luego a los gentiles." El duplicado de estos milagros en Mateo (y Marcos) se explica notando que el caso de los 4.000 se refiere a los gentiles. De hecho, sobraron siete cestas (como representando a los siete diáconos de Hch. 6.1-7). Pero el caso de los 5.000 (14.20) se refiere a los judíos, pues sobraron "doce canastas" (como representando a las doce tribus de Israel). La región de Magadán estaba al este del Mar de Galilea.

En esta alimentación de una multitud al aire libre, Jesús hizo dos cosas: (1) multiplicó la cantidad de comida en una forma maravillosa; (2) a través de esta acción enseñó acerca del reino de Dios por él inaugurado. Este evento, por lo tanto, fue tanto un milagro de alimentación como también una parábola dramatizada.

Un milagro de alimentación (15.32-36)

La necesidad de alimento que sentía la multitud que acompañaba a Jesús fue más seria que en el caso de la alimentación de los cinco mil, ya que en ese caso llevaban tres días junto al Señor sin nada que comer. De hecho, Jesús mismo percibió la posibilidad que los más débiles se desmayaran si intentaban retirarse en procura de comida. Es interesante que en el caso de los cinco mil, Jesús sintió compasión por los enfermos (14.14), pero aquí sintió compasión porque la gente que lo acompañaba no tenía qué comer desde hacía tres días. Jesús se conmueve frente a cualquier situación de necesidades humanas sentidas y no satisfechas. La actitud de los discípulos, por el contrario, no sólo parece insensible, sino también incomprensible. ¿Tan pronto se habían olvidado del milagro de multiplicación de los panes y los peces, como para venir a Jesús con una preocupación similar? Pronto Jesús les recordaría lo ocurrido al apelar a ellos nuevamente para ofrecer los recursos disponibles para el milagro (v. 34). Es increíble la ceguera y amnesia de los discípulos (ver 16.9-10).

Sea como fuere, los discípulos pusieron la comida disponible (siete panes y unos pocos pescaditos) en las manos de Jesús, él dijo una oración y se la devolvió a ellos para que la distribuyeran. De esta manera, Jesús estaba actuando con el poder de su Padre Dios, quien es el Creador de todas las cosas. En esa tarde, Jesús hizo lo que Dios hizo "en el principio" y que todavía sigue haciendo por nosotros cada año, cuando hace que una pequeña cantidad de semilla se torne en comida suficiente para numerosas personas. Ahora, ¿cómo fue que lo hizo? Mateo no nos dice. Lo que sí nos dice es quién lo hizo y por qué, es decir, el Mesías de Dios en su amor redentor, actuó para llenar una necesidad sentida de la gente en ese momento.

Una parábola dramatizada (15.37-39)

Cuando Jesús le dio de comer a la multitud realmente estaba dramatizando la parábola de Lucas 14.16-24. Por medio de la alimentación, estaba mostrando a las personas que él era el Mesías, de quien se hablaba en la profecía de Isaías. De modo que la comida era una manera de decirles: "El reino de Dios ya ha comenzado a llegar, y ustedes podrán participar de su alegría. En realidad, ya pueden recibir para sus almas la nueva vida que tienen los que pertenecen a este reino y disfrutar de la provisión espiritual para nutrir sus espíritus." Jesús es el Pan de Vida (Jn. 6.48), que vino al mundo no sólo para alimentar a los judíos, sino también a los gentiles, es decir, a todo ser humano que quiera nutrirse de él. El pasaje cierra con Jesús despidiendo a la gente, subiendo a "la barca" y yéndose a la región de Magadán (o Magdala) sobre la costa oeste del mar de Galilea, es decir, regresó al territorio de Galilea. Marcos denomina a esta región como Dalmanuta (Mr. 8.10), fuera de territorio gentil.

JESÚS SANA A UN MUCHACHO ENDEMONIADO (17.14-21)

En este pasaje se narra lo acontecido inmediatamente después que Jesús y sus discípulos bajaron del monte de la transfiguración (17.1-13). Los discípulos bajaron de la cima espiritual al valle de las sombras y la impotencia frente al mal, mientras Jesús bajó como un Rey confirmado en su misión a un reino que estaba en proceso de ser manifestado en medio de conflictos. Al llegar a donde estaba la multitud ¿qué fue lo primero que vieron?

Un padre con su hijo endemoniado (17.14-15)

El cuadro es el del microcosmos de una experiencia personal, que refleja el drama de toda la humanidad: la impotencia frente al mal. La palabra que describe la condición del muchacho ("le dan ataques") en gr. es *selēniázetai* (lunático), ya que se pensaba que los síntomas de la epilepsia eran agravados por los cambios de la luna (gr. *selēnē*; ver 4.24). La epilepsia sería el diagnóstico médico, pero Jesús hace un diagnóstico espiritual y atribuye la enfermedad a un demonio (gr. *daimónion*, v. 18). El muchacho "endemoniado" (endemoniado y epiléptico) es un ejemplo de la manera en que Satanás destruye a una persona con una enfermedad mental o neurológica. En este caso, cada vez que le daba un ataque (de epilepsia), el muchacho sufría "terriblemente" (gr. *kakōs ejei*, la pasaba mal), ya que muchas veces estaba en juego su integridad física ("cae en el fuego o en el agua"). No es de extrañar la desesperación de este padre, que sorprende al dirigirse a Jesús llamándolo "Señor" (gr. *Kúrie*) y al apelar a su compasión o misericordia (gr. *éleos*). Tal parece como que este hombre es el único en esta escena, fuera de Jesús, que maneja el vocabulario del reino de Dios.

Cabe notar que el hijo de este hombre desesperado era un niño (gr. *ho país* de *paidós*, niño menor de doce años, v. 18). Valga este detalle, al que especialmente se refiere Marcos (Mr. 9.21, 24), y que también destaca Lucas (Lc. 9.42). Algunos han enseñado que un niño no puede estar demonizado o endemoniado porque Jesús dijo que de los niños es el reino de los cielos. En realidad, esta es una declaración falsa porque Jesús nunca dijo algo así, sino que él señaló: "el reino de los cielos es de quienes son como ellos" (19.14; ver Mr. 10.14; Lc. 18.16). Tal conclusión está fundada en una mala exégesis, una pésima teología, una misiología equivocada y una pastoral tan inútil como la de los discípulos. Precisamente los niños son el blanco preferido de Satanás, porque al destruirlos física, emocional y espiritualmente él logra frustrar toda una vida humana.

Unos discípulos con muy poca fe (17.16, 19-20)

La peor tragedia de todo este relato se encuentra en las palabras del v. 16: "Se lo traje a tus discípulos, pero no pudieron sanarlo." Lucas agrega aquí algo que Mateo omite, y es el hecho de que este hombre dice que este muchacho era "el único que tengo" (Lc. 9.38). Es interesante que la expresión en gr. (*monogenēs moí estin*) es la misma que el Padre celestial usa en relación con Jesús (ver Jn. 1.14, 18; 3.16, 18; 1 Jn. 4.9). De modo que, en el escenario al pie del monte se presentan dos personalidades. Por un lado, el Hijo unigénito del Padre, que tiene la compasión y el poder como para resolver cualquier problema; y, por el otro, el hijo unigénito del hombre, que está poseído por un demonio destructivo.

No obstante, llama la atención que el hombre recurrió a los discípulos antes de acercarse a Jesús. Quizás porque pensaba que quienes seguían a Jesús tendrían su misma compasión y poder para resolver algo que no parecía tener una solución humana. Sin embargo, no fue así. Los discípulos "no pudieron sanarlo," por más que seguramente lo intentaron. ¿Cuál fue la razón? Jesús les responde a sus discípulos: "Porque ustedes tienen tan poca fe." La expresión "poca fe" (gr. *oligopistían*) señala a una fe pequeña y escasa, que era menos que "un grano de mostaza" (gr. *kókkōi sinápeōs*; ver 13.31). Los discípulos no tenían una fe suficiente como para germinar un milagro.

De haber tenido la compasión y la fe suficiente, el resultado hubiese sido muy diferente. Según Jesús, una fe "tan pequeña como un grano de mostaza" es todo lo que hace falta para mover una "montaña." Al decir "esta montaña" puede ser que Jesús estaba señalando al monte de la transfiguración. Pero es más probable que la "montaña" en cuestión sea el problema que tendrían que haber resuelto, que era la sanidad del muchacho. Según Jesús, sus seguidores tienen por fe la misma capacidad de hacer milagros que él y su Padre tienen ("para ustedes nada será imposible," ver 19.26; Mr. 10.27; Lc. 1.37; 18.27).

Un Jesús con enojo e indignación (17.17)

El evidente enojo e indignación de Jesús es comprensible. El proceso de entrenamiento de sus discípulos había alcanzado su punto más álgido con la experiencia de su transfiguración en la cima de una montaña alta. Pero ahora en el valle, una multitud desorientada, un padre desahuciado, un niño destruido y un grupo de discípulos deprimidos se muestran impotentes frente a la realidad del mal. Lo que más exaspera a Jesús es la actitud de sus discípulos, que todavía parecen no entender que son ellos los que tienen que continuar con su obra de proclamación del evangelio del reino, de sanar a los enfermos y de echar fuera demonios; que en su nombre ya tienen el poder y la autoridad para hacerlo así (10.1), y que ya lo han visto a él actuar así cientos de veces de modo que saben cómo hacerlo.

El diagnóstico de la impotencia e indolencia de los discípulos no podía ser más severo: "¡Ah, generación incrédula y perversa!" El primer síntoma tiene que ver con su fe pigmea e insuficiente (ver v. 20). El segundo síntoma apunta a su falta de compromiso con él y con su reino. "Perversa" (gr. *diestramménē*) significa distorsionada, partida en dos, corrupta, carente de autenticidad. Es interesante notar que Mateo no fue parte del grupo de los tres que subieron a la montaña con Jesús, sino que estuvo con los nueve que quedaron en el valle y no pudieron sanar al muchacho. Así, pues, Mateo fue el primero en aprender esta dura lección de falta de fe. ¿No es este el diagnóstico que le cabe a más de un creyente y comunidad cristiana hoy?

Un muchacho con un milagro de sanidad (17.18)

Es sorprendente la efectividad de Jesús. Fue certero en su diagnóstico y preciso en su terapia: "reprendió al demonio." Lo que ocurrió fue lo que siempre ocurre cuando en el nombre de Jesús hacemos frente a Satanás en la vida de las personas sufrientes y lo echamos fuera: el demonio "salió del muchacho." ¿Cómo se puede saber que esto es lo que ocurrió? Simplemente porque los síntomas que lo afligían desaparecieron del todo, es decir, el muchacho "quedó sano desde aquel momento." Ya no tuvo más ataques, dejó de sufrir "terriblemente" y pasó a vivir una vida normal junto a su padre. Hoy se discute mucho si la creencia en los demonios corresponde a una cosmovisión pre-científica y si es necesario u oportuno "echar fuera demonios" en nuestro mundo moderno. En lugar de discutir estas nimiedades, propias de cristianos de poca fe, ¿por qué no utilizamos la autoridad y el poder que hemos recibido de Jesús en manifestar compasión hacia aquellos atados y oprimidos por Satanás, y obedecemos a Jesús echando fuera a los demonios que los atormentan?

JESÚS SECA A UNA HIGUERA ESTÉRIL (21.18-22)

Este pasaje presenta a Jesús saliendo de Betania "muy de mañana" yendo camino a Jerusalén. El v. 18 señala un hecho normal en un ser humano a esas horas del día: "tuvo hambre" (gr. *epeínasen*). Quizás, como solía hacerlo, Jesús pasó la noche en oración fuera de la casa y no tomó un desayuno. A la vera del camino, Jesús vio una higuera (gr. *sukēn mían*) y se acercó a ella con la intención de tomar algunos higos para alimentarse. Esto era anormal, porque Jesús bien sabía que no era la estación del año en que las higueras dan fruto ("no era tiempo de higos," Me. 11.12). Más cuestionable y anormal es lo que ocurrió después, cuando Jesús le habló a la higuera y la maldijo. Seguramente el lector conocerá a alguien que les "habla" a las plantas, pero esto no es muy razonable, y mucho menos lógico es maldecirlas porque no dan fruto fuera de estación.

Un hecho extraño y asombroso (21.18-20)

No obstante, las palabras de Jesús a la higuera parecen ser más de predicción que de acusación o condena (como en Mr. 11.14). De todos modos, según Mateo, la predicción fue muy dura ("¡Nunca más vuelvas a dar fruto!"), si bien Jesús parece estar diciendo, a la luz de la condición de la higuera (puras hojas, pero sin fruto), "Nunca vas a dar fruto." El doble negativo *ou mē* con el aoristo subjuntivo (o indicativo futuro) es el tipo más fuerte de las predicciones negativas.[7] Además, Mateo no distingue entre las dos mañanas como hace Marcos (Mr. 11.13, 20), pero usa dos veces la expresión gr. *parajrēma* ("al instante," v. 19; y "tan pronto," v. 20). Esta palabra es en realidad la expresión gr. *para to jrēma*, que literalmente significa "al toque."

Por otro lado, los primeros higos aparecían en la primavera antes que las hojas y maduraban después de las hojas. La cosecha principal de higos se hacía temprano en el otoño (Mr. 11.14). En este caso, tendría que haber habido higos en la higuera junto con las hojas. Pero esta era una higuera estéril, no podía producir higos, y lo único que producía eran hojas.

Una lección oportuna y necesaria (21.21-22)

Jesús toma este caso para dar una gran lección objetiva. El episodio de la higuera estéril que se seca fue una denuncia simbólica por parte de Jesús a la nación judía como el pueblo privilegiado por Dios. Casi suena como una reedición de la parábola de Lucas 13.6-9, que se aplica directamente a Israel. El pueblo de Israel podía mostrar señales exteriores de fruto, pero fue considerado estéril por causa de su legalismo y ceremonialismo vacíos. Los judíos se habían transformado en el impedimento número uno en el proyecto redentor de Dios a través de su Mesías. Habían permitido que el follaje inútil de una religión formal y legalista les drenara la sabia de la vida y el propósito de Dios. Habían fracasado como pueblo en cumplir con la misión mesiánica que Dios les había confiado, y ahora persistían en querer frustrar el plan de salvación de Dios pretendiendo salvarse ellos mismos como nación y religión caduca.

Por otro lado, hay aquí una lección de fe. Jesús aprovecha el misterioso episodio que asombró a sus discípulos, para enseñarle que "si tienen fe y no dudan" ellos pueden lograr cosas grandes y maravillosas. Jesús echó mano más de una vez al uso de hipérboles o exageraciones para fijar sus

---

7. Robertson, *Word Pictures in the New Testament*, 1:168-169.

enseñanzas, como en el caso de un camello que puede pasar por el ojo de una aguja o como aquí donde se le ordena a un monte: "¡Quítate de ahí y tírate al mar!" Esta era la manera en que los rabinos enseñaban la importancia de la fe, así como los profetas del Antiguo Testamento también habían protagonizado acciones asombrosas (Elías, 1 R. 18.20-39; Eliseo, 2 R. 6.8-23). En este caso, Jesús quiere destacar el lugar central de la fe en la práctica de la oración: "Si ustedes creen, recibirán todo lo que pidan en oración." El evangelista Juan al tocar este tema agrega la necesaria advertencia de que la oración debe hacerse en consonancia con el Espíritu de Jesús y la voluntad del Padre (Jn. 15.7).

CAPÍTULO 10

SU MINISTERIO DE LLAMAMIENTO Y ENVÍO

9.9-13, 35-38; 10.1-42; 28.16-20

Todos los cristianos son llamados al servicio en el reino de Dios, como testigos de Cristo en cada aspecto de sus vidas. Pero algunos cristianos son llamados para el cumplimiento de una tarea particular en el reino. Este llamado involucra el ejercicio de ciertos dones del Espíritu Santo, para el cumplimiento de un ministerio específico, bajo condiciones especiales. Este es el caso del llamado a servir como apóstol. Quien llama es el Señor a través de su Espíritu Santo, y lo hace de múltiples maneras. El reconocimiento personal de este llamado resulta de la convicción de que Dios ha apartado al receptor del mismo para una tarea particular de servicio. El resultado de esta convicción es un deseo intenso por obedecer y hacer lo que Dios pide. El elemento más importante en la respuesta de un creyente al llamado es la obediencia a Cristo (2 Co. 10.5) y un deseo de servirlo en su reino (Is. 6.8). Un elemento que acompaña al llamado divino al servicio es una visión para el ministerio. El llamado es una invitación a seguir esta visión y hacerla realidad (la experiencia de Moisés frente a la zarza ardiente, Éx. 3; o de Mateo sentado a la mesa de recaudación de impuestos, 9.9). Cuando el creyente responde al llamado divino, lo que hace es apropiarse de esta visión y disponerse a seguirla y cumplirla (Hch. 26.19).

"Llamado" es también el individuo que ha sido llamado. (1) La persona llamada es alguien a quien Dios ha escogido (Hch. 22.14-15). (2) La persona llamada es alguien a quien Dios ha dotado. El Señor le dio a cada uno de sus apóstoles los dones que necesitaba para servir conforme al llamado que había recibido. Dios nos da los dones que necesitamos para servirlo. (3) La persona llamada es alguien a quien Dios ha preparado. Jesús preparó a cada uno de sus discípulos antes de enviarlos a servir en su nombre. Dedicó una gran cantidad y calidad de tiempo para entrenarlos para la misión a la cual los enviaba. (4) La persona llamada es alguien que está ocupada. Los primeros dos discípulos en ser llamados "estaban echando la red al lago, pues eran pescadores" (4.18). Los siguientes dos "estaban con su padre en una barca remendando las redes" cuando Jesús los llamó (4.21). Mateo estaba sentado a la mesa de recaudación de impuestos, porque ese era su trabajo (9.9). No hay lugar para los desocupados y holgazanes en el ministerio. (5) La persona llamada es alguien a quien Dios necesita para su servicio, porque "son pocos los obreros" (9.37).

La primera fase en el proceso del llamamiento divino al ministerio es un encuentro personal con el Señor. Así fue con todos los primeros discípulos de Jesús. La segunda fase es un diálogo personal con el Señor. La experiencia del llamamiento de Mateo es un buen ejemplo de este diálogo (9.9-13). Primero, el Señor nos llama la atención sobre lo que estamos haciendo, sea bueno o sea malo: Mateo estaba recaudando impuestos onerosos para los romanos. Dios no llama a personas que están con los brazos cruzados. Él cuestiona nuestros planes y proyectos, y la dirección de nuestra vida. Nosotros comenzamos a reconocerlo a él por lo que él es, es decir, él es el Señor. El Señor se presenta y saca a luz la inutilidad de nuestros esfuerzos por evitar su llamamiento al servicio. Nosotros rendimos con temor reverente nuestra voluntad a su señorío y nos comprometemos incondicionalmente a obedecerlo en lo que él quiere que hagamos. La tercera fase es el envío a cumplir con una tarea. El Señor nos da instrucciones precisas sobre el siguiente paso en el camino de la obediencia y el servicio. El Señor llamó a sus discípulos e hizo de ellos los más grandes de los apóstoles y los constructores del cristianismo.

JESÚS LLAMA A MATEO (9.9-13)

Mateo era un recaudador de impuestos al servicio del Imperio Romano. Como tal, era odiado por sus paisanos judíos, que lo consideraban un traidor, una lacra social y un corrupto por excelencia. A este individuo despreciado y marginal Jesús lo llamó a ser uno de sus apóstoles (10.1-4).

Un hombre llamado Mateo (9.10-12)

En los vv. 9-13, probablemente Mateo está dando su propio testimonio personal de su encuentro con Jesús, quien es el que llama a sus seguidores. Si alguien se pregunta qué es el cristianismo, y si sólo hubiese tiempo para responder con una o dos historias de los Evangelios, ésta debería ser una de ellas. En su testimonio, Mateo detalla que Jesús pasaba por allí y "vio a un hombre." ¿Qué fue lo que vio Jesús? Mientras todo el mundo veía a un cobrador de impuestos, "Jesús vio a un hombre llamado Mateo," y lo invitó a seguirlo. Su invitación fue tan personal como su acercamiento a él. No es extraño, pues, que Mateo respondiera inmediatamente a tal invitación y lo hiciese también de manera profundamente personal, al punto que invitó a Jesús a comer en su casa. Así, pues, el relato nos cuenta de cómo Jesús fue invitado por Mateo a su casa y se mezcló con personas de muy baja condición social y moral, y también con aquellos que se creían los mejores del mundo. Esto significa que quien llama tiene un mensaje para los pecadores y para los que se creen justos.

El mensaje para los pecadores (v. 10). Su llamado a los pecadores es para sanidad y salvación. Recaudadores de impuestos o publicanos (gr. *telōnēs*) y pecadores (gr. *hamartōlós*) eran un grupo social constituido por aquellos a quienes los fariseos consideraban como los peores transgresores de la Ley, debido a su estilo de vida. Los publicanos que aquí se mencionan deben haber sido algunos colegas de Mateo. Es interesante que él los haya invitado para presentarles a Jesús. ¡Mateo comenzó a ser un "pescador de hombres" inmediatamente después de haberse encontrado con Jesús y su amor! Los "pecadores" eran llamados así por los fariseos. La palabra se aplicaba a quienes no eran judíos (gentiles) y a todos aquellos que no guardaban las leyes ceremoniales y tradicionales. Jesús no compartía la idea farisaica de que si uno violaba una de estas leyes era una mala persona. De modo que la palabra no señala a personas "impías" delante de Dios. No obstante, estas personas necesitaban del Señor (v. 12), precisamente porque eran pecadoras (Ro. 3.23).

El mensaje para los que se creen justos (vv. 11-12). Su mensaje de juicio a los que se creen justos es para condenación. Así como los "recaudadores de impuestos y pecadores" no eran tan impíos como los consideraban los fariseos, éstos no eran tan justos y puros como ellos se creían. Los "fariseos" eran los líderes de esta secta legalista, que enseñaba el cumplimiento estricto de la Ley y la necesidad de mantenerse alejado de las prácticas paganas. Se oponían a Jesús porque pensaban que él actuaba como si los pecados de la gente no tuviesen importancia. En su opinión, al comer con ellos, Jesús parecía alentarlos a seguir pecando. Los publicanos y pecadores eran considerados por los "justos" fariseos como la lacra de la sociedad.

Un recaudador de impuestos (9.9)

Jesús era conocido por los religiosos de sus días como el "amigo de recaudadores de impuestos y de pecadores" (11.19). Los recaudadores de impuestos o publicanos eran despreciados por su trabajo de recolectar impuestos para los romanos y por hacerlo generalmente en forma deshonesta. No obstante, Jesús declara que ellos también eran destinatarios del reino de Dios que él estaba inaugurando. También tenían derecho a esta relación los "pecadores," es decir, aquellas personas que, a causa de su ignorancia o bien por su incapacidad no podían cumplir los intrincados detalles de las leyes ceremoniales judías. Jesús simpatizó con estos grupos marginados de la vida religiosa. Por eso, respondió con un cierto tono satírico a la crítica de los fariseos (vv. 12-13). Con esto, Jesús afirmó la verdad de que todos los seres humanos somos pecadores (Ro. 3.10, 23), y que la primera condición para recibir la salvación que él trae es este reconocimiento. Lo realmente importante y vital, según Jesús, no es el purismo ritual, sino un corazón puro que conozca a Dios (Os. 6.6). Los fariseos se consideraban a sí mismos como moralmente superiores porque cumplían con los detalles formales de los sacrificios y las disposiciones tradicionales (ver 12.1-8). Quien ya se considera justo a través de su propio proyecto de salvación no necesita de la obra del Mesías, que vino a llamar a pecadores al arrepentimiento (v. 13).

Un desafío para nosotros hoy (9.13)

Cuando Jesucristo llama a las personas para que lo sirvan, sus métodos son difíciles de rechazar. Él llama, pero lo hace con amor. Es impresionante la manera en que Mateo, el recaudador de impuestos, a la sola orden de Jesús dejó su oficio para seguirlo. Su transformación fue tan radical, que lo movió a exponerse a las críticas más viles de sus conciudadanos, cuando invitó al Maestro a una fiesta en su honor. Su aceptación de Jesús fue total, y, distanciado de la ocupación deshumanizante y opresiva que le había merecido el odio y desprecio de su nación, estuvo dispuesto a seguir al Salvador.

La conversión de Mateo y su aceptación del discipulado cristiano tuvo lugar hace casi dos mil años, en una remota región de Palestina. Hoy, sin embargo, Cristo sigue llamando a hombres y mujeres para que sean sus discípulos en medio de una generación que tiene hambre y sed de justicia. La prensa diaria nos acribilla con noticias que reflejan la injusticia humana, la explotación del ser humano por el ser humano, y cuadros de extrema violencia. En fin, todo género de males asola a las personas, porque Cristo no es el Señor de sus vidas.

Es en esta realidad situacional donde el reino de Dios necesita la participación decidida de creyentes en Cristo, que estén dispuestos a convertirse en discípulos comprometidos con su Señor y con el mundo al que deben servir y al que son enviados ("Vayan," v. 13). Hoy, de manera urgente, el Señor necesita de seguidores como Mateo, hombres y mujeres que, dejándolo todo lo sigan y lo sirvan en medio de situaciones complejas y conflictivas. El mismo Mateo en su Evangelio nos deja registradas importantes enseñanzas cuyo estudio y consideración pueden ayudarnos a comprender mejor el significado del discipulado cristiano y cuál es la preparación que necesitamos para cumplir la misión de encarnación y servicio que Jesús nos encomienda realizar en el mundo ("aprendan," v. 13).

JESÚS NECESITA OBREROS (9.35-38)

Necesidad y misión son dos constantes del evangelio cristiano. La misión tiene sentido en razón de que fue prevista para llenar la necesidad de un mundo en tinieblas. Dios no deja a la humanidad sumida en la desesperanza y la perdición, sino que, a través de sus seguidores, provee del mensaje salvador en Cristo. El discípulo cristiano es alguien llamado por Dios para asociarse con él en la redención del mundo pecador, a través de Cristo, a quien debe anunciar (1 P. 2.9). Cuando el creyente cumple con su misión evangelizadora, participa de la propia misión de Cristo y ayuda al logro de su objetivo redentor.

Para que el Señor pueda cumplir con su objetivo de redención de la humanidad, él necesita de la participación activa de sus discípulos en esta empresa. Pero los obreros disponibles son pocos (gr. *hoi de ergátai oligoi*). Jesús reconoce esta necesidad de obreros. En los días de su ministerio terrenal, él sabía que no tenía mucho tiempo para cumplir con su misión antes de ser crucificado. Por eso, escogió a un puñado de hombres y mujeres como compañeros y colaboradores. El evangelista Mateo nos presenta este relato seguramente para mostrarnos que la iglesia cristiana ha sido comisionada por Jesús, el Mesías, para asociarse con él en su tarea de redención de la humanidad.

El Pastor y las ovejas (9.35-36)

Los vv. 35-36 presentan a Jesús cumpliendo su ministerio en las ciudades (gr. *póleis*) y llamando la atención sobre la necesidad de obreros para el reino por él inaugurado. La expresión "en el pueblo" (v. 35, RVR) no figura en algunos manuscritos. Durante su largo y tercer recorrido de predicación y sanidad en Galilea, Jesús se conmovió profundamente por la condición material, física, moral y espiritual de la gente. Se veían enfermos, confusos y vulnerables sin que nadie pudiera guiarlos como líder. "Estaban agobiadas y desamparadas" es buena traducción (gr. *hoti ēsan eskulménoi kai errimménoi*). "Como ovejas sin pastor" (gr. *hōsei próbata mē éjonta poiména*) es una metáfora que se encuentra también en Números 27.17. Las multitudes son como ovejas acosadas por los perros y dejadas tiradas en el suelo, incapaces de decidir por sí mismas. El Buen

Pastor (Jn. 10.11) no era indiferente a tremenda necesidad y hacía todo lo posible por llenarla ("anunciando las buenas nuevas del reino, y sanando toda enfermedad y toda dolencia"). Nótese su misión integral. A su vez, la necesidad extrema en que se encontraban las ovejas hacía que fuesen más receptivas para la buena noticia del reino de Dios. Pero hacía falta mensajeros que proclamaran este mensaje ("obreros a su campo," gr. *ergátas eis ton therismon autou*).

El campo y la cosecha (9.37-38)

El contacto con la realidad, que caracterizó al ministerio de Jesús, el Buen Pastor, debe definir también la misión de sus discípulos. Esa realidad es patética: enfermedad, analfabetismo, opresión, desorientación, marginalidad, hambre, etc. El contraste entre la vastedad de las necesidades que hay que satisfacer y los medios disponibles para ello, es un hecho que conmueve y desafía. Como señalara el gran escritor alemán Johann W. Göethe: "Lo poco que se ha hecho, parece nada cuando miramos adelante y vemos cuánto hay que hacer todavía." El desafío por delante es, precisamente, la manifestación del reino de Dios. Este es "el campo" (gr. *therismós*, cosecha, siega, mies, por extensión campo) en el que operó Jesús y es "el campo" en el que sus discípulos deben trabajar.

En los vv. 37-38, Jesús cambia la metáfora del pastor y las ovejas "agobiadas y desamparadas" del v. 36, por la de un campo que está listo para la cosecha. De esta manera, se trata de un lugar de trabajo y de frutos abundantes para el reino. El campo del reino no es el refugio de una vida religiosa apacible adentro de una institución eclesiástica, ni el retiro del mundo y sus dolencias en la comodidad de un fundamentalismo monacal, ni la hipocresía farisaica de una ética irrelevante. Dios ha planeado cubrir las imperiosas demandas de un mundo en necesidad a través de la misión de sus hijos, que trabajan esforzadamente en "el campo" de su reino. Él es quien envía a sus "obreros" y establece las pautas para la tarea, a fin de satisfacer las necesidades del mundo. Ese mundo necesitado de salvación es suyo, es "su campo" y, por lo tanto, no escapa a su preocupación e interés, ni queda fuera de la esfera de su poder redentor y providencial. Además, él es también "el Señor de la cosecha" (gr. *tou kuríou tou therismou*) y el primer interesado en que ésta sea "abundante," es decir, él desea redimir a todas sus criaturas.

JESÚS ENVÍA A LOS DOCE (10.1-42)

Este extenso capítulo presenta una importante acción de Jesús y una buena cantidad de enseñanza relacionada con la misma. Los vv. 1-16 registran la manera en que Jesús hizo su primer envío de sus discípulos en misión. Los envió en parejas como "apóstoles" (mensajeros) a predicar a los judíos. Esta fue una primera ronda misionera, ya que no podían cumplir completamente esta tarea (más allá del mundo judío) mientras él viviera. Cuando él muriera y regresara nuevamente en el poder de su resurrección, entonces ellos recibirían el mandato de ir también al mundo gentil. Se puede considerar a este pasaje como un solo discurso, si bien la mayor parte del mismo está también en diferentes lugares en Marcos y Lucas. ¿De dónde sacó Mateo su material? Parece que de Marcos y de una fuente conocida por los eruditos como Q (*Quelle*).

El envío (10.1-16)

Entre el encargo final del capítulo anterior ("Pídanle, por tanto, al Señor de la cosecha que envíe obreros a su campo," 9.38) y la acción de Jesús de enviar a sus discípulos, que se describe en este capítulo 10, hay una relación estrecha y significativa. Primero, porque los discípulos a quienes él les ordenó orar específicamente por "obreros" (gr. *ergátas*), fueron aquellos que él inmediatamente envió al campo de labor (v. 1). Así, el primer mandamiento fue "oren" y el segundo fue "vayan." Segundo, porque hay también una relación entre la "compasión" de Jesús (9.36) y la comisión de los discípulos (vv. 5-8). Tercero, porque hay una correlación entre las necesidades de la gente (9.35) y las "instrucciones" que Jesús les dio a sus enviados (vv. 5-8).

La misión (v. 1). La misión de los enviados por Jesús consistía básicamente de tres acciones concretas: predicar el evangelio del reino, sanar a los enfermos y echar fuera demonios (ver Mr. 6.12; Lc. 9.1-2). Así, pues, Jesús les asignó a los Doce una importante tarea. Su comisión era la de predicar el evangelio del reino, sanar a los enfermos, limpiar a los leprosos, resucitar a los muertos, echar fuera demonios y dar de gracia. Todo esto se puede resumir en un mandato triple: el deber de predicar, llevando liberación completa al alma presa del pecado; el deber se sanar, llevando liberación física al cuerpo preso de las enfermedades y la muerte; y, el deber de liberar, llevando liberación psíquica y espiritual a aquellos cuyas vidas estaban internamente deshumanizadas. Y todo esto, con una disponibilidad y entrega total.

Los misioneros (vv. 2-4). En los vv. 2-4, Mateo enlista por primera vez a los apóstoles por parejas, quizás correspondiendo a los grupos formados por Jesús cuando los envió "de dos en dos" (Mr. 6.7). Nótese que Mateo se limita a dar "los nombres de los doce" y no dice que fue en esta ocasión que fueron escogidos como apóstoles. Marcos (3.13-19) dice que Jesús los "designó" y Lucas (6.12-16) que los "eligió," después de pasar una noche en oración en una montaña, y que lo hizo a la mañana siguiente y antes de presentar su famoso Sermón de la Montaña (Lc. 6.17). Esta misma lista, con pocas variaciones, aparece en los otros dos Evangelios Sinópticos (Mr. 3.16-19; Lc. 6.14-16) y en Hechos (Hch. 1.13). Simón, llamado Pedro, encabeza (gr. *prōtos*) todas las listas, mientras Judas Iscariote, el que lo traicionó, aparece siempre último. Mateo es el único evangelista que se refiere a la profesión anterior de "Mateo" (v. 3), lo cual es una indicación de que se trata de la misma persona que el autor.

Además, esta es la primera vez que se aplica la palabra "apóstoles" (gr. *apostólōn*) a los discípulos de Jesús, y en Mateo es la única vez. La palabra viene del verbo gr. *apostéllō*, que significa "enviar en pos de sí" o "de parte de." El vocablo indica la relación particular que cada uno de ellos tenía con el Señor y con la tarea que en su nombre debían llevar a cabo. Un apóstol es un delegado, un mensajero, un representante del Rey y de su reino, alguien que declara su palabra y habla con autoridad porque está enviado por él. El apóstol tiene una visión del reino, es decir, como el Rey, es alguien que ve que "el campo es el mundo" (13.38) y que "ya la cosecha está madura" (Jn. 4.5).

Hasta ahora, Jesús en su ministerio se enfocó mayormente en enseñar y predicar sobre la ética del reino y el beneficio de vivir conforme a ella. Ahora lo vemos entrando en el gran ministerio de demostrar su autoridad y poder, como manifestaciones de su reino en desarrollo. Él no podía llevar a cabo esta enorme tarea solo. Por eso, organizó a sus discípulos, a quienes les dio su autoridad y poder para hacer lo que él había estado haciendo, y los envió (v. 5, gr. *apésteilen*, tiene la misma raíz que "apóstoles;" ver 10.16), no ya como discípulos, sino como "apóstoles."

¿Quiénes eran estos hombres? "Primero Simón, llamado Pedro" de quien tenemos muchísima información en el Nuevo Testamento. Luego "su hermano Andrés," también bastante conocido (4.18; Mr. 1.16; Jn. 1.40; Hch. 1.13). "Jacobo y su hermano Juan, hijos de Zebedeo," el segundo más conocido que el primero. Le siguen Felipe (Mr. 3.18; Lc. 6.14; Jn. 1.43; 12.22; Hch. 1.13); Bartolomé (Mr. 3.18; Lc. 6.14; Hch. 1.13); Tomás (Mr. 3.18; Lc. 6.15; Jn. 11.16; 20.24; Hch. 1.13); Mateo, el recaudador de impuestos (9.9; Mr. 2.14; 3.18; Lc. 5.27; 6.15; Hch. 1.13); Jacobo, hijo de Alfeo (Mr. 3.18; 6.3; Lc. 6.15; Hch. 1.13; 12.17); Tadeo (Mr. 3.18; 6.3; Lc. 6.16; Jn. 14.22; Hch. 1.13; Jud. 1); Simón el Zelote (Mr. 3.18; Lc. 6.15); y, Judas Iscariote, el que lo traicionó (Mt. 26.14, 47; 27.3; Mr. 3.19; 14.10, 43; Lc. 6.16; 22.3, 47; Jn. 6.70; 13.26; 18.2; Hch. 1.18).

Hoy, los cristianos de todas las naciones somos misioneros si servimos a otros y anunciamos lo que Dios ha hecho por el mundo. La palabra "misionero" viene del latín y significa "uno que es enviado." No es correcto usar la palabra sólo para los que salen de su propio país para ir a otro. Cuando somos "enviados" por Cristo, nos transformamos en misioneros si hacemos lo que él ha planeado para nosotros, antes que lo que nosotros planeamos. Cuando esto ocurre, vamos con su poder y hablamos en su nombre. No damos simplemente nuestra opinión (Mt. 10.40; Jn. 20.21). Marcos dice que Jesús envió a los Doce "de dos en dos" (Mr. 6.7). Los creyentes deberíamos trabajar así, en equipo, siempre que sea posible (Hch. 13.2; 16.25). Cuando hay éxito en la tarea, uno puede salvar del orgullo al otro, y cuando se produce el fracaso, lo puede salvar de la depresión (Ec. 4.9-10).

La metodología (vv. 5-16). Este pasaje describe la obra de los Doce apóstoles desde el día en que fueron enviados por Jesús por primera vez hasta el día de su propia crucifixión. Así, pues, estos versículos detallan la obra que tenían que llevar a cabo de inmediato. Todas las instrucciones que se presentan en esta sección fueron dadas por Jesús en relación directa con la tarea que sus discípulos tenían que desarrollar a cabo en aquel momento. Los detalles metodológicos sugieren algunos principios misiológicos que todavía son válidos, pero no son un modelo para reproducir de manera literal. Por empezar, hoy sería una contradicción absurda obedecer a la primera instrucción de Jesús: "No vayan entre los gentiles ni entren en ningún pueblo de los samaritanos" (v. 5). Estos versículos levantan ciertas preguntas.

¿Qué tenían que hacer? (v. 5a). Lo primero que leemos es que "Jesús envió a estos doce," es decir, lo que ellos tenían que hacer, antes que nada, era ir porque el Señor los enviaba. El mensaje de Mateo capítulos 1 al 10 es "Jesús los llamó," mientras que el mensaje de los capítulos 11-28 es "Jesús los envió." En Marcos 6.7 se dice que "comenzó a enviarlos," lo cual indica que ésta fue la primera de muchas otras ocasiones similares. Jesús había estado ya preparando a los Doce durante algún tiempo, de modo que pudieran hacer su obra una vez que él se hubiera ido. Pero ésta era la primera vez que los enviaba solos. Así, pues, el llamamiento de Jesús tenía un propósito definido, que era que ellos fuesen un cierto tipo de personas e hiciesen una tarea específica. Con su ejemplo personal y su paciente labor con cada uno de ellos, Jesús fue poco a poco modelando sus personalidades. Limó las aristas del carácter de Pedro, doblegó la ira de Jacobo y Juan, maduró la fe de Tomás, y reorientó los intereses de Mateo. No obstante, el propósito principal del viaje misionero no fue tanto preparar a los discípulos, como advertir a la gente de Galilea que el reino de Dios había comenzado a llegar. Este fue también el propósito de la misión de los setenta (Lc. 10.1-16). En Marcos 6.30 se nos refiere el regreso de este viaje misionero.

¿A dónde debían ir? (vv. 5b-6). En estos versículos, Jesús les está diciendo a sus enviados a dónde no debían ir y a dónde sí debían ir. Por eso, les dice: "No tomen ningún camino que los conduzca a territorio gentil" (gr. *hodon ethnōn*, literalmente "camino de los gentiles"). Esta prohibición fue sólo para este recorrido especial. Antes de que el evangelio de misericordia y gracia (9.36) fuese ofrecido a los gentiles, debía ser ofrecido primeramente a los judíos, que eran igualmente pecadores y no tenían ninguna otra esperanza (Ro. 1.16; 2.10). Más tarde, Jesús les ordenaría ir y

discipular a todos los gentiles (28.19, gr. *pánta ta éthnē*). Pero, por ahora, debían darles a los judíos la primera oportunidad y no perjudicar la causa en esta etapa inicial. Para ello, Jesús no solamente fue categórico en enviarlos, sino que fue claro en indicarles qué era lo que no tenían que hacer y qué era lo que sí debían hacer. No era todavía el momento estratégicamente oportuno para abrir un ministerio a los gentiles o a los samaritanos. Pero sí era la hora para proclamar la salvación a Israel.

¿Qué debían hacer? (vv. 7-8). Según los vv. 7-8, la misión cristiana en el mundo es triple e integral, y consiste en proclamar el evangelio del reino (salvación), sanar a los enfermos (sanidad) y echar fuera demonios (liberación). Ellos eran predicadores itinerantes en un recorrido de predicación como heraldos (gr. *kērukos*, predicador), que anunciaban (gr. *kērússō*, proclamar, dar a conocer, predicar) buenas noticias. El mensaje que tenían que predicar era el mismo que había predicado Juan el Bautista (3.2) y con el que Jesús había sacudido a Galilea (4.17). Sanar a los enfermos y expulsar a los demonios eran parte integral de su misión, y lo siguen siendo hoy. Todo creyente ha recibido de Dios poder y autoridad para servir así y cuenta con los dones espirituales que el Señor, a través del Espíritu Santo, le ha dado por gracia ("Lo que ustedes recibieron gratis, denlo gratuitamente," v. 8).

¿Cómo debían ir? (vv. 9-10). Una misión así demanda de los enviados una dependencia total de quien los envía (vv. 9-10). En el caso de los Doce, aquellos hombres no debían llevar equipaje, provisiones, ni siquiera dinero. "Oro ni plata ni cobre" (gr. *krusón mēde árguron mēde jalkon*) probablemente se refiere a monedas de valor decreciente, que se guardaban en una bolsita "en el cinturón." La "bolsa" servía para guardar provisiones u otros artículos necesarios para el viaje. De esta manera, estarían en condiciones de ir más rápidamente de lugar en lugar, y depender más del Señor y no tanto de sus propios recursos humanos. Nos preguntamos: ¿espera Jesús que nosotros obedezcamos una orden como ésta en el día de hoy? Él nos pide que guardemos exactamente los mismos principios misiológicos que les dio a los apóstoles. En el caso de ellos, esto funcionó a la perfección, y puede ocurrir lo mismo en nuestro caso, si lo

intentamos. Podemos hacerlo con la misma confianza con que lo hicieron los Doce en esta ocasión, basados en la promesa del Señor: "el trabajador (gr. *ergátēs*, ver 9.38) merece que se le dé su sustento" (gr. *trofēs*, comida). Dicho esto, si trabajamos para el Señor, él se va a ocupar de darnos el merecido sustento.

¿Qué podían esperar? (vv. 11-16). Iban a encontrar a personas dispuestas a recibirlos y aceptar su mensaje y acción redentora (vv. 11-13). Pero no siempre iban a ser bien recibidos y la urgencia de la misión tampoco les iba a permitir quedarse mucho tiempo en un lugar hostil (vv. 14-15). En algunos casos, la oposición podía llegar a ser violenta y colocarlos en grave peligro. Por eso, debían depender de él al confrontar una oposición cruel, y utilizar astucia y apelar a su humildad para salir airosos (v. 16). En verdad, estos hombres no supieron prácticamente nada de persecución hasta después de la crucifixión de Jesús. Incluso cuando él fue rechazado, la gente en general los trató con respeto. Las multitudes discutían con ellos, trataron de entender qué relación tenían con Jesús, les preguntaban qué era lo que el Señor quería decir con ciertas cosas, pero no los persiguieron como a Jesús. Pero después de la crucifixión y especialmente del martirio de Esteban, la persecución cayó sobre ellos como un rayo, empezando en Jerusalén (Hch. 8.1).

El modelo (vv. 5b-16). Las instrucciones que Jesús les dio a los Doce expresan un modelo misiológico, que es válido también para nosotros hoy. En realidad, estas instrucciones son para todos los creyentes, puesto que todos los que confiesan a Cristo como Señor son "ministros," es decir, servidores a disposición del Rey para alcanzar los fines de su reino. Estas instrucciones se pueden sintetizar en cuatro puntos. (1) Predicar (v. 7). El mensaje que los Doce debían anunciar era: "El reino de los cielos está cerca." Este era el mensaje de la propia predicación de Jesús (Mt. 4.12-17). Hoy también debemos predicar esto, ya que el fin puede estar cerca (1 P. 4.7). (2) Sanar (v. 8). La preocupación por las necesidades físicas de las personas debe acompañar a la predicación del evangelio. No hay conflicto entre los objetivos 1 y 2, como tampoco es necesario darle prioridad a uno a costa del otro. Ambas acciones deben ir juntas y complementarse. La Gran Comisión (Mt. 28.19-20) debe cumplirse junto con el Gran Mandamiento (Mt. 22.36-40). (3) Viajar rápido y liviano (vv. 9-10). No había tiempo que perder. No debían llevar equipaje pesado, ni perder el tiempo buscando un alojamiento confortable, sino que debían quedarse con los primeros que estuvieran dispuestos a aceptarlos. Hoy también puede haber muy poco tiempo disponible para que la iglesia haga su tarea. Por eso, hay que tener cuidado de no perder tiempo con cosas que no son importantes (1 S. 21.8b). Recuerdo a cierta congregación en Argentina que pasó dos meses discutiendo en una asamblea detrás de otra de qué color iban a pintar la casa pastoral. No hay tiempo para este tipo de cosas. (4) Confiar en que Dios pondrá en el corazón de la gente el proveer la comida y el alojamiento (vv. 9-11). Los Doce no debían preocuparse por llevar provisiones o de dónde iban a venir los recursos para llevar adelante su obra. Nuestra preocupación y ansiedad hoy generalmente no tiene que ver con los recursos para la misión, sino para el fortalecimiento de una institución (dinero para contratar más personal, construir un templo más bonito, desarrollar actividades internas de la iglesia, etc.) Nada de esto tiene que ver con la misión de proclamar el evangelio, sanar a los enfermos y echar fuera a los demonios. Necesitamos confiar en Dios y orar más para cumplir bien nuestra misión. Debemos gastar menos tiempo en las cosas que son instrumentos para el servicio (edificios, organización, infraestructura, personal, etc.) y dedicar mayor atención al servicio mismo. (5) Basar el ministerio en la familia y desarrollar estrategias de evangelización no violentas (vv. 12-13). La evangelización agresiva o belicosa ha caracterizado a la mayor parte de los esfuerzos evangelizadores en América Latina. Debemos quitar de nuestro vocabulario evangélico expresiones militares y bélicas como cruzadas, campañas, conquista, proselitismo, etc. El evangelio se proclama, pero no se impone; predicamos a un Cristo crucificado y no a un Cristo conquistador; el evangelio es paz y no combate; no es poder de Dios para condenación, sino para salvación; y si hay una guerra, "nuestra lucha no es contra seres humanos," sino contra el diablo (Ef. 6.12). (6) Ser "astutos como serpientes y sencillos como palomas" en el trato con quienes se oponen y actúan como "lobos," sabiendo que viene un juicio inapelable en el que serán juzgados con justicia (vv. 14-16).

Las advertencias (10.17-42)

El gran evangelista y predicador norteamericano R. A. Torrey, decía: "No podemos encontrar un verdadero cristiano sobre la faz de la tierra, que no nos diga que lo que él abandonó por Cristo no fue nada comparado con lo que recibió." El discipulado cristiano es costoso, pero vale la pena el precio del mismo. Hay dos cosas que todo fiel discípulo debe tener bien en cuenta: la necesidad de calcular el costo del discipulado (ver Lc. 14.28-32), y el costo efectivo del mismo (Mt. 10.17-42).

Primera advertencia: tengan cuidado de la gente (vv. 17-20). Jesús advierte a sus seguidores que seguirlo como discípulos involucra la disposición de pagar el precio del peligro, la amenaza y la incertidumbre. Los discípulos tienen que estar dispuestos al sufrimiento. Cuando fuesen perseguidos, no debían ponerse ansiosos en cuanto a qué iban a decir, sino que debían descansar confiados en que el Espíritu Santo les iba a dar las palabras necesarias (vv. 19-20). La oposición y la persecución serían inevitables, pero ellos debían recordar que su Señor también fue despreciado y abusado, y que su enseñanza siempre causará divisiones entre las personas y mucho más entre los miembros de una misma familia (vv. 18, 21-22, 35-36). Para hacer frente a estos peligros, el discípulo necesitará echar mano a ciertos recursos especiales. Esto demandará una alta cuota de prudencia, sabiduría, cautela, convicción y dependencia del Espíritu.

Segunda advertencia: estén preparados para sufrir (vv. 21-23). El v. 23 se entiende mejor leyéndolo con referencia a la venida del Hijo del hombre en triunfo, después de su resurrección, cuando mandó a sus discípulos a ir a todas las naciones. De todos modos, no es de fácil interpretación. Según algunos, no se acabarán las ciudades de refugio antes de que el Hijo del hombre intervenga a favor de los discípulos. Otros consideran que no se acabará la tarea de los discípulos en Israel antes de que venga el Hijo del hombre para darles otra tarea. Y aun otros piensan que el pasaje significa que al recorrer las ciudades de Israel predicando, el Hijo del hombre vendrá o se manifestará en la conversión de las personas. Según Mateo y la iglesia de su tiempo, probablemente esto significa que antes de que la iglesia termine su trabajo, el Hijo del hombre vendrá. Así, pues, Jesús está diciendo aquí que el discípulo debe estar dispuesto a pagar el precio del sufrimiento físico y moral. El verdadero discípulo es alguien que está dispuesto a decir que Jesucristo es el Señor, con el discurso y testimonio más elocuente de todos: el derramamiento de su propia sangre.

Tercera advertencia: soporten las injurias (vv. 24-25). Con estas palabras, Jesús quería dar ánimo a sus discípulos. Los vv. 24-33 son palabras de aliento para los discípulos. Quienes quieren seguir a Jesús deben estar dispuestos a pagar el precio del marginamiento social. Las tinieblas no pueden soportar el brillo de la luz y harán todo lo posible por frustrar sus efectos. El discípulo no debe esperar aplausos, sino desprecio y oposición. Incluso, debe estar dispuesto a correr el riesgo de que se tergiversen sus acciones y de que sus obras hechas por y para Dios sean interpretadas como operaciones del maligno. La etimología del nombre Beelzebú es desconocida, y puede ser "señor de una morada" con la idea de "señor de la casa" (gr. *oikodespótēs*), o "señor de las moscas" o "señor de la bosta" o "señor de los sacrificios idolátricos." En el Antiguo Testamento se presenta como el dios de Ecrón, una de las cinco ciudades filisteas. El rey Ocozías, enfermo, envió a consultarlo acerca de su salud, cosa que impidió el profeta Elías anunciándole la muerte de parte de Dios (2 R. 1.2-17). En el Nuevo Testamento se presenta como el príncipe supremo de los demonios en boca de los judíos, que acusan a Jesús de estar poseído por él y actuar en su nombre (Mr. 3.22; Mt. 12.24; Lc. 11.15). Jesús lo identifica con Satanás como su enemigo (Mr. 3.23-24; Lc. 11.18) y rey del infierno (Mt. 12.25-29; Mr. 3.24-27; Lc. 11.17-22). No obstante, Jesús vino para derrotarlo, quitarle todo poder y expulsarlo (Mt. 12.29; Lc. 11.21-22). Sea como fuere, Beelzebú es un término derogatorio y un epíteto insultante (12.24).

Cuarta advertencia: no tengan miedo (vv. 26-31). Ningún tipo de persecución va a impedir que estos enviados del Mesías proclamen en público lo que han aprendido de él en secreto (vv. 26-27). Tampoco ellos deben temer a aquellos que pueden matar sus cuerpos, pero son incapaces de destruir sus almas (v. 28). La advertencia a no tener miedo o temer se repite tres veces en pocos versículos (vv. 26, 38, 31), pero retumba como un eco en toda la Biblia de tapa a tapa. El temor es el arma más efectiva de Satanás para paralizar al obrero cristiano, y sólo puede ser neutralizada por el poder de un grande y perfecto amor (1 Jn. 4.18). ¿Quién es el "que puede destruir alma y cuerpo en el infierno? La frase en gr. es *kai psujēn kai sōma apolésai en geénnēi*. Hay mucha discusión en torno a la respuesta a esta pregunta. Las opciones son Dios como Juez o Satanás como Destructor. Personalmente me inclino por lo segundo, porque es él para quién fue creado el infierno (25.41; Ap. 20.10).

Quinta advertencia: reconozcan mi señorío (vv. 32-33). La salvación eterna aguarda a todos los que están bajo la protección y el cuidado amoroso del Padre celestial (vv. 29-31), mientras que una destrucción segura espera a las ciudades que han rechazado su mensaje (v. 15). Es más, el Maestro que los ha comisionado jamás los despojará o deshonrará, en tanto ellos se mantengan leales a él por sobre cualquier otra cosa o lealtad (vv. 32-33, 37). La frase "me reconozca" (gr. *homologēsei en emoi*) viene del arameo y significa literalmente "me confiese" e indica un sentido de unidad con Cristo y de Cristo con el creyente que así lo representa en público. Lo contrario a esta actitud de compromiso con el señorío de Cristo es la negación o desconocimiento. Esto es lo que hizo Pedro más tarde mientras Jesús era juzgado (26.69-75). Negarlo frente a los demás es decirle "No" a él. No se trata de un mero "ninguneo" o distracción, de una postergación o desvalorización, sino de una negación firme y tenaz de su señorío en la vida. Sólo un arrepentimiento profundo y una confesión sincera pueden revertir el resultado trágico de esta actitud errónea (26.75; Jn. 21.15-19).

Sexta advertencia: sean radicales (vv. 34-36). Es de notar en los vv. 34-39 que en la Biblia muy frecuentemente las consecuencias son expresadas como si fuesen intenciones. Las palabras de Jesús en v. 34 han sido tema de discusión en razón de su radicalismo y violencia. La construcción de la oración indica una acción repentina y sorpresiva, que toma desprevenidos a todos. Todo el mundo esperaba que el Mesías trajera "paz a la tierra," pero de pronto saca su espada, la blande y comienza a crear todo tipo de conflictos relacionales, especialmente en los círculos de los afectos más profundos. Allí donde se esperaba paz, termina habiendo conflicto;

donde se anticipaba armonía y unidad, ahora hay una grieta y enemistad. ¡Y quien parece provocar todo esto es nada menos que el Mesías!

En el v. 35, el radicalismo se profundiza y se expresa en términos positivos ("porque he venido," gr. *ēlthon gar*) y no negativos como en el versículo anterior ("no vine"), con lo cual la sentencia es más fuerte y categórica. En lugar de "paz" (gr. *eirēnēn*) lo que Jesús promete es "espada" (gr. *májairan*) y más específicamente "conflicto" (gr. *dijásai*). "Poner en conflicto" significa literalmente dividir o partir en dos (gr. *dijázō*, poner en disensión). Aquí Jesús está citando a Miqueas 7.1-6, donde el profeta describe lo que la corrupción de sus días provocó en el pueblo. El clímax de esta situación devastadora es que en el núcleo fundamental de las relaciones humanas y de la convivencia, que es la familia, es donde se encuentra el campo de batalla más trágico y desolador (v. 36).

Para entender las palabras de Jesús es necesario tener presente que él está hablando aquí de la relación de sus "obreros" con él, como resultado de su identificación con él. Ya les había advertido que al único que tenían que temer era a él (vv. 26-31), no a un Dios cruel y sanguinario, sino a alguien sensible, tierno y siempre presente (v. 31). En las palabras que siguen, Jesús juega con los conceptos de identificación y separación. Nos identificamos con él cuando lo "reconocemos" delante de otros y cuando somos "reconocidos" por él "en el cielo." Este reconocimiento sólo es posible "en Cristo," para utilizar el lenguaje paulino, y es "en Cristo" que Dios nos reconoce como hijos. Estar "en Cristo" es una realidad extraordinaria. El significado de estar en Cristo nos deja sin aliento. Unidos a Cristo o atados a Cristo tiene un gran significado para nosotros: (1) en Cristo recibimos gracia antes de que el mundo fuera creado (2 Ti. 1.9); (2) en Cristo fuimos escogidos por Dios antes de la creación (Ef. 1.4); (3) en Cristo somos amados por Dios con un amor inseparable (Ro. 8.38-39); (4) en Cristo fuimos redimidos y todos nuestros pecados fueron perdonados (Ef. 1.7); (5) en Cristo fuimos justificados delante de Dios y la justicia de Dios en Cristo nos fue conferida (2 Co. 5.21); en Cristo fuimos convertidos en una nueva creación y en hijos de Dios (2 Co. 5.17; Gá. 3:26).

Nótese la intimidad y trascendencia de esta identificación. La identificación en el reconocimiento aquí en la tierra es la identificación en el reconocimiento allá en el cielo. Dondequiera que vayamos y reconozcamos (confesemos) la verdad en Cristo, estaremos en él, escondidos y seguros (Col. 3.3). Y mientras estamos haciendo esto, él está en nosotros delante del Padre reconociéndonos allí, de modo que cuando las personas lo ven a él en nosotros, el Padre nos ve a nosotros en él. La identificación con Cristo es una gran responsabilidad, así como un gran privilegio. Si lo negamos a él, entonces estamos separados de él, y él, en separación, nos niega delante del Padre que está en el cielo.

El reconocimiento íntimo entre el Señor y nosotros no sólo afecta la relación con el Padre, sino también con los demás seres humanos, incluso aquellos que están más cerca de nuestros afectos, como son los miembros de nuestra familia. Por causa de nuestra relación con Cristo, habrá quienes nos rechazarán. Nuestra presencia creará discordia, enemigos y espada.

Séptima advertencia: sean leales (vv. 37-39). La expresión de Jesús en v. 37, según Mateo, probablemente tiene su verdadero sentido original; la versión de Lucas es más fuerte (Lc. 14.26). Igualmente radicales son las palabras de Jesús en v. 39. Quien asegura su vida negando su fe bajo la persecución o de otra manera, haciendo arreglos con el mundo, lo hace al costo de su propia conciencia. No debemos olvidar que, en la presencia de divergencias creadas por el conflicto y la espada, y los enemigos que parecen siempre están presentes, debemos ser dignos de él y fieles a él, en primer lugar. Debemos amarlo a él más que a nadie (padre, madre, hijo, hija, esposo, esposa, etc.) Esta situación de conflicto puede ser la cruz que tengamos que llevar cada día mientras lo seguimos como sus discípulos (Lc. 9.23).

En v. 38 encontramos la primera mención de la cruz en Mateo. Los criminales eran sentenciados a padecer la muerte por crucifixión. Los judíos estaban muy familiarizados con este tipo de condena a muerte, que era bastante común desde los días de Antíoco Epífanes. Uno de los reyes macabeos (Alejandro Janeo) había crucificado a unos 800 fariseos en sus días. No es seguro si en las palabras del v. 38 Jesús está pensando en su propia crucifixión al usar la figura de la cruz, pero es probable que sí. Los discípulos en ese momento no tenían idea de lo que la cruz podía significar para ellos en su propia experiencia personal.

En v. 39, Jesús presenta una gran paradoja, que en los Evangelios se presenta bajo cuatro versiones: (1) Mateo 10.39; (2) Marcos 8.35; Mateo 16.25; Lucas 9.24; (3) Lucas 17.33; y (4) Juan 12.25. La oración parece ser un dicho popular, pero que Jesús profundiza y expresa de manera magistral. Este es uno de los dichos más profundos y se ha repetido infinidad de veces a lo largo de los siglos. Para el discípulo de Jesús, que está dispuesto a dar su vida por él y su reino, estas palabras encierran una poderosa promesa: encontrará vida en Jesús.

Octava advertencia: sean mis representantes (vv. 40-42). En los vv. 40-42 se detallan las prioridades y privilegios de los discípulos como siervos de Cristo. El pasaje considera dos dimensiones de relaciones: hacia afuera de la comunidad de fe y hacia adentro de la misma. Por un lado, hacia afuera, la "recepción" de los discípulos por parte de quienes todavía no lo son, es equivalente a la recepción de Cristo, ya que sus discípulos lo representan. A su vez, recibir a Cristo es recibir a quien lo envió, es decir, el Padre. Si se aplica el carácter transitivo de las matemáticas, podríamos decir: recibir al creyente es recibir a Cristo y recibir a Cristo es recibir al Padre, luego, recibir al creyente es recibir al Padre.

Por otro lado, hacia adentro de la comunidad de fe, hay tres casos de "recepción" o relación a tomar en cuenta: profeta (gr. *profētou*), justo (gr. *díkaion*) y pequeños (gr. *mikrōn*). Así como en el Antiguo Testamento se trataba bondadosa y honrosamente a los profetas y a los justos (creyentes), así se debe hacer con los discípulos de Cristo, por humildes o "pequeños" que sean. Algunos piensan que la referencia a "pequeños" en v. 42 es literalmente a niños, que estaban presentes en la asamblea de los discípulos. Sea que seamos profetas, justos o pequeños, siempre hay recompensa para los creyentes cuando aceptan la autoridad de los primeros, la condición espiritual de los segundos, y la inmadurez y necesidad de los terceros.

"Si yo hubiera vivido en los tiempos de Cristo, lo habría seguido, habría sido uno de sus discípulos, y no el que le jugó la corta herencia, sino uno de los fieles, de los buenos." Así lo afirmaba el gran escritor ecuatoriano Juan Montalvo (1832-1885). ¿Habríamos hecho nosotros lo mismo? ¿Habríamos obedecido a Jesús como lo hicieron los Doce cuando Jesús los comisionó a una tarea misionera? El pastor Howard Agnew

Johnston señalaba: "Cuesta mucho ser discípulo de Cristo, pero cuesta más no serlo." ¿De qué maneras podemos ayudarnos unos a otros a fin de ser cada día mejores discípulos de Jesús? ¿Qué recursos divinos están a nuestro alcance para permitirnos hacer frente a las demandas categóricas del discipulado cristiano? ¿En qué medida la vida y obra de Jesús pueden sernos de inspiración cuando pensamos en el precio que como sus discípulos debemos pagar?

JESÚS COMISIONA A TODOS SUS DISCÍPULOS (28.16-20)

Los vv. 16-20 muestran que Mateo es el único de los evangelistas del que podemos estar seguros de que presenta un final genuino a su Evangelio (Lucas continúa en Hechos, y Marcos y Juan tienen finales dudosos). La "montaña" es de significado más simbólico, que geográfico (4.8). Nótese que todos "lo adoraron" (gr. *prosekúnēsan*) pero "algunos dudaban" (gr. *hoi de edístasan*), lo cual es una observación general (según Jn. 20.24-29, fue Tomás el único que dudó), que no los descalificó para recibir el mandamiento que sigue. No se describe al Jesús resucitado, pero sí se enfatizan sus palabras.

María Slessor, una gran misionera, afirmó: "Cristo nunca anduvo de prisa; no se precipitaba, no se malhumoró por lo que debía hacer; él cumplió los deberes de cada día, los que cada día traía; y dejaba el resto a Dios." La vida de todo ser humano está regida por los deberes que le toca cumplir. El discípulo de Jesús ha recibido de él una orden absoluta, que debe esforzarse por cumplir, como condición de su discipulado. ¿En qué consiste la orden de Jesús a sus discípulos? El imperativo categórico de Jesús es triple. Tiene que ver con el deber de predicar el evangelio, enseñar su Palabra y desarrollar a los discípulos.

El deber de ir y predicar (28.18-19a)

La cláusula "Por tanto" (v. 19) es importante. La comisión de Jesús a los discípulos descansa sobre el hecho de que él es ahora el Mesías entronizado, el Rey vivo, con todo poder ("toda autoridad," gr. *pāsa exousía*), tanto en el cielo como en la tierra (v. 18). Por lo tanto, ha llegado el tiempo en que ellos hagan lo que él nunca hizo excepto a modo de anticipo: ir a los gentiles ("todas las naciones," gr. *pánta ta éthnē*) con el mensaje del reino de Dios. Esto significa una tarea mundial de evangelización, cuya meta no es simplemente anunciar un mensaje, sino lograr que las personas lo acepten y se hagan "discípulos" (gr. *mathētēs*, discípulo, alumno, seguidor) de Cristo. La meta no es informar a las personas, sino transformarlas en ciudadanos del reino de Dios.

El siguiente paso en este proceso de "hacer discípulos" es bautizarlos, es decir, confirmar su pertenencia al reino e incorporarlos a la comunidad de fe como miembros activos y comprometidos. Esta misión se describe en el lenguaje de la iglesia y es probable que la fórmula trinitaria no sea la original o la *ipsissima verba* (las palabras mismas) de Jesús, sino más bien un agregado litúrgico posterior. De hecho, parece ser que el bautismo más temprano se hacía sólo en el nombre del Señor Jesús (Hch. 2.38; 8.16). Según los Evangelios, Jesús nunca administró el bautismo y los discípulos lo hicieron sólo en la ocasión que se menciona en Juan 4.1-2.

Para la expresión "hagan discípulos," ver 13.52; 27.57. La orden de Jesús implica un necesario movimiento de donde nos encontramos hacia los demás. Las expresiones "vayan" (vv. 18-19; ver Mr. 16.15) y "yo los envío a ustedes" (Jn. 20.21) muestran que no es la gente la que tiene que venir a los discípulos en procura de la verdad, sino a la inversa. Debemos ir hacia aquellos que viven sin Dios ni esperanza, e introducirnos en esa esfera de la realidad donde la voluntad divina no es respetada ni cumplida. Allí y a ellos debemos anunciar las buenas nuevas tocantes a Jesús, el evangelio. Para ello contamos con la asistencia del Espíritu Santo (Jn. 20.22). Es decir, la plenitud del poder divino que operó en Jesús está a disposición de los discípulos para el cumplimiento de la magna tarea que se les asigna (vv. 18, 20b). Esta tarea es de gran responsabilidad, ya que el destino eterno de los pecadores depende de su cumplimiento (Jn. 20.23).

El deber de enseñar la Palabra (28.20)

La última consigna de Jesús a sus discípulos es: "Enseñándoles" (gr. *didáskontes autous*). Todas las personas deben conocer el consejo de Dios. Deben saber que hay un Dios de amor que ha obrado en la historia para la salvación de todos los seres humanos, y que esos hechos redentores se encuentran registrados en su Palabra, la Biblia. Es necesario que todo lo que Dios ha provisto para una vida plenamente humana sea dado a conocer. Para ello, el discípulo debe no sólo conocer profundamente la Palabra de Dios, sino también ser fiel a sus enseñanzas y mantenerse firme en ella.

> **Archibald Thomas Robertson:** "Los cristianos han sido lentos en darse cuenta del valor pleno de lo que ahora llamamos educación religiosa. La obra de la enseñanza pertenece al hogar, a la iglesia (sermón, escuela dominical, trabajo juvenil, reunión de oración, clases de estudio, clases de misión), a la escuela (no mezclando iglesia y estado, sino enseñanza moral, cuando no la lectura de la Biblia), buenos libros que deben estar en todo hogar, la lectura de la Biblia misma. Algunos van demasiado lejos y en verdad colocan a la educación en el lugar de la conversión o la regeneración. Esto significa errar al blanco. Pero la enseñanza es parte, y una parte importante, de la obra de los cristianos."[1]

En v. 20 se describe la enseñanza de Jesús como mandamientos ("todo lo que les he mandado a ustedes"), que deben ser obedecidos, siguiendo los términos de la Ley de Moisés (15.4; 19.7, 17), con lo cual Jesús aparece como un Nuevo Moisés. Estos mandamientos pueden incluir cosas como la Eucaristía (26.26-28) y la disciplina de la iglesia (18.15-22). Jesús promete su presencia durante el ministerio de la iglesia (entre su ascensión y la Parousía, 18.20).

El deber de desarrollar a los discípulos (28.19b)

Aceptar a Cristo como Salvador y reconocerlo como Señor es el primer paso en la relación personal con él. El discípulo regenerado debe avanzar cada día en el camino de la santificación, con la ayuda del Espíritu Santo. El bautismo es expresión de este proceso de madurez, ya que significa el testimonio público del compromiso asumido con Cristo y la identificación con la comunidad de fe que le sirve. Pero el camino se dilata todavía más. Es necesario que el creyente crezca hasta la "plena estatura de

---

1. Robertson, *Word Pictures in the New Testament*, 1:245-246.

Cristo" (Ef. 4.13). El discípulo maduro ayuda a sus hermanos "menores" a crecer junto a él en este proceso interminable de maduración y desarrollo.

El proyecto redentor de Dios para el mundo es extraordinariamente maravilloso En su gracia, él ha querido asociarnos al mismo. Si somos sus discípulos, estamos bajo sus órdenes, y éstas no admiten dudas ni dilaciones. "Hacer discípulos" es un mandato y, como tal, no fue dado para ser discutido o evaluado, sino obedecido. ¿Cuál será nuestra participación como discípulos en este proyecto?

UNIDAD CUATRO

EL CARÁCTER DE JESÚS

¿Quién es Jesús? Hace más de dos mil años que este interrogante ocupa la mente de millones de seres humanos y continúa formulándose una y otra vez con cada generación. Es la misma pregunta que muchas personas se hicieron durante los pocos años de su ministerio público a pocos años de haber comenzado el primer siglo de la era que lleva su nombre. Desde entonces, las respuestas que se han dado han sido y continúan siendo asombrosamente variadas. Algunas son tan absurdas, que no vale la pena tenerlas en cuenta. Otras están seriamente elaboradas y merecen ser consideradas. No obstante, para nosotros como seguidores de Jesús e interesados en su verdadero carácter, nos resulta más seguro permitir que el testimonio de la Palabra de Dios nos ayude a elaborar una respuesta.

Por un lado, la pregunta planteada ha recibido dos respuestas, especialmente en el debate contemporáneo sobre Jesús. Es así que se lo ha interpretado como una figura histórica, pero también como nuestro Señor contemporáneo. Algunos han pretendido encontrar diferencias de perfil entre el Jesús de la historia y el Cristo de la fe. Tal disección resulta imposible de efectuar desde la perspectiva del testimonio bíblico (1 Jn. 4.2-3). No se puede separar la identidad del Jesús humano de la personalidad del Mesías divino. El Jesús de quien leemos en los Evangelios está bien plantado sobre el devenir humano y ocupa un espacio geográfico bien definido.

Hoy nadie discute la historicidad de su persona, que por otro lado está suficientemente atestiguada por fuentes primarias extra-neotestamentarias. Más debatible es el perfil de Jesús como Mesías y Señor, es decir, el que trae el reino de Dios y comienza su construcción en el espacio y el tiempo. Sin embargo, los documentos del Nuevo Testamento dan un testimonio tan firme y coherente en cuanto a él como en relación con el hijo de María. Ambos perfiles encuentran su reconciliación en uno de los títulos preferidos utilizados por Jesús: Hijo del hombre (16.13-15).

> **F. F. Bruce:** "Nuestra evidencia primaria en cuanto a él descansa en los documentos del Nuevo Testamento. Es interesante estudiar las referencias más tempranas a él en la literatura no cristiana, pero estas son pocas y no importantes. ... En cuanto a los documentos del Nuevo Testamento, es necio considerar que su evidencia es sospechosa porque fueron producidos dentro de la sociedad que confesaba a Jesús como Señor. Es más probable que las memorias de cualquier gran líder fueran recordadas y preservadas entre sus seguidores que entre aquellos que no tenían simpatía alguna hacia él. ... Los escritos más tempranos del Nuevo Testamento son las primeras cartas de Pablo. Pablo no conoció nunca al Jesús histórico, pero sí conoció a personas que habían estado estrechamente asociadas a él. Unos cinco años después de la muerte de Jesús, Pablo pasó dos semanas en Jerusalén con Pedro, la figura más prominente entre los discípulos de Jesús, y se encontró con Jacobo, el hermano de Jesús (Gá. 1.18-19). Pablo no escribió un Evangelio, como hicieron los evangelistas, pero en sus cartas pudo extraer de ellos todo lo necesario sobre su conocimiento de lo que Jesús había hecho y dicho. En particular, él recuerda a sus convertidos más de una vez que en su primera instrucción a ellos él les 'transmitió' lo que había 'recibido'—recibido, es decir, al comienzo de su carrera cristiana. Los dos verbos que usa denotan el traspaso de una tradición, y su lenguaje señala a la manera en que el evangelio y la enseñanza de Jesús fueron transmitidos oralmente antes de que fueran puestos por escrito por primera vez."[1]

1. F. F. Bruce, *The Real Jesus* (Londres: Hodder and Stoughton, 1987), 23-24.

Por otro lado, la pregunta "¿Quién es Jesús?" ha recibido también dos respuestas desde la perspectiva del registro evangélico de su vida y ministerio. El Evangelio de Mateo presenta una riqueza maravillosa de información, en torno a dos elementos importantes para perfilar su identidad: sus títulos y sus relaciones. Cuando consideramos estas dos cuestiones fundamentales que hacen a su carácter, descubrimos inmediatamente que él es una figura histórica y nuestro contemporáneo eterno. El carácter de Jesús no sólo ha manifestado el modelo más alto de virtud y santidad, sino también el incentivo más fuerte para su práctica por parte de todos los que creen en él y lo siguen. En esto ha ejercido una notable influencia, a pesar de que apenas se han registrado sus palabras y acciones por un período de no más de tres años de vida activa. No obstante, en este lapso de tiempo tan corto y a partir de él, el carácter de Jesús ha impactado a la humanidad más que todas las disquisiciones de los filósofos, las exhortaciones de los moralistas, las ideas de los políticos, las conquistas de los militares y las fortunas de los ricos de todos los tiempos. Es por esto que él no es solamente una figura histórica, sino también nuestro eterno Señor contemporáneo, cuyo carácter trasciende el tiempo y el espacio.

CAPÍTULO 11

SUS TÍTULOS Y RELACIONES

2.23; 11.25-30; 12.1-8, 10b-12, 14-24, 30-50; 13.53-58; 16.13-20; 19.13-15

El Evangelio de Mateo, al igual que todo el testimonio escriturario, presenta una serie de nombres o títulos de Jesús, que describen su naturaleza, su posición oficial y la obra por la cual él vino al mundo. Entre estos títulos están algunos que fueron pronunciados en la dispensación del viejo pacto y fueron anunciados por los profetas del Antiguo Testamento. Otros fueron dados a Jesús por sus seguidores y las personas que fueron objeto de su ministerio. Y aun otros fueron títulos que Jesús mismo se dio, mayormente en base y como cumplimiento de las profecías antiguas, o bien a la luz de las circunstancias del momento.

> **Rudolf Bultmann:** "Los títulos que la comunidad ha aplicado a Jesús para describir su significación y dignidad han sido tomados de la tradición de la fe judía mesiánica, la cual reúne, ciertamente, motivos de origen diverso. Todos estos títulos tienen en común que, aunque su sentido originario haya podido ser diverso, designan al portador escatológico de la salvación. Es evidente que Jesús recibió el viejo título de 'mesías' (= rey ungido) tal como lo prueba no solamente la tradición sinóptica, sino que también Pablo lo presupone claramente. Sólo

> partiendo de esta base pudo crecer en el helenismo cristiano el doble nombre 'Cristo Jesús' (*Iēsous Jristós*)."[1]

En cuanto a sus relaciones, éstas también son significativas para entender su carácter único y singular. La manera en que él se relacionó con otros seres humanos habla elocuentemente acerca de su persona misma. José Ortega y Gasset hizo famosa su frase: "Yo soy yo y mis circunstancias." Podríamos tomar sus palabras y aplicarlas con cierta libertad a Jesús y decir que "él es él y sus relaciones." Precisamente fueron sus relaciones con sus familiares (María, José y sus hermanos y hermanas), sus enemigos (fariseos y maestros de la ley entre otros), sus discípulos (los Doce y las multitudes que lo seguían), los niños y, como ya vimos, los marginales sociales (cobradores de impuestos, pecadores, prostitutas, leprosos, endemoniados y otros sufrientes), las que hablan elocuentemente de su carácter y de quién era él realmente.

La fe cristiana afirma que "el Verbo se hizo hombre y habitó entre nosotros" (Jn. 1.14). Su carácter como Hijo de Dios llegó a ser conocido y reconocido gracias a que él "se hizo hombre y habitó entre nosotros." De esta manera, el Cristo de la fe es inseparable del Jesús de la historia. Su condición como Mesías y Señor se verifica y explicita en su relación con los mortales y pecadores. Estos últimos, como Mateo, nos dejaron el registro de sus experiencias con él, para que nosotros también "creamos en él" (Jn. 20.30-31).

SUS TÍTULOS (2.23; 11.25-30; 12.1-8, 10b-12, 15-23; 13.53-58; 16.13-20)

Los grandes credos cristianos han designado al Señor con fórmulas propias de elaboración humana y con la mejor intención de caracterizarlo de la manera más precisa posible. Así, pues, el Credo de Nicea (325) confesaba: "Creemos … en un Señor Jesucristo, el Hijo de Dios, engendrado del Padre, unigénito, es decir, de la naturaleza del Padre, Dios de Dios, Luz de Luz, verdadero Dios de verdadero Dios, engendrado, no hecho, de

1. Bultmann, *Teología del Nuevo Testamento*, 93.

una substancia con el Padre por quien fueron hechas todas las cosas, las que están en los cielos y las que están sobre la tierra; quien por nosotros los hombres y por nuestra salvación descendió y se hizo carne y asumió la naturaleza humana, sufrió y resucitó al tercer día, ascendió al cielo (y) volverá para juzgar a los vivos y a los muertos."[2] Este Credo, al igual que otras fórmulas antiguas, por medio de las cuales los cristianos hemos procurado tradicionalmente confesar nuestra fe, está expresado con un lenguaje muy particular, que es diferente del usado en el Nuevo Testamento. Sin embargo, sus afirmaciones, si bien son singulares, están basadas en el testimonio del Nuevo Testamento, que es esencialmente el testimonio de Jesús mismo y de quienes testificaron de él.[3]

Jesús de Nazaret (2.23)

El nombre "Jesús" es la forma griega del he. *Jehoshua*, *Joshua* (Jos. 1.1; Zac. 3.1), o *Jeshua* (Esd. 2.2). De dónde deriva este nombre es incierto. Se piensa que deriva de *yasha'* o *hoshia'*, que significa salvar y encierra la idea de redención. Si es así, esto coincidiría con la interpretación que se hace de su nombre en Mateo 1.21. Algunos sostienen que el nombre viene de *Jah* (*Yahweh*) y *shua* (ayuda). Sea como fuere, el nombre fue utilizado por dos grandes personajes del Antiguo Testamento (Josué y Oseas).

La expresión "de Nazaret" indica su procedencia y es interpretada por Mateo como de cumplimiento profético (2.23). Según el evangelista, hubo varias profecías (nótese el plural, gr. *dia tōn profētōn*) que indicaban que iba a ser "nazareno." En realidad, parece ser que el énfasis de Mateo está puesto en las connotaciones prejuiciosas que el vocablo Nazaret expresaba en aquellos tiempos (Jn. 1.46). Esto encuadra con lo que Isaías había predicho en cuanto al Siervo del Señor, que sería despreciado por los hombres. De modo que, parte del cumplimiento de esta y otras profecías similares del Antiguo Testamento estaba en el rechazo y desprecio que Jesús sufrió por parte de las autoridades religiosas de Israel, en razón de su asociación con lo que ellos consideraban era un pueblito marginal y miserable de

---

2. Citado en Reinhold Seeberg, *Manual de historia de las doctrinas*, 2 vols. (El Paso, TX: Casa Bautista de Publicaciones, 1963), 1:220.

3. Ver F. F. Bruce, *The Spreading Flame* (Exeter, Inglaterra: Paternoster, 1982), 302-309.

Galilea. Esta fue la explicación del pasaje de 2.23 que dio Jerónimo y que probablemente es la correcta. Sea como fuere, Jesús sigue siendo nombrado y conocido por toda la cristiandad como "Jesús de Nazaret."

El Señor (*Yahweh*)

El nombre "Señor" es el nombre de Dios que aparece en la Septuaginta. Allí se lo usa como equivalente de *Yahweh*, como traducción del he. *Adonai*, y como expresión de un título humano honorífico aplicado a Dios ("Soberano" o "Dueño," he. *Adon*; Jos. 3.11; Sal. 97.5). El nombre por el que el Señor era conocido en el Antiguo Testamento fue *Yahweh* ("Jehová" según RVR). En el hebreo, el nombre aparece representado por cuatro consonantes sin vocal alguna (*YHWH*), que se conoce como el Tetragrámaton y era el corazón de la fe y religión hebrea. El nombre aparece en muchos pasajes del Antiguo Testamento generalmente compuesto con otro vocablo que le da sentido: para Abraham el nombre fue *Yahweh-Jireh* (el Señor proveerá, Gn. 22.14); para Moisés fue *Yahweh-Nissi* (el Señor es mi estandarte o bandera, Éx. 17.15); para el pueblo de Israel fue *Yahweh-Mekaddesh* (el Señor santifica, Éx. 31.13); para Abimélec fue *Yahweh-Rafah* (el Señor es tu sanador, Gn. 20.17); para Gedeón fue *Yahweh-Shalom* (el Señor es la paz, Jue. 6.24); para Jeremías fue *Yahweh-Tsidkenu* (el Señor es nuestra salvación o justicia, Jer. 23.5-6; 33.16); para Ezequiel fue *Yahweh-Shamah* (el Señor está aquí o está presente, Ez. 48.35); para los profetas fue *Yahweh-Sabaot* (el Señor de los ejércitos o el Señor Todopoderoso, 1 S. 1.3; Jer. 11.20); para David fue *Yahweh-Kaab* o *Yahweh-Rohi* (el Señor es mi pastor, Sal. 23.1); para todo su pueblo fue *Yahweh-Migdāl'ez* (el Señor es torre fuerte, Pr. 18.10).

El nombre "Jehová" o *Yahweh* (que NVI transcribe como SEÑOR) aparece unas 6.823 veces en el Antiguo Testamento, muchas veces ligado al vocablo *Elohim* (Dios; ver Gn. 2.4b-9; 20.13). No obstante, en el tetragrámaton hebreo el énfasis parece caer sobre una existencia continuada ("Yo soy el que soy," Éx. 3.14). Este Dios verdadero, único y eterno es el que se reveló en la persona de Jesucristo. Una y otra vez, a lo largo de su ministerio, Jesús se identificó como el "Yo soy" o *Yahweh* del Antiguo Testamento, como cuando dijo "El Padre y yo somos uno" (Jn. 10.30).

> **Louis Berkhof:** "En el Nuevo Testamento, encontramos una aplicación triple más o menos similar del nombre de Cristo: (a) como una forma pulcra y respetuosa de discurso (Mt. 8.2; 20.33); (b) como expresión de propiedad y autoridad, sin implicar nada en cuanto a la autoridad y el carácter divinos de Cristo (Mt. 21.3; 24.42); y (c) con la connotación de autoridad más alta, expresión de un carácter exaltado, y de hecho prácticamente equivalente al nombre de "Dios" (Mr. 12.36-37; Lc. 2.11; 3.4; Hch. 2.36; 1 Co. 12.3; Fil. 2.11). En algunos casos es difícil determinar la connotación exacta del título. Indudablemente, después de la exaltación de Cristo, el nombre se aplicó generalmente a él en el sentido más exaltado. Pero hay ejemplos de su uso incluso antes de la resurrección, donde la implicancia específicamente divina del título evidentemente ya se había alcanzado, como en Mt. 7.22; Lc. 5.8; Jn. 20.28."[4]

En Mateo, encontramos numerosos paralelos con el Antiguo Testamento, que muestran que Jesús es el mismo Salvador que *Yahweh* (Sal. 107 y Mt. 8.2, 6, 8, 21, 25). Ningún judío instruido podía dejar de entender que Jesús decía ser el *Yahweh* del Antiguo Testamento, cada vez que hacía un pronunciamiento formal encabezándolo con la cláusula "YO SOY" (ver especialmente Jn. 8.12, 18, 19, 23, 24, 28, 58). Que Jesucristo era el *Yahweh* del Antiguo Testamento quedó muy claro para otros escritores del Nuevo Testamento que citaron textos del primero y los aplicaron a Jesús (por ejemplo: Sal. 17.15 en 1 Jn. 3.2; Sal. 16.9-11 en 2 P. 1.11; Sal. 140.3 en Ro. 3.13). No es extraño, pues, que el título más frecuente para Cristo en el Nuevo Testamento sea el de "Señor," lo que lo relaciona directamente con el título de *Yahweh* del Antiguo Testamento.

La expresión "YO SOY" es sinónimo de divinidad en la Biblia. Fue la tarjeta de presentación de Dios a Moisés en el monte Horeb (Éx. 3.13-14; ver Dt. 32.39; Is. 43.11, 13). Jesús utilizó la misma expresión para afirmar su divinidad (Jn. 8.58; 9.9; 18.5, 8). De igual modo, por ser quien es (Dios), su ser se traduce en redención para nosotros en diferentes dimensiones de la vida. Jesús expresó esto agregando un complemento a la frase "YO SOY." A las expresiones resultantes se las conoce como los "Yo soy" de

---

4. Louis Berkhof, *Systematic Theology*, 4ta ed. rev. (Grand Rapids, MI: Eerdmans, 1962), 315.

Jesús. Hay un "yo soy" sin especificación (Jn. 6.20; 8.24, 28; 13.19; 18.5-6, 8), que opera como cheque en blanco para cualquier circunstancia humana. Luego siguen otros: "Yo soy el Mesías" (Jn. 4.25-26); "Yo soy el pan de vida" (Jn. 6.35, 41, 48, 51); "Yo soy la luz del mundo" (Jn. 8.12; 9.5); "Yo soy la puerta" (Jn. 10.7, 9); "Yo soy el buen pastor" (Jn. 10.11, 14-15); "Yo soy la resurrección y la vida" (Jn. 11.25); "Yo soy el camino, la verdad y la vida" (Jn 14.6); "Yo soy la vid verdadera" (Jn. 15.1, 5); "Yo soy Jesús" (Hch. 9.5); "Yo soy el Alfa y la Omega" (Ap. 22.13; ver Ap. 1.8); "Yo soy la raíz y el linaje de David" (Ap. 22.16); "Yo soy la estrella resplandeciente de la mañana" (Ap. 22.16). Nótese que casi todos los "Yo soy" de Jesús figuran en escritos juaninos.

El Hijo del Padre (11.25-30)

Estos versículos expresan la elevada e íntima comunión que Jesús tenía con Dios, al punto que el apelativo que utiliza para él es el de "Padre" (gr. *ho patēr*) mientras él se auto denomina como "hijo" (gr. *ho huiós*).

La palabra al Padre (vv. 25-26). Jesús ora al Padre y lo hace con gran emotividad. El estallido triunfante de Jesús en su oración es expresado por el regreso exitoso de los Setenta y Dos (Lc. 10.17-22). El contexto explica el pasaje. Ellos deben ser felicitados porque, a pesar de ser "como niños" (cándidos, inocentes) y sin preparación, habían podido experimentar secretos que muchos profetas y reyes, "sabios e instruidos," habrían querido entender. Aquí Jesús está hablando por su experiencia personal. Su entusiasmo proviene del hecho de que él conoce bien a sus discípulos, y reconoce en sus logros el poder del Padre, que de ese modo quiso hacer su voluntad. Por cierto, Jesús no está condenando la capacidad intelectual, pero sí está desechando el orgullo intelectual. Es el corazón y no el cerebro, el lugar preferido para el evangelio. Así lo vivieron los discípulos por ser hijos de Dios, y porque así se los reveló el Hijo del Padre (v. 27).

Este parece ser el único lugar en los Evangelios Sinópticos en el que Jesús expresamente pretende esa relación única con Dios, que está enfatizada tan fuertemente en Juan. Cristo es el puente entre Dios y el ser humano. Además, no hay otro canal por el cual los seres humanos puedan lograr un conocimiento de Dios completo y perfecto.

La palabra a los discípulos (v. 27). En este versículo, Jesús parece cambiar la dirección de sus palabras y, en lugar de dirigirse al Padre, parece estar dirigiéndose a sus discípulos. La expresión "Mi Padre (gr. *patrós mou*) me ha entregado todas las cosas" manifiesta un reclamo asombroso, que no merece mayores especulaciones. La gramática griega ayuda a comprender su alcance, ya que el verbo "entregar" (gr. *paredóthē*) está en un aoristo atemporal (como en 28.18) y apunta a un momento en la eternidad en el que el Padre lo hizo depositario de toda autoridad y poder sobre todo el orden creado. De hecho, la frase implica la pre-existencia del Mesías. La consciencia mesiánica de Jesús se muestra diáfana y firme, y describe la profundidad de la relación entre Dios el Padre y Dios el Hijo. Esto, a su vez, tiene que ver con el conocimiento que caracteriza la relación mutua entre el uno y el otro. El verbo "conocer" aquí (gr. *epiginōskei*) significa conocer plenamente y se repite dos veces. Este conocimiento íntimo de la deidad es posible para nosotros gracias a la revelación del Hijo (Jn. 1.18).

La palabra a todas las personas (vv. 28-30). Jesús invita a sus seguidores ("todos ustedes") porque él tiene el poder divino y una autoridad única. Él es el único depositario de todos los recursos del Dios infinito, y por eso puede hacer esta apelación y oferta especial a los "cansados y agobiados" (gr. *kopiōntes kai pefortisménoi*). Jesús está hablando a aquellos que tratan de ser buenos y procuran sinceramente encontrar a Dios y no pueden lograrlo por sus propios medios. En Cristo nos encontramos con Dios. En él vemos cómo es Dios (Jn. 1.18), y este conocimiento de él nos libra del yugo de la Ley, que jamás puede ser satisfecha en su totalidad o de manera absoluta. En su lugar, Jesús nos invita a tomar su "yugo" (gr. *zugón*) sobre nosotros, es decir, a colocarnos en sumisión a él como Señor. El yugo de Cristo es un yugo fácil, no es incómodo, se acomoda bien, nos queda y calza bien, está hecho a medida (es "suave"). No es para apretarnos o sofocarnos, como la Ley, que escapa a nuestras posibilidades. Esto hace que la carga resulte más "liviana." Todo lo que Dios nos da está hecho para llenar nuestras necesidades. Es una carga liviana, o sea, puesta sobre nosotros con amor, y es el amor el que la hace liviana. El yugo de Jesús es útil para una vida plenamente feliz y satisfactoria. A la luz de estos versículos, hay tres cosas para considerar.

La convocación (v. 28). Las palabras de Jesús levantan tres preguntas. Primero, ¿a quiénes convoca Jesús? Su convocatoria o invitación ("Vengan," gr. *deute*) es un desafío a tres actitudes que solemos tener hacia la vida. Están aquellos que, como Juan el Bautista, han perdido por el momento la visión de la meta de sus vidas (v. 3). Están aquellos que, como la multitud, son indiferentes a la meta de sus vidas (vv. 16-19). Y, están aquellos que, como las ciudades impenitentes, han escogido una meta equivocada para sus vidas (v. 20). Si miramos a nuestro alrededor, vamos a ver que el mundo está lleno de personas así.

Segundo, ¿cómo describe Jesús a quienes convoca? Se trata de quienes "están cansados y agobiados" ("los que están cansados de sus trabajos y cargas," VP). Lo primero sugiere una labor activa ("los que están cansados"); lo segundo describe el carácter penoso de esa labor ("agobiados"). La falta de descanso produce frustración y la labor se torna todavía más pesada. Jesús no adscribe esta experiencia a gente necia o insensata, sino a quienes son "sabios e instruidos" (v. 25). "Sabios" (gr. *sofōn*) son aquellos que están dotados con capacidades naturales para hacer y entender. "Instruidos" (gr. *sunetōn*) son aquellos que son capaces de poner juntas o armar las cosas como para que tengan sentido y sean útiles. Estas personas son las que se las saben todas en términos humanos, pero son indiferentes o ignoran cuál es la meta de la vida y dónde se encuentra. Son personas que corren, pero nunca llegan; luchan, pero no alcanzan la victoria; trabajan, pero no encuentran descanso.

Tercero, ¿cuál es la situación de los convocados por Jesús? Las estadísticas sintetizan la historia de los desechos de aquellos que han quedado esparcidos a lo largo de la carretera de la vida (droga, alcoholismo, soledad, suicidio, neurosis, estrés, tristeza, depresión, angustia, etc.) En cada extremo de esta carrera sin metas se ven dos cuadros lamentables. En un extremo están aquellos que han abandonado la lucha por encontrarle sentido a la vida y están sumidos en un pozo de frustración e impotencia. En el otro extremo están aquellos que han terminado la carrera exhaustos, y han descubierto que se equivocaron de camino o han tomado por el mal camino, y ahora están llenos de frustración y culpa. En cada extremo de la carrera y en el medio hay sólo tragedia, dolor y vacío. Pero no tiene por qué ser así si respondemos a la convocación de Jesús. Él es el único que puede poner sentido a la vida y hacer que ésta valga la pena ser vivida.

La condición (v. 29a). Las palabras de Jesús levantan dos preguntas. Primero, ¿qué significa el "yugo" de Jesús? Algunos lo ven como un yugo doble, en el cual nos colocamos junto a Jesús y empujamos de la vida uniendo nuestras fuerzas a la de él. Pero, Jesús no dijo: "Lleven mi yugo conmigo" o "Empujen conmigo o para mí el yugo." Él dijo: "Carguen con mi yugo y aprendan de mí." Las palabras de Jesús repiten una figura de lenguaje usada por los rabinos. Cuando un alumno se unía a un maestro, se decía que llevaba su yugo. Así, pues, Jesús está diciendo: "Lleven mi yugo, sean mis alumnos o discípulos en la vida, y aprendan de mí cómo deben vivir." No nos colocamos al lado de Jesús, sino que él se coloca dentro de nosotros y a través de nosotros empuja la carga de la vida.

Segundo, ¿cuál es el yugo que Jesús ofrece? Por un lado, este es el yugo del *compromiso*. Esta es una experiencia similar a la del nuevo nacimiento. Jesús le dijo a Nicodemo: "Quien no nazca de nuevo no puede ver el reino de Dios," y agregó, "Tienen que nacer de nuevo" (Jn. 3.3, 7), porque sólo así se puede ser un hijo de Dios. De igual modo, no se puede ser discípulo de Jesús si no se lleva su yugo. Para ser discípulo de Jesús hay que cargar su yugo. Ambas experiencias son puntuales e inician un proceso, que, en definitiva, enseña que es necesario *ser* alguien para *hacer* algo. Por otro lado, este es el yugo de la *instrucción* (Ef. 4.13). Quien piensa que ya lo sabe todo, no necesita de instrucción ni de un Maestro que le enseñe. Este es el contraste entre los "sabios e instruidos" y los "niños" (gr. *nēpíois*, niñito) en el v. 25. Los primeros creían que tenían todas las respuestas y no querían aprender, no estaban dispuestos a cargar con el yugo de Jesús y ser sus discípulos. Los segundos, sabiendo que no tenían respuestas, estaban listos para ser enseñados y aprender como discípulos de Jesús. Además, este es el yugo de la *disciplina*. Llevar el yugo de Jesús significa hacer lo que él quiere, sometiéndonos a su señorío. Ningún atleta alcanza el éxito si no paga el precio de la disciplina (1 Co. 9.24-27). La cuestión aquí no es si se es salvo o se está perdido, sino si se gana o no en la carrera cristiana de la vida. Por último, este es el yugo de un *propósito*. Bajo el yugo de Cristo estamos ligados a su voluntad y propósito. Estamos empujando algo de alguna parte a otra, pero para ello hace falta dirección, una meta y no sólo esfuerzo, sino sumisión y obediencia al Señor.

La consecuencia (v. 29b). Las palabras de Jesús levantan dos preguntas. Primero, ¿qué es lo que nos cansa? Quizás, como Juan el Bautista, hemos perdido la meta de la vida, o, como las multitudes, jamás hemos tenido una meta en la vida. Es posible que seamos como las ciudades no arrepentidas de Galilea, que vamos gastando nuestras energías en metas equivocadas. Jesús nos ofrece esperanza, un sentido de dirección y propósito. Él nos dice: "encontrarán descanso para su alma." Es más, él nos ofrece la fortaleza y el gozo necesarios para alcanzar la meta que hay para nuestras vidas. Él nos dice: "Mi yugo es suave y mi carga es liviana." Esto no significa una vida libre de problemas. Los problemas vendrán, pero ya no estaremos solos frente a ellos. Segundo, ¿queremos tomar el yugo de Jesús? Su yugo es suave: no aprieta el cuello ni el corazón. No obstante, es un yugo. Jesús hace grandes demandas, pero son demandas de amor y para nuestro bien. Así como él pide mucho, también da mucho. Él nos pide toda nuestra vida, para devolvérnosla en abundancia. De esta manera, el Maestro y sus discípulos, los que llevan su yugo, se gozan en los resultados.

El Señor del Sábado (12.1-8, 10b-12)

Estos versículos consideran dos cuestiones en torno al sábado. Estos son los únicos lugares en Mateo y Marcos en que se ve de manera explícita la actitud de Jesús hacia el día de reposo (24.20). Lucas le dedica más espacio (Lc. 6.1-11; 13.15-16; 14.3). Ambos bloques de acción y enseñanza se presentan bajo la forma típica de un pronunciamiento o paradigma. El relato mismo es escueto, pero efectivo en dejar en claro el pensamiento de Jesús.

La autoridad de Jesús (vv. 1-8). Jesús no estuvo al servicio de la Ley o las instituciones religiosas y/o políticas. Estas tienden a convertirse en fines en sí mismas, a ahogar el deseo humano o sus necesidades, y a anular a las personas. Jesús estuvo al servicio de las personas, conectando a los seres humanos con sus deseos y necesidades, y rescatando el rol correcto de la Ley. Jesús no puso la Ley a un lado ni la abrogó, sino que le dio su verdadero sentido como instrumento para la bendición de las personas. Por eso, sus palabras siempre se fundaban en la autoridad de las Escrituras y no en las interpretaciones humanas, que a lo largo de los siglos habían hecho los religiosos. En los vv. 1-8, la base bíblica para la acción de los discípulos estaba en el Antiguo Testamento (Dt. 23.25 y Éx. 25.30); mientras que la base de lo que decían los fariseos estaba en la tradición de los ancianos (Lc. 13.14; 14.3; Jn. 5.10; 7.23; 9.16). Así, pues, Jesús presenta dos ilustraciones y en la segunda apela a la tradición judía. La comprensión de Mateo en cuanto al incidente es clara (vv. 6 y 8). Como Hijo del hombre, Jesús era más grande que David y los sacerdotes, como para pasar por alto las regulaciones del sábado y manifestar así su misericordia. Él era el "Señor del sábado" (gr. *kúrios tou sabbátou*).

La acción de Jesús (vv. 10b-12). En los vv. 9-13 (que son considerados en relación con la sanidad del hombre que tenía una mano paralizada), el argumento está basado nuevamente en el principio rabínico, que sostenía que "si lo menor vale, lo mayor vale más." La sanidad en cuestión no es presentada como un milagro en sí, sino como ilustración del principio que Jesús quiere enseñar. Aparentemente los fariseos aprobaban la conducta ilustrada en v. 11, pero no así los esenios. Una vez más, la acción de sanar al hombre enfermo fue dramática. Jesús le dijo "Extiende la mano," y cuando él la extendió "le quedó restablecida, tan sana como la otra." Esto fue tan evidente, que la acción de Jesús demostró una vez más que él "es Señor del sábado."

El Siervo escogido (12.15-21)

Según los vv. 11-14, los enemigos de Jesús tomaron una decisión terminal. Jesús supo esto (por palabra de conocimiento, v. 15) y se alejó prudentemente siguiendo la estrategia de desarrollar un bajo perfil por el momento y evitar así toda confrontación. No obstante, mucha gente lo siguió y muchos fueron sanados de sus enfermedades. Sus órdenes de que no dijeran quién era él no fueron obedecidas. La gente, para ese momento, lo relacionaba con el Siervo escogido que anunciaban las profecías. La cita de Isaías 42.1-4 en los vv. 18-21 da una significancia más profunda al ahora necesario énfasis sobre mantenerse oculto. La cita muestra marcas obvias de la propia reflexión exegética de Mateo sobre el texto hebreo, ya que es una reproducción libre con algunos matices provenientes de la Septuaginta (LXX). Mateo aplica la profecía referida al rey persa Ciro a Cristo, como el Siervo escogido de Dios. Nuevamente, el evangelista ve en lo que estaba ocurriendo el cumplimiento de las palabras proféticas.

En el Nuevo Testamento se llama a Jesús "siervo" (gr. *paīs*), pero en muy pocas ocasiones. Una de ellas es aquí (v. 18) y es en una cita de Isaías 42.1 (hay otras cuatro referencias en Hch. 3.13, 26; 4.27, 30). En todos estos casos se trata de una tradición muy antigua. Mateo parece citar el texto hebreo de Isaías, pero en el último versículo cita a la Septuaginta. De todos modos, la idea de Jesús como siervo parece estar sugerida en la voz celestial que se oyó en ocasión de su bautismo (Mr. 1.11) y la que se oyó en la transfiguración (Mr. 9.7), donde la fórmula "mi hijo" y "mi siervo" parecen intercambiables.[5]

Hijo de David (12.22-23)

En los vv. 22-37, Jesús responde a las calumnias de los fariseos. Este pasaje es común a los tres Sinópticos (Mr. 3.20-30; Lc. 11.14-23), y nos enseña que Dios mismo está obrando y ejerciendo su dominio sobre el reino del mal y su príncipe. En consecuencia, el tan anhelado reino de Dios ya ha arribado, aunque no en su plenitud. No se puede ser indiferente frente a este conflicto espiritual. Serlo es "una blasfemia contra el Espíritu" (v. 31). Pedro, al negar a Jesús lo hizo irresponsablemente o por temor, pero Judas no, él lo hizo porque "Satanás entró en él" (Jn. 13.27). Por eso, los fariseos eran malos y una generación de víboras, porque sus palabras expresaban el mal que había en sus corazones y su incredulidad (v. 34). En el v. 22, la expresión "un día" no indica "en ese momento." En el v. 23, la respuesta a la pregunta retórica ("¿No será éste el Hijo de David?") es "Sí." Sin embargo, la forma de la pregunta espera como respuesta "No," pero seguramente ellos la formularon así por causa de la hostilidad de los fariseos en contra de Jesús. En el caso de "toda la gente," la multitud "quedó asombrada" o extasiada (gr. *exístanto*), lo cual describe en tonos bien vívidos la situación.

---

5. Joachim Jeremias, *Abba: el mensaje central del Nuevo Testamento* (Salamanca: Ediciones Sígueme, 1981), 114-121.

No obstante, a pesar de sus milagros y de su efecto sobre las emociones de la gente, Jesús no le pareció a la multitud ser como el que ellos suponían que sería el Hijo de David. Ellos querían un super-hombre o un super-líder, que los liberara de la opresión romana y les diera todas las bendiciones materiales prometidas desde la antigüedad. El Hijo de David de sus expectativas no cuadraba ciento por ciento con sus aspiraciones.

> **José Flores:** "'Hijo de David' es el título judío distintivo de Jesús, como profetizado en el Antiguo Testamento, y de acuerdo con este pensamiento, Mateo menciona que el esposo de María venía de la línea de David, al tiempo que Lucas traza su genealogía indicando que Jesús fue 'hijo, según se creía, de José, hijo de Elí ... hijo de David, hijo de Isaí.' Legalmente, Jesús era 'hijo de David' y por ello se formaron dudas en las mentes y en los corazones del pueblo, como leemos en Juan 7: 'Algunos de entre la multitud decían: "Verdaderamente éste es el profeta." Otros afirmaban: "¡Es el Cristo!" Pero otros objetaban: "¿Cómo puede el Cristo venir de Galilea? ¿Acaso no dice la Escritura que el Cristo vendrá de la descendencia de David, y de Belén, el pueblo de donde era David?" Por causa de Jesús la gente estaba dividida.'"[6]

El hijo del carpintero (13.53-58)

En estos versículos, Jesús se presenta como "un profeta sin honra" en su propia tierra y entre sus paisanos. Los vv. 53-58 presentan el rechazo de Jesús en Nazaret por parte de la gente de su propia tierra. La fórmula usual con la que Mateo concluye las cinco partes con sus respectivos discursos (primera parte, 5.1—7.29; segunda parte, 8.1—11.1; tercera parte, 11.2—13.52; cuarta parte, 13.53—18.35; y, quinta parte, 19.1—25.46, forma aquí (vv. 53-58) una parte más integral de lo que sigue como el comienzo de la cuarta parte. Se trata, pues, de una sección en la que hay poca desviación de Marcos 6—9, hasta que Mateo llega al punto en el que elabora el pasaje de Marcos 9.33-48 en un discurso sobre la disciplina en la iglesia (17.24—18.35). Dado que Mateo va directamente del discurso sobre las parábolas y los pasajes que tratan con la sabiduría (11.19, 25), después de haber usado

---

6. José Flores, *Títulos del Señor* (Madrid: Literatura Cristiana, 1958), 64-65.

el material de Marcos 5 en contextos anteriores, parece que las palabras sobre su "sabiduría" y "poderes milagrosos" en v. 54 son un resumen de lo que ha considerado en las partes segunda y tercera del Evangelio.

A diferencia del relato del rechazo de Jesús en Nazaret dado en Marcos 6.1-6, Jesús no es llamado "carpintero," sino "el hijo del carpintero" (v. 55). Además, la declaración sobre su incapacidad de hacer milagros ("no pudo hacer allí ningún milagro," según Mr. 6.5) es atenuada con la expresión "no hizo allí muchos milagros" (v. 58). Los diversos manuscritos presentan variantes en cuanto al nombre de uno de los hermanos de Jesús, José (Mateo: gr. *Iōsēf* o *Iōsēs* o *Iōsē* o *Ioánnēs*; Marcos: gr. *Iōsētos* o *Iōsē* o *Iōsēf*).

El Hijo del hombre (16.13-15)

Toda la sección del Evangelio de Mateo que comienza en 16.13 y termina en 20.28, puede ser considerada como una segunda parte de este libro. A partir del momento en que Pedro declaró que Jesús era el Cristo (16.16), el Señor realizó su obra de manera diferente. (1) Se dedicó a enseñar más a los discípulos que a las multitudes. (2) Consagró muy poco tiempo a las curaciones. (3) Les enseñó más acerca de sí mismo. (4) Les habló especialmente acerca de su propia muerte. Al llegar a la región de Cesarea de Filipo, fuera de Palestina y arriba sobre una de las laderas del monte Hermón, Jesús comenzó una pesquisa sobre su identidad, que se expresó con el planteo de algunas preguntas a sus discípulos. Fue como una especie de examen de cristología a sus alumnos, en torno a la identificación del "Hijo del hombre" (gr. *ton huión tou anthrōpou*).

Lo que la gente dice (vv. 13-14). La primera pregunta buscaba conocer la opinión de la gente acerca del Hijo del hombre. Según los discípulos, algunos decían que Jesús era Elías o Juan el Bautista o Jeremías o alguno más de los profetas. De igual modo hoy también hay mucha gente que habla de Jesús como "uno de los hombres más grandes que jamás haya vivido, al igual que Sócrates." Los musulmanes lo consideran como uno de los grandes profetas; los judíos lo estiman como uno de los maestros judíos más famosos. Pero el Nuevo Testamento muestra que él era más que todo esto (Mt. 12.14, 42). Él hizo por la humanidad, con su vida y con su muerte, lo que nadie había hecho antes.

Las opiniones acerca de Jesús siempre fueron abundantes. Ya circulaban varias durante su vida terrenal. Algunos estaban de acuerdo con Herodes Antipas en opinar que Jesús era Juan el Bautista resucitado de los muertos (14.1-2). Fundamentaban esto en la valentía con que actuaba Jesús. Otros decían que era Elías, porque en Malaquías 4.5 se dice que Elías retornaría a la tierra para anunciar la venida del reino de Dios. Aun otros insistían en que era Jeremías o alguno de los profetas, porque enseñaba de la manera en que solían hacerlo los antiguos profetas, es decir, utilizando parábolas. Todos concordaban en decir: "Él es como alguien que conocemos." De todos modos, nótese que todas las respuestas de la opinión popular se refieren a profetas pasados y muertos. En otras palabras, se trata de respuestas estandarizadas, enlatadas y que se ofrecen como "clichés" para decir algo, pero sin compromiso.

Lo que Jesús pregunta (v. 15). El planteo de Jesús no está motivado por una mera curiosidad personal para saber cuál era la opinión pública sobre él. En realidad, lo que Jesús quiere medir es cuál era el grado de consciencia que tenía la gente y en especial sus discípulos, en cuanto a él como el Mesías anunciado por los grandes profetas de la antigüedad y por Juan el Bautista mismo. En otras palabras, su pregunta gira en torno a su identidad como el Mesías, o sea, el Hijo del hombre que se anuncia en las profecías del Antiguo Testamento (Dn. 7.13, 19).

"Y ustedes, ¿quién dicen que soy yo?" Esta es la pregunta más grande que jamás se haya formulado. ¿Quién era Jesús para sus discípulos? ¿Era simplemente un hombre bueno? ¿Era un loco lleno de ilusiones quiméricas? ¿Era un engañador muy hábil? ¿Era Dios? Nadie puede evitar la responsabilidad de ofrecer alguna de estas respuestas. Muchos se preguntan: "¿Por qué Jesús no les dijo directa y explícitamente a sus discípulos quién era él?" La respuesta puede ser: (1) aun cuando lo hubiera hecho, probablemente ellos no lo habrían creído; (2) no tiene sentido decirle a la gente ciertas cosas, ya que es necesario que las personas las descubran por sí mismas. Los alumnos no llegan a ser buenos maestros con simplemente escuchar lecciones de metodología, sino observando a los buenos maestros y practicando la enseñanza.

Los discípulos habían vivido con Jesús y lo habían observado. Ellos tenían que asumir la responsabilidad de sacar sus propias conclusiones y responder a su interrogante fundamental. Jesús quería que los discípulos decidieran por sí mismos quién era él. Él nos pide lo mismo a nosotros hoy (Jn. 18.4). No es suficiente que nosotros sepamos qué es lo que otros opinan o piensan acerca de Jesús, o qué es lo que enseñan los credos tradicionales, o que adoremos en el templo porque nuestros amigos así lo hacen. Debemos decidir qué es lo que nosotros creemos. En otras palabras, en quién está puesta nuestra confianza, para que transforme nuestras vidas en vidas plenamente humanas, conforme al propósito eterno de Dios.

Lo que el título significa. No hay contradicción entre Juan 1 y los Sinópticos, en cuanto al reconocimiento de los discípulos de Jesús como el Mesías. Sin embargo, Jesús no había hecho el tipo de cosas que ellos esperaban hiciese el Mesías. Quizás por eso mismo, Jesús reemplazó el término Mesías (Cristo) por el de Hijo del hombre.

> **Oscar Cullmann:** "Entre los títulos que Jesús se da a sí mismo, el que domina no es 'Hijo de Dios,' sino 'Hijo del hombre.' Al tratar de penetrar en el secreto de la conciencia que Jesús tenía de sí mismo, hay que completar el título de Hijo del hombre no sólo por el de *Ebed Yahvé*, sino también por el de Hijo de Dios. … 'Hijo del hombre' e 'Hijo de Dios' son títulos que afirman ambos a la vez, la soberanía y la humillación. … La conciencia que Jesús tenía de ser Hijo de Dios se une con la de ser Hijo del hombre, simultáneamente a su persona y a su obra. La unidad del Padre y del Hijo se manifiesta por la acción de Jesús de traer al mundo la salvación y la revelación. Esta concepción del Hijo de Dios está también en la base de la fe de los primeros cristianos, que a la luz del acontecimiento de la Pascua, lo confiesan como el 'Hijo.'"[7]

Este título aparece en el Antiguo Testamento (en Ezequiel en muchísimos pasajes referidos al profeta, y en Dn. 7.13, 19 para señalar a un personaje especial). Ezequiel lo utilizó para indicar su propia humanidad.

7. Cullmann, *Cristología del Nuevo Testamento*, 333.

En Daniel, se trata de un hombre que recibe autoridad de Dios. En los Evangelios aparece unas 70 veces. Este es el título preferido de Mateo para Jesús, ya que aparece 32 veces en su Evangelio (8.20; 9.6; 10.23; 11.19; 12.8, 32, 40, 13.37, 41; 16.13, 27-28; 17.9, 12, 22; 18.11; 19.28; 20.18, 28; 24.27, 30, 37, 39; 24.44; 25.13, 31; 26.2, 24, 45, 64). Algunos dicen que la expresión aramea sólo indicaba "yo." Generalmente aparece en dos tipos de pasajes: aquellos en los cuales se ve sufrimiento (Mr. 8.31), y aquellos que indican la venida del Señor en triunfo (Mt. 16.28).

El Cristo (16.16-20)

Jesús es el nombre personal, mientras que Cristo es el nombre oficial, el nombre del Mesías. El vocablo es equivalente al Mesías del Antiguo Testamento, y significa "ungido," es decir, él es "el Ungido." Reyes y sacerdotes eran ungidos (Éx. 29.7; Lv. 4.3; Jue. 9.8; 1 S. 9.16; 10.1; 2 S. 19.10). En Israel, el rey era conocido como "el ungido del Señor" (1 S. 24.10). También se habla de un profeta ungido (1 R. 19.16; ver Sal. 105.15; Is. 61.1). El aceite de la unción simbolizaba al Espíritu de Dios (Is. 61.1; Zac. 4.1-6), y la unción representaba la transferencia del Espíritu a la persona que era consagrada (1 S. 10.1, 6, 10; 16.13-14). De esta manera, Jesús fue ungido para su oficio, primero, en su concepción por el Espíritu Santo (Lc. 1.35); segundo, en ocasión de su bautismo (3.16). Esta unción lo calificó para su tarea como Mesías.

Este título aparece en la notable confesión de Pedro, pero ya había sido utilizado por Jesús. Incluso Pedro mismo ya lo había pronunciado antes (Jn. 6.69, según una variante del texto), cuando muchos de sus discípulos abandonaron a Jesús en Capernaúm. Desde los primeros días de su ministerio (Jn. 4.25-26), Jesús había procurado evitar el uso de la palabra Mesías en razón de sus connotaciones políticas para la mayor parte del pueblo. Pero ahora en Cesarea de Filipo, Pedro abiertamente declara que Jesús es el Ungido de Dios (Cristo), el Mesías, el Hijo del Dios viviente. Esto sólo podía significar una cosa, y es que tanto Pedro como los demás discípulos, a esta altura del ministerio de Jesús, ya creían en Jesús como el Mesías y seguían fieles a él a pesar de la deserción de muchos galileos (Jn. 6.60-66). Así, pues, la respuesta de Pedro a la pregunta de Jesús sobre su identidad fue seguida por la respuesta de Jesús a la declaración del apóstol.

La respuesta de Pedro (v. 16). La respuesta de Pedro tomó la forma de una verdadera confesión de fe. El v. 16 presenta esta confesión, que fue hecha por Pedro en Cesarea de Filipo, es decir, tal declaración de fe se da en pleno mundo gentil. Jesús quería saber qué concepto tenían de él sus discípulos. A la pregunta de Jesús, los discípulos dieron varias respuestas más o menos tradicionales, según las profecías del Antiguo Testamento. No obstante, Pedro declaró una gran verdad, pero por revelación del Padre, y de allí surgió la bienaventuranza (v. 17). Pedro reconoció a Jesús como el Mesías (el Cristo). Los judíos, durante largo tiempo, habían estado esperando que Dios enviara a alguien que ganara la libertad para su nación. A este personaje lo llamaban "Mesías" (o "Cristo," en gr. *ho Jristos*) Pedro y los discípulos fueron los primeros en descubrir que Jesús era este personaje.

La respuesta de Jesús (vv. 17-19). En el v. 16, Pedro claramente llama Mesías a Jesús. La suya fue una confesión grandiosa, pero, como ya indicamos, el apóstol estaba repitiendo afirmaciones que Jesús ya había hecho en cuanto a sí mismo. No obstante, Jesús se muestra entusiasmado con la respuesta de Pedro y le responde en consecuencia.

Jesús felicita a Simón (v. 17). Jesús lo considera "dichoso" (gr. *makários ei*), con lo cual lo condecora con una bienaventuranza. Jesús acepta la confesión como auténtica y cierta. Por eso, en esta ocasión solemne de revelación de su naturaleza mesiánica, de ser el Hijo del Dios viviente, de ser Dios, Jesús no puede menos que mostrarse él mismo como "dichoso." Su discípulo Pedro acaba de expresar una convicción positiva en cuanto a su mesianismo y naturaleza trascendente, contra el telón de fondo de las más diversas opiniones del populacho. Los términos con los que se dirige a Pedro están llenos de ternura, generosidad y amor. El estilo de Mateo aquí no es el de un editor eclesiástico intentando elaborar un credo oficial o echando el fundamento del poder eclesiástico, sino el sencillo testimonio de un discípulo de Jesús, destacando en términos desapasionados la confesión simple de otro discípulo, en relación con el Maestro, al que siguen con admiración. En definitiva, la fórmula de fe no es creación de Pedro ni edición de Mateo, sino revelación del Padre, que le dio a Pedro el discernimiento para entender a la persona y obra de Jesús, y a Mateo la inspiración de su Espíritu para registrar el evento.

Jesús califica a Simón (v. 18). El v. 18 ha dado lugar a mucha polémica entre católicos romanos y evangélicos. La controversia gira en torno a definir qué o quién es "esta piedra" (gr. *pétrai*). La postura católica romana dice que es Pedro, a quien reconocen como el primer Papa, y quien se supone recibió la autoridad máxima sobre la iglesia directamente de Jesús. Pero el pasaje no dice nada acerca de una transferencia de autoridad. Una cosa es decir que Pedro tiene esta autoridad y otra es afirmar que la Iglesia Católica Romana posee esta autoridad. Otros piensan que la piedra es Jesús mismo, y fundamentan esto en la diferencia de los términos que se usan: "tú eres Pedro" (gr. *pétros*, piedra) y "sobre esta piedra" (gr. *pétrai*, roca), dijo Jesús señalándose a sí mismo, "edificaré mi iglesia." No hay manera de probar que cuando dijo esto Jesús se estaba señalando a sí mismo. Aun otros ven en la piedra misma el fundamento para la edificación de la iglesia y a Pedro como símbolo de ella. Según Pablo (Ef. 2.20) la iglesia se edifica "sobre el fundamento de los apóstoles y los profetas, siendo Cristo Jesús mismo la piedra angular." Otra opinión es que la piedra sobre la que el Señor edifica su iglesia es Pedro y todos los que como él confiesan que Jesús "es el Cristo, el Hijo del Dios viviente" (v. 16).

En realidad, Cristo es el fundamento sobre el que está asentada la iglesia (Is. 28.16; Sal. 118.22; Mt. 21.42; Hch. 4.11; Ro. 9.33; Ef. 2.20-21; 1 P. 2.4-8), y sobre él, como "piedras vivas" (1 P. 2.5) edificamos los creyentes con nuestra confesión de fe. Además, la figura de "edificar" aparece en el Salmo 84, que es un salmo mesiánico basado en 2 Samuel 7. Nótese "edificaré" en el Salmo 89.4 ("estableceré," "afirmaré"); "roca" en 89.26; "ungido" en 89.38; y, "el poder del sepulcro" en 89.48. El salmista se refiere a la perpetuidad del trono (reino) de David. Jesús aplica esta figura al reino espiritual que él está edificando.

"Mi iglesia" (gr. *mou tēn ekklēsían*) se refiere a la comunidad de creyentes ligados por un pacto de fe al Señor. El "reino de la muerte" (gr. *Háidou*) era el mundo de los muertos y se usa aquí como sinónimo de infierno, el reino de Satanás y sus demonios. Jesús utilizó este término para indicar que el pecado y el mal son cuestiones serias, que no sólo afectan la vida de este lado de la eternidad, sino que también tienen efectos en la vida venidera. Tradicionalmente, estas palabras han sido interpretadas en el sentido de que la iglesia va a soportar el ataque de las fuerzas del mal. Pero lo que Jesús está diciendo aquí es exactamente lo opuesto: las puertas del reino de las tinieblas no van a poder resistir (gr. *katisjúsousin* de *katisjúō*, prevalecer, ganar una victoria sobre, tener fuerza; vencer, dominar) el ataque de la iglesia, que bien plantada en Cristo, las ataca confesándolo como el Mesías y el único Señor.

Jesús comisiona a Simón (v. 19). En v. 19, las "llaves del reino de los cielos" (gr. *tas kleidas tēn basileías tōn ouranōn*) son el símbolo de la autoridad ilimitada en la casa real davídica (Is. 22.22). La expresión se usa en un sentido protector (Ap. 1.18). La expresión "las llaves" en la literatura rabínica se usaba para excluir a las personas de la comunión. En este sentido, Pedro (y los creyentes como él) sería el que, con su confesión, abriría los "secretos" (misterios) del reino, que estuvieron ocultos hasta la proclamación del evangelio el día de Pentecostés. El dogma católico romano encuentra en este versículo la base para su pretensión de considerar a Pedro como el primer Papa y la de la autoridad otorgada al sacerdocio para perdonar pecados. Sin embargo, cabe preguntarse: ¿es la iglesia igual al reino de los cielos? Para los católicos romanos sí; para los evangélicos no. Lo interesante es que Pedro, según el Nuevo Testamento, no ocupó un lugar muy destacado y en Pentecostés no fue el único testigo. Precisamente la acción de "atar y desatar" está ligada al testimonio redentor de los creyentes a través de la proclamación del evangelio del reino (ver Jn. 20.23).

> **Carlos Mraida:** "Frente a un mundo fragmentado e hiper-individualista, el reino de Dios se activa a través de su agencia principal, que es la Iglesia. América Latina ha recibido un evangelio individualista, intimista, mientras que el plan eterno de Dios es la formación, por la obra del Espíritu Santo, de una gran familia de hijos e hijas suyos semejantes a su Hijo. Ese evangelio individualista que hemos importado y alimentado nos ha hecho creer que el avivamiento vendrá por obra de un gran hombre de Dios, un ungido especial, o por medio de un sistema de iglecrecimiento. Pero esa perspectiva también pertenece a

una visión del antiguo pacto y necesitamos experimentar una reforma. En Pentecostés nos ha sido revelado el misterio oculto por siglos: la iglesia. Una comunidad alternativa que no sólo vive el reino, no sólo lo establece manifestando de manera visible y concreta su realidad, sino que también lo extiende haciendo que las tinieblas retrocedan y que las puertas del Hades no soporten el avance de la agencia de ese reino, que es la iglesia. Sólo veremos esto si logramos recuperar el carácter comunitario del evangelio, y la unidad de la iglesia en cada ciudad. Porque el Hades no puede prevalecer contra la iglesia, a menos que la iglesia siga dividida, en cuyo caso, toda casa dividida contra sí misma no prevalece. ¡Pero lo que viene es una iglesia que vive, establece y extiende el reino de Dios en América Latina!"[8]

SUS RELACIONES (12.14, 24, 30-50; 19.13-15)

Las relaciones de Jesús con otras personas ponen de manifiesto quién era él, cuál era su ministerio y qué esperaba de ellas. En todas sus relaciones con otros seres humanos, Jesús siempre lo hizo desde la horizontalidad de su condición humana y no desde la verticalidad de su naturaleza divina. Las relaciones de Jesús con quienes lo rodeaban no fue desde arriba hacia abajo ni a lo largo de una escala jerárquica en la que él ocupaba la cima. Por el contrario, su actitud de siervo le permitía hacer contacto físico, hablar, mirar, escuchar y compartir con otros desde el mismo plano de existencia humana plena, pero con todo el poder y la autoridad del cielo.

Jesús y sus enemigos (12.14, 24, 30-45)

Jesús tuvo que enfrentar enemigos desde el día mismo de su nacimiento (el rey Herodes el Grande procuró matarlo; 2.1-13), sin contar con la oposición que desde poco antes de iniciar su ministerio le planteó el diablo (4.1-11). Tan pronto como comenzó a predicar y enseñar, y especialmente cuando las multitudes atraídas por su ministerio se fueron incrementando, mayormente en razón de sus sanidades, milagros y la autoridad con que enseñaba (7.28), Jesús tuvo que vérselas con una

8. Mraida, "Mateo: hacia una iglesia que vive, establece y extiende el reino," 1464.

oposición creciente (9.11). El capítulo 12 de Mateo muestra que esa oposición ya había alcanzado su grado máximo, pues sus enemigos "tramaban cómo matar a Jesús" (v. 14).

Querían matarlo (v. 14). La conspiración de los fariseos contra Jesús llegó a ser tan seria, que su único objetivo era borrarlo del mapa, es decir, "tramaban cómo matar a Jesús." Lo único que querían era destruirlo, en razón de las pretensiones mesiánicas de Jesús y, en este contexto, debido a que se proclamó "Señor del sábado" (v. 8), lo que para ellos era una pretensión excesiva y un sacrilegio. Las intenciones criminales de estos religiosos hipócritas eran serias, y se reiteraron en varias ocasiones. En verdad, el hecho de que Jesús haya sobrevivido tanto tiempo hasta que llegó su hora, es porque logró escapar más de una vez de los atentados y trampas mortales urdidos por estos fariseos. Los peores enemigos de Jesús han sido siempre aquellos que han abrigado en sus mentes y corazones la idea absurda de que liquidándolo a él (o a sus discípulos), sus demandas mesiánicas quedan anuladas o el movimiento por él inaugurado queda frustrado. Generalmente estos regicidas (asesinos del Rey) han sido personas celosamente religiosas. El fanatismo religioso y el fundamentalismo teológico han sido en todos los tiempos los peores enemigos del Rey y del evangelio del reino.

Lo acusaban de actuar en nombre de Beelzebú (v. 24). En v. 24 "por medio de Beelzebú" significa "con la ayuda de Beelzebú." La acusación era absurda y retorcida, porque aparentemente ellos fueron testigos de la manera en que Jesús sanó al endemoniado que estaba ciego y mudo. En realidad, la reacción de ellos se dio cuando vieron el asombro de toda la gente y "oyeron" que lo reconocían a Jesús como "Hijo de David" (v. 23), es decir, el Mesías prometido. Las sanidades y milagros de Jesús parecían confirmar esto, pero sus enemigos no estaban dispuestos a aceptar evidencias tan claras, como lo hacía la multitud con asombro. Al no poder negar los hechos, su estrategia fue poner en cuestión la fuente de la autoridad y el poder con que se llevaron a cabo. Por eso, acusaron a Jesús de actuar en nombre o representación de Beelzebú. En v. 26, Jesús considera a Satanás y a Beelzebú como la misma persona.

Blasfemaban contra Dios para acusarlo (vv. 30-32). Lejos de actuar por medio de Beelzebú, Jesús lo hacía "por medio del Espíritu de Dios" (v.28). Por eso, la acusación de ellos se tornaba en "blasfemia contra el Espíritu" (v.31), lo cual indicaba, de parte de sus enemigos, una falta total de discernimiento espiritual o una perversidad moral absoluta. En v. 31 "todo (otro tipo de) pecado" es mejor traducción. En v. 32, la traducción "ni en este mundo ni en el venidero" es también mejor. En estos versículos, Jesús marca la brecha espiritual y moral que existe entre él y sus enemigos, con palabras solemnes, que no dejan lugar a dudas (v. 30). No hay vía media: o se está con él o en su contra; o se recoge (gr. *sunágōn*) con él, o se esparce (gr. *skorpízei*) a los cuatro vientos. Ambas acciones se refieren a su reino y a los frutos para el mismo. El así llamado "pecado contra el Espíritu Santo" no consiste en insultar al Espíritu, sino en no creer (confiar) en él y en su acción redentora. Este pecado no tiene perdón, porque Dios no puede perdonar la incredulidad.

Lo calumniaban con maldad (vv. 33-37). El v. 33 es condicional más que imperativo y continúa con la idea del fruto de v. 30. Como buen maestro, Jesús repite una idea, que ya había pronunciado antes (7.17-19). Jesús considera a las calumnias de sus enemigos como lenguas de víboras. La expresión en v. 34 ("camada de víboras," gr. *gennēmata ejidnōn*) es la misma que utilizó Juan el Bautista en relación con los fariseos y saduceos que asistían a sus bautismos y eran también sus enemigos (3.7). En el caso de los fariseos del v. 34, la gravedad de su actitud estaba en que ellos actuaban deliberadamente, poniéndose del lado de Satanás, la víbora por excelencia (Gn. 3.1). Ellos probaron ser tan "malos" como su inspirador e instigador. Sus bocas hablaban elocuentemente de la maldad que residía en su corazón. Lo que brota del ser interior es el resultado de lo que se ha guardado allí. El corazón tiene una vertiente, que es la boca (gr. *stóma*), de la que brotan (gr. *ekbállei*) cosas buenas o malas, según lo que se haya atesorado (gr. *thēsaurou*) en él. En el v. 36, Jesús no está hablando de una mera palabra ociosa o inútil (gr. *jrēma argón*), sino de esa manera de hablar que es el desbordamiento de un pensamiento deliberado y perverso ("de su maldad," gr. *ek tou ponērou*). Nuestras palabras revelan nuestros pensamientos y se constituyen en una buena base para interpretar el carácter de una persona (12.37). Aquí encontramos un juicio con base en las palabras, así como en 25.31-46 es con base en las acciones. Somos moralmente responsables por nuestras palabras y acciones. El v. 37 aparece sólo en Mateo e introduce un nuevo pensamiento.

Le reclamaban que hiciera señales milagrosas (vv. 38-42). En los vv. 38-42 continúa el debate con la respuesta (gr. *apekríthēsan*) de los escribas y fariseos. Según su argumentación, si Jesús afirmaba lo que había dicho y era quien decía ser, entonces estaba en la obligación de presentar alguna "señal milagrosa" (v. 38). Ninguno de los Evangelios Sinópticos se refiere a los milagros de Jesús como "señales milagrosas," como hace Juan. La señal en cuestión debía ser algo espectacular y celestial (una "señal del cielo," 16.1). Es increíble la hipocresía y desvergüenza de estos hombres que, después de acusar a Jesús de actuar en nombre y con la agencia de Beelzebú, ahora le reclaman un milagro suyo, como si todas las operaciones anteriores que él hizo no hubiesen sido milagros suficientes y auténticos, es decir, señales (gr. *sēmeion*). Jesús se niega a jugar el papel de milagrero o taumaturgo, y contraataca acusando a sus acusadores de ser una "generación malvada y adúltera." La frase viene de la denuncia profética del Antiguo Testamento contra Israel, por haber roto el lazo matrimonial que los ligaba con el Señor (Sal. 73.27; Is. 57.3-13; 62.5; Ez. 23.27; Stg. 4.4; Ap. 2.20). Al mencionar la señal "del profeta Jonás" (v. 39), Jesús afirma su papel como redentor. El arrepentimiento masivo de los ninivitas y su redención es el tipo de señal que Jesús tiene como objetivo hacer a través de su obra redentora, incluida su resurrección (vv. 40-42). El propósito del Mesías es salvar y no montar un espectáculo religioso; su tarea principal es predicar el reino y no satisfacer la curiosidad humana.

Eran una generación malvada (vv. 43-45). En el v. 43, Jesús expresa, con un proverbio conocido, una idea popular en cuanto a qué pasaba cuando un espíritu salía por voluntad propia (gr. *exelthēi*) de una persona (no era expulsado). El Señor no está pretendiendo dar una clase de demonología con estas palabras, sino que, utilizando lenguaje parabólico, está procurando dejar una lección fundamental: por más "limpieza" religiosa que se haga, si el corazón humano está lleno de maldad, su situación empeorará con el tiempo, a menos que haya un sincero arrepentimiento y una recepción confiada del reino de Dios. Los enemigos de Jesús eran una "generación malvada," porque con un espíritu (gr. *pneuma*) o con siete, de todos modos, eran malvados (gr. *ponērótera*).

Jesús y sus familiares (12.46-47)

Estos versículos presentan a la madre y a los hermanos de Jesús, es decir, a la auténtica familia carnal de Jesús. Mateo tiene poco interés en lo descriptivo y el v. 47, que no figura en los mejores manuscritos, fue agregado por la influencia de Marcos (Mr. 3.32) y Lucas (Lc. 8.20), para dar más vida al trasfondo de los dichos de Jesús. En Marcos 3-31-35, la mención de los parientes de Jesús puede ser considerada como la conclusión de lo que se menciona en 3.20-22, es decir, el intento de ellos de cuidar de su extraño hijo y hermano. La acusación de los fariseos de que Jesús era un agente de Satanás, no fue creída por sus discípulos. Pero aquellas personas que estaban más cerca de sus afectos humanos, como su madre y hermanos carnales (hijos menores de José y María), llegaron a pensar que Jesús no andaba bien de la cabeza (Mr. 3.21). También es posible que, especialmente su madre, lo viera tan ocupado, agobiado por las multitudes y cansado, que quisiera que volviese a Nazaret para descansar y relajarse un poco. No obstante, en Mateo, su interés no está tanto en la preocupación de ellos, sino en presentar un contraste entre su familia carnal y su familia espiritual, o sea, la nueva comunidad mesiánica o escatológica.

> **K. P. Donfried:** "Sin el textualmente dudoso v. 47, Mateo dice una sola vez que la madre y los hermanos físicos están fuera; menciona además específicamente a los 'discípulos' en el v. 49 (en contraste con 'los que le rodeaban,' de Marcos). Aun en el propio pasaje, pues, recae el acento mateano sobre la familia escatológica de discípulos, mientras que la familia física más sirve de catalizador que de contraste. Sin embargo, no es tanto en el pasaje mismo donde Mateo difiere de Marcos, cuando en el contexto. Falta del todo la escena introductoria, donde 'los suyos' piensan que no está en sus cabales. La omisión es presumiblemente deliberada, y puede entenderse si Mateo interpretó ese 'los suyos' de Marcos en forma que incluyese a la madre de Jesús. En la lógica del Evangelio mateano, la

> madre de Jesús ha concebido a éste virginalmente; sabe por un mensaje angélico que él salvará al pueblo de sus pecados; ha visto cómo le protegió Dios contra un rey inicuo, cómo ha trazado una ruta terrestre a su destino, conduciéndole a Nazaret. Malamente, pues, ignoraría su misión hasta tal punto, que no le creyese en sus cabales. En consecuencia, la escena que toca a la verdadera familia de Jesús es, en conjunto, mucho más benigna y se presta mucho menos a ser leída como sustitución o repulsa de la familia física."[9]

Jesús y sus discípulos (12.48-50)

La pregunta de Jesús refuerza el énfasis de Mateo sobre la comunidad de discípulos. Al colocar a sus discípulos en el nivel de su familia carnal, Jesús establece la jerarquía relacional que él guarda con la comunidad de sus seguidores. Debe observarse que Jesús respondió a su propia pregunta no sólo con palabras, sino también con un gesto muy significativo: "señalando a sus discípulos" (gr. *ekteínas tēn jeira autou epi tous mathētas autou*," literalmente "extendiendo su mano hacia sus discípulos," BA, RVR, BJ). Jesús amaba a su madre y a sus hermanos, pero ellos no podían interferir en su ministerio mesiánico, y mucho menos, asociarse involuntariamente con sus opositores. La verdadera familia de Jesús estaba compuesta por aquellos que, habiendo recibido su mensaje y decidido seguirlo con obediencia, estaban listos para proclamar su reino y compartir su misión mesiánica. No obstante, es necesario comprender que, para María, su madre, era muy difícil no preocuparse por su hijo, por el que todavía se sentía responsable, al verlo tan atareado al punto de que no tenía tiempo ni para comer (Mr. 3.20). Hacer la voluntad del Padre (v. 50), en este contexto puede referirse a aceptar a Jesús como Señor y obedecerlo, más que someterse a una obediencia formal a ciertos principios éticos.

Jesús y los niños (19.13-15)

El contexto de estos versículos es muy interesante. Mateo nos presenta una escena que, aparentemente era bastante frecuente en el ministerio de Jesús, y que tenía que ver con el ejercicio de su ministerio como Maestro,

---

9. Donfield, "María en el Evangelio de Mateo," 102.

pero, sobre todo, como Mesías. La gente ya conocía el poder sanador del toque de sus manos, pero ahora ese toque era para bendición de los niños, tal como Simeón había hecho con él mismo cuando era niño (Lc. 2.28). Si bien ahora se trataba tan sólo de "unos niños" (v. 13), es probable que el gentío haya sido grande. Los discípulos se sintieron en la obligación de actuar como representantes o secretarios de Jesús, y "reprendían" a la gente (gr. *epetímēsan autois*). Jesús nunca les pidió que actuasen así, pero ellos lo hicieron, malinterpretando a Jesús, a los niños y a la gente. Lo peor es que quisieron establecerse como mediadores de la bendición de Jesús.

Jesús reacciona a la actitud abusiva de sus discípulos dándoles dos órdenes (los verbos están en modo imperativo). Primero, "dejen que los niños vengan a mí." Segundo, "no se lo impidan." Y hace una declaración asombrosa: "el reino de los cielos es de quienes son como ellos." Es así como Jesús bendice a los niños, los otros componentes fundamentales del nuevo núcleo familiar de Jesús. El Señor aprovecha esta ocasión para enseñar a sus discípulos la verdad vital en cuanto al carácter de los miembros del reino de Dios. El reino de Dios pertenece a aquellos que son fieles, receptivos y amigables, que permanecen limpios de las dificultades y desilusiones, del cinismo y del pesimismo que imperan en el mundo, es decir, personas que son como los niños en su inocencia y candidez (18.3-4).

> **Martín Lutero:** "Es necesario que se tomen serias medidas a tiempo, no sólo en interés de los niños, sino también para la preservación del estado espiritual y temporal; no sea que más tarde, si dejamos pasar la ocasión, tengamos que abandonar el cometido, aunque quisiéramos llevarlo a cabo; con lo cual, aparte del daño, nos atormente para siempre el remordimiento. … Cristo mismo, cómo atrae a los niños, con cuánta insistencia los encomienda a nosotros y alaba a los ángeles que cuidan de ellos (Mt. 18.5, 10), con lo cual quiere mostrarnos el gran servicio que se presta al educar bien a los niños, y en cambio, cuán terrible es su ira si uno los escandaliza o permite que se perviertan."[10]

10. Lutero, *Obras*, 7:36-37.

UNIDAD CINCO

LAS PARÁBOLAS DE JESÚS

Una de las observaciones más interesantes acerca del ministerio de Jesús es la que registra Mateo en 13.3 (ver Mr. 4.2): "Y les dijo en parábolas muchas cosas como éstas." El ministerio de enseñanza de Jesús estuvo marcado muy profundamente por el uso de este medio de comunicación del evangelio, que son las parábolas. De todas las posibilidades con las que el Maestro contaba para dar a conocer su enseñanza sobre el reino de Dios, él escogió la narración de parábolas como la más efectiva. De hecho, las parábolas de Jesús comprenden aproximadamente un tercio de su enseñanza registrada en los Evangelios.

Las parábolas de Jesús son bien conocidas y apreciadas. No pasa un día sin que las citemos, incluso inconscientemente. Expresiones, frases y palabras de las parábolas están integradas al vocabulario de todos los días, incluso en boca de quienes nunca las han leído. No obstante, la familiaridad verbal o memoria de las mismas no significa que las comprendamos bien, o que no les hagamos enseñar lecciones que las parábolas no enseñan.

Jesús utilizó las parábolas como recurso fundamental para enseñar el evangelio del reino, que nos ordenó proclamar en el mundo. Si vamos a entender bien qué es el evangelio del reino a la luz de la enseñanza de Jesús en las parábolas, será necesario que las interpretemos correctamente. Esto no es tan fácil como parece. Los relatos son tan simples y las imágenes son tan vívidas, que nos parece que no puede haber complicaciones en interpretar una parábola. Nada más lejos de la verdad. La cuestión se complica cuando nos proponemos encontrar la enseñanza de Jesús sobre el reino detrás de las parábolas. Es decir, cuando queremos identificar la enseñanza sobre el reino que él tenía en mente cuando contó estos relatos por primera vez. Esto es fundamental especialmente para llegar a una clara comprensión de qué es el reino de Dios y sus implicancias, según lo que Jesús entendía por ello.

Además, como se va a sugerir más adelante, es muy probable que predicadores y maestros hayan agregado sus propias interpretaciones a los simples relatos de Jesús, y que estas interpretaciones se hayan "colado" o "filtrado" en los materiales escritos que tenemos registrados en los Evangelios Sinópticos, y especialmente en Mateo. Por supuesto que no podemos probar fehacientemente que las cosas hayan ocurrido así. Pero la sospecha de que esto es lo que probablemente ocurrió nos lleva a decir con prudencia "es probable" o "no es probable," y a mantener cierta cautela especialmente a la hora de interpretar una parábola. Por ejemplo, en los casos en los que los Evangelios dan más de una interpretación para la misma parábola, esto no prueba que una es la original de Jesús y la otra no. Es posible que Jesús mismo haya usado la misma parábola de maneras diferentes, según el auditorio que tenía delante o las circunstancias que estaba viviendo. De todos modos, ésta es una de las cuestiones que tenemos que tener en cuenta a la hora de interpretar una parábola.

Sea como fuere, como puede verse, la interpretación de las parábolas no es tan sencilla como parece a simple vista. Y para entender su enseñanza en cuando al reino de Dios y, en consecuencia, para conocer bien el evangelio que proclamamos, es menester que hagamos una interpretación correcta de estos dichos y relatos. Para ello es necesario que nos formulemos algunas preguntas básicas. El planteo de estos interrogantes y el intento de darles una respuesta es importante para aprovechar mejor el material de esta Unidad de nuestro comentario.

El primer interrogante y el más importante es: ¿qué son las parábolas? La humanidad ha reconocido desde siempre la riqueza y valor de las parábolas de Jesús. Los más destacados pensadores han sabido apreciar la sabiduría práctica de las enseñanzas de Jesús a través de sus parábolas.

> **David Wenham:** "El hecho de que Jesús enseñó tan gráficamente a través de relatos y dichos que reflejan la vida palestina del primer siglo nos dice mucho acerca del tipo de persona que era Jesús. Él no era un teólogo en una torre de marfil exponiendo teorías abstractas y abstrusas; él era alguien con sus pies bien puestos sobre la tierra, capaz de hablar a las personas comunes en términos comunes. La doctrina cristiana de la encarnación es que, en Jesús, Dios se hizo ser humano; es evidente a partir de la enseñanza parabólica de Jesús, que él no era simplemente un ser humano, sino que era un hombre que sentía y se identificaba con el mundo y la situación de sus contemporáneos, de una manera que no siempre es característica de los líderes religiosos. Esto tiene sentido teológico: la encarnación no fue simplemente una cuestión de identificación, sino también de comunicación. Las parábolas de Jesús lo revelan a él como un gran comunicador."[1]

Las parábolas son como haces de luz que iluminan conceptos abstractos y llaman la atención sobre realidades profundas relativas a la relación de Dios con los seres humanos. En este sentido, nuestro acercamiento a estos relatos simples que contó Jesús puede llevarnos a descubrir lo que Dios quiere que descubramos, para vivir más sincera e intensamente nuestra relación con él. De este modo, Jesús sigue enseñándonos a través de sus parábolas sobre cuestiones que no cambian, pero que tienen un gran poder para ayudarnos a cambiar. Las parábolas hablan elocuentemente de los fracasos y éxitos humanos de todos los días, de nuestros temores y esperanzas, del amor y el poder que Dios nos ha dado para vivir como él quiere que vivamos. En otras palabras, las parábolas son la enseñanza más elocuente de Jesús acerca del reino de Dios y su presentación más convincente.

Hay varios enfoques posibles a la hora de dar una definición de qué es una parábola. Una definición simple de una parábola es decir que se trata de un relato terrenal con un significado celestial. Esta es también la definición más tradicional que se ha dado de una parábola. La misma encierra las dos dimensiones que toda parábola encierra: la trascendente

1. Wenham, *The Parables of Jesus*, 13.

y la inmanente; la divina y la humana; la eternal y la temporal. Una definición más compleja sería decir que una parábola es una "comparación extraída de la naturaleza o de la vida diaria, diseñada para iluminar alguna verdad espiritual, sobre la base de que lo que es válido en una esfera es válido también en la otra."[2] Esta definición califica las dimensiones en las que la vida humana se desenvuelve: la dimensión natural y la dimensión espiritual. Ambas son muy importantes y están relacionadas. No se las puede separar, si bien la dimensión natural depende de la espiritual, que la trasciende.

Una definición instrumental sería decir que una parábola es una forma de enseñanza. Casi toda forma de enseñanza consiste en comparar lo desconocido con lo conocido, lo extraño con lo familiar. En la vida cotidiana solemos explicar todo haciendo comparaciones. Esto es exactamente lo que hizo Jesús al hablar del reino de Dios: "El reino de Dios es *como...*" Jesús fue un gran maestro y su método de enseñanza todavía tiene una validez extraordinaria.

Una definición etimológica nos lleva a la lengua griega, donde el vocablo *parabolē* significa comparación o analogía. El vocablo castellano "parábola" viene del griego a través del latín (*parabola*). El vocablo griego está compuesto por un prefijo (*para*) que significa al lado de, y un verbo (*bállō*) que significa arrojar o colocar. Es decir, su significado es colocar una cosa al lado de otra para hacer una comparación. En razón de que esta comparación se hace por medio del habla, la idea de hablar se movió a través del italiano y el francés para terminar en el inglés como *parole* (palabra dada), *parlance* (manera de hablar), o incluso *parlor* (sala para hablar). Usos semejantes se dan en el castellano ("parla", "parlante", "parlamento", etc.) No obstante, la idea de una comparación quedó fijada en la palabra castellana "parábola" tal como la usamos hoy.

Una definición histórica nos remontaría a los antecedentes de las parábolas de Jesús, que deben buscarse en el Antiguo Testamento. Allí nos encontramos con la palabra *mashal* (Nm. 23.7; Job 27.1; 29.1) aplicada a la profecía de Balán y a la palabra de Job. El ejemplo de Ezequiel 17.21-24 se parece mucho más a las parábolas de Jesús. En Ezequiel 24.3-8 encontramos

---

2. Hunter, *Interpreting the Parables*, 8.

el caso de una parábola actuada o dramatizada, lo cual se parece mucho al evento de la maldición de la higuera estéril en Marcos 11.12-14.

Una definición literaria nos permitiría ver el germen de la parábola en algunos géneros literarios antiguos como los proverbios o dichos de sabiduría. El uso oriental no distingue entre un proverbio y una parábola. Por ejemplo, el vocablo hebreo *mashal* (deriva del verbo "ser como") abarca una variedad de cosas. Puede ser un dicho figurativo: "Cual la madre, tal la hija" (Ez. 16.44, RVR; "De tal palo, tal astilla", NVI). Puede ser también un proverbio propiamente dicho: "¿Saúl también entre los profetas?" (1 S. 10.11, RVR). Puede ser, además, una parábola como la que le contó Natán a David (2 S. 12.1-4); o una alegoría como la de la viña que presenta Isaías 5.1-7; o una predicción apocalíptica como las "parábolas" o "similitudes" que se encuentran en el libro apócrifo de Enoc. Sea como fuere, en la Septuaginta (LXX) el vocablo hebreo *mashal* es traducido como parábola (gr. *parabolē*), e incluye todos los significados o expresiones apuntados, sean dichos simples o historias elaboradas.

En el Nuevo Testamento, que sigue el uso de la LXX, se consideran como parábolas a proverbios como "¡Médico, cúrate a ti mismo!" (Lc. 4.23), o relatos más extensos como la parábola de los talentos o de las monedas de oro (Mateo 25.14-30). Así, pues, en germen o en su expresión más esencial y mínima, una parábola es un dicho figurativo. A veces se expresa como un símil ("sean astutos como serpientes," Mt. 10.16), o como una metáfora ("eviten la levadura de los fariseos y de los saduceos," Mt. 16.6).

> **C. H. Dodd:** "[Las parábolas] son la expresión natural de una mente que ve la verdad en cuadros concretos más bien que concebida en abstracciones. ... En su expresión más simple, la parábola es una metáfora o un símil extraído de la naturaleza o de la vida común, que atrae al oyente por su vivacidad o maravilla, y deja a la mente en duda suficiente en cuanto a su aplicación precisa, como para moverla a un pensamiento activo."[3]

---

3. C. H. Dodd, *The Parables of the Kingdom* (Londres: Collins-Fontana Books, 1965), 16.

En Mateo 13.10-11 encontramos a los discípulos de Jesús acercándose a él con una pregunta interesante: "¿Por qué le hablas a la gente en parábolas?" Indudablemente Jesús no utilizó este método de comunicación del evangelio del reino de manera casual. Las parábolas resultaron ser para él la manera más efectiva para dar a conocer a todas las personas el evangelio del reino que proclamaba. En esta parte de nuestro comentario, procuraremos descubrir el marco original de las parábolas en el ministerio de Jesús, según Mateo. Esto nos ayudará a ganar un mejor aprecio del medio escogido por el Señor para comunicar su mensaje. Por otro lado, procuraremos agruparlas por tema para conocer mejor el evangelio del reino. Esto nos ayudará a extraer conclusiones teológicas fundamentales, que serán de valor para nuestro propio conocimiento de quién es Dios y cuál es su propósito redentor para la humanidad.

Hay múltiples maneras de organizar las numerosas parábolas registradas en este Evangelio, a fin de extraer de ellas su riqueza de significado. Algunos autores reconocen las dificultades que hay en encontrar pautas para ordenar las parábolas, especialmente dándoles cierta sistematización teológica. Hay quienes prefieren limitarse a ordenarlas siguiendo una supuesta secuencia cronológica y ligando la enseñanza a la particular situación histórica.[4] Joachim Jeremias propone diez grupos en relación con el mensaje y significado de las parábolas: (1) ahora es el día de salvación; (2) la misericordia de Dios por los pecadores; (3) la gran seguridad; (4) la inminencia de la catástrofe; (5) puede ser demasiado tarde; (6) el desafío de la hora; (7) discipulado realizado; (8) la vía dolorosa y la exaltación del Hijo del hombre; (9) la consumación; y, (10) acciones parabólicas.[5]

Nosotros armaremos tres grupos, que nos parecen más comprehensivos y adecuados a los fines de este comentario sobre el Evangelio de Mateo: (1) parábolas sobre la venida del reino; (2) parábolas sobre el desarrollo del reino; y, (3) parábolas sobre las crisis del reino.[6] Al pensar en

---

4. Ver Hugh Martin, *The Parables of the Gospel* (Londres: SCM Press, 1962), 43-44.
5. Joachim Jeremias, *The Parables of Jesus*, ed. rev. (Nueva York: Charles Scribner's Sons, 1963), 115-229.
6. En esta manera de agrupar las parábolas estaremos siguiendo en parte a Hunter, *Interpreting the Parables*.

Jesús y sus parábolas, y el uso que hace de las mismas, nos damos cuenta de la importancia de su mensaje esencial en torno al reino de Dios que él representaba. Los vv. 34-35 de Mateo 13 no quieren decir que Jesús habló en parábolas únicamente para cumplir las profecías. "Así se cumplió" es una buena traducción. Las parábolas son dichos difíciles o enigmáticos, lo cual corrobora el punto de vista de que en este Evangelio son más que una simple ilustración o un cuento para entretener a la gente.

CAPÍTULO 12

LA VENIDA DEL REINO

9.16-17; 12.25-29, 43-45; 13.1-33, 36-43, 47-50

La venida del reino de Dios fue el tema central de la enseñanza de Jesús. Muchas de sus parábolas comienzan con la frase "El reino de Dios es como..."

Así, pues, si uno quiere entender las enseñanzas de Jesús como un todo y particularmente en cuanto a su reino, es necesario prestar atención a lo que estas parábolas del reino enseñan y de qué manera se aplican a nosotros hoy.

Según A. M. Hunter, el verdadero marco de las parábolas es el ministerio de Jesús entendido como el gran acto escatológico de Dios en el que él visitó y redimió a su pueblo.[1] Esta declaración merece una reflexión más detenida. La palabra "escatología" viene del gr. *ésjátos*, que indica lo más lejano o lo último (postrero, final). En su uso tradicional, designa el estudio de la doctrina de las últimas cosas, de lo que ocurrirá al final de los tiempos, y en particular, en ocasión de la segunda venida de Cristo. Incluye también la resurrección de los muertos, la inmortalidad del alma, el juicio final, el cielo y el infierno.

Según la *Declaración de Jarabacoa*, "la expectativa escatológica de la iglesia relativiza todo sistema económico y toda forma de gobierno, pues

1. Hunter, *Interpreting the Parables*, 39.

cualquier sociedad, por mucho que supere a la que le precedió, no es la patria definitiva que los cristianos anhelan, es sólo una patria temporal entre tanto que viene en plenitud el reino de Dios."[2] De este modo, lo escatológico tiene que ver con una visión del futuro que determina las responsabilidades y acciones del presente, particularmente en relación con el desarrollo del reino de Dios.

La escatología es uno de los motivos más importantes relacionados con la misión de la iglesia de proclamar el evangelio del reino de Dios. Este reino (gr. *basileía*; en arameo, *malkutha*) no es otra cosa que el gobierno o reinado de Dios. Como tal, el reino de Dios es una entidad escatológica, ya que el fin hacia el que se mueve responde al propósito eterno de Dios, cuyo cumplimiento definitivo está en el futuro. Pero desde el futuro, le da significado a todos los avatares de la historia.

> **A. M. Hunter:** "En el pensamiento judío, el reino de Dios es *la* gran esperanza del futuro. Es otro nombre para el buen tiempo venidero, la era mesiánica; y es esencialmente 'la semilla de Dios y no la acción del hombre'. De este modo, al leer los Evangelios, debemos pensar del reino no como alguna disposición moral en el corazón del ser humano o como una sociedad utópica a ser construida por sus esfuerzos, sino como la intervención decisiva del Dios viviente en el escenario de la historia humana para la salvación del ser humano. Este es el primer punto. El segundo es éste. El corazón del mensaje de Jesús fue que esta intervención real de Dios en las cuestiones humanas ya no era una esperanza brillante en el lejano horizonte de la historia—sino un *fait accompli*. El tiempo señalado había llegado a pleno, dijo Jesús, el reino había arribado, estaba invadiendo la historia."[3]

La dimensión escatológica está ligada directamente a la tarea que tenemos de proclamar el evangelio del reino de Dios en tres niveles. Primero, la proclamación del evangelio es la respuesta de Dios al hecho de que

---

2. Citada en Pablo A. Deiros, ed., *Los evangélicos y el poder político en América Latina* (Grand Rapids, MI: Nueva Creación-Eerdmans, 1986), 349.
3. Hunter, *Interpreting the Parables*, 39-40.

las personas lejos de Cristo están destinadas a pasar la eternidad separadas de Dios en el infierno. El compromiso personal del cristiano en la proclamación del evangelio es una indicación de que toma seriamente tanto el deseo redentor de Dios para la humanidad como la situación perdida de la misma lejos de Cristo. Segundo, la certeza en cuanto al inminente retorno de Cristo y su victoria definitiva sobre las fuerzas del mal llenan a los creyentes de esperanza. Esto les permite perseverar en su propio crecimiento y maduración como seguidores de Cristo. Esto también estimula a la iglesia al llenarla de seguridad en la convicción de que ella es la prometida de Cristo y que hay una boda que la espera. La esperanza escatológica también motiva a los creyentes a denunciar y resistir al reino de las tinieblas. La agonía de aquellos que van camino a una eternidad sin Cristo impele a los cristianos a "rogarles que se reconcilien con Dios," como dice Pablo (2 Co. 5.18). Tercero, la venida inmediata de Cristo motiva a los creyentes a actuar como preservadores en un mundo perdido. Esta obra de preservación no se lleva a cabo en la esperanza de que lo que se construye y cuida va a entrar a la eternidad, sino como expresión anticipada de lo que la eternidad traerá consigo una vez que lo viejo haya pasado y florezca lo nuevo según las promesas de Dios.

Las parábolas del reino sintetizan estas ideas de manera magistral. Desentrañar de estos dichos y relatos de Jesús, según fueron registrados por Mateo, nos ayuda a entender la esencia de la comprensión que el Señor tenía del reino. Con un poco de imaginación histórica y apertura a la obra iluminadora del Espíritu Santo, procuraremos revivir la crisis suprema y dramática por la que Dios visitó a su pueblo Israel con bendición y juicio a través del ministerio de Jesús, y por la cual el Nuevo Israel, que es la iglesia, nació a la historia.

LA REALIDAD DEL REINO (9.16-17)

Jesús comenzó su ministerio en Galilea declarando que los seres humanos se encontraban en el filo de una hora decisiva de la historia. Según él: "El reino de los cielos está cerca" (Mt. 4.17; ver Mr. 1.15). Algo nuevo estaba viniendo (el reino de Dios) y él lo estaba poniendo de manifiesto. La gran profecía de Isaías 52.7 se estaba haciendo realidad (ver

Dn. 2.44). La era del reino de Dios, que profetas y reyes habían anhelado ver, ahora estaba comenzando. Volviéndose a sus discípulos Jesús les destacó la relevancia de la hora que les tocaba vivir: "Dichosos los ojos de ustedes porque ven, y sus oídos porque oyen. Porque les aseguro que muchos profetas y otros justos anhelaron ver lo que ustedes ven, pero no lo vieron; y oír lo que ustedes oyen, pero no lo oyeron" (Mt. 13.16-17; ver, Lc. 10.23-24). En otros términos, el verano de la salvación de Dios estaba cerca (Mt. 24.32; ver Mr. 13.28-29). Su cosecha ya estaba en marcha (Mt. 9.37; Lc. 10.2).

Las parábolas. Es sobre esta situación que las dos primeras parábolas que mencionamos de Mateo constituyen un comentario. Son dos parábolas que tienen que ver con el contraste entre lo viejo y lo nuevo. El vestido viejo y el odre viejo representan lo primero, mientras que la tela nueva y el vino nuevo representan lo segundo. Con estas ilustraciones de la vida diaria, bien claras y conocidas, Jesús está llamando la atención sobre una realidad ya presente. Una nueva era siempre provoca temor al futuro (temor a lo desconocido), y es fácil querer acomodar lo nuevo a lo viejo, ya que lo viejo siempre da más seguridad. A personas que pensaban así, Jesús les contó las parábolas del remiendo nuevo en tela vieja y del vino nuevo en odres viejos (Mt. 9.16-17; ver Mr. 2.21-22).

Según Jesús, el intento de mezclar o combinar lo viejo con lo nuevo nunca resulta. Tal acomodación es inútil y peligrosa, como bien ilustran estas parábolas. Las imágenes están tomadas de la experiencia cotidiana, que los oyentes de Jesús conocían muy bien. En definitiva, no se puede poner un remiendo nuevo sobre una tela vieja, como no se puede echar vino nuevo en odres viejos. En ambos casos el resultado es el mismo: lo viejo no resiste la presencia de lo nuevo, y la pérdida final es doble ya que se arruina lo viejo y se echa a perder lo nuevo.

Su significado. El significado de estas breves parábolas es claro. Jesús está presentando la novedad radical (esto es, algo "nuevo desde las raíces") del evangelio del reino que él predica. En otras palabras, el ropaje viejo del judaísmo no puede soportar tal remiendo, ni sus formas gastadas pueden contener al vino del nuevo orden de Dios. No se puede mezclar la gracia del evangelio con el legalismo del judaísmo. En esencia, aquí está la novedad del evangelio.

> **Francis L. Filas:** "La ley mosaica vino en verdad de Dios y cumplió su propósito todo el tiempo que debía durar. No obstante, ahora fue superada por el nuevo pacto cristiano entre Dios y el ser humano. Jesús delicadamente implica que los dos pactos son tan dispares que, si bien el segundo se edifica sobre el primero, ellos no se pueden mezclar sin destruir el bien que existe en cada uno de ellos. No se puede ser cristiano y judío al mismo tiempo. Lo nuevo debe reemplazar a lo viejo completamente, y sólo esto puede cumplir las promesas y la preparación de lo viejo."[4]

De todos modos, conviene tener presente que la novedad del reino debe ser digerida poco a poco. Este parece ser el énfasis con el que Lucas cierra su versión de la parábola de los odres. "Nadie que haya bebido vino añejo quiere el nuevo, porque dice: 'El añejo es mejor' (Lc. 5.39). Estas palabras parecen ser una afirmación de Jesús, que ilustra su comprensión de las dificultades que tenían los judíos sinceros, en abandonar la Ley que Israel había seguido a lo largo de tantos silos y que habían acatado como ley de Dios. Los discípulos mismos tuvieron que lidiar con su alianza fiel al judaísmo y aprender poco a poco a aceptar su nueva posición como ciudadanos del Nuevo Israel, que es la iglesia.

No obstante, es importante tener presente que en el proceso de transición entre lo viejo y lo nuevo hace falta ejercer paciencia y perseverancia. El rechazo radical de lo viejo no significa que se haga una apropiación adecuada de lo nuevo. Ambos procesos deben ocurrir de manera simultánea y paulatina. Cuando una persona necesita hacer un cambio de sangre para resolver una dolencia, los médicos no extraen toda la sangre vieja y luego inyectan sangre nueva, sino que ambos procesos se cumplen simultáneamente, ya que de otro modo el paciente moriría. En el reino de Dios las cosas operan de la misma manera.

---

4. Francis L. Filas, *The Parables of Jesus: A Popular Explanation* (Nueva York: Macmillan, 1959), 138.

LOS ENEMIGOS DEL REINO (12.25-29, 43-45)

El reino de Dios no viene sin que sufra oposición y resistencia de parte de aquellos que no están dispuestos a someterse en obediencia al Rey de reyes. La criatura rebelde persiste en su ambición absurda de querer ser como el Creador y hacer lo que quiere con la vida que recibió de Dios y con la vida de los demás.

Esto es cierto de Satanás y sus demonios, pero también es cierto en relación con los seres humanos que, con su pecado y alianza con el mundo, la carne y el diablo, se rebelan en contra de Dios. No es extraño, pues, que al comenzar su anuncio del evangelio del reino y al ponerlo de manifiesto a través de sus milagros y acciones de poder, Jesús se enfrentara con todos estos adversarios del reino. Primero Satanás y luego aquellos controlados por un espíritu de religión y legalismo (fariseos) fueron acompañando con oposición, a veces encarnizada, el ministerio de Jesús.

El reino de Dios estaba viniendo con Jesús, pero estaba viniendo creando una situación de conflicto. La presencia del reino de Dios en Jesús hacía que las fuerzas de la resistencia y subversión a su dominio se encresparan y adquirieran más virulencia que nunca. La realidad de este conflicto cósmico, según se puso en evidencia en los ataques de Satanás, pero especialmente en la oposición persistente de los fariseos y otros líderes religiosos judíos llama la atención sobre los enemigos del reino y levanta la pregunta: ¿contra quiénes está viniendo el reino?

Desde los días de Ernest Renán (1823-1892), el escritor francés cuyas obras exponen su fe en la ciencia y en sus convicciones racionalistas, y autor de una famosa *Vida de Jesús*, hemos tendido a pensar en el ministerio de Jesús en Galilea como un tiempo tranquilo de predicación y enseñanza. Jesús es representado como un maestro de grandes verdades morales y espirituales, que más bien atraen la admiración de todos y que no provoca demasiados conflictos. Siguiendo este cuadro de placidez, colocamos este período tranquilo del ministerio de Jesús en contraste con sus últimas semanas de vida, mientras iba camino a Jerusalén y a la pasión. Pero en realidad, su ministerio en Galilea no fue así, sino que se pareció más a una campaña militar. Su enseñanza y ministración fueron un verdadero combate espiritual contra los poderes del mal y contra sus opositores de todo tipo.

El dicho que mejor cristaliza este aspecto combativo del ministerio de Jesús es el que pronunció en ocasión de la controversia sobre Beelzebú: "Si expulso a los demonios por medio del Espíritu de Dios, eso significa que el reino de Dios ha llegado a ustedes" (Mt. 12.28; ver Lc. 11.20). Según Jesús, la evidencia más palmaria de la realidad de la irrupción del reino en la historia era precisamente que él ponía en retirada a los agentes del reino de las tinieblas, liberando a los oprimidos por el diablo y abriéndoles la oportunidad de participar del reino de Dios. El ministerio de Jesús consistió básicamente en atacar el dominio de Satanás y liberar a los seres humanos del poder del mal.

> **George E. Ladd:** "El reino de Dios, en la enseñanza de Jesús, tiene una doble manifestación: en el fin del siglo para destruir a Satanás, y en la misión de Cristo para atarlo. ... De alguna forma más allá de la comprensión humana, Jesús luchó con los poderes del mal, consiguió la victoria sobre ellos, para que en el fin del siglo dichos poderes pudieran ser por fin y para siempre quebrantados."[5]

Es con este trasfondo de conflicto o guerra espiritual que hay que entender las parábolas del reino dividido y del hombre fuerte en Mt. 12.25-29 (ver Mr. 3.23-27; Lc. 11.21-22). Nótese que en ambos casos se trata de conflictos de poder, es decir, estas parábolas ilustran un estado de guerra espiritual real y no una situación hipotética o imaginaria, propia de una cosmovisión pre-científica o animista. Para Jesús, los demonios eran entidades reales y el reino de las tinieblas no era una estructura abstracta, sino un sistema de maldad bien concreto. Esto se torna todavía más dramático en el caso de la parábola de la casa vacía (12.43-45).

Un reino dividido (12.25-28)

La parábola del reino dividido expresa la campaña en la que Jesús no sólo proclamó la presencia del reino, sino también la acción por la cual

---

5. George E. Ladd, *A Theology of the New Testament* (Grand Rapids, MI: Eerdmans, 1983), 66-67.

en su nombre él liberó a hombres y mujeres de demonios y enfermedades. Esto le acarreó la acusación de que estaba asociado a los poderes de las tinieblas. En esta parábola, Jesús está diciendo: "¿Asociación con mi enemigo, dicen ustedes? Pero el perro no se puede comer al perro." Jesús no puede ser socio de Satanás, porque un reino dividido está condenado al fracaso. Además, si bien Mateo no lo explicita, es posible especular que el mismo principio de contradicción es aplicable a la obra de Jesús como expresión de la operación del poder de Dios. Veamos.

Dios contra Dios (v. 25). Nótese que Mateo apunta que "Jesús conocía sus pensamientos," es decir, lo que estaban elucubrando en sus mentes. Mateo introduce esta discusión señalando de entrada la capacidad sobrenatural de Jesús de ejercer dos dones del Espíritu Santo: palabra de ciencia o de conocimiento (1 Co. 12.8) y discernimiento de espíritus (1 Co. 12.10). En este sentido, Jesús era para ellos un enemigo difícil de enfrentar, porque siempre se les anticipaba y parecía tener sus respuestas preparadas de antemano. Había en operación en Jesús y a través de él un poder que desbordaba las mejores capacidades de ellos para elaborar una trampa o acusación falsa. Era evidente que Dios mismo estaba obrando a través de Jesús, y que éste jamás hubiese hecho algo contra la voluntad de su Padre. Había coherencia en las acciones liberadoras del Mesías.

> **Gregory A. Boyd:** "Dios no estaba en conflicto consigo mismo cuando Jesús reprendía a los demonios. Jesús ejecutaba la voluntad del Padre al expulsar a los demonios que supuestamente estaban presentes en la vida de una persona porque Dios así lo quería. Jesús dijo que él no podría estar expulsando demonios por medio de Satanás, el príncipe de los demonios, porque un reino no puede estar dividido contra sí mismo (Mt. 12.25-28). La misma lógica lleva a la conclusión de que Jesús no podía expulsar a los demonios por el poder de Dios si los demonios mismos estaban presentes por la voluntad de Dios. El reino de Dios, al igual que el reino de Satanás, no puede estar dividido contra sí mismo."[6]

---

6. Boyd, *Satan and the Problem of Evil*, 400.

Además, Jesús dijo: "Todo reino dividido contra sí mismo quedará asolado," y al decirlo pensaba específicamente en los pensamientos perversos de sus acusadores, que lo asociaban con Beelzebú. Pero el principio del reino dividido y la ciudad o familia dividida es válido también para el reino de Dios, la ciudad de Dios y la familia de Dios. Jesús fue claro en señalar "*todo* reino" (gr. *pasa basileía*), y "*toda* ciudad o familia" (gr. *pasa pólis ē oidía*). Nótese el énfasis sobre "todo" (gr. *pāsa*, sin artículo, como en este caso, significa cada; cada uno, toda clase de; todo). Esto permite incluir también bajo este principio al reino de Dios. No es necesario remontarse muy lejos en la historia del testimonio cristiano para encontrar numerosos ejemplos del fracaso de la iglesia de Dios en el cumplimiento de su misión en el mundo. Las divisiones en el ámbito del reino de Dios son también letales.

Satanás contra Satanás (vv. 26-28). El argumento de Jesús plantea el absurdo de Satanás peleando contra Satanás, es decir, el reino de las tinieblas contra el reino de las tinieblas. Éste sería el caso, si la acusación de los fariseos tuviese sentido lógico. Pero, como bien arguye Jesús, tal posibilidad es contradictoria, porque la expulsión de demonios de una persona es una acción buena y para bendición de quien es objeto de ella. Y Satanás no puede hacer lo bueno ni bendecir a nadie. Lo único que él y sus huestes saben hacer es "robar, matar y destruir" (Jn. 10.10a). En este caso particular, hasta un niño podía entender que Satanás no puede expulsar a Satanás. Nadie puede ejercer autoridad y poder contra sí mismo. Como dice el dicho popular: "Pan con pan es comida de zonzos."

Además, Jesús contrataca a los fariseos con la misma carta jugada por ellos: "¿los seguidores de ustedes por medio de quién los expulsan?" Jesús tenía una respuesta positiva para la pregunta de ellos (yo "expulso a los demonios por medio del Espíritu de Dios"). Los fariseos no tenían la misma convicción como para responderle a Jesús. Un reino firme, coherente y unido estaba llegando a través de Jesús, mientras que el reino religioso, dividido e inestable de los fariseos se estaba derrumbando. Así, pues, a través de parábolas, el planteo de una serie de condiciones, el sarcasmo, las preguntas retóricas y una lógica implacable, Jesús demolía la hipocresía chata de sus opositores y la futilidad de sus argumentos.

Un hombre fuerte (12.29)

La parábola del "hombre fuerte" (gr. *isjurou*, de *isjurós*, fuerte, vigoroso, poderoso; el vocablo "hombre" no aparece; la expresión sería "la casa del fuerte") expresa una verdad muy parecida a la de Isaías 49.24-25. En esta parábola, Jesús está diciendo: "Mis obras de liberación muestran que yo soy el amo del diablo. Los cautivos del fuerte o poderoso son rescatados y el botín es quitado del tirano." Jesús también es el Señor también del diablo, y es el único que puede doblegarlo, y liberarnos de sus ataduras y opresión.

> **Ed Murphy:** "En los relatos evangélicos tanto Satanás como los demonios declararon abierta y constantemente que Jesús era el Cristo, el Santo de Dios e incluso el Hijo del Altísimo. Esta invasión inicial puso en guardia al enemigo, como sucede siempre que va a producirse un ataque, provocando quizá la oposición más clara e intensa del diablo y los demonios al reino de Dios en toda la historia. Esto, por sí solo, explicaría por qué una parte tan grande del ministerio de Jesús tuvo que ver con la confrontación personal directa con el mundo espiritual y en particular con los agentes malignos de Satanás: los demonios."[7]

Él ya ha vencido a Satanás, aquel que está detrás de todo mal y aflicción humana (1 Jn. 3.8, 12; 4.3), y por su victoria nosotros también podemos vencer al maligno (1 Jn. 2.13-14) y vivir libres del pecado (Jn. 3.6, 9; 5.18). En este combate no debemos admitir otra cosa que la victoria y la destrucción de nuestro enemigo (He. 2.14-15). Pero, antes que las cadenas de la muerte y el pecado puedan ser rotas, el "hombre fuerte" que nos tiranizaba con ellos debe ser "atado" o "sujetado" (gr. *dēsēi*, aoristo de *déō*, atar, sujetar), es decir, limitado en su capacidad de operar. Antes que los que están apresados en su reino puedan ser liberados, él tiene que ser atado. Esto es precisamente lo que la muerte de Cristo ha logrado. Para decirlo en términos juaninos, la cruz ha "expulsado" al "príncipe de este mundo" (Jn. 12.31) y lo ha condenado (Jn. 16.11). El resultado, para todos los que creen esta verdad y reciben esta liberación, es libertad.

---

7. Ed Murphy, *Manual de guerra espiritual* (Miami: Editorial Betania, 1994), 337.

Una casa vacía (12.43-45)

A esta fase combativa del ministerio de Jesús pertenece la parábola de la casa vacía (Mt. 12.43-45; ver Lc. 11.24-26). Si bien la persona es liberada de un espíritu malo, no puede estar seguro hasta que Dios ocupe la casa (gr. *oikós*) de su vida. La parábola puede presentar una de tres verdades principales posibles. Primero, Jesús advierte a un ex-endemoniado de no volver a caer, dándole lugar al diablo en su vida. Segundo, Jesús advierte a una persona perdonada de su pecado a vivir en santidad y no conformarse con haber sido perdonada. Y, tercero, Jesús advierte a su pueblo, a quienes el reino de Dios "ha llegado" (Lc. 11.20), que hagan de su liberación una bendición, estando listos a seguirle y a someterse a su señorío.

Esta parábola nos advierte también que la gracia no va con el vacío espiritual. En la dimensión espiritual, hay dos poderes que compiten por ocupar la interioridad del ser humano y controlar su voluntad: el poder de la luz y el poder de las tinieblas. Mientras la casa esté controlada por el segundo, el primero no puede mostrar toda su capacidad de hacer humana la vida humana. Cuando la casa queda liberada del ocupante que vino para "robar, matar y destruir" (Jn. 10.10), tiene que ser ocupada plenamente por aquel que vino "para que tengan vida, y la tengan en abundancia." La casa que ha sido liberada del poder demoníaco debe ser llena del poder expansivo de un nuevo afecto, o sea, de todo el amor de Dios.

EL PROPÓSITO DEL REINO (13.1-23)

Si el reino de Dios es una realidad que se está haciendo evidente a través de la persona y obra de Jesús, ¿cuál es el sentido de todo esto? En otras palabras, ¿para qué está viniendo a nosotros el reino de Dios? Hay momentos en que parece que todo esfuerzo a favor del reino es en vano, que no hay avances, que no se va a ningún lado ni se llega a ninguna parte. ¿Se está moviendo el reino en una dirección determinada? Muy probablemente los discípulos de Jesús tenían estas preguntas en sus mentes. Jesús les responde con la más famosa de todas las parábolas de crecimiento: la parábola del sembrador (Mt. 13.1-23; Mr. 4.3-8).

Parábola del sembrador: el relato (13.1-9)

Casi todo este capítulo presenta siete parábolas del reino (vv. 1-52). La característica más importante de Mateo es que, a diferencia de los otros evangelistas, él aclara, por las palabras de Jesús que registra en los vv. 10-15, que Jesús adoptó deliberadamente el método parabólico de enseñanza. Algunos eruditos prefieren decir que toda esta sección es una invención de Mateo y de Marcos, y que las parábolas de nuestro Señor estaban encaminadas a ser entendidas por la gente en el sentido más simple.

Un relato complejo. Es claro en este capítulo que las parábolas del reino no son de hecho ilustraciones generales de verdades espirituales y morales, que son fáciles de entender. De hecho, algunas son complejas y requieren de interpretación. Si, según parece probable, las palabras "salió Jesús de la casa" (v. 1) son genuinas, pueden ser una evidencia de que aquél a quien pertenecía la casa, quizás Mateo mismo, es el autor del relato. Según el v. 3, esta fue la primera vez que Jesús se embarcaba en esta estrategia de enseñar por medio de parábolas. En la parábola de vv. 3-9, Jesús no está desarrollando un manual del buen agricultor, y si bien él era carpintero y no sembrador, no pretende prestar atención a los detalles de su propia historia (como parece ser el caso con la interpretación alegórica que se presenta más adelante en el texto (vv. 18-23; Mr. 4.10-20).

Un relato confuso. Hay ciertos detalles que llaman la atención de cualquier persona que en tiempos más actuales haya participado en un proceso de siembra similar al que se describe. ¿A qué sembrador se le ocurre esparcir la semilla de una manera tan poco "profesional"? Siendo la semilla algo tan valioso y limitado, ¿no debería haber tenido un poco más de cuidado de modo que su semilla no cayese "junto al camino," o en "terreno pedregoso" o "entre espinos"? ¿Qué clase de preparación hizo del terreno? Parece que algún tipo de preparación hubo ya que se menciona un "buen terreno." Un sembrador más o menos experimentado sabe muy bien que los pájaros se pueden comer su semilla. También está alertado como para saber que un terreno pedregoso no tiene mucha tierra fértil y que al ser ésta poco profunda no permite que las plantas tengan raíces grandes y profundas, y, en consecuencia, se sequen. Además, ¿a quién se le ocurre sembrar entre espinos?

No obstante, parece ser que el proceso de siembra que describe el Evangelio se corresponde con bastante precisión a la manera en que el mismo se llevaba a cabo en Palestina en tiempos de Jesús. El sembrador de esta parábola no es un neófito ni un inexperto, sino que simplemente opera conforme a la usanza de aquel entonces: se siembra primero y se rotura la tierra después, eliminando con ello los espinos, sacando a la luz la piedra caliza que está debajo de la fina capa de suelo fértil y ablandando cualquier parte del terreno que haya sido pisoteada.

Un relato exagerado. Parece ser una exageración muy grande hablar de un rendimiento de la cosecha con una producción "que rindió treinta, sesenta y hasta cien veces más de lo que se había sembrado," especialmente a la luz de las condiciones de cultivo características de aquel tiempo. Parece claro, pues, que no debemos detenernos en los detalles ni tratar de explicarlos o encontrarles sentido. La parábola como tal sólo pretende presentarnos un relato y ayudarnos a sacar de él una lección. En este sentido, hay un mensaje de aliento en relación con la responsabilidad de predicar el evangelio, sabiendo que siempre habrá buenos resultados. La parábola es también una advertencia en relación con la responsabilidad que tienen aquellos que oyen el evangelio. En el primer caso, el que siembra debe preguntarse: ¿qué clase de sembrador soy? En el segundo caso, el que oye debe preguntarse: ¿qué clase de suelo soy?

Parábola del sembrador: el motivo (13.10-17)

En los vv. 10-17 Jesús discurre sobre el motivo de las parábolas. La discusión en cuanto a si Jesús usó parábolas como un método consciente para dar un testimonio velado o enigmático (gr. *parabolē* y he. *mashal* significan también "enigma"), o en orden a simplificar su argumento, se basa en la interpretación del v. 13 (Mr. 4.10-12). Sobre la base del dicho en arameo, ambas posibilidades están abiertas. Marcos (4.12) usa el gr. *hína* ("para que"), mientras que Mateo (v. 13) usa el gr. *hóti* ("por eso").

No obstante, la comprensión total de Mateo en cuanto al uso que hizo Jesús de las parábolas se acerca más a la primera alternativa (uso enigmático). Y esto no sólo en razón de su dependencia de Marcos 4.10-11, sino también por su uso del dicho en Marcos 4.25 (cf. 25.29) en este punto (v. 12) con referencia a "los secretos del reino de los cielos" (v. 11), que no les es "concedido conocer" o saber a los ajenos o extraños. Esta actitud dura debe ser entendida no en relación con las parábolas en general, sino específicamente en relación con las parábolas que tratan con el reino y que en su forma velada anuncian su venida. Esto es reforzado por el uso que hace Mateo de las palabras de Jesús en vv. 16-17 (cf. Lc. 10.23-24). La cita de Isaías 6.9-10 en los vv. 14-15 puede ser un agregado posterior introducido como una fórmula de cumplimiento. Si es original de Mateo, vemos una vez más que el uso de las parábolas no es tomado como un recurso pedagógico en el sentido moderno, sino que funciona conforme al plan de Dios (v. 35).

Parábola del sembrador: la explicación (13.18-23)

En los vv. 18-23, Jesús presenta la explicación de la parábola del sembrador. Jesús contó la parábola del sembrador (vv. 3-9) con una verdad o lección central, pero luego, cuando estuvo solo con sus discípulos (Mr. 4.10), la interpretó como si fuese una alegoría, dándole a cada parte un significado. "Esta es la semilla que fue sembrada junto al camino" (v. 19): el camino que cruza el sembradío se endurece tanto con el tránsito, que si la semilla cae sobre él no penetra el suelo. De la misma manera, la enseñanza de Jesús no puede ser recibida por aquellos que están "endurecidos" por el pecado. Entonces, "viene el maligno," es decir, las fuerzas de maldad, que procuran activamente impedir que sigamos a Jesús y hagamos la voluntad de Dios (Mr. 1.13).

"El que recibió la semilla que cayó en terreno pedregoso" (vv. 20-21): este suelo consiste en una pequeña capa de tierra buena sobre un lecho de piedra. La tierra es fértil, pero no tiene profundidad. La semilla penetra, pero no puede echar raíces profundas. Hay personas así: aceptan la enseñanza de Jesús con gozo, pero no la consideran seriamente. En consecuencia, no están preparadas para las dificultades, las tentaciones o para sufrir el ridículo de sus amigos o la persecución de sus enemigos. Cuando sobrevienen estas circunstancias, pierden su fe en Jesús. En v. 21 "en seguida" es "inmediatamente" y "se aparta de ella" es igual a "su fe es sacudida."

Lo que la palabra parece indicar es el golpe repentino de encontrar que la situación es muy diferente de lo que el ser humano espera.

"El que recibió la semilla que cayó entre espinos" (v. 22): los espinos y otras malezas impiden a la pequeña planta crecer al absorber las sustancias nutrientes del suelo y quitar la luz del sol. De igual manera, el alma de una persona puede estar tan abrumada con otras cosas, que no hay posibilidad de que reciba la luz y la nutrición del evangelio. El v. 22 menciona "las preocupaciones de esta vida" y "el engaño de las riquezas" (ver Mr. 4.19; Lc. 8.14).

"El que recibió la semilla que cayó en buen terreno" (v. 23): en este último caso, la siembra de la semilla de la Palabra produce cosecha abundante, porque el corazón del oyente estaba preparado por la convicción de pecado y por el ferviente deseo de conocer y hacer la voluntad de Dios. En tal condición, la Palabra divina puede cumplir toda su bendita obra. Esta interpretación es la del Maestro mismo.

Parábola del sembrador: la lección

Dejando de lado la explicación alegórica de la parábola, que probablemente no era parte del relato original, conviene concentrarse en este caso, como en todas las parábolas del reino, en encontrar la lección central del relato. En este sentido, se pueden señalar dos cosas.

Una palabra de aliento. Muchos eruditos modernos ponen énfasis sobre la cosecha abundante, y no sin razón. En 9.27, Jesús afirma que "la cosecha es abundante" (gr. *polús*, abundante; mucho; numeroso; grande). De hecho, el relato que suena bastante negativo en términos de las dificultades que el sembrador enfrenta con el terreno, termina con una nota sumamente positiva, con una parte de las semillas que cayó en buena tierra y produjo de manera sorprendente (v. 8), como si fuese el resultado de la siembra total. Lo que parecía ser un relato muy pesimista se convierte al final en algo muy optimista. De golpe, cuando ya nadie lo esperaba, hay una buena cosecha y el trabajo del sembrador adquiere sentido y propósito. En este sentido, se trata de una palabra de aliento para los discípulos, en medio de los altos y bajos del ministerio en Galilea. En ese caso, el mensaje sería: el reino de Dios avanza a pesar de todo y su cosecha supera todas las expectativas. Interpretada así, esta es una parábola que apunta a la responsabilidad de predicar el evangelio. Quien recibe la parábola debe decirse: "Debo continuar predicando el evangelio, a pesar de las dificultades, porque siempre habrá fruto y fruto abundante."

> **Enrique Vijver y otros:** "Los primeros versículos indican que este relato se refiere a la predicación de Jesús. Él es el sembrador que ofrece su mensaje de una manera abundante a la gente: a creyentes y pecadores, a enfermos y endemoniados (Mr. 1—2). Justamente esta actitud de Jesús causa resistencia. Ahora todavía hay una multitud que sigue a Jesús, pero ¿qué pasará dentro de algún tiempo? ¿La resistencia contra Jesús crecerá? ¿Cuándo vendrá el reino de Dios que Jesús está anunciando? (Mr. 1.15). ¿O se equivocó Jesús? ¿O toda su predicación no es más que el sueño de un idealista? ¿Cómo se va a realizar el reino de Dios? ¿Cómo va a crecer este pequeño movimiento de Jesús? ¿Qué podemos hacer nosotros?, se preguntan los discípulos. ¿Podemos realizar el reino cuando nos esforzamos más?"[8]

Una palabra de advertencia. La exégesis tradicional encuentra en el relato un comentario parabólico de la advertencia "ojo cómo oímos el evangelio y respondemos a él." Si lo entendemos así, Jesús está dando una palabra de advertencia a la multitud. La semilla, que es el evangelio del reino, es toda buena, pero germina según el suelo en el que cae. Interpretada así, es una parábola que apunta a la responsabilidad de oír el evangelio. Quien recibe la parábola debe preguntarse: "¿Qué clase de suelo soy?" La parábola del sembrador es acerca del reino, acerca de la revolución de Dios anunciada por Jesús y que está en marcha. La parábola tiene que ver con la predicación del reino: la "palabra acerca del reino" (v. 19). La parábola tiene que ver también con la respuesta de las personas al reino: "El que tenga oídos, que oiga" (v. 9).

---

8. Enrique Vijver, Marta Scampi de García, Susana Campertoni de Bertón y Ana Villanueva, *Las parábolas del reino* (Buenos Aires: Editorial La Aurora, 1988), 23.

> **David Wenham:** "La parábola es una invitación a ver el reino en Jesús a pesar de los desengaños que puedan llevar al lector a dudar de Jesús; pero es también una exhortación al lector a considerar dónde él o ella encaja en el cuadro. La parábola es acerca de la predicación del reino, pero es también ella misma predicación del reino, que espera una respuesta. Así, Jesús concluye la parábola: "El que tenga oídos para oír, que oiga" (Mr. 4.9; Mt. 13.9; Lc. 8.8)."[9]

LOS DESTINATARIOS DEL REINO (13.24-30, 36-43, 47-50)

La afirmación de Jesús en cuanto a la venida del reino debe haber despertado cierta ansiedad en algunos de sus oyentes. Si el reino de Dios está viniendo, ¿para quiénes está viniendo? La pregunta escapa a la satisfacción de una mera curiosidad teórica, para tocar más personalmente a quienes oyen el mensaje. La cuestión clave es si el reino viene para todos los seres humanos o sólo para algunos. Jesús responde a la inquietud con varias parábolas y deja en claro varias cuestiones en cuanto a los destinatarios del reino de Dios.

Debemos recordar que una parábola es una ilustración o comparación tomada de la naturaleza o de la vida cotidiana. Su propósito es ayudar a la comprensión de ideas y conceptos que tienen que ver con el reino de Dios. Las parábolas pueden tener varias formas. Una de ellas es la alegoría. Toda alegoría es una parábola, pero no toda parábola es una alegoría. Hay diferencias entre una y otra. Mientras que en la parábola hay un solo punto de comparación y los detalles no interesan, en la alegoría hay varios puntos de comparación y cada detalle tiene un sentido y significado propio. En la parábola, los elementos que se utilizan son los de la naturaleza, y de la vida común y corriente. Por ejemplo, en la parábola del sembrador se narra algo que ocurría todos los días y era bien conocido. En cambio, en la alegoría se trata con cosas fantásticas o que están fuera de lo natural o normal. En el caso de la parábola de la mala hierba es interesante notar ciertos elementos extraños a lo que sería normal o natural. La propuesta de los siervos de

---

9. Wenham, *The Parables of Jesus*, 48.

arrancar la mala hierba (v. 28) era algo normal y común. Sin embargo, Jesús lo prohíbe. Por otro lado, no responde a la realidad que alguien rechine los dientes encontrándose en medio del fuego (v. 42). Más bien el rechinar de dientes se produce por efecto del frío, especialmente en la noche (ver Mt. 8.12). Como se ve, la narración no pretende ser un fiel reflejo de la realidad, sino más bien enseñar algo a través de sus varias ilustraciones.

El reino viene a un mundo de pecadores (13.24-30, 36-43)

Lo primero que Jesús enseña es que el reino de Dios viene a un mundo de pecadores. Así lo afirma en la parábola del trigo y la mala hierba (13.24-30).

El mensaje principal de esta parábola lo encontramos al final de la misma en el v. 30: "Dejen que crezcan juntos hasta la cosecha. Entonces les diré a los segadores: Recojan primero la mala hierba, y átenla en manojos para quemarla; después recojan el trigo y guárdenlo en mi granero." El señor del campo está pidiendo paciencia a sus siervos de modo de evitar un juicio anticipado y apresurado.

La parábola (vv. 24-30). La parábola es rica en alusiones a la presencia del reino de Dios en la vida y ministerio de Jesús, como también y a través de él en el mundo. En este sentido, algunos la relacionan con Marcos 4.26-29. Si bien es muy diferente de la de Marcos sobre la semilla que crece en secreto (Mr. 4.26-29), puede ser una tradición paralela con su referencia a lo que ocurre mientras el granjero duerme y con su demanda de paciencia. Dos de las tres parábolas en el capítulo 13 que son peculiares de Mateo (la mala hierba y la red) se enfocan en "el fin del mundo" (vv. 39, 49). La parábola misma parece tener su punto en el mandamiento de no arrancar la mala hierba, sino esperar hasta la siega. En la interpretación de la parábola (vv. 36-43), el acento escatológico es más fuerte e inclusivo ("El campo es el mundo," v. 38), y no está puesto sobre la espera, sino sobre la consumación. El reino del Hijo del hombre, del que "todos los que pecan y hacen pecar" serán arrancados, puede ser todo el mundo o la iglesia o—y esto es lo más probable—Israel como el centro del mundo (8.11-12). El clímax del pasaje (v. 43) es una alusión a Daniel 12.3, donde encontramos una referencia tanto a "los justos" como a los que tienen oídos para oír (los que oyen o entienden). Esta es una expresión prominente en el capítulo 13 (vv. 13, 14, 15, 19, 23, 51).

Su carácter. Se trata de una parábola muy particular, porque es un material que presenta abundantes elementos alegóricos. La interpretación tradicional de la misma se hace en estos términos y, por lo tanto, da significado a cada detalle y procura encontrar puntos de comparación. Es importante tener en cuenta este carácter alegórico del pasaje, para su correcta interpretación. A diferencia de la parábola del sembrador, que es la ilustración de una verdad central, aquí parece ser que cada detalle representa algo. Además, en la parábola del sembrador se describen experiencias pasadas, mientras que en la del trigo y la mala hierba se hacen alusiones proféticas en cuanto a lo que ocurrirá en el futuro.

Sus destinatarios. Por un lado, la parábola suena como la respuesta de Jesús a un crítico, probablemente un fariseo (separatista y fundamentalista) o un zelote, que se estaría preguntando: "Si el reino de Dios ya está aquí, ¿por qué no ha habido una separación entre justos y pecadores?" Jesús no quiere carpir indiscriminadamente el sembradío. Él no quiere aplicar el juicio divino antes de tiempo (1 Co. 4.5). De igual modo, la parábola es una crítica a aquellos que se separan del resto del pueblo pretendiendo que ellos son perfectos, iluminados, sin pecado, espirituales, sin yuyos ni malas hierbas. Había muchos en los días de Jesús que eran así (fanáticos, perfeccionistas, moralistas), con diferentes enfoques entre ellos, pero con una idea en común: pensaban que era posible formar un grupo perfecto respetando la ley, o mejor, la letra de la ley o algún aspecto moral de ella.

El contraste entre estos grupos legalistas y los discípulos de Jesús era bastante grande, porque alrededor del Maestro se había formado un grupo muy imperfecto y cuestionable de pecadores, publicanos, prostitutas, pobres, marginados, algunos pescadores, gente sencilla que ni siquiera conocía bien la ley, especialmente en las cuestiones ceremoniales. Todos ellos pertenecían al grupo de seguidores de Jesús. En consecuencia, los puros, los religiosos, los que se consideraban perfectos los criticaban y acusaban a Jesús de andar con ellos. Para estas personas, la moral y la religión eran una cuestión de legalismo.

Por otro lado, los discípulos, es decir, la gente que pertenecía al grupo de Jesús también tenían sus propios interrogantes. Si era cierto, como Jesús afirmaba, que en él y con él el reino estaba viniendo, ¿cómo era posible que pudiese existir tanto mal en el mundo? Si Jesús es el Mesías prometido que trae consigo la salvación y un mensaje de liberación, ¿cómo puede ser que haya tanta injusticia y sufrimiento? Los discípulos se plantean así una contradicción incomprensible.

La parábola del trigo y la mala hierba parece responder a estos dos casos con sus respectivas preguntas. Es una respuesta a los fariseos y zelotes, en tanto plantea que el perfeccionismo en nuestra historia no sirve para nada, no es la solución a los males que nos aquejan. En este mundo en el que estamos, tenemos que vivir con la hierba buena y la hierba mala al mismo tiempo, así como en el campo de nuestra vida y la sociedad se siembra buena semilla y mala semilla.

Pero esta historia es también una respuesta a los discípulos de Jesús, que se preguntaban si no había que arrancar la mala hierba para terminar con el imperio del mal en el mundo. Jesús enseña a esperar y ejercer paciencia. Es en un mundo contradictorio e incierto, en el que el mal y el bien, la justicia y la injusticia, la paz y la violencia conviven cotidianamente, que los seguidores de Jesús debemos mostrar el valor y la fuerza de la fe. Debemos ser capaces de ver las señales de la presencia del reino de Dios en medio de esta mezcla terrible de semillas y hierbas tan diversas.

Su enseñanza. ¿Cuál es la enseñanza de la parábola? Para decirlo en una palabra es PACIENCIA. Frente a la situación crítica de maldad generalizada en el mundo, que hiere y lastima la sensibilidad moral y espiritual del ciudadano del reino, Jesús pide paciencia. No se puede hacer la recolección de las espigas de trigo sin que se mezclen las malas hierbas, o pretender arrancar la cizaña sin que se dañen las plantas buenas. Arrancar a unas significaría liquidar también a las otras. Las raíces de ambas están muy entrelazadas debajo de la superficie. Hay que esperar hasta el día de la cosecha y permitir que la mala hierba y el trigo crezcan juntos hasta el momento oportuno. Esto significa que no se puede juzgar a nadie anticipadamente, pues se corre el peligro de echar a perder la espiga buena. La enseñanza de la parábola se encuentra, entonces, en el v. 29. Una ilustración de la misma la tenemos en el caso de Judas Iscariote. Es notable ver cómo Jesús, plenamente consciente de la opción equivocada de Judas, le advirtió claramente del error de su proyecto traicionero, pero no juzgó ni sentenció de antemano sus acciones. Tuvo paciencia. Por eso, debemos postergar el juicio para ver quién es del Señor y quién no. No podemos saber o determinar anticipadamente quiénes son salvos o no.

La explicación (vv. 36-43). Los vv. 36-43 (la explicación de la parábola del trigo y la mala hierba) deben ser leídos junto con los vv. 24-30. La parábola del trigo y la mala hierba y su interpretación sólo se encuentran en Mateo. Generalmente se toma la explicación de los vv. 36-43 como base para la interpretación de la parábola. Hay tres enseñanzas generales que se pueden extraer de esta interpretación.

(1) La parábola habla de la existencia de la maldad entre los seres humanos (vv. 38b-39). El pecado no es una experiencia sólo personal o individual, sino que tiene también su dimensión social. El pecado de un individuo se asocia al de otros para crear una situación de pecado, que está más allá de la responsabilidad moral individual. ¿Cómo considerar las estructuras opresivas y deshumanizantes de nuestro mundo contemporáneo? La parábola señala, en forma implícita, no sólo al pecado personal, sino también a esto que podríamos llamar "pecado social" o "pecado estructural."

(2) La parábola contiene una poderosa enseñanza misionera (v. 38a). Este enfoque cuadra bien en la perspectiva de Mateo, que en su Evangelio presenta un enfoque universal del mensaje cristiano (ver 28.19a). Toda la raza humana ha sido afectada por el pecado, y el evangelio es buena noticia para todas las naciones. Como señala Jesús: "El campo es el mundo."

(3) La parábola señala a la necesidad de tomar una decisión (vv. 40-43). La presencia del reino de Dios, operando con poder en la persona de Cristo, interpela a los seres humanos y les demanda una decisión. Al igual que otras parábolas del reino, ésta también fue dicha por Jesús

contra el telón de fondo de una situación de crisis. De allí la demanda de decisión y juicio que plantea. Del momento en que este mensaje nos alcanza, somos responsables por él. "El que tenga oídos, que oiga" (v. 43). Para quienes nos hemos comprometido con la causa del reino de Dios, hay dos cosas que se nos demandan en forma imperiosa: paciencia y confianza.

El reino abarca a todos los seres humanos (13.47-50)

Lo segundo que Jesús enseña es que el reino de Dios abarca a todos los seres humanos. Así lo enseña en la parábola de la red (13.47-50). En esta parábola, Jesús toma la imagen del trabajo de los pescadores, que separan a los peces que han pescado, según sean buenos o malos. Según Jesús, "así será al fin del mundo" cuando vengan los ángeles y aparten "de los justos a los malvados." La lección de esta parábola está estrechamente ligada a la del trigo y la mala hierba. Mucho de lo que señalamos más arriba se aplica en este caso, especialmente en cuanto a la coexistencia del bien y del mal en el reino de Dios hasta el día del juicio con su "horno encendido" y el "rechinar de dientes" que les espera a los condenados.

No obstante, la diferencia con la parábola anterior parece estar en quiénes fueron los interlocutores de Jesús. Aquí la pregunta parece haber venido de los discípulos de Jesús, quienes se suponía habían sido llamados a ser "pescadores de hombres" (Mr. 1.17). Jesús comienza por llamar a su reino "una red echada al lago, que recoge peces de toda clase." La parábola es bien fiel a la realidad y seguramente habrá sido bien clara para buena parte de los discípulos de Jesús, que eran pescadores de profesión. Probablemente los peces "malos" serían aquellos demasiado pequeños como para retener o aquellos otros que serían considerados como "inmundos" según las leyes ceremoniales judías y las que regían las comidas permitidas (por ejemplo, peces sin escamas). El punto central del relato es que los seguidores de Jesús no deben ser selectivos en su misión. Ya vendrá el tiempo de separar. Ahora es tiempo de pescar todo lo que venga y todo lo que se pueda. La responsabilidad del creyente es proclamar el evangelio del reino de Dios y no decidir quién entra y quién no.

> **David Wenham:** "La parábola de la red alienta el realismo por implicación (un realismo que está en conflicto con dos tendencias modernas opuestas—por un lado, la de considerar a todo el mundo en la iglesia como verdaderos hijos del reino en virtud de su profesión de fe; y, por otro lado, tratar de identificar y separar a todos los 'peces' buenos y malos de manera prematura. También alienta a la paciencia y la esperanza. La revolución, tal como vino en Jesús, resultó en una reunión grande y de algún modo indiscriminada de personas, tal como en realidad se quejaban sus oponentes. Pero Jesús es tan claro como sus oponentes en cuanto a que la revolución de Dios significará el juicio cuando el tiempo presente de recolección se termine. Porque, como lo pone el autor de Apocalipsis al hablar de la nueva Jerusalén: 'Nunca entrará en ella nada impuro, ni los idólatras ni los farsantes, sino sólo aquellos que tienen su nombre escrito en el libro de la vida, el libro del Cordero' (Ap. 21.27)."[10]

LA NATURALEZA DEL REINO (13.31-33)

La pregunta que muchos deben haberse hecho mientras escuchaban a Jesús contar sus parábolas del reino era: "¿Qué es lo que está viniendo?" Al declarar enfáticamente la venida del reino en su persona, Jesús provocaba profundas inquietudes en sus oyentes. En otras palabras, lo que estaba viniendo (el reino de Dios) suscitaba varias preguntas en los primeros oyentes de Jesús. ¿Cuál es la naturaleza de este reino nuevo y misterioso? ¿Cuáles son las leyes de su aparición y crecimiento?

Para responder a preguntas como éstas, Jesús presentó algunas parábolas que tienen que ver básicamente con el crecimiento. Para cualquiera que oyera a Jesús, la única evidencia visible de la nueva era que comenzaba era un pequeño grupo de discípulos. ¿Podía algo tan pequeño e insignificante ser expresión del gran propósito redentor de Dios? Indudablemente, muchos contemporáneos de Jesús abrigaban este tipo de interrogante. El propio Juan el Bautista envió mensajeros a Jesús para preguntarle si él era realmente "el que ha de venir", porque su situación como prisionero en una cárcel de

10. Wenham, *The Parables of Jesus*, 67.

Herodes no se parecía mucho al reino de Dios. (Mt. 11.2-3; Lc. 7.18-19). Si el reino de Dios significaba el final de gobiernos opresivos como el del corrupto Herodes, ¿qué estaba haciendo Jesús para que esto ocurriera?

Seguramente, Juan no era la única persona que se sentía algo frustrada con Jesús. Sus propios discípulos sintieron la misma impaciencia por lo que les pareció una falta de acción decisiva y concreta de parte de su Maestro (ver Lc. 19.11; Hch. 1.6). Jesús respondió a estas inquietudes con las que se denominan parábolas de crecimiento.

El grano de mostaza (13.31-32)

La respuesta de Jesús a estos interrogantes es la parábola del grano de mostaza (13.31-32; Mr. 4.30-32; Lc. 13.18-19), que se presenta en combinación con la parábola de la levadura (v. 33). No es difícil entender esta parábola.

La parábola. La semilla de mostaza era bien conocida en los días de Jesús. Que Jesús la denominara como la "más pequeña de todas las semillas" no es un error botánico ni una declaración desmedida, sino el uso de un proverbio popular judío, que indicaba insignificancia o algo muy pequeño (la semilla de mostaza tiene este tamaño: o). Jesús vuelve a utilizar esta figura proverbial en Mt. 17.20 para referirse a la fe. Es decir, Jesús utiliza una hipérbole (una exageración usada a propósito para enfatizar la fuerza de la ilustración), para mostrar cómo a partir de algo tan pequeño se desarrolla una planta que alcanza una altura de unos dos metros. En este sentido, es oportuno citar aquí a Joachim Jeremias, cuando señala: "En Mateo 13.31, no deberíamos … traducir la fórmula introductoria con la frase 'El reino de los cielos es como un grano de mostaza,' sino como 'El caso del reino de los cielos es como un grano de mostaza,' es decir, el reino de Dios no es comparado a un grano de mostaza, sino a un arbusto alto en cuyas ramas los pájaros hacen sus nidos."[11]

La lección. La lección de la parábola parece evidente. Así como esta pequeña semilla se desarrolla y crece hasta transformarse en una planta lo

11. Jeremias, *The Parables of Jesus*, 101-102.

suficientemente grande como para alojar a pájaros en sus ramas (Mateo habla de un árbol, v. 32), de igual modo el reino de Dios crece desde comienzos insignificantes. Implícitamente, la parábola nos amonesta a no desalentarnos por las dificultades que enfrentamos al esparcir las buenas noticias del reino de Dios. De este modo, el milagro de la naturaleza se repite en el mundo espiritual. El reino de Dios puede parecer insignificante a los ojos de muchos. Pero el reino de Dios está destinado a expandirse por todo el mundo, y a llegar incluso a los gentiles. Si la expresión "las aves" es más que un detalle corroborativo, puede ser una alusión al carácter amplio del reino. Tanto los gentiles ("las aves") como los judíos serán incluidos en el reino. La idea del reino de Dios como un árbol frondoso, en cuyas ramas los pueblos de todas las naciones encuentran acogida ya se encuentra en el Antiguo Testamento, especialmente en los profetas tardíos (ver Dn. 4.10-12; Ez. 17.22-23; 31.6).

Una de las leyes del reino es: pequeños comienzos resultan en grandes finales. La parábola de la semilla de mostaza subraya la inmensa diferencia entre el principio y el final de un proceso de crecimiento. El movimiento va de "más pequeña" a "más grande". Este principio y naturaleza del reino de Dios nos llena de esperanza. Otra vez, escuchamos un mensaje que da coraje, ánimo y fuerza a los creyentes. El reino de Dios en este mundo todavía parece muy débil. De hecho, Jesús predicó en una región distante de los centros de poder (no estaba en Jerusalén o Roma). Los discípulos eran pocos y la resistencia al mensaje iba creciendo. Quizás muchos de ellos se preguntaban, ¿cómo puede Jesús transformar al mundo? o ¿qué impacto puede tener en el mundo el mensaje del reino de Dios? Esta parábola nos anima a creer que la semilla insignificante del principio se convertirá en una planta impresionante, en cuyas ramas las aves pueden anidar. Esta es la imagen de un reino que ofrece seguridad y protección a sus habitantes. Así es el reino de Dios, un reino de paz y justicia para todos.

> **David Wenham:** "A través de esta parábola Jesús está una vez más encarando las dudas de aquellos que tenían dificultad en reconocer el reino de Dios en su ministerio. Ellos esperaban que el reino fuese masivamente poderoso y abarcador, pero la revolución de Jesús no fue nada de este tipo; fue pequeña. La parábola de Jesús reconoce esto, pero compara al

> reino con la pequeña semilla de mostaza, que crece de manera tan notable hasta llegar a ser una planta esbelta."[12]

La levadura en la masa (13.33)

Lo que está viniendo suscita también otras preguntas, que demandan respuestas. ¿De qué manera opera el reino en la realidad? ¿Cuál es su destino señalado por Dios? En otras palabras, ¿cómo está viniendo el reino de Dios?

Para responder a preguntas como éstas, Jesús presentó algunas parábolas que tienen que ver con desarrollos que pasan desapercibidos. A los ojos del mundo, el desarrollo del reino no llama la atención ni parece ser muy evidente, pero es una realidad que está en marcha. Jesús ilustra esta verdad con la parábola de la levadura en la masa (Mt. 13.33; Lc. 13.20-21).

La parábola. La parábola consiste de una sola oración: "Es como la levadura que una mujer tomó y mezcló con una gran cantidad de harina, hasta que fermentó toda la masa." La imagen es bien doméstica y se refiere al proceso que se sigue para leudar el pan antes de hornearlo. En tiempos posteriores a los de Jesús, la levadura se compraba en la panadería. Pero en los días del Señor, la levadura se preparaba en casa. Muy probablemente, la dueña de casa guardaba una pequeña porción de la masa que horneaba cada día, que luego mezclaba con la masa del día siguiente. Los romanos preparaban la levadura a partir de una mezcla de jugo de uvas y trigo, haciendo que fermentara. En otros casos, se dejaba que la masa misma fermentara. Las "tres medidas de harina" (literalmente "tres satas," RVR), en la que se mezclaba la pequeña porción de levadura, serían equivalentes hoy a unos 22 litros. Al referirse a una cantidad tan considerable ("gran cantidad de harina"), Jesús no sólo muestra su conocimiento de la receta para hacer pan con levadura, sino también deja en claro que una pequeña cantidad de levadura es suficiente para leudar tal cantidad de harina.

En el momento en que la mujer mezclaba la levadura en la masa su efecto era imperceptible. Sólo se veían los resultados después de un tiempo, y cuando se los veía, estos eran bien perceptibles. En este sentido,

12. Wenham, *The Parables of Jesus*, 54.

la importancia y la influencia de la obra del reino en el interior de la persona y la sociedad no deben medirse por su comienzo poco evidente, como por su final asombroso. Nótese que el reino no es comparado con la levadura, sino con lo que pasa cuando se pone levadura en la masa. Es allí donde se produce una fermentación dinámica, algo vivo que entra en ebullición y trabaja.

Es probable que Jesús haya tomado la imagen de tanta cantidad de harina para hacer el pan del relato de Gn 18.6, donde Abraham y Sara hornean unos panes para sus visitantes angélicos. De todos modos, el punto de la parábola parece claro: una pequeña cantidad de levadura metida en una gran cantidad de harina produce un gran resultado. Pablo dice casi exactamente lo mismo en 1 Co. 5.6-8, cuando anima a los creyentes a deshacerse de la vieja levadura de malicia y perversidad e incorporar la nueva de sinceridad y verdad.

La lección. Cuando Dios gobierna, surge un proceso perturbador al que nada ni nadie puede escapar. "Sin prisa, pero sin pausa" es una frase que ilustra cómo se está desarrollando el reino. Y este desarrollo alcanza a "toda la masa", i.e., tiene un alcance universal e integral. La parábola bien puede estar mirando a un tiempo cuando, en el decir de Pablo, todos los enemigos de Dios sean derrotados y el propósito divino de "reunir en Cristo todas las cosas, tanto las del cielo como las de la tierra" (Ef. 1.10), y "cuando todo le sea sometido, entonces el Hijo mismo se someterá a aquel que le sometió todo, para que Dios sea todo en todos" (1 Co. 15.28). En otras palabras, la parábola no enseña un proceso evolutivo, pero sí enseña que la obra presente de Jesús es el comienzo de un proceso poderoso, por el cual Dios está produciendo la reconciliación y renovación de toda su creación.

> **Carlos Mraida:** "El crecimiento numérico de la iglesia evangélica-pentecostal ha sido una de las marcas distintivas del mover del Espíritu en el continente, y uno de los motivos que más debe movernos a la gratitud y la alabanza. Pero no siempre el crecimiento de la iglesia ha equivalido a establecimiento del reino. En algunos casos, esto ha producido un triunfalismo y un conformismo que han impulsado una mentalidad y

una teología de conquista. En la mayoría de quienes sostienen esto, la intención es excelente, reflejando un profundo deseo de que la iglesia permee todos los ambientes de la sociedad. Pero lamentablemente en algunos otros casos, esta mentalidad ha posicionado al cristianismo no como contracultura redentora, sino con la pretensión de cultura dominante. Así deja de ser cristianismo para convertirse en cristiandad; deja de ser levadura para convertirse en masa. Toda la realidad está contaminada de pecado por ser una producción humana, y por ende necesita del evangelio del reino para su redención. Entonces, el deseo de penetrar todos los ambientes con dicho evangelio es absolutamente legítimo e indispensable. Pero no para detentar poder en esos ambientes, sino para redimirlos. La categoría de conquista es veterotestamentaria. La categoría del Nuevo Testamento es la redención, no la conquista. En América Latina debemos aprender de cinco siglos de una iglesia que conquistó, pero no redimió. Debemos ser libres de esta cautividad cultural y ser expresión redentora del evangelio por medio del servicio."[13]

13. Mraida, "Mateo: hacia una iglesia que vive, establece y extiende el reino," 1463-1464.

CAPÍTULO 13

EL DESARROLLO DEL REINO

13.44-46, 51-52; 7.9-11; 10.16; 18.23-35; 20.1-16; 21.28-32; 22.1-14

El reino de Dios inaugurado por Jesús es dinámico y no estático, crece y se desarrolla a medida que más personas y la realidad toda van sometiéndose al señorío de Cristo, y obedecen la voluntad del Rey. Este reino no tiene un territorio asignado ni crece por la ampliación de sus fronteras. Su manifestación no depende de grandes hechos políticos, militares, económicos, culturales, ni siquiera religiosos. No obstante, es un reino que se desarrolla en la dimensión espacio-temporal en la que se inscribe la historia humana, puesto que, si bien es el reino de Dios, está constituido por seres humanos, que son sus súbditos.

Para ser ciudadano de este reino y participar de su desarrollo es necesario satisfacer sus demandas, que son radicales. Las demandas del reino no están limitadas a actitudes personales o a determinados hechos históricos, sino que son permanentes (Lc. 9.23). Es por esto mismo que el reino afecta todas las áreas de la vida (Mt. 5.13-14, 20). Y este es un proceso continuo de cambio (2 Co. 3.18), transformación y renovación (Ro. 12.1-2). Así, pues, las demandas del reino no sólo alcanzan a la dimensión personal y eclesial, sino también a las dimensiones sociales e institucionales, cualesquiera éstas sean. Este nuevo orden en desarrollo no está limitado a la comunidad de fe, sino que la trasciende porque involucra también toda la realidad humana y el universo. Precisamente la tarea de los ciudadanos del reino es la de anunciar esta realidad en proceso hasta que se alcance la meta, cuando todos los dominios de este mundo estén bajo el reino del Señor (Ap. 11.15; Col. 2.15).

Los Evangelios señalan que el reino de Dios opera en la historia como levadura, leudando toda la masa (Lc. 13.21). Pablo dice que el reino se manifiesta poniéndole límites al mal a través de las instituciones políticas, a las que él ha puesto para garantizar el orden y el bien común (Ro. 13.1-5). Y, si bien estas autoridades pueden corromperse y tornarse en bestias demoníacas (Ap. 13.1-18), no por ello el reino de Dios deja de desarrollarse. Los dolores de parto de la creación, sujeta a estos avatares, es testimonio del anhelo de todo lo creado por ver establecido de una vez y de manera definitiva el reino que ahora está en desarrollo (Ro. 8.22).

En este capítulo consideraremos una serie de parábolas del reino a través de las cuales Jesús ilustra el desarrollo del mismo. Es posible agrupar estas parábolas en dos grandes grupos, que tocan temas fundamentales en relación con el desarrollo del reino de Dios, como: quiénes son los ciudadanos del reino y cuál es el factor que los integra al mismo (la gracia de Dios).

LOS CIUDADANOS DEL REINO (13.44-46, 51-52; 7.9-11; 10.16; 18.23-35)

No todas las parábolas son respuestas a las críticas de los fariseos y los maestros de la ley o escribas. Muchas son estímulos para la percepción espiritual, es decir, ayudan a asimilar verdades difíciles o desagradables. Siempre resulta más fácil digerir algo cuando viene bien sazonado y está bien preparado. Las verdades más profundas de la vida y de la eternidad no tienen por qué ser motivo de penurias cuando llega la hora de su comprensión y asimilación. Como gran Maestro que fue, Jesús supo vestir las verdades de su reino y sus demandas del ropaje simple, pero efectivo de sus parábolas.

Estas parábolas dejan bien en claro dos cosas. Por un lado, la verdad fundamental de que allí donde Jesús está, allí está el reino de Dios. Como señala la sentencia en latín: *ubi Christus, ibi regnum Dei*. Por otro lado, él es la encarnación del señorío de Dios. En otras palabras, Jesús mismo es el reino y el Rey. Esta vez, apelando al griego, se trata de *su* reino (*autobasileía*). De este modo, Rey y reino se consustancian en Jesús. Esto significa que seguir a Jesús como su discípulo es ser ciudadano del reino. Comprometerse con él reconociéndolo Señor de la vida es transformarse en un hijo del reino.

Esto significa también que el reino de Dios que Jesús proclamó no es simple y únicamente buenas nuevas de salvación, sanidad y liberación para todos los seres humanos, sino que también es la invitación de Dios a un compromiso con él para vivir una vida plenamente humana conforme a su voluntad. Es por esto mismo que el reino de Dios se presenta con ciertas demandas que deben ser cumplidas por aquellos que pretender ser ciudadanos del mismo.

> **Orlando E. Costas:** "El reino de Dios no es simplemente buenas nuevas sino también exigencias. El nuevo orden de vida demanda un cambio radical. No puede haber reconciliación sin conversión, así como no puede haber resurrección sin cruz, y mucho menos vida nueva sin dolores de parto. De aquí que Jesús vino no sólo para anunciar el reino, sino también a llamar al arrepentimiento y la fe (Mr. 1.15). En el nivel personal, esto implica un cambio de actitudes y valores, la apropiación de una nueva relación con Dios y los prójimos, y un nuevo compromiso con la causa mesiánica. El reino demanda una transferencia del 'yo' al 'otro,' de una consciencia individualista y egocéntrica a una orientada comunal y fraternalmente. Zaqueo es un buen ejemplo: "Mira Señor: Ahora mismo voy a dar a los pobres la mitad de mis bienes, y si en algo he defraudado a alguien, le devolveré cuatro veces la cantidad que sea" (Lc. 19.8). No estamos hablando de salvación por obras; más bien, de obras que autentican la salvación por gracia. "Hoy ha llegado la salvación a esa casa" (Lc. 19.9), porque Zaqueo demostró lo que creía. Sus obras fueron evidencia de un cambio profundo de valores y actitudes."[1]

1. Orlando E. Costas, *Christ Outside the Gate: Mission Beyond Christendom* (Nueva York: Orbis Books, 1984), 92.

Jesús relató una serie de parábolas que tienen que ver con los candidatos a ser ciudadanos del reino, y sus cualidades y roles, como así también la decisión comprometida de transformarse en tales. Estas parábolas tienen un alto tono personal.

Los candidatos (13.44-46, 51-52)

¿Qué tipos de personas se requieren para el reino? ¿Quiénes pueden ser candidatos a integrarse como ciudadanos responsables al reino de Dios? Una docena o más de parábolas responden a estos interrogantes llamando la atención sobre temas fundamentales en relación con el reino y la condición de ser ciudadanos del mismo. En nuestro comentario de Mateo, vamos a prestar atención a dos cuestiones importantes en la relación que debe existir entre los candidatos a ser ciudadanos del reino de Dios, y este reino y su Rey: las demandas y las posibilidades.

Las demandas (vv. 44-46). Al considerar las demandas que el reino hace sobre aquellos que quieren ser ciudadanos del mismo, hay que tomar en cuenta las condiciones establecidas por su Rey. Con Jesús se manifestó el reino de Dios y él nos invita a acompañarlo como ciudadanos del mismo. Pero esta invitación viene acompañada de ciertas demandas, que debemos tener bien en cuenta.

> **Ken R. Gnanakan:** "Nuestra decisión de entrar en su reino depende de nuestra obediencia a Jesús (Mt. 7.24-27), y de una disposición al sacrificio al punto de ser odiado por la propia familia (Mt. 10.17-37). No hay una entrada automática al reino como implicada en las pretensiones universalistas de los deseos de Dios que lo abarcan todo por todos, sin consideración de un compromiso. Nuestra entrada nace de nuestra rendición gozosa a la grandeza del don de Dios, una disposición a rendir todo en orden a recibirlo (Mt. 13.44-46). Si bien la entrada a este reino en su plenitud está en el futuro (Mt. 25.34; Mr. 9.43-48), la presencia del

> reino ya está accesible en la persona de Jesús. El compromiso con Jesús es entonces la experiencia de su reino."[2]

Para enfatizar esto, Jesús contó dos parábolas: la parábola del tesoro escondido en el campo (v. 44) y la de la perla de gran precio (vv. 45-46). Estas dos parábolas están estrechamente relacionadas, si bien pueden haber sido presentadas en ocasiones diferentes. En ambos casos, sólo tenemos un bosquejo o síntesis bien apretada de lo que Jesús probablemente contó. En ambos casos también, se trata de un desafío a tomar una decisión responsable, y a estar dispuesto a pagar el precio por entrar al reino y disfrutar del mismo. Además, en ambas parábolas se destaca la nota de sorpresa y asombro. El método de descubrimiento del tesoro y de la perla fue diferente, así como las personas que dieron con estos objetos valiosos también lo eran: uno era muy pobre; el otro era muy rico; uno era un campesino dependiente, el otro era un mercader dueño de un emporio. Pero en los dos casos tuvieron que dejar lo que tenían para alcanzar lo que deseaban.

La parábola del tesoro (v. 44). Es posible que Jesús tenía en mente una vasija de cerámica conteniendo monedas de plata o joyas (perlas). Como nos recuerda Joachim Jeremias: "Las muchas invasiones que habían barrido sobre Palestina en el curso de los siglos, como resultado de su posición entre Mesopotamia y Egipto, habían provocado el entierro de valores en vista de la amenaza de peligro. El tesoro escondido es un tema favorito en el folclore oriental."[3] En el caso del tesoro escondido, es de notar que la persona tropieza con el tesoro por casualidad. La imagen que probablemente está describiendo Jesús es la de un pobre campesino jornalero que está arando con su buey "en un campo" (gr. *en tōi agrōi*, "en el campo") que no era suyo, y que da con un tesoro escondido cuando el animal mete una de sus patas en un hoyo. Uno puede imaginar la sorpresa y asombro de este hombre. No obstante, quizás por seguridad o por no tener otro lugar

---

2. Ken R. Gnanakan, *Kingdom Concerns: A Biblical Exploration towards a Theology of Mission* (Bangalore: Theologicl Book Trust, 1989), 105.

3. Jeremias, *The Parables of Jesus*, 198.

donde ocultarlo, “lo volvió a esconder.” Por supuesto, no dijo a nadie nada sobre el hallazgo, sino que se apuró por comprar el campo y quedarse con el tesoro. Para poder hacerlo tuvo que vender “todo lo que tenía,” que no sería mucho, pero el esfuerzo bien valía la pena.

La parábola de la perla (vv. 45-46). En el caso de la perla fina o de gran precio, la persona encuentra el tesoro después de una larga búsqueda. Nótese que se trataba de “un comerciante” (gr. *anthrōpōi empórōi*, “hombre comerciante,” mercader), pero no era meramente el encargado de un negocio, sino un gran comerciante, quizás alguien que comerciaba con perlas. A diferencia del campesino que no tenía el dinero para comprar el campo y tuvo que vender absolutamente todo lo que tenía para hacerse del tesoro, este mercader tenía el dinero invertido en mercadería (quizás perlas) y podía comprar lo que quisiera con tan sólo venderla, pero tenía que encontrar aquello que bien valía la pena comprar, no cualquier joya, sino “perlas finas” (gr. *kalous margarítas*). Cuando encontró la más hermosa y valiosa de todas, no tuvo problemas en vender las otras de menos valor para quedarse con lo supremo. Las perlas eran muy apetecidas a lo largo de toda la antigüedad. Se las pescaba mayormente en el Mar Rojo, el Golfo Pérsico y el Océano Índico, y se las utilizaba como adornos, especialmente en collares y pulseras.

La lección. Jesús dice en estas parábolas: “El reino es una riqueza tal que desvaloriza a cualquier otro valor. ¿Estás listo a dejarlo todo para hacerlo tuyo?” En el caso del tesoro escondido, es de notar que la persona tropieza con el tesoro por casualidad. En el caso de la perla fina o de gran precio, la persona encuentra el tesoro después de una larga búsqueda. Además, todo esto significa que las personas llegan al reino de diferentes maneras. Para algunos, el camino pasa junto al mar de Galilea (como fue el caso de la mayoría de los primeros discípulos); para otros, el lugar de compromiso es el camino a Damasco (como fue el caso de Pablo). Por otro lado, el acceso al reino puede resumirse en términos de encuentro y búsqueda. Pero siempre la participación en el reino demandará dejarlo todo o colocar todo en un segundo lugar (“vender todo lo que se tiene”).

Como parábolas del reino, las dos parábolas de Mateo 13.44-46 ilustran varios aspectos del mismo. Primero, las parábolas describen al reino como algo extraordinario y valioso, cuyo hallazgo produce un gozo tremendo. Segundo, es interesante notar que el tesoro en cuestión es algo escondido, es decir, no está visible para todos, así como la presencia del reino de Dios en Jesús tampoco era evidente para todos. En cambio, los discípulos eran como la persona que encontró un tesoro, ya que reconocieron en Jesús a alguien que venía de parte de Dios y, en consecuencia, se les dio a conocer los misterios del reino (ver 13.11; y 11.25). Tercero, el hallazgo del reino es de tanta importancia y valor, que vale la pena invertir lo mejor de sí para tenerlo y participar de él. La idea de abandonarlo todo por el reino y por seguir a Jesús es básica. Este fue el desafío de Jesús al joven rico: "anda, vende todo lo que tienes y dáselo a los pobres, y tendrás tesoro en el cielo. Luego ven y sígueme" (Mr. 10.21).

> **David Wenham:** "La importancia de ambas parábolas descansa en las dos características obvias que ellas tienen en común; primero, la idea de encontrar algo tremendamente valioso, y segundo, el pensamiento de vender todo para obtenerlo. Al anunciar y traer en él mismo el reino de Dios, Jesús trajo a la gente, primero, buenas nuevas de gran gozo, buenas nuevas de la revolución prometida y liberadora de Dios; y segundo, una invitación y un desafío—una invitación a recibir el tesoro y un desafío a dejarlo todo por él. Por supuesto, el reino no es algo que pueda ser comprado; en este respecto las dos parábolas tomadas en sí mismas pueden confundir y es necesario que sean complementadas por otras tales como la del hijo pródigo. Pero lo que sí hacen claro estas parábolas es que al llamar a las personas a seguirlo y a entregarse, su dinero y sus viejas vidas por el reino, Jesús los estaba llamando a una ganancia incalculable y a un gran gozo."[4]

Las posibilidades (vv. 51-52). Al considerar las posibilidades que el compromiso con el reino encierra, hay que estimar las responsabilidades que resultan. Jesús no quiere asustar ni desalentar a nadie que quiera seguirlo.

---

4. Wenham, *The Parables of Jesus*, 208.

Pero él demanda un compromiso total y completo. Quienes lo siguen deben estimar todo lo que el compromiso con el reino significa. Hay que calcular el costo que el compromiso con el reino representa, y hay que pesar las consecuencias que esto tiene. Jesús no quiere discípulos a la ligera. De manera solemne, él advierte acerca de las consecuencias de seguirlo a aquellos que así quieren hacerlo. Su gracia no es una gracia barata, sino la gracia que resulta de su propia entrega total por amor a nosotros. Alguien como él, que ha dado todo por nosotros, espera que respondamos en fe haciendo lo propio. Pero él no nos seduce para que lo sigamos, sino que nos invita a hacerlo, advirtiéndonos que el discipulado cristiano tiene un costo, que debemos calcular. En otras palabras, cualquier potencial seguidor de Jesús debe preguntarse: "¿Qué posibilidades tengo de embarcarme en semejante compromiso?"

El seguidor de Jesús establece nuevos compromisos como resultado de su relación con el Señor. Estos nuevos compromisos tienen que ver con la nueva familia de la fe, con los nuevos valores del reino, con una nueva esperanza, con la cruz que debe llevar cada día. Estos nuevos compromisos son posibles de asumir. Incluso quienes parecen estar más lejos del reino pueden comprometerse con él. A pesar del rigor de Jesús con los escribas, sabemos que al menos uno de ellos muy probablemente lo siguió o por lo menos estuvo dispuesto a ello: "Maestro te seguiré a dondequiera que vayas" (8.19).

El "maestro de la ley que ha sido instruido acerca del reino de los cielos" (v. 52) es un discípulo de Jesús que ha aprendido las verdades del reino de los cielos. Los "tesoros nuevos" lo son en el sentido de que sólo con la venida del Mesías, éstos han sido revelados claramente. Los tesoros "viejos" lo son porque conciernen a los misterios que han estado presentes en la mente de Dios desde siempre, es decir, son cosas que "han estado ocultas desde la creación del mundo" (v. 35). Quizás la parábola del v. 52 fue en respuesta a un escriba que había expresado su deseo de seguir a Jesús, pero tenía dudas en cuanto a si lo que había aprendido "bajo la ley" le serviría para algo en el reino. Jesús le dice: "Un maestro de la ley que se hace mi discípulo será capaz de unir la sabiduría del viejo orden con las verdades del nuevo."

La parábola presenta el cuadro de una persona rica que posee una colección de cosas preciosas, como utensilios de plata y copas de oro, algunos de ellos antiguos y otros recién hechos. Jesús implica que los maestros cristianos son como los teólogos judíos en algunos aspectos. Sin embargo, mientras los segundos miran hacia atrás al pasado y sobre todo a la gran figura de Moisés, los discípulos de Jesús no sólo cuentan con los tesoros viejos, sino también con los nuevos.

Las cualidades (7.9-11; 10.16; 18.23-35)

¿Qué cualidades desea ver Jesús en sus discípulos? ¿Cómo deben vivir los ciudadanos del reino? Estas preguntas tienen hoy una vigencia extraordinaria.

Siempre ha sido un motivo de preocupación qué es lo que distingue a un ciudadano del reino de Dios de un ciudadano de este mundo. ¿Cuáles son las marcas de la nueva vida que tenemos en Cristo y que resultan de nuestro seguimiento de él? Hay varias parábolas que enumeran esas cualidades de vida.

Una fe sólida (7.9-11). Los hijos del reino deben poseer una fe fuerte. Jesús enfatizó esta demanda cuando llamó a sus discípulos "gente de fe pequeña" o "de poca fe" (gr. *oligópistoi*). La expresión se repite varias veces en el Nuevo Testamento (cuatro veces en Mateo: 6.30; 8.26; 14.31; 16.8) y destaca la realidad de que la fe no es una sola ni de un solo calibre. Hay medidas de fe. Pablo dice en Romanos 12.3, que uno debe pensar de sí mismo con moderación, "según la medida de fe que Dios le haya dado". La fe es un don de Dios y no un producto de factura humana. Pero nuestra vivencia y apropiación de lo que Dios da a todos puede ser diferente. Para ser buenos ciudadanos del reino de Dios necesitamos de fe, pero esta fe debe ser una fe sólida y abundante.

La parábola del hijo que pide (7.9-11; ver Lc. 11.11-13) nos anima a confiar más en Dios y a fortalecer nuestra fe en él. Es interesante notar las diferencias entre la versión de Mateo y la de Lucas de esta parábola. Ambos hablan de pan-piedra y pescado-serpiente. Pero Lucas agrega huevo-escorpión. Dado que pan, pescado y huevos eran alimentos básicos en Palestina, es probable que Jesús se refiriera a los tres. De todos modos, más allá de estas diferencias de detalle, el punto en ambos Evangelios Sinópticos es el mismo: Jesús alienta a sus seguidores a orar, en la seguridad de que Dios responderá a la oración, y él responderá dándoles lo que ellos necesitan y están pidiendo. Dios es el buen Padre que ama a sus hijos, y es el privilegio de aquellos que están en el reino vivir como tales, traer sus pedidos a él y recibir sus respuestas llenas de amor. Así, pues, el argumento de la parábola es: "Ningún padre humano, por cruel que sea le tomaría el pelo a su hijo dándole algo que le haga daño o lo engañe. ¡Cuánto menos el buen Padre celestial!"

Una prudencia práctica (10.16). ¿Qué es la prudencia práctica que Jesús está demandando a sus seguidores? ¿Cómo podemos definir la perspicacia que es necesaria en los ciudadanos del reino? De alguna manera, Jesús definió esta prudencia práctica como cierta penetración del entendimiento, cuando animó a sus seguidores a ser "astutos como serpientes y sencillos como palomas" (v. 16). En otro símil muy parecido Jesús expresa la misma idea, cuando dice: "Que no falte la sal entre ustedes, para que puedan vivir en paz unos con otros" (Mr. 9.50). La prudencia incluye la sobriedad espiritual, que es equivalente a la perspicacia.

En esto, hay que ser prudente como un cambista, que reconoce al instante una moneda falsa. Así deben ser los discípulos del reino, de modo que no sean confundidos por los profetas falsos con los que se deleitan las multitudes. Debemos ser inocentes, pero no ingenuos; prudentes y no estúpidos; perspicaces y no descuidados. Alguien dijo que para ser un buen siervo de Dios hacen falta tres G: griego, gracia y garra. Si no sabes griego, lo puedes aprender. Si no tienes gracia, la puedes pedir. Pero si no tienes garra, … que Dios te ayude. La realidad es que nuestro compromiso con el reino nos coloca en circunstancias en las que nos encontramos como "ovejas en medio de lobos" (v. 16a). Esto mismo demanda de gran prudencia.

Un espíritu perdonador (18.23-35). En el corazón del evangelio del reino está la afirmación del perdón divino. Este es el perdón que Jesús, el perdón de Dios encarnado, medió a favor de los pecadores. En razón de que este perdón se recibe gratuitamente, Jesús espera que sus seguidores lo den liberalmente. Como Jesús enseña en Lucas 6.36: "Sean compasivos, así como su Padre es compasivo". Para enseñar esta verdad, Jesús contó la parábola de los dos deudores (18.23-35).

La parábola. El "siervo" que debía mucho era un alto funcionario real. El significado de la parábola es simple. Los ciudadanos del reino deben mostrar a otros el perdón que ellos mismos han recibido. Quien se rehúsa a perdonar a alguien que le ofende, debe esperar que Dios juzgue sus pecados con la misma severidad. Las deudas de otros son una gota en el océano de nuestra deuda con Dios. La parábola es un comentario de la quinta bienaventuranza: "Dichosos los compasivos, porque serán tratados con compasión" (5.7).

La parábola de los dos deudores o del siervo despiadado presenta la ley del perdón, que es ilustrada con una parábola. La parábola del deudor y del acreedor presenta contrastes notables. Diez mil talentos son equivalentes a unos 10 millones de dólares, mientras que cien denarios no pasan de los 20 dólares. Los siervos de la parábola eran oficiales en posiciones algo elevadas al servicio del emperador. Aparentemente eran funcionarios del Imperio Romano. El primer siervo estaba desesperado por su situación límite. Por eso, se arrodilló, implorándole ("se postró delante de él," "le rogó," v. 26). Sin embargo, cuando se le perdonó tremenda deuda, no bien dejó la presencia del rey, se encontró con "uno de sus compañeros" que le debía una suma insignificante (v. 28). El v. 29 no figura en los mejores manuscritos, pero quizás se agregó para hacer un paralelo con el v. 26. El acento de la parábola cae no sobre la conducta en general, sino sobre las relaciones fraternales, y las deudas y obligaciones entre unos y otros en la comunidad de fe. Pero, así como el rey misericordioso y el Padre celestial son severos en su juicio, así debe ser la iglesia, que, si bien debe estar lista para perdonar, tiene la obligación de juzgar a aquellos que amenazan a la hermandad con sus acciones injustas. El relato, lo mismo que sus personajes, tiene ciertas afinidades con el mayordomo injusto de Lucas 16.1-8 (ver Mt. 25.14-30), pero difícilmente tengan raíces comunes.

La lección. La parábola teje brillantemente varios hilos de la enseñanza ética de Jesús. Por un lado, el punto de partida de todo el relato es el amor y el perdón inmensos y no merecidos de Dios hacia los pecadores.

Por otro lado, está la afirmación de que la única respuesta adecuada al amor perdonador de Dios es el amor y el perdón a los demás, como reflejo de lo que se ha recibido de Dios. La esencia del discipulado cristiano no es simplemente amar y perdonar al prójimo de la manera en que nos gustaría ser amados y perdonados por él, sino de la manera en que hemos sido amados y perdonados por Dios. La declaración clásica de este principio es el dicho de Jesús a sus discípulos según Juan 15.12: "Y este es mi mandamiento: que se amen los unos a los otros, como yo los he amado." Esto está ilustrado de manera vívida en el relato de Juan 13, donde Jesús lava los pies de sus discípulos y los desafía a seguir su ejemplo. Quienes han sido perdonados y han recibido el amor de Dios deben compartir esto con otros.

> **David Wenham:** "El foco de la parábola misma y de su contexto en el Evangelio de Mateo está puesto específicamente sobre el perdón, y no sobre el amor en general. Es introducida por la pregunta de Pedro a Jesús acerca de cuán frecuentemente él debía perdonar a su hermano. Jesús rechaza la sugerencia de que siete veces puede ser apropiado, y por el contrario dice setenta veces siete. Hay aquí una reminiscencia deliberada de Génesis 4.24, donde Lamec comenta sobre la revancha que él ha tomado sobre un enemigo. 'Si Caín será vengado siete veces, setenta y siete veces será vengado Lamec.' Tanto en este versículo como en la enseñanza de Jesús la frase 'setenta veces siete' tiene el propósito de sugerir un número ilimitado de veces; pero si bien Lamec procuró una venganza ilimitada, Jesús enseñó un perdón ilimitado."[5]

El mensaje. En Mateo 18.23-35, Jesús nos dice cómo es posible entrar al reino de los cielos. También hace referencia a los escándalos y a su consecuencia, lo mismo que a la responsabilidad personal y colectiva de los ciudadanos del reino de Dios. El pasaje recalca el poder de la oración y establece el perdón como norma cristiana. Hay tres preguntas que es necesario responder a la luz de este pasaje.

Primero, ¿qué quiere decir perdonar? El perdón es la expresión cumbre de la nobleza de espíritu. Al ejercer esta prerrogativa es cuando más nos

---

5. *Ibid.*, 153-154.

parecemos a Dios, porque perdonar es divino. Es algo que se puede comparar con la fragancia que la violeta imprime en la suela del zapato que la ha pisoteado. El perdón está relacionado con las ofensas recibidas y mira principalmente a la persona que las ha causado. Es algo que depende totalmente de la persona ofendida, y cuando es una actitud sincera, produce la reconciliación. Humillar a una persona reclamándole sin piedad, y luego decirle "te perdono," no es perdonar. El perdón, para que sea efectivo, es necesario que esté acompañado de la bondad (Gn. 45.5-11; Ro. 12.20), de la indulgencia (Col. 3.13), a la vez que de buenos deseos y oraciones a favor del ofensor (Mt. 5.44). En la parábola del siervo despiadado llama la atención la expresión "lo dejó en libertad" (Mt. 18.27), es decir, lo soltó. Esto da la impresión como que quien ha ofendido está encadenado, está ligado a su pecado, es un cautivo, un prisionero a quien mediante el perdón se puede poner en libertad. El texto agrega: "le perdonó la deuda," lo que quiere decir que cometer una ofensa es contraer una deuda que sólo puede saldarse con el perdón.

Segundo, ¿cuántas veces es necesario perdonar? La respuesta está en Mateo 18.21-22, donde queda claro que nuestro perdón no debe tener límite. Hay en el corazón tanto perdón como amor que se agite en él. Cuando el Espíritu de Cristo está en el corazón, perdonar es algo fácil. A ello se debe que los creyentes verdaderos no se vengan de las ofensas de que son víctimas, sino que prefieren perdonarlas. El que perdonemos es casi siempre una evidencia viva de que gozamos del perdón de Dios. Si no podemos bendecir a los que nos persiguen y ofenden, lo menos que podemos hacer es perdonarlos.

Tercero, ¿por qué es necesario perdonar? Sin el perdón no se anda mucho camino. El que piensa estar firme mire y no caiga, digo esto porque nuestro texto se refiere especialmente a mi "hermano." Esto del perdón tiene que ver con no sólo con las faltas que se ejecutan en contra nuestra, sino con las faltas en general. Seamos, pues, muy discretos en cuanto a las faltas de los demás. Seamos tolerantes, amables y de utilidad para aquellos que han sido heridos al cruzar los caminos de la vida. ¡Hagamos la obra del samaritano! Es indispensable el perdón porque todos faltamos en alguna forma. Sólo con el perdón es posible reparar nuestras deficiencias. Es posible reparar una ventana rota, pero una palabra mala que sale de la boca no se la puede hacer volver. ¿Qué nos hace falta para perdonar?

Mucha rectitud de criterio y un poco de piedad en el corazón. Galileo Galilei solía decir que "Los beneficios deben grabarse en el bronce y las injurias en el aire." Vengarse de una ofensa es colocarse al nivel del enemigo, pero perdonarlo es elevarse sobre él. Debemos sentirnos estimulados a perdonar por la compasión de Dios (Lc. 6.36), por el ejemplo de Cristo (Ef. 4.32; Col. 3.13), por el placer de perdonar (Pr. 19.11), y por el ejemplo de personas como José (Gn. 50.17-21), David (1 S. 24.7; 2 S. 18.5), Esteban (Hch. 7.20) y Pablo (2 Ti. 4.16).

Cuarto, ¿cuáles son los deberes del perdonado? El que ha ofendido debe pedir perdón (vv. 26, 33). A su vez, el hermano está obligado a no defraudar la piedad de quien lo perdonó, y ser diferente en lo sucesivo. El perdonado debe estar dispuesto a perdonar, así como él mismo fue perdonado. Esta es quizás la médula del v. 33 en cuanto al perdón: "Así como yo me compadecí de ti."

LA GRACIA DEL REINO (20.1-16; 21.28-32; 22.1-14)

¿De qué manera vindicó Jesús su evangelio frente a sus críticos y opositores? En las parábolas que tratan de la gracia del reino hay tres cosas que notar sobre el particular. (1) Primero, detrás de todas estas parábolas está el propio ministerio de reconciliación de Jesús, que le valió el apodo de "amigo de pecadores" (Mt. 11.19; Lc. 7.34). Este es el corazón del evangelio (Ro. 5.8). La vida y la muerte de Cristo nos reconcilian con Dios. La muerte es el clímax del ministerio de reconciliación de Jesús en el que, por su acción y su palabra, él mediatizó el perdón de Dios a los seres humanos. Este ministerio es el texto del que estas parábolas son un comentario. (2) Segundo, si bien en estas parábolas Jesús no hace reclamos cristológicos abiertos, sí actúa como representante de Dios, se presenta como gracia divina encarnada, y dice: "Es porque Dios es así, que yo actúo como lo hago." Esta pretensión de Jesús resultó sumamente irritante para algunos de los líderes judíos que lo escucharon por primera vez y avivó la ira de ellos en su contra. (3) Tercero, la mayor parte de estas parábolas fueron respuestas a críticas de su ministerio hechas por escribas y fariseos. Lejos de responder con la misma moneda de agresión y virulencia, las respuestas de Jesús están llenas de gracia. Esto no significa que él no haya mostrado firmeza de convicción en sus respuestas ni que éstas no fuesen verdaderos golpes dirigidos al corazón de sus oponentes. Pero esta firmeza estuvo envuelta en el amor de Dios mismo. De modo que, en la boca de Jesús, la ira del hombre se tornó en las alabanzas de Dios, y la dureza del corazón humano fue ocasión para la manifestación de la gracia divina.

Un ejemplo de esta notable ilustración de la gracia de Dios lo encontramos en el dicho del médico y los enfermos: "No son los sanos los que necesitan médico sino los enfermos. ... Porque no he venido a llamar a justos sino a pecadores" (Mt. 9.12-13). Este dicho contiene el evangelio en miniatura. Expresa en esencia el carácter y propósito de la venida de Cristo al mundo. Jesús descubre así el secreto de su presencia en el mundo. Cuando los escribas le preguntaron por qué comía y bebía con publicanos y pecadores, Jesús dijo que eran ellos los que más necesitaban de su ayuda. ¿Quiénes eran considerados "pecadores" en tiempos de Jesús? Eran personas que llevaban una vida inmoral, como adúlteros, injustos y ladrones (Lc. 18.11). Pero también eran personas que seguían una profesión u oficio que involucraba deshonestidad o inmoralidad: cobradores de impuestos, jinetes de burros, prostitutas, vendedores e incluso pastores de ovejas. Todas estas personas carecían de derechos civiles y religiosos.[6] A ellos dirigió Jesús su mensaje.

Así, pues, el tema de la gracia constituye el corazón del evangelio. La palabra gracia (gr. *járis*) se refiere, en el Nuevo Testamento, al amor redentor de Dios, que está siempre activo para salvar a los pecadores y mantenerlos en una relación adecuada con él. Este amor tuvo su expresión superlativa y se manifestó en la vida y obra de Jesucristo (Col. 2.9). De modo que podemos hablar de "la gracia de Dios", "la gracia de nuestro Señor Jesucristo" o "la gracia de Dios nuestro Salvador", expresiones que caracterizan el uso que Pablo hace del vocablo "gracia" en sus escritos.

El énfasis del Nuevo Testamento es que la gracia es un regalo gratuito de parte de Dios (Ef. 2.4-9; Ro. 3.24; 11.6), y que no es el resultado de ningún merecimiento humano (2 Ti. 1.9). Incluso nuestra respuesta humana al evangelio se debe a la buena voluntad de Dios y al hecho de que somos llamados por la gracia de Dios (Gá. 1.15). Es la gracia divina la que nos ayuda a volvernos a Dios en fe (Hch. 5.31; 2.18; 16.14; He. 6.6). Incluso

6. Jeremias, *The Parables of Jesus*, 132.

la fe, que es la condición indispensable para la salvación, es un don de la gracia de Dios (Ef. 1.19; Fil. 1.29). De modo que todo en la vida cristiana, desde el primer paso hasta el último, es por gracia, ya sea la redención (Ro. 5.2; 1 P. 2.10) o la santificación (1 Ts. 5.23-24).

Gracia es el amor gratuito de Dios a seres humanos que no lo merecen. Es esa cualidad en Dios que da gratuitamente su amor. La raíz de la palabra significa "dar placer." La gracia es siempre algo que se da; jamás es algo que se merece. Gracia es un concepto relacional, no una "fuerza" que se impone. Pablo presenta la mejor definición de gracia en Efesios 2.8-9. En este sentido, la verdad más real y central acerca del reino es que su Rey es un Padre y que su reinado es de gracia. El amor gratuito de Dios por nosotros, que no lo merecemos, es el eje en torno al cual gira la buena noticia del evangelio del reino. No es de extrañar, entonces, que en la mayoría de las parábolas la maravillosa bondad de Dios hacia la humanidad pecadora se presente, se afirme y se ofrezca.

> **Joachim Jeremias:** "El evangelio, en el sentido más auténtico de la palabra, no sólo dice que el día de la salvación de Dios ha amanecido, que una Nueva Edad está aquí, y que el Redentor ha aparecido, sino también que la salvación es enviada a los pobres, y que Jesús ha venido como el Salvador de los pecadores. Las parábolas de ese grupo, que son las más conocidas y las más importantes, tienen sin excepción una característica especial y una nota distintiva. ... Las parábolas, que tienen como su tema el mensaje del evangelio en su sentido más estrecho, están dirigidas, aparentemente sin excepción, no a los pobres, sino a los oponentes. Esta es su nota distintiva, su *Sitz im Leben*: su objeto principal no es la presentación del evangelio, sino la defensa y vindicación del evangelio; ellas son armas controversiales contra los críticos y enemigos del evangelio, que están indignados de que Jesús declare que Dios se preocupa por los pecadores, y cuyo ataque especial está dirigido contra la práctica de Jesús de comer con los despreciados. Al mismo tiempo, las parábolas tienen la intención de derrotar a los oponentes."[7]

7. *Ibid.*, 124.

En lo que sigue, consideraremos tres parábolas en Mateo, que involucran a maestros de la ley y fariseos, vindican el ministerio de Jesús entre los marginales y proclaman la misericordia de Dios.

La bondad de Dios (20.1-16)

Jesús ilustró la bondad de Dios, incomprensible y notable, con uno de sus relatos más encantadores: la parábola de los viñadores (20.1-16). Quizás ésta sea la más hermosa y desconcertante de todas las parábolas del reino. Lo central en su mensaje es que proclama la gracia de Dios ("la extravagante e inmerecida bondad de Dios"). La parábola ilustra la regla del final enfatizado, porque todo su peso cae sobre la asombrosa generosidad del empleador para con los labradores de la última hora. Esto provoca la protesta indignada de los otros viñadores que habían trabajado a lo largo de todo el día. Cabe señalar que ésta es la interpretación tradicional de la parábola. Más adelante, ofreceremos una interpretación alternativa desde el contexto de América Latina.

El contexto. Es importante conocer algo del complejo contexto que juega como telón de fondo de ese relato de Jesús. Para la mayoría de nosotros que somos urbanitas este contexto rural de Palestina en los días de Jesús, nos resulta totalmente desconocido y extraño.

El contexto sociológico. Es importante para el estudio de este pasaje notar que tanto Jesús como sus discípulos eran de Galilea, la parte norte de Palestina. Esta región estaba segregada de Judea, que estaba ubicaba en el sur, donde estaba la sede del gobierno religioso. Probablemente algunos fariseos, sacerdotes y levitas pobres vivían en Galilea, pero no era una región importante en la definición de las políticas económicas y religiosas de la región. De hecho, encontramos evidencias en los Evangelios de cierto sentimiento de superioridad por parte de los residentes de Jerusalén (en Judea) respecto a los de otras partes, incluyendo a los galileos.

Para los galileos, por otro lado, el templo era menos importante que para quienes vivían en Judea, y todo lo relacionado con la pureza y los asuntos ceremoniales se aplicaba, al parecer, con menor rigidez que en Jerusalén. Evidentemente, Jesús y sus discípulos se interesaban más en la situación de las personas que en los aspectos rituales de la religión. La parábola del buen samaritano sugiere el poco aprecio de los galileos hacia el templo y sus servidores. La limpieza que hizo Jesús del templo (21.12-13), apoyada por la multitud de galileos que habían viajado para la celebración de la Pascua, es un ejemplo también de la oposición de las personas del campo y las provincias a las instituciones de la capital. Jesús mismo, pues, provenía de una región despreciada por los judíos, era de una familia pobre, de un pueblo sin importancia y vivía en un país subyugado por el mayor imperio de la época: los romanos.

El contexto económico. Toda Palestina estaba regida por un sistema económico que podríamos caracterizar de la siguiente manera: (1) Estaba centrado en la agricultura y la producción de especies animales menores, entre ellas ovejas y animales de corral. (2) Los campesinos eran los productores. Vivían en aldeas y algunos de ellos tenían una pequeña propiedad que cultivaban para su consumo. El excedente, cuando había, se utilizaba para pagar los impuestos al Estado y al templo. (3) Otros trabajaban para dueños de propiedades más grandes. (4) Las ciudades tenían interés en la producción de alimentos y mucha de la riqueza que circulaba se invertía en haciendas grandes, que utilizaban como trabajadores a campesinos pobres o a sus hijos e hijas.[8]

El contexto bíblico. La parábola de los viñadores se encuentra sólo en el Evangelio de Mateo. Podemos observar los relatos que el evangelista colocó inmediatamente antes y después de esta parábola. En 18.23-35 encontramos la parábola del siervo despiadado (o de los dos deudores). En esta parábola hay una condena fuerte del siervo rico, quien buscó misericordia, pero no tuvo misericordia para con su consiervo pobre (ver vv. 32-35). En 19.16-22 encontramos la historia del joven rico. Esta persona decidió seguir las riquezas y el legalismo, antes que aceptar la invitación a

---

8. Ver, Fernando Belo, *A Materialist Reading of the Gospel of Mark* (Maryknoll, NY: Orbis Books, 1981), 61-62; Ched Myers, *Binding the Strong Man: A Political Reading of Mark's Story of Jesus* (Maryknoll, NY: Orbis Books, 1992), 47-50.

ser pobre y seguir a Jesús. El Señor incluye como mandamiento importante para la vida el amar al prójimo (ver v.19).

A estos relatos sigue la parábola de 20.1-16, que es seguida, a su vez, por el pasaje de 20.20-28, que presenta la petición de la madre de Jacobo y de Juan, y la severa condena de Jesús a todos los que "quieran hacerse grandes" (v. 26) o "ser el primero" (v. 27). En este último versículo, el vocablo gr. *prōtos* (primero, líder, prominente o el más importante) se aplica a quienes pretenden ser como "los gobernantes de las naciones" que "oprimen a los súbditos" y "los altos oficiales" que "abusan de su autoridad" (v. 25). Jesús rechaza de plano esta actitud para sus discípulos.

El contexto literario. La pregunta en este caso tiene que ver con la cuestión de si este relato es una parábola o una alegoría. Como vimos, el término parábola significa una figura, un símil o un proverbio. Esencialmente es una comparación extraída de la realidad. A diferencia de las fábulas, las parábolas son muy reales. Una parábola nos cuenta algo que bien pudo o puede acontecer en la vida de todos los días. No obstante, una forma en que se han interpretado más de una parábola es considerándolas como alegoría y dándoles una interpretación alegórica. En este caso, se trata de identificar cada elemento de la parábola con otra figura y buscar su significado particular, con el fin de leer el relato de manera teológica o religiosa, o procurando encontrar un sentido espiritual.

En el caso del relato de los viñadores, tradicionalmente se ha identificado al dueño de la viña con Dios y a los trabajadores con personas pecadoras que han sido invitadas a participar en la viña de Dios (el reino de Dios). En esta línea de interpretación tradicional, se destaca el hecho de que no importa el tiempo que la persona trabaja en el reino, sino el hecho de haber aceptado la invitación generosa y bondadosa de Dios (su gracia). Dios, a su vez, recompensa según su voluntad y no según los méritos de las personas. Tradicionalmente, se ha enfatizado la misericordia (gracia) del dueño de la viña, en este caso Dios, quien busca al trabajador para ofrecerle oportunidades de una vida plena. El acercamiento alegórico apoya adecuadamente esta interpretación espiritual del relato.

La parábola. Con la parábola del patrón y los obreros de su viña o de los viñadores, Jesús aclaró que hay recompensas para los que son llamados al discipulado y aceptan los sacrificios que esto incluye. Es la gracia de Dios y no el mérito humano la base para la recompensa. Jesús no está interesado en el aspecto comercial del asunto. Él dice aquí que los beneficios del reino de Dios son los mismos para todos los que están sujetos al gobierno del Rey, cuando sea que entren en su dominio. El Rey puede hacer lo que quiere con lo suyo (v. 15).

Es interesante notar que el Señor sólo hizo un trato específico con los que vinieron temprano o "de madrugada," v. 2 ("la paga de un día" de trabajo, literalmente "un denario por el día," ver vv. 9, 10, 13). Con los otros hizo un arreglo más general y les prometió una paga ("lo que sea justo," v. 4), pero no dijo la cantidad. En cuanto a las horas de trabajo (vv. 3, 5, 6), éstas eran a las seis de la mañana, cuando comenzaba la jornada laboral, a "las nueve de la mañana" (literalmente "la hora tercera"), a las doce o "a eso del mediodía" (literalmente "la hora sexta"), a las quince o "a la media tarde" (literalmente "la hora novena") y a las dieciocho o "alrededor de las cinco de la tarde," poco antes del atardecer ("hora undécima"). La paga (v. 8), según la ley judía, se hacía a las 18 horas ("al atardecer"), cuando ya había terminado la jornada de trabajo (de 6 a 18 horas). El pagador comenzó a pagar un denario ("la paga de un día") desde los últimos contratados hasta los primeros. Los primeros se enojaron. Un sindicalista hoy diría que con justa razón. ¿Fue así? Evidentemente, el punto de la parábola no tiene que ver con una cuestión gremial o de derecho laboral, sino que su enseñanza es otra.

La lección tradicional. ¿Cuál es la enseñanza de esta parábola desde una interpretación tradicional? Por un lado, parece claro que el relato nos dice que todas las personas van a recibir lo mismo de parte de Dios, sin que él haga discriminación alguna. La "paga" que van a recibir es la salvación, que es la misma para todos los que responden a su llamado e invitación. De todos modos, la salvación no es por obras sino por gracia. Los que habían llegado últimos recibieron la paga por gracia y no por lo que obraron. El asunto parece venir de lo que dice Pedro en Lucas 18.28. En el v. 16, RVR agrega "porque muchos son llamados, mas pocos escogidos." "Llamar" y "escoger" son una misma palabra, pero aquí Jesús hace una distinción. Dios llama a la persona, pero ésta puede recibirlo o rechazarlo. Esto tiene que ver con la doctrina de la elección. Dios tiene derecho de hacer una vasija para destruirla o cuidarla. Pero Pablo no dice que Dios lo haga. El rechazo no es la falta de Dios, sino la falta del ser humano. Somos salvos porque Dios nos escogió. Nos perdemos porque nosotros queremos perdernos. Otra posibilidad de interpretación es que los siervos de la primera hora representan a los judíos, que se enojan porque los gentiles se convierten a última hora.

Parece claro que los labradores tardíos son los publicanos y pecadores de los días de Jesús, que respondieron a su invitación a pesar de lo que eran y de su falta de méritos. Igualmente evidente es que los labradores quejosos son los escribas y fariseos, que esperaban una recompensa especial de parte de Dios por lo que ellos pensaban que eran y por la abundancia de sus méritos religiosos. Sin embargo, la parábola enseña que las recompensas del reino no deben ser medidas por el merecimiento humano, sino por la gracia de Dios. Él nos da según nuestra necesidad y no según nuestros méritos. Aun a pecadores que no lo merecen, pero que confían en él, él les concede un lugar en su reino. Con esta historia, Jesús está diciendo: "Porque Dios es así, es que yo actúo como actúo."

> **Joachim Jeremias:** "Nuestra parábola está ubicada en un período de la historia judía sobre el que se cernía el espectro del desempleo [como ocurre hoy en todo el mundo]. Originalmente, … la parábola, narrada a personas que se parecían a los labradores murmuradores, terminaba con la pregunta crítica (v. 15): '¿Te da envidia de que yo sea generoso?' Dios es descrito como actuando como un empleador que tiene compasión por los que están desocupados y sus familias. Él les da a los publicanos y pecadores una participación, totalmente inmerecida, en su reino. De esta manera él tratará con ellos en el Día Final. Así, dice Jesús, es como él es; y porque él es así, así soy yo, dado que estoy actuando bajo sus órdenes y en su lugar. ¿Vas entonces a murmurar contra la bondad de Dios? Este es el corazón de la vindicación que Jesús hace del evangelio: miren cómo es Dios—todo bondad."[9]

---

9. Jeremias, *The Parables of Jesus*, 139.

Esta parábola será siempre escandalosa y ofensiva para quienes se manejan con las reglas de una justicia retributiva estricta, una economía calculadora y matemática, y una ética rigurosa. Menos mal que Dios no trata con nosotros de esta manera. El amor de Dios no puede repartirse en porciones o proporciones. Se trata de gracia. Es el amor de Dios, generoso, espontáneo, hermoso, no merecido, que opera en Jesucristo para la salvación de todos los seres humanos. Esta es la teología de esta parábola y de todo el evangelio del reino, desde una comprensión tradicional de la misma.

La interpretación alternativa. Cuando esta parábola es leída desde América Latina es posible hacer una interpretación diferente de la misma. La parábola como tal refleja muy bien la realidad en los días de Jesús. Había un excedente de trabajadores, que buscaban trabajo a lo largo del día y aunque fuera por unas horas. Este cuadro se puede ver hoy a lo largo y a lo ancho del continente, incluso entre los hispanos en Estados Unidos. Parados en grupo en una esquina de Los Ángeles, Houston, México, Tegucigalpa, Bogotá, Lima, La Paz o cualquier otra ciudad de América Latina, allí están todos los días esperando una oportunidad de trabajo, que les permita llevar algún dinero a su casa.

El contexto socioeconómico original. En el texto, podemos encontrar evidencia clara de un modo de producción particular. Hay un dueño de una tierra que necesita recoger sus frutos. Hay trabajadores que necesitan trabajar para vivir. Son personas que trabajan a destajo y bajo condiciones extremadamente injustas, sin ningún tipo de seguridad social ni garantía de supervivencia. Esta es una situación que fácilmente podemos comprender. La situación que pinta la parábola no está lejos de la realidad latinoamericana.

Podemos hacer las siguientes observaciones sobre las relaciones de producción en el texto. (1) El dueño de la viña contrata trabajadores, según la necesidad que tiene para llevar a cabo el trabajo en su propiedad, y no por el deseo de ofrecer trabajo a quienes no tienen y lo necesitan. (2) Podemos deducir que el producto de la viña es para la comercialización y no para el consumo interno, ya que una familia difícilmente podría consumir tanto. (3) Si bien en nuestro contexto hoy y en la mayoría de los casos el dueño no hace las contrataciones directamente, en la parábola sí lo hace. El administrador sólo interviene para pagar (v. 8). El protagonismo del dueño en la parábola enfatiza el contraste entre el que tiene el poder de contratación y los trabajadores que dependen de él. (4) Si leemos la parábola desde la perspectiva de los viñadores, podemos entender la protesta de los que trabajaron todo un día y recibieron lo mismo que los que trabajaron una hora. Este trato desvaloriza lo único que el pobre tiene, que es su fuerza de trabajo. Los primeros trabajadores se ven deshonrados con la decisión del dueño. Y cuando uno de ellos protesta, hay represalias. Esto último suena como muy familiar en la experiencia de muchos en América Latina.

Una lectura latinoamericana actual. Muchas interpretaciones de los textos bíblicos están condicionadas por conceptos teológicos que las desvisten de todo contenido económico y social. Usando la Biblia, podemos condenar al pobre que clama, justificar al rico que oprime, y convertir al reino de Dios en una realidad puramente espiritual, sin raíces en este mundo. A fin de evitar estas distorsiones y descontextualizar nuestra comprensión de esta parábola, es importante que consideremos algunas pistas para una lectura alternativa de este texto, desde una perspectiva latinoamericana.

Un punto muy significativo en esta reflexión es determinar el papel del dueño de la viña. Esto levanta varias preguntas, que requieren de una respuesta fiel al contenido del texto bíblico. ¿Es posible que este personaje no represente a Dios, según la interpretación tradicional? ¿Qué es lo que el propietario está tomando en cuenta a la hora de definir el salario de los viñadores? ¿Se trata de lo que él puede y quiere pagar, o de lo que ellos necesitan para poder sobrevivir? ¿Qué actitud nos comunican las palabras del propietario: "¿Es que no tengo derecho a hacer lo que quiera con mi dinero?" (v. 15)? ¿Es coherente esta actitud con las otras enseñanzas que encontramos sobre los bienes materiales en el Nuevo Testamento? ¿En qué se basa el poder que tiene el dueño de la viña? Aparentemente, el propietario tiene poder porque tiene dinero. ¡Esto es capitalismo puro y descarnado!

Una interpretación de aplicación inmediata. Una pregunta clave para interpretar esta parábola es: ¿contra quién fue originalmente dirigida la parábola?[10] Si podemos definir contra quién está dirigida la parábola podremos más fácilmente encontrar la clave para su interpretación. Según la aproximación alternativa y latinoamericana que estamos sugiriendo, esta parábola es una crítica a los ricos y el uso deshumanizante de su riqueza. La señal de la presencia del reino de Dios en la parábola, desde esta perspectiva, está en el clamor por justicia que hacen los viñadores, en su reclamo de que las personas sean tratadas como personas y todos sean prójimos de los demás, permitiendo que florezca la solidaridad. En este sentido, el propietario, lejos de ser ponderado por su bondad, es condenado por su injusticia a la hora de administrar sus recursos. Pero también hay una condena a los trabajadores. Los primeros viñadores son honestos y parecen tener un sentido de justicia. Pero fallan al no ser solidarios con los trabajadores que llegan después, que también son desempleados, que también necesitan ganar un dinero para llevar algo de pan a sus familias, y que no tuvieron la oportunidad de ser contratados en las primeras horas del día.

Esto significa que la ética del reino de Dios tiene que empezar por la hermandad y la solidaridad entre las personas que sufren. El reino significa la capacidad de ver en la otra persona que sufre no a una competencia por los escasos recursos disponibles, sino a alguien que está en la misma situación mía o aún en una situación peor. Cuando caemos en el engaño del sistema y consideramos que la otra persona es una competencia para el pan que yo necesito, estamos participando del juego del rico y creando actitudes y acciones que son contrarias al reino de Dios.

Esta parábola nos invita a soñar y trabajar por un mundo donde no haya desempleo, donde no haya algunos que tienen todo y otros que no tienen nada, donde no haya insensibilidad a las necesidades de las otras personas. La parábola nos invita a trabajar en la viña de manera que todas las personas que tengan hambre y necesidad puedan recibir lo necesario para vivir una vida humana digna. La parábola nos invita a crear un

---

10. Rudolf Bultmann, *The History of the Synoptic Tradition* (Nueva York: Harper and Row, 1931), 199.

mundo nuevo donde la viña, como el lugar de trabajo y don de Dios, pueda servir para dar vida a las personas. La parábola nos desafía a participar activamente en la creación del reino de Dios.

La salvación de Dios (21.28-32)

A través de sus palabras y su ministerio, Jesús anunció una verdadera revolución. Para las personas que eran conscientes de sus necesidades físicas, emocionales y espirituales, la proclamación del evangelio del reino de Dios era la mejor noticia que jamás habían oído y de la que habían sido objeto. Enfermos de todo tipo, recaudadores de impuestos, personas fuera del sistema religioso judío, especialmente de las ceremonias en el templo de Jerusalén, prostitutas, y sobre todo gentiles de diverso origen, la revolución de Dios obrada a través de Jesús era lo más extraordinario que les había ocurrido jamás. Pero toda cosa buena tiene un reverso malo; todo resplandor de luz encuentra sombras que resisten su fulgor. El anuncio del reino de Dios que hacía Jesús no era buena noticia para personas complacientes en su vida religiosa y cómodas con su moralina hipócrita. Básicamente, éstos eran los fariseos tal como parece describirlos Jesús en la parábola de los dos hijos (21.28-32). En el fondo, lo que plantea este relato es si la gracia del reino es para algunos pocos que piensan que la merecen con una masa de otros que están condenados, o es para todos los que no la merecen con unos pocos que la rechazan. Así, pues, esto tiene que ver con el carácter gratuito de la salvación.

La parábola. El carácter gratuito y universal de la salvación está ilustrado magistralmente por la parábola de los dos hijos (21.28-31), que sólo está registrada en Mateo. El relato es simple y bien puede estar tomado de la realidad, tanto en los días de Jesús como en nuestros días. La actitud diferente de cada uno de los dos hijos parece describir un hecho cotidiano. La identificación de los primeros oyentes de la parábola con la situación descrita tiene que haber sido inmediata, lo mismo que la respuesta a la pregunta con la que Jesús la remata: "¿Cuál de los dos hizo lo que su padre quería?" No había lugar para especulación alguna y el juicio colectivo parecía contundente e irrebatible: "El primero." La respuesta al unísono le dio pie a Jesús para elaborar su propia respuesta a la realidad moral y espiritual de sus interlocutores.

Esta parábola es una respuesta de Jesús a quienes lo criticaban por abrir el reino de Dios a los recaudadores de impuestos o publicanos y a prostitutas. La parábola sintetiza la crítica de Jesús a los escribas y fariseos, que dicen y no hacen, o como señala el Maestro "no practican lo que predican" (23.3). En contraste, los publicanos y prostitutas respondían mejor al mensaje que anunciaba Jesús. El Señor ilustra esta verdad con la parábola de los dos hijos, en la que el primer hijo representa a los recaudadores de impuestos o publicanos y a las prostitutas, y el segundo hijo representa a los maestros de la ley o escribas y los fariseos.

> **David Wenham:** "El relato se aplica a los oponentes judíos de Jesús por un lado y a los recaudadores de impuestos y prostitutas que respondieron a la predicación de Juan el Bautista y de Jesús por el otro. El establecimiento religioso eran aquellos que a viva voz proclamaban su propio compromiso con Dios y que, en teoría, estaban esperando la venida del reino de Dios. Pero, cuando se anunció la revolución por medio de Juan el Bautista, se volvieron atrás, rehusándose a responder. Los recaudadores de impuestos y las prostitutas, por el otro lado, eran aquellos cuyas vidas hasta entonces habían sido un rechazo de las demandas de Dios, pero que ahora dieron vuelta ese rechazo por medio de su respuesta entusiasta a las buenas noticias del reino. Se podía haber esperado que el establecimiento religioso revisara su opinión cuando vieron los buenos efectos de la revolución sobre los pecadores; pero, de hecho, lo opuesto fue lo que ocurrió: "E incluso después de ver esto, ustedes no se arrepintieron para creerle" (21.32)."[11]

Los personajes. Fuera de los personajes principales del relato (el padre y sus dos hijos), cuya conducta en cada caso es bien clara y contrastante, los personajes secundarios son los que concentran la atención: Juan el Bautista, los recaudadores de impuestos y las prostitutas, y, por cierto, los líderes religiosos judíos. Así, pues, detrás de las bambalinas hay otros

---

11. Wenham, *The Parables of Jesus*, 123.

personajes, que no se mencionan en el relato, pero que están presentes por implicación.

Juan el Bautista. Juan es mencionado porque para entonces ya había sido asesinado, después de haber sido rechazado por el establecimiento religioso, por señalar en su predicación "el camino de la justicia." Este camino no es otro que el evangelio del reino, el mensaje de salvación, que comienza con un llamado al arrepentimiento (3.2) y una invitación a la fe. El v. 32 conecta estrechamente la parábola con la discusión previa (vv. 24-27) en cuanto a la naturaleza de la autoridad de Juan. Jesús fue contundente en dejar bien en claro la complicidad de los líderes religiosos detrás de la muerte de Juan, porque rechazaron su mensaje y llamado al arrepentimiento (Lc. 3.10-14). No sólo que no le creyeron, sino que se opusieron a él a pesar de su éxito en captar una respuesta de fe por parte del pueblo. Es decir, Juan logró lo que ellos como responsables espirituales del pueblo no pudieron lograr. Jesús explícitamente reconoce que el ministerio de Juan era de Dios ("fue enviado a ustedes") y tenía un fin redentor ("a señalarles el camino de la justicia").

Publicanos y prostitutas. Los "recaudadores de impuestos" cumplían funciones políticas y financieras al servicio del Imperio Romano. Eran empleados públicos, pero ocupaban el rango más bajo en la burocracia estatal ("publicanos," gr. *hoi telōnai*), salvo quienes eran "jefes" (como Zaqueo, Lc. 19.2), que se enriquecían con la corrupción. Por todo esto, el común de los judíos los consideraba con desprecio y los colocaba en el mismo nivel de las prostitutas. Las "prostitutas" (gr. *hai pórnai*) vendían sus servicios sexuales por una paga. Su lugar en la sociedad era totalmente marginal. La prostitución estaba severamente prohibida en Israel (Lv. 19.29; Jos. 11.2; Os. 4.14; Pr. 23.27-28; 29.3), pero no eran pocos los que se servían de ella. Jesús, quien al igual que Juan el Bautista también predicaba "el camino de la justicia" (gr. *hodōi dikaiosúnēs*) fue acusado por los líderes religiosos de estar en una suerte de asociación ilícita junto con recaudadores de impuestos y prostitutas. Por lo menos, lo colocaban en ese nicho marginal de la sociedad de aquel entonces (9.11).

Líderes religiosos. Jesús relató esta parábola en el templo y sus principales interlocutores fueron "los jefes de los sacerdotes y los ancianos del pueblo" (21.23, 28). Los primeros, constituían la jerarquía religiosa que controlaba el templo y sus sacrificios, imponía el calendario religioso y las innumerables normas ceremoniales, y determinaban lo que era correcto en términos morales y espirituales. Eran los representantes del pueblo ante los romanos y los exponentes de la Ley escrita y la tradición oral ante el pueblo judío. Junto con los escribas y los ancianos, ya habían desafiado la autoridad de Jesús para enseñar en el templo (21.23-27), y estaban atentos para resistir y oponerse a Jesús, así como ya lo habían hecho con Juan el Bautista, rechazando así "el camino de la justicia" que él les proponía.

En cuanto a los segundos, "los ancianos del pueblo," después del exilio babilónico habían perdido importancia y poder en el judaísmo como un todo, pero ostentaban un lugar de gran prestigio e influencia en el Consejo de los ancianos o Sanedrín en Jerusalén. Pertenecían a las élites que regían las cuestiones religiosas entre los judíos y que administraban justicia en base a la Ley judía. En el Nuevo Testamento se los menciona generalmente en asociación con los jefes de los sacerdotes y con los escribas o maestros de la ley (Mr. 14.43). Eran miembros de familias destacadas, tenían cierta autoridad, si bien no eran los líderes principales en asuntos religiosos ni políticos. Es probable que la mayoría de ellos eran escribas y estaban comprometidos con las principales sectas judías, como los saduceos y los fariseos.

Los maestros de la ley o escribas eran personas preparadas en el arte de la escritura y solían registrar eventos y decisiones (Jer. 36.26; 1 Cr. 24.6: Est. 3.12). Eran peritos en el conocimiento de las Escrituras (Esd. 7.6). En los días de Jesús, la mayoría de ellos eran fariseos (Mr. 2.16). Estos últimos constituían el grupo religioso más importante dentro del judaísmo. Con los escribas, los fariseos fueron los mayores opositores de Jesús. Fariseo significa "separado" y lo eran en el sentido de consagrarse al estudio de las Escrituras, pero también en el sentido de tenerse por una casta espiritual y moral superior a la de cualquier otro judío. Esto se puso en evidencia en su dura consideración de Jesús como un maestro falso e inmoral, al nivel de los recaudadores de impuestos y las prostitutas.

La lección. Al emitir su juicio sobre el relato de Jesús de los dos hijos, escribas y fariseos se encontraban atrapados en su propia lógica: el anzuelo se les prendía de su propia boca. La realidad era que publicanos y prostitutas iban al reino antes que ellos. Antes de que se dieran cuenta de lo que estaban diciendo, estos supuestos religiosos piadosos y santurrones estaban admitiendo que publicanos y prostitutas arrepentidos estaban más cerca de la gracia de Dios que los eclesiásticos fanáticos que ignoraban su invitación.

El énfasis del Señor está en hacer o dejar de hacer la voluntad del Padre, más que en otras cuestiones. La cuestión central en la vida cristiana no es hablar mucho y prometer más, sino obedecer al Señor en todo. Es cierto que la confesión de nuestra boca es fundamental para nuestra salvación (Ro. 10.9-10). Pero cuando esta confesión no va seguida de gestos concretos de obediencia, carece de todo valor. Es más, esto puede ser indicio de condenación. Jesús fue bien claro cuando señaló: "No todo el que me dice: 'Señor, Señor', entrará en el reino de los cielos, sino sólo el que hace la voluntad de mi Padre que está en el cielo" (7.21).

> **Hugh Martin:** "Sin dudas hay hipócritas reales todavía en las iglesias hoy, gente que pretende una bondad que no poseen y que no desean, simplemente por amor a algún tipo de ganancia o por la aprobación humana. Pero puede sospecharse que hay casi más hipocresía en el otro campo hoy. No hay gran ventaja mundana en ir a la iglesia, y en algunos lugares hace falta una buena cuota de valor moral para ser conocido como cristiano. De modo que hay hipócritas hoy que pretenden un cinismo o incluso una maldad que ellos no poseen. Les gusta que se los considere como 'hombres de mundo', y en su lenguaje y actitud hacen violencia a ideales que ellos respetan en secreto. Es bastante curioso que estas sean personas que piensan que la hipocresía es el pecado capital. 'Yo no pretendo ser un santo', te dicen, y casi esperan ser aplaudidas porque no aspiran a la bondad. El hipócrita real es ciertamente una persona despreciable, ¿pero es mucho más placentero pretender ser peor de lo que uno es, porque uno no tiene la suficiente fuerza mental como para plantarse por sus convicciones? Si sentimos que debemos hacer la voluntad de Dios, si realmente creemos que la decencia y el altruismo

> importan, digámoslo. Es algo horrible profesar seguir a Cristo y negarlo en la vida. Pero no es una cosa menos horrible negarlo tanto en palabra como en la vida. '¿Pero en la parábola, Jesús no alabó a aquellos que dijeron "No"?' ¡Jamás! Él alabó a aquellos que se arrepintieron de decir 'No' y fueron e hicieron la voluntad del padre. ¿Qué estamos *haciendo* nosotros en cuanto a esto?"[12]

La invitación de Dios (22.1-14)

La mayor parte de los eruditos hoy considera que la parábola del banquete de bodas (22.1-14) y la del gran banquete (Lc. 14.15-24) aparentemente son diferentes versiones de una misma parábola. Pero son más las discrepancias que las similitudes. Quizás la versión de Lucas sea la más fiel o represente mejor lo que Jesús dijo originalmente. La parábola es introducida con el relato de un hombre que cierto día le dice a Jesús en la mesa: "Dichoso el que coma en el banquete del reino de Dios" (Lc. 14.15). Este era el tipo de comentario piadoso y calculado para provocar en Jesús una respuesta comprometedora. El relato habla de invitados a un gran banquete que se excusan a último momento y finalmente encuentran sus lugares ocupados por personas traídas de las calles y los caminos.

La parábola. El relato parece tratar de la extensión de la oferta del reino de Dios a otros que los invitados originales (los judíos). Los gentiles deben ser incluidos en el reino, pues los de Israel han rechazado al Mesías. Este es el tema dominante del Evangelio de Mateo. Los vv. 5-6 interrumpen el relato y son probablemente una adición posterior a la caída de Jerusalén. Es difícil que Jesús introdujera los detalles que se dan: no hay paralelo con lo anterior (21.33-44), ya que los labradores querían guardarse el producto para ellos y con ello obtener la posesión del viñedo. Ahora, los invitados desagradecidos sólo rechazan lo que se les ha ofrecido. Es raro que un rey estuviera dispuesto a pelear en el día de la boda de su hijo (compárese el v. 2 con el v. 7). Es probable que los vv. 11-13 no estuvieran originalmente a continuación del pasaje previo, puesto que de un invitado traído de la calle no se podía esperar que estuviese arreglado o vestido para una fiesta.

12. Martin, *The Parables of the Gospel*, 220-221.

Todos estos problemas parecen indicar que esto no es una sola parábola, sino pedazos de varias "parábolas" (v. 1). En v. 8 quienes no eran dignos son los del v. 5.

Además, ciertos rasgos característicos de esta parábola la asemejan a una alegoría. En este sentido de interpretación, el banquete que está listo es el reino de Dios. La doble invitación (temprana y tardía) es según las costumbres orientales. Hay varios personajes que pueden ser reconocidos, desde un enfoque alegórico. El "siervo" puede ser Jesús. Los convidados son su pueblo, preparados para su venida por los profetas. El dueño de casa es Dios, porque en la vida real no existe un dueño de casa que haga lo que hizo el personaje de la parábola. En los vv. 21-23, la alegoría parece ser más evidente. Cuando los invitados originales declinan la invitación presentando sus excusas, el siervo invita primero a gente de las calles y luego de los caminos. Parece como que Jesús está pensando en categorías diferentes de personas: pecadores y gentiles.

> **Christopher Wright:** "Como los invitados originales se negaron a venir, la invitación ahora se extiende a todo el mundo para que participen de la fiesta de bodas y ésta se llene de invitados. Ya se están esbozando los contornos de la misión a los gentiles. La parábola de Jesús se remite al gran banquete escatológico que incluirá a judíos y gentiles. Pero mientras tanto, las comidas reales en la tierra se convirtieron en símbolos de esa comunión unificada. La pregunta de quién comería con quién en la 'comunión de la mesa' era de extrema importancia en el mundo antiguo. … Para los judíos, estaba el tema de las leyes sobre comidas puras e impuras. Entre judíos, lo mismo que entre gentiles, las redes sociales y de clase se construían en torno a la inclusión o exclusión de la mesa. Por lo tanto, para los primeros cristianos la importancia de comer juntos como señal de unidad en Cristo era muy visible y de gran significado. Esa camaradería en la iglesia temprana atravesaba por el medio de la división entre judíos y gentiles, y también la división social por el nivel económico."[13]

13. Wright, *La misión de Dios*, 675-676.

La lección. La parábola es una advertencia contra el auto engaño. Está dirigida a los supuestos religiosos del país, de los cuales el anfitrión es un ejemplo. Jesús le dice: "Tú piensas que debe ser muy feliz recibir una invitación de Dios para su banquete. Pero eso es precisamente la oportunidad que has tenido, y la has rechazado. No es Dios quien te ha excluido; tú te has excluido a ti mismo." Pero Jesús le dice algo más: "El lugar en el banquete que no quisiste aceptar, ahora lo han ocupado otros: pecadores y gentiles."

> **Francis L. Filas:** "Jesús debe haber usado con frecuencia esta comparación del reino de Dios con un gran banquete. Aquí la lección es que la invitación original a los educados fariseos y escribas para que aceptaran la nueva ley de Cristo fue rechazada. La invitación, entonces, irá a la gente común a quien los líderes desprecian, y estas personas comunes recibirán a Jesús como su Mesías."[14]

En razón de esta verdad central, quizás haya que cambiar el nombre de la parábola y llamarla parábola de los invitados rebeldes. Su moraleja es seria: si Dios invita a los seres humanos a su reino, la salvación de ellos depende de que acepten su invitación. La iniciativa en nuestra salvación es siempre de Dios, pero la respuesta es siempre nuestra. Como indica Juan 1.11-12: "Vino a lo que era suyo, pero los suyos no lo recibieron. Mas a cuantos lo recibieron, a los que creen en su nombre, les dio el derecho de ser hijos de Dios."

---

14. Filas, *The Parables of Jesus*, 105.

CAPÍTULO 14

LAS CRISIS DEL REINO

11.16-17; 21.33-46; 24.26-28, 43, 45-51; 25.1-46

En el último grupo de parábolas que vamos a considerar en esta Unidad vemos cómo el cielo se oscurece, la tensión aumenta, y el clímax de la vida y el ministerio de Jesús se acerca. Jesús vio su ministerio, que era la inauguración del reino, moviéndose inexorablemente hacia una crisis suprema en el trato de Dios para con su pueblo La sucesión de hechos y circunstancias que se produjeron representan la crisis del reino. De todas las "visitaciones" de Dios a Israel (Éxodo, Exilio, etc.), ésta era la visitación por excelencia (Mt. 23.34-35; Lc. 11.49-50). Dios se hace presente en la historia a través de su enviado Jesús y a través de él lleva a cabo su acción redentora suprema en bien de toda su creación y particularmente del ser humano.

Podemos determinar el patrón de este proceso de crisis a partir de la enseñanza de Jesús. El proceso traería condenación y desastre por parte de Roma para el pueblo judío y el templo, porque no habían cumplido con el sublime propósito de Dios para ellos. El proceso significaría también la muerte para el Mesías-Siervo, con sufrimiento para sus seguidores. Pero más allá de esa muerte estaba el triunfo de la causa de Dios a través de él y el surgimiento del nuevo Israel, como pueblo redimido.

Cuando finalmente esta crisis se tornó en algo inescapable e inevitable, Jesús lloró por la ciudad de Jerusalén (Lc. 19.41-44). Jesús vive de este modo el dramatismo de la hora y el peso de las crisis del reino que vino a anunciar. Lamentablemente, el pueblo y especialmente sus líderes estaban ciegos a lo que parecía inminente y evidente. Este es el trasfondo de muchas parábolas, que probablemente Jesús relató hacia el final de su ministerio en la tierra. Las vamos a reunir en tres grupos, según su mensaje, pero en todas ellas subyace la misma cuestión: las crisis del reino.

> **Joachim Jeremias:** "Las parábolas que tratan con la crisis inminente fueron cada una de ellas presentadas en una situación concreta particular, un hecho que es esencial para su interpretación. No es su propósito proponer preceptos morales, sino sacudir frente a la conciencia de su peligro a una nación que corre a su propia destrucción, y más especialmente a sus líderes, los teólogos y los sacerdotes. Pero, sobre todas las cosas, ellas son un llamado al arrepentimiento."[1]

JESÚS DICE: "ESTE ES EL TIEMPO DE LA VISITACIÓN DE DIOS" (11.16-17; 24.26-28)

La mayor parte de las enseñanzas de Jesús tiene que ver con su anuncio de salvación y vida nueva. En realidad, este es el corazón del evangelio del reino.

Pero también su enseñanza encierra un fuerte anuncio del juicio divino sobre la humanidad rebelde y desobediente. Particularmente hacia el final de su ministerio, Jesús lanzó un grito de advertencia y un llamado urgente al arrepentimiento a la luz del carácter inminente de la crisis que se avecinaba. El número de parábolas que presentan esta nota de alarma es sorprendente. Una y otra vez Jesús levanta su voz con palabras serias de advertencia, procurando despertar a sus oyentes al desastre que se avecina y queriendo abrir sus ojos ciegos para que vean el propósito amoroso de Dios.

Los muchachos en la plaza (11.16-17)

Al igual que otras parábolas, esta plantea un contraste evidente. La parábola se encuentra en Mateo y Lucas, pero no en Marcos. La plaza (gr. *agorais*, plaza principal, mercado, foro) a la que hace referencia Jesús

1. Jeremias, *The Parables of Jesus*, 169.

era el centro de la vida comercial, social y pública de cualquier poblado en aquel tiempo. Generalmente se encontraba en el centro de la aldea o pueblo, y era el espacio más abierto en medio de las calles angostas y las casas apiñadas unas contra otras. Allí tenían los mercaderes sus negocios y los campesinos vendían sus productos; allí predicadores y entretenedores desarrollaban su oficio; allí los adultos discutían las últimas novedades y los niños jugaban sus juegos preferidos. La descripción que hace Jesús en esta parábola era bien familiar para quienes la escucharon por primera vez.

La parábola. En esta parábola, Jesús hace una comparación entre algo bien conocido con algo que debe ser reconocido. Lo conocido son "los niños sentados en la plaza que gritan." Los niños seguramente están jugando a los juegos típicos de aquel tiempo, como las bodas y los funerales, con sus respectivos cánticos y danzas. Es probable que la expresión "Tocamos la flauta" (gr. *hulēsamen*, de *auléō*, tocar la flauta) y la referencia al baile tengan que ver con la celebración de una boda (Job 21.11-12; Jer. 31.13; Ap.19.7), mientras que la frase "cantamos por los muertos" y el llanto claramente se refieren a un funeral (Ec. 12.5; Is. 22.12; Jer. 9.17-22; Ez. 26.17; Am. 5.16-17; Mt. 9.23). La "flauta" (gr. *aulós*) se podía usar para acompañar la danza (v. 17a), ya sea en una fiesta de bodas o en un funeral (v. 17b). Lo que debe ser reconocido por medio del contraste es la actitud de los opositores de Jesús ("esta generación," gr. *tēn genean taútēn*). Según el relato, parece ser que mientras algunos niños están bien involucrados en el juego, hay otros que permanecen indiferentes.

La parábola de los niños sentados en la plaza (ver Lc. 7.31-32) es una parábola que también tiene que ver con las crisis del reino. Jesús contó esta parábola a todos ("a esta generación"). En ella, Jesús condena la irresponsabilidad frívola de su generación, la gente de su tiempo. Sus contemporáneos le recordaban a los niños que había visto jugando a las bodas o a los funerales en la plaza del mercado, a los varoncitos peleando con las niñas y a las niñas con los varoncitos en sus juegos, totalmente indiferentes a lo que ocurría a su alrededor. Los interlocutores de Jesús eran personas a las que nada les venía bien. Algunos habían rechazado la predicación de Juan el Bautista y lo llamaban loco ascético.

Otros rechazaban su propio evangelio y lo llamaban *bon vivant* (vividor) y amigo de pecadores. No obstante, mientras ellos peleaban por niñerías, o les gritaban a otros que no querían jugar con ellos, cosas importantes estaban ocurriendo, y ellos no se daban cuenta.

La lección. Para llegar a desentrañar la lección de esta parábola, es necesario preguntarse si los niños en cuestión se pelean porque algunos de ellos quieren jugar un juego divertido (tocar la flauta y bailar, juego propio de varones) y otros quieren jugar un juego más medroso (entonar un canto fúnebre, algo más común entre las mujeres plañideras en aquel entonces), o bien los niños le están gritando a otros que no quieren jugar con ellos (ver v. 16). Esta cuestión no carece de importancia, dado que la aplicación de la metáfora varía según la manera en que respondamos a la misma. Para ello es necesario considerar las costumbres en la Palestina de aquel entonces y la expresión "sentados en la plaza" (gr. *katēménois en tais agorais*). Es decir, da la impresión como que los niños a los que hace referencia Jesús habían asumido el papel de meros espectadores pasivos, y preferían que otros bailaran y otros lloraran. De modo que la disputa no es entre niños y niñas que no se ponen de acuerdo en cuanto a qué jugar, sino entre niños y niñas que están sentados a un lado de la calle quejándose de que otros niños no hacen lo que ellos quieren.

Así era la gente de la generación de Jesús: sólo daban órdenes y criticaban como meros espectadores pasivos del ministerio de Juan el Bautista y del propio ministerio de Jesús, sin ver que éstos eran los últimos mensajeros de Dios antes de la catástrofe inminente. Aun cuando Juan el Bautista había venido como un asceta, es decir, como un profeta del desierto al estilo del venerado Elías, los judíos lo rechazaron. Jesús, por el contrario, vino como alguien que se mezclaba con el común de la gente en todos los niveles sociales y también lo rechazaron. Esto habla de la volatilidad de los líderes judíos y muestra también sus presuposiciones y prejuicios.

> **R. V. G. Tasker:** "En la parábola del juego de los niños, Jesús critica a sus contemporáneos por su fracaso en ver que la era en la que están viviendo es de hecho la era crítica de la revelación divina, la era del cumplimiento, en la que Dios en su sabiduría está justificando sus caminos

> para los hombres a través del ministerio de dos personajes muy diferentes: Juan el más grande de los hombres nacido de mujer, y Jesús el único Hijo del hombre."[2]

La venida del Hijo del hombre (24.26-28)

El contexto de estos versículos es eminentemente escatológico. Jesús está anticipando no algo que ocurrirá antes de su muerte, sino una situación que ocurrirá con posterioridad a su partida y antes de su regreso. Ya era frecuente en sus días el surgimiento de mesías de ocasión, generalmente embanderados en causas políticas y nacionalistas. Muchos de ellos eran contemporáneos de Jesús y mayormente encontraban su lugar de acción en regiones poco habitadas ("en el desierto," gr. *en tēi erēmōi*), o bien se refugiaban clandestinamente en casas de las aldeas y pueblos ("en la casa," gr. *en tois tameíois*, cuarto interior o privado). Jesús advierte a sus seguidores que no salgan tras ellos ni crean su mensaje. Esta es una manera de identificar a los falsos Cristos y falsos profetas (v. 24), que les gusta pasar desapercibidos y jugar a las escondidas. Por el contrario, cuando él regrese, su retorno será bien evidente y visible, como lo ilustra la parábola que sigue (vv. 27-28).

Los Evangelios Sinópticos presentan con gran frecuencia parábolas dobles, es decir, símiles en pareja que expresan la misma idea, pero con símbolos o imágenes diferentes. Así encontramos en Mateo: vestidos y odres (9.16-17), reino y familia (12.25), sal y luz (5.13-14a), ciudad y lámpara (5.14b-16), aves y lirios (6.26-30), perros y cerdos (7.6), piedra y serpiente (7.9-10), uvas e higos (7.16), zorras y aves (8.20), serpientes y palomas (10.16), discípulo y siervo (10.24-25), tesoro y perla (13.44-46), "el desierto" y "la casa" en v. 26, y en muchos casos más. En la parábola que sigue, el doblete está entre el relámpago y los buitres.

La parábola. En relación con esta cuestión fuertemente escatológica, como es la venida del Hijo del hombre, Jesús presentó algunas ilustraciones dramáticas, como las de los vv. 27-28. Recuérdese que Jesús está hablando a sus discípulos que están impresionados con la magnificencia

2. Tasker, *The Gospel According to St. Matthew*, 110.

de los edificios del templo en Jerusalén (Mt. 24.1). A ellos les está diciendo: "Ustedes están encandilados con lo presente y pasajero, cuando está por irrumpir lo eterno y permanente. Dios va a visitar a su pueblo con bendición y juicio, ¿y no pueden verlo?" Aun sus propios discípulos parecían estar ciegos a lo que resultaba evidente e inminente. Según Jesús, ya había indicios ciertos de la crisis que se avecinaba, pero todo el mundo estaba viviendo como si nada estuviese pasando. La ceguera de sus coetáneos e incluso la de sus discípulos era increíble. Estaban ocurriendo cosas a su alrededor y ellos eran incapaces de darse cuenta de qué se trataba. "Porque, así como el relámpago que sale del oriente se ve hasta el occidente, así será la venida del Hijo del hombre. Donde esté el cadáver, allí se juntarán los buitres" (vv. 27-28). Nadie puede ignorar un relámpago y cuando uno ve a los buitres volando en círculos ya sabe que hay un animal muerto abajo. Nótese que el relámpago es un fenómeno que "se ve" (gr. *faínetai*), a diferencia de los falsos Cristo y profetas que se escapan al desierto y se ocultan en sus casas o madrigueras. Con los buitres pasa lo mismo (ver Job 39.30; Pr. 30.17): se los ve desde lejos. Algo estaba ocurriendo en aquel momento que era muy evidente, pero los propios discípulos que oían a Jesús decir estas palabras no lo podían ver y mucho menos creer.

La lección. Además de un sentido escatológico relacionado con la venida del Hijo del hombre, las palabras de Jesús tienen también una profunda dimensión profética. El Señor está haciendo referencia a su segunda venida en gloria. Esta dimensión escatológica de su manifestación se caracterizará por una gran expectativa. En su ansiedad, las personas pretenderán encontrar a Jesús el Cristo por todas partes ("desierto," "casa"). Es interesante notar que en tiempos de Jesús ya había personas que salían a los desiertos en procura del Mesías prometido o huyendo de las calamidades que se avecinaban. El historiador judío Flavio Josefo habla de los que salían huyendo a los desiertos e incluso menciona a algunos por nombre, como Simón hijo de Gioras.[3] La frase "está en la casa" sugiere la doctrina oriental del Mesías o Redentor oculto. Pero, según el v. 27, la venida del Hijo del hombre será pública y visible. Para la imagen del relámpago, ver

3. Flavio Josefo, *Guerra de los judíos*, 4.9.5 y 7.

Lc. 17.24; Mr. 13 no tiene esta frase. Lo que implica es un evento o fenómeno visible. El Nuevo Testamento no enseña la idea de un rapto secreto de los creyentes (ver 24.40-41). Pero sí revela que los creyentes muertos y vivos se van a encontrar con el Señor en el aire en su segunda venida (1 Ts. 4.13-18). El "aire" era considerado como el reino de lo demoníaco o de Satanás (Ef. 2.2). Los creyentes se encontrarán con Jesús en el medio del reino satánico para mostrar su total derrota y condenación. Nadie tendrá dudas en cuanto a él y la realidad de su retorno. El v. 28 (ver Lc. 17.37) significa algo así como: "Donde quiera que haya razón para el juicio, el juicio tendrá lugar."

JESÚS DICE: "HAN SIDO MALOS Y ESTÁN BAJO JUICIO" (24.45-51; 25.14- 30)

Las parábolas que tratan con la crisis inminente fueron cada una de ellas presentadas en una situación concreta particular, un hecho que es esencial para su interpretación. Estas parábolas no tienen como fin plantear un nuevo código moral ni sacar conclusiones religiosas, sino sacudir la conciencia de un pueblo que va aceleradamente hacia a su propia destrucción, y más particularmente a sus líderes, los maestros de la ley y los sacerdotes. Pero sobre todas las cosas ellas son un llamado al arrepentimiento. Estas parábolas nos recuerdan, en términos claros e incuestionables, que la infidelidad y desobediencia al Señor no se queda sin consecuencias. El juicio de Dios es inminente y no hay manera de escapar del mismo que no sea con un sincero arrepentimiento.

El siervo malo (24.45-51)

El personaje central en esta parábola es un hombre que tiene una responsabilidad muy grande. Se trata nada menos que del mayordomo o mano derecha de un propietario importante. En un sentido, todos los bienes de este señor están confiados a su administración, con lo cual la fidelidad y la prudencia no son meros atributos, sino elementos fundamentales en su *curriculum vitae*. De él no sólo dependen los bienes materiales de su amo (v. 47), sino también la vida y la preservación de los demás siervos (v. 45). La única compensación que realmente vale para este mayordomo es el cumplimiento de su deber. Esta es su fuente de dicha ("dichoso," gr. *makários*, v. 46). Pero en su narración, Jesús pone el énfasis en el caso opuesto, es decir, el "siervo malo" (gr. *ho kakos doulos*).

La parábola. La parábola del siervo malo o infiel (Mt. 24.45-51; ver Lc. 12.42-46) es un estudio sobre la fidelidad, pero tratado desde una perspectiva negativa, para destacar la actitud positiva y esperable del discípulo de Jesús. El contexto coloca al relato en el marco de una expectativa escatológica, particularmente relacionada con la segunda venida del Señor. Después de señalar la necesidad de que sus discípulos no deben permitir que sus actitudes hacia los bienes materiales los distraigan de la necesaria preparación y fidelidad para su venida (v. 45; ver Lc. 12.35-40), Jesús pasa a indicar que cuando él venga, todos sus siervos serán responsables frente a él por su fidelidad en el manejo de lo que él les ha confiado (vv. 46-47; ver Lc. 12.41-48). Si la evaluación es positiva, la promesa es extraordinaria y firme ("les aseguro," gr. *amēn légō humīn*): "lo pondrá a cargo de todos sus bienes" (13.12; 25.29; Lc. 19.17).

En v. 48, la frase "se pone a pensar" es lit. "dice en su corazón" (gr. *en tēi kardíai*). El término gr. *kardía* es usado en la Septuaginta y en el Nuevo Testamento para traducir la palabra he. *lēb*. El vocablo se refiere a varias cosas: (1) el centro de la vida física, como metáfora de la persona (Hch. 14.17; 2 Co. 3.2-3; Stg. 5.5); (2) el centro de la vida espiritual o moral (Lc. 16.15; Ro. 8.27; 1 Co. 14.25); (3) el centro de la voluntad (Hch. 5.4; 11.23; 1 Co. 4.5); (4) el centro de las emociones (Mt. 5.28; Hch. 2.26, 37; Ro. 1.24); (5) el centro de la actividad del Espíritu Santo (Ro. 5.5; 2 Co. 1.22; Gá. 4.6); (6) el corazón es una manera metafórica de referirse a la persona total (Mt. 22.37). Los pensamientos, motivos y acciones atribuidas al corazón revelan plenamente el tipo de persona que es un individuo. Lo que el siervo infiel piensa es expresión de lo que él es: un siervo malo. Sus acciones están determinadas por lo que él piensa y especula. En este caso, "Mi señor se está demorando" (gr. *jronízei mou ho kúrios*, v. 48).

> **Archibald Thomas Robertson:** "Esta es la tentación y a darle lugar a caer en los apetitos carnales o en el orgullo de un intelecto superior. En una generación más los burladores estarían preguntando en qué había

> quedado la promesa de la venida de Cristo (2 P. 3.4). Se olvidarían que el reloj de Dios no es como nuestro reloj y que un día para el Señor puede ser como mil años o mil años como un día (3.8)."[4]

La lección. La lección de esta parábola tiene dos aspectos a ser tenidos en cuenta. Por un lado, la parábola del siervo malo o infiel (vv. 45-51) es una advertencia a los líderes de la iglesia a ser fieles en el tiempo antes del retorno de Cristo en gloria. La primera aplicación de la parábola fue a los líderes de Israel (especialmente los escribas). La fidelidad de ellos es colocada bajo juicio, y el juez es Dios. Como custodios de la revelación divina, los maestros de la ley la amortiguaron y distorsionaron debajo de una masa de reglas y regulaciones puntillosas sin sentido. La "carga" del legalismo resultante parecía estar más orientada a alejar a las personas del reino, que a introducirlas al mismo (Mt. 23.13; Lc. 11.52). Cuando Jesús dijo: "Vengan a mí todos ustedes que están cansados y agobiados" (Mt. 11.28), posiblemente estaba pensando en esta carga. El cumplimiento de todas las regulaciones que se hicieron sobre la Ley era simplemente imposible.

Por otro lado, esta parábola es una advertencia de Jesús de que el día de rendir cuentas a Dios está cerca, y allí se revelará quién ha sido fiel o no a lo que se le ha confiado (ver Lc. 12.47-48a). En un sentido, todos los seres humanos, creyentes y no creyentes, hemos recibido de Dios la vida, el cuerpo, el tiempo y las oportunidades que nos permiten producir bienes. Todo ser humano es responsable de ejercer una mayordomía fiel de todo lo recibido y tendrá que dar cuenta a Dios por ello. Pero los creyentes son más responsables y a ellos se les requiere más fidelidad, ya que es mucho más lo que han recibido de Dios (salvación, perdón, dones del Espíritu, aceptación, bendiciones materiales, etc.) Esto significa que quienes somos creyentes y seguidores de Cristo debemos mantenernos activos, listos y fieles en el servicio del reino (Lc. 12.37-38; Stg. 1.12; Ap. 16.15). En lugar de perder tiempo especulando sobre cuándo y cómo será la segunda venida del Señor, debemos estar trabajando duro para cumplir con la misión que él nos asignó.

---

4. Robertson, *Word Pictures in the New Testament*, 1:195.

El siervo malo y perezoso (25.14-30)

La parábola de las monedas de oro o de los talentos (Mt. 25.14-30) es una de las más conocidas, pero también una de las peor interpretadas y aplicadas. Esta parábola es la contraparte de la del dinero o las diez minas (Lc. 19.12-27). Para la comprensión del relato original de Jesús debe preferirse la versión de Mateo, porque la de Lucas está mezclada con otra parábola acerca del noble que se fue al extranjero a recibir un reino (Lc. 19.12, 14, 15, 27). Si se quitan de Lucas estos elementos, su parábola de los talentos es básicamente la misma que la de Mateo.

La parábola. La segunda parábola en este capítulo 25 es sobre el uso de las capacidades propias. Se la conoce como la parábola de los talentos o de las monedas de oro. El talento era originalmente una medida de peso hasta que pasó a ser una medida monetaria, pero no muy precisa, sino más bien una cantidad determinada de oro o plata. En realidad, se refería a una cifra cualquiera, pero siempre indicaba una gran suma de dinero (Lc. 19.13-25). Aproximadamente, valía unos 3.000 siclos de 34,27 gramos cada uno (75,6 libras). Para tener una idea del valor, cabe decir que un talento era equivalente a 6.000 denarios y un denario era la paga diaria de un soldado o un campesino. Algunos calculan que el monto de la cifra que menciona Mateo era el equivalente a la paga de más de quince años de un obrero.

Mateo difiere de Lucas (Lc. 19.12-27), y quizás cambió minas por talentos para hacer más impresionante su relato y agregó algunos toques alegóricos, como el v. 30 y los vv. 21 y 23. En la antigüedad el dinero era escondido (v. 18) para cuidarlo (13.44). En v. 21, la expresión "ven a compartir" es igual a "comparte." Mateo piensa en el cielo o la "vida eterna" como una esfera a la que uno entra (19.17). Como se ve por los vv. 26-27, las tasas de interés antiguas eran altas. Jesús indica (v. 29) que los talentos son dados para ser usados. Los judíos habían recibido mucho de Dios y perderían privilegios si se limitaban a guardar lo que Dios les había dado. La enseñanza básica de la parábola apunta a nuestra responsabilidad respecto a los dones y talentos personales, que nos son dados por Dios. Los siervos recibieron el dinero en proporción a su fidelidad.

La lección. En esta parábola, Jesús no está moralizando acerca del uso correcto de los bienes o capacidades (talentos naturales). Los contextos muestran que tanto Mateo como Lucas, por el lugar en el que colocan la parábola dentro de la estructura general de sus Evangelios, hacen que ésta tenga una lección para la iglesia en el tiempo antes de la segunda venida de Cristo. Esta línea de interpretación pone el énfasis en una orientación moralizadora de la enseñanza de Jesús. Pero debemos preguntarnos por el marco original en el ministerio de Jesús, y esto suscita dos preguntas. Por un lado, ¿dónde cae el énfasis en el relato? Y, por otro lado, ¿acerca de quiénes contó Jesús esta parábola?

Esta parábola, por tener tres personajes, debe ser interpretada siguiendo la regla de tres. Según esta regla, el énfasis cae en el tercer personaje del relato: el siervo que no hizo nada con el dinero que se le confió. ¿A quiénes representaba este "inútil" o irresponsable en la mente de Jesús? ¿Quién es este "siervo malo y perezoso," que se hace merecedor de una condenación tan grande? La respuesta es que este personaje tipifica al piadoso fariseo o al erudito maestro de la ley, que atesoró la luz que Dios le dio (la Ley) y guardó para sí mismo lo que debía ser para la humanidad. Esta actitud de exclusivismo egoísta no le dio a Dios ningún interés sobre su capital.

Desde los días de Esdras (444 a.C.), los judíos habían procurado preservar su religión de toda influencia pagana. Bajo los fariseos se desarrolló un nacionalismo extremo que enemistó a otras naciones con Israel. El celo de ellos por la pureza de su religión llegó al punto de esterilizarla. En su fanatismo religioso, estos custodios de la verdad y la sana doctrina querían, con su actitud fundamentalista, que Dios fuese sólo para ellos. Esta actitud era lo mismo que defraudar a Dios, y por eso acarreaba su juicio. Ahora, el tiempo de rendir cuentas se estaba acercando.

JESÚS DICE: "ESTÉN PREPARADOS" (24.43; 21.33-46; 25.1-13, 31-46)

Las parábolas de este grupo pertenecen al último período del ministerio de Jesús. A través de estos relatos Jesús está diciendo: "El Hijo del hombre está viniendo: estén preparados." Las imágenes que Jesús utiliza son dramáticas y calan profundamente en la experiencia personal de la mayor parte de sus oyentes.

El ladrón (24.43)

La figura del ladrón que irrumpe en una casa en horas de la noche era bien conocida en los días de Jesús, como lo es en nuestros propios días. En Argentina se denomina a este hecho como "entradera," es decir, la irrupción violenta de ladrones en una vivienda. Jesús se está refiriendo exactamente a eso en este versículo, sólo que ubica el delito en horas de la noche, cuando la familia está durmiendo. La idea dominante en el cuadro que Jesús pinta es el carácter repentino e inesperado de la acción del ladrón. En los capítulos 24 y 25 de Mateo, Jesús ofrece varios ejemplos que denotan el carácter repentino de su segunda venida y la necesidad de estar alertas (la posibilidad de un relámpago, v. 27; el diluvio en los días de Noé, vv. 37-38; el ladrón en la noche, v. 43; el regreso señor de la casa, vv. 45-46; la demora del novio, 25.5-6). La única opción que tienen los creyentes es la de estar listos siempre, preparados en todo momento (v. 44; 25.10, 13).

La parábola. Esta parábola se encuentra tanto en Mateo como en Lucas. El Nuevo Testamento indica claramente que los ladrones eran muy comunes en Palestina en aquel tiempo. Algunos asaltaban a los viajeros en los caminos (Lc. 10.30); otros rompían las paredes de adobe de una casa y se metían en ella para robar (Mt. 6.19); y otros lo hacían irrumpiendo en una casa con violencia (Mt. 12.29). La pobreza dominante y generalizada, la falta de trabajo, la marginalidad, el endeudamiento creciente y la inestabilidad hacían que el robo fuese un medio de vida bastante común. Seguramente, la mayoría de las personas que escucharon a Jesús contar esta parábola tenían el recuerdo amargo de alguna experiencia con ladrones, como ocurre hoy con una enorme cantidad de latinoamericanos.

La parábola del ladrón (24.43; ver Lc. 12.39) parece el final de un relato de la vida real. Probablemente había ocurrido un robo, del que todo el mundo estaba hablando. A la luz de este hecho dramático y tomando ventaja del mismo para atraer la atención de sus oyentes, dice Jesús: "Aprendan de la desgracia del vecino, o a ustedes les puede ocurrir lo mismo." Jesús parece estar pensando en el tiempo de tensión inaugurado por el clímax de su ministerio. Este es un tiempo que sobrevendría sobre ellos repentinamente como el diluvio sobre los antediluvianos (Lc. 17.26-27). En el contexto hay un fuerte énfasis sobre "el día" (gr. *hēmérai*, v. 42) y "la hora" (v. 43), es decir, la dimensión temporal del fin es subrayada y, en consecuencia, se afirma la urgencia de la vigilia expectante. El vocablo "hora" se usa de manera diferentes en los Evangelios, como (1) una referencia temporal (Mt. 8.13; Lc. 7.21; Jn. 11.9); (2) una metáfora para un tiempo de prueba (Mt. 10.19; Mr. 13.11; Lc. 12.12); (3) una metáfora para el comienzo del ministerio de Jesús (Jn. 2.4; 4.23); (4) una metáfora para la segunda venida y el día del juicio (Mt. 24.36, 44; 25.13; Mr. 13.32; Jn. 5.25, 28); (5) una metáfora para la pasión de Jesús (Mt. 26.45; Mr. 14.35, 41; Jn. 7.30; 8.20).

La lección. La lección de esta parábola es triple. Por un lado, Jesús está señalando al carácter impredecible de su retorno. No es posible anticipar cuándo un ladrón va a irrumpir en una casa. Generalmente esto ocurre de manera circunstancial. Además, ningún ladrón va a avisar a su víctima qué es lo que va a hacer. Por supuesto que si uno estuviera advertido de antemano tomaría todos los recaudos necesarios para evitar el asalto. Pero esto no es lo que ocurre. De la misma manera, el Hijo del hombre se presentará de improviso, a la hora en que uno no lo espera. Jesús usa la táctica impredecible del ladrón como una ilustración de su propia venida, porque la irrupción de un ladrón es un paradigma de algo inesperado.

Por otro lado, Jesús quería que sus discípulos estuviesen preparados para su glorioso retorno. Siempre es mejor estar preparado contra el posible ataque de un ladrón. Esta es la razón por la que colocamos alarmas en nuestras casas, iluminamos especialmente el perímetro exterior, levantamos cercos y muros, instalamos artefactos de defensa o tenemos un perro bravo en el jardín. Siempre es "mejor prevenir que curar." Cuanto mejores y mayores sean las medidas preventivas, tantas más posibilidades tendremos de evitar un asalto. Mantenerse despierto "para no dejarlo forzar la entrada" es una buena opción. Aplicado este principio a la parábola, el mismo es un llamado a estar preparados, "porque el Hijo del hombre vendrá cuando menos lo esperen." El estado de alerta espiritual es fundamental.

Además, quizás lo más obvio en cuanto a un ladrón es que su presencia en la casa es la cosa más desagradable que una persona puede experimentar. Quienes han sufrido este tipo de asalto dan testimonio de ello. La experiencia es traumática, llena de angustia y temor, y deja secuelas. Muchas veces el daño espiritual y emocional supera en mucho a los bienes que se pueden haber robado. Si aplicamos esta realidad a la parábola, esto no significa que la venida del Hijo del hombre vaya a ser un evento traumático y angustiante, pero sí va a ser una experiencia seria e impresionante. No será así para quienes estén preparados y expectantes, pero sí será una experiencia de juicio y condenación para quienes no estén preparados.

Cabe señalar que probablemente esta parábola tiene dos tiempos para su interpretación. La parábola original de Jesús indudablemente estuvo dirigida a los discípulos, llamándolos a prepararse para los tiempos duros y de prueba que vendrían. Más tarde, cuando el retorno del Señor parecía demorarse, la iglesia utilizó la parábola para exhortar a la vigilancia (1 Ts. 5.2). Los aspectos negativos de la misma se usaron para indicar que el día del Señor vendría como destrucción y juicio sobre aquellos que estaban en tinieblas y durmiendo (Ap. 3.3). De esta manera, es posible ver a esta parábola como una advertencia y como un estímulo.

> **C. H. Dodd:** "Entendida de esta manera, esta parábola cae bien en línea con la parábola de los siervos vigilantes. … Originalmente, ambas tenían el propósito de referirse a una situación que ya existía, pero sujeta a desarrollos inesperados en cualquier momento. Ambas tenían el propósito de advertir a los oyentes a que estuviesen preparados para tales desarrollos. Cuando pasó la crisis inmediata, las parábolas fueron naturalmente reaplicadas a la situación en la que los primeros cristianos se encontraron después de la muerte de Jesús; y a medida que la expectativa de la segunda venida se consolidó como un dogma, los detalles de la parábola de los siervos vigilantes se prestaron a una reinterpretación en el sentido de ese dogma, mientras que la parábola breve del ladrón en la noche pasó a ser un símil simple en cuanto al carácter repentino del evento esperado, tal como lo encontramos en Pablo."[5]

---

5. Dodd, *The Parables of the Kingdom*, 123-124.

Las diez jóvenes (25.1-13)

La expresión "reino de los cielos" (v. 1) es típica de Mateo (Marcos y Lucas usan "reino de Dios"). En el Antiguo Testamento, *Yahweh* era considerado como el rey de Israel (1 S. 8.7; Sal. 10.16; 24.7-9; 29.10; 44.4; 89.18; 95.3; Is. 43.15; 44.4, 6). Los profetas anunciaron al Mesías como el rey ideal (Sal. 2.6; Is. 9.6-7; 11.1-5). Cuando Jesús nació en Belén, el reino de los cielos irrumpió en la historia humana con poder y redención (un nuevo pacto, Jer. 31.31-34; Ez. 36.17-36). Juan el Bautista proclamó con valentía el advenimiento de este reino (Mt. 3.2; Mr. 1.15). Jesús enseñó con claridad que este reino estaba presente en él (Mt. 4.17, 23; 9.35; 10.7; 11.11-12; 12.28; 16.19; Mr. 9.1; Lc. 21.31; 22.16, 18). Este reino fue el tema central de toda la enseñanza de Jesús. Según él, el reino de Dios, que tiene su origen en "los cielos" se transformará en algún momento en su reino sobre toda la tierra (Mt. 6.10), cuando él gobierne sobre las vidas del pueblo redimido y su reino sea definitivamente consumado. Es precisamente en este entretiempo, entre el reino que ya está presente en la vida de los creyentes y el reino que será consumado con el retorno de Cristo, que sus seguidores tienen que estar alertas, tal como ilustra una de las parábolas más románticas y encantadoras de todo el Nuevo Testamento: la parábola de las diez *jóvenes* (Mt. 25.1-13).

La parábola. Las jóvenes serían muchachas de la villa, quizás hijas de los vecinos y no parte del cortejo nupcial. Las madrinas oficiales no estarían en el camino, sino con la novia. Ellas no tendrían que haber conseguido su propio aceite, como fue el caso de estas muchachas, pues les era provisto por la familia. Tampoco habrían sido excluidas de la ceremonia de bodas, porque ellas habían sido invitadas a cumplir una función muy especial en todo el ritual de la boda, como parte del cortejo nupcial.

> **Joachim Jeremias:** "Mateo vio en la parábola una alegoría de la *Parousia* de Cristo, el novio celestial: las Diez Vírgenes son la expectante comunidad cristiana, la 'demora' del novio (v. 5) es la postergación de la *Parousia*, su venida repentina (v. 6) es el incidente no esperado de la *Parousia*, el duro rechazo de las vírgenes necias (v. 11) es el juicio final. Es más, pareciera que en una fecha muy temprana las Vírgenes necias fueron

> interpretadas como refiriéndose a Israel, y las Vírgenes sabias como los gentiles; la tradición lucana aparentemente describió la condenación de Israel en el Juicio Final como el rechazo de admitir a aquellos que habían golpeado la puerta demasiado tarde (Lc. 13.25). ¿Pero fue todo esto el significado original de la parábola? Al responder a esta pregunta debemos poner a un lado el contexto de Mateo, así como el *tóte* en el v. 1, que es una de las partículas de transición favoritas y características de Mateo. Debemos también dejar de lado el v. 13. Porque esta admonición de cierre a velar olvida el significado [original] de la parábola. ¡Todas durmieron, las sabias, así como las necias! Lo que se condena no es el sueño, sino el fracaso de las vírgenes necias de proveer aceite para sus lámparas. Así, pues, la exhortación a velar en el v. 13 es uno de esos agregados hortatorios que la gente estaba tan inclinada a agregar a las parábolas; originalmente perteneció a la parábola del portero (Mr. 13.35). De aquí que las referencias a la *Parousia* no pertenecen a la forma original de la parábola."[6]

¿Cómo entender esta bella historia? Lo que ocurrió es claro: la iglesia, notando las palabras "Y como el novio tardaba en llegar" (v. 5), transformó lo que originalmente era una historia sobre una boda en el pueblo en una alegoría acerca de Cristo, el esposo celestial. Así hizo que la parábola se transformase en una exhortación a los creyentes a estar preparados para la segunda venida. En cambio, la parábola en labios de Jesús fue simplemente una historia real sobre una boda en una villa, a la que algunos de sus invitados llegaron tarde. Jesús utilizó este relato para alertar a los judíos de la crisis inminente que se había desatado con su ministerio. Jesús cierra su relato con gran dramatismo al decir en su parábola: "Se cerró la puerta." Hay un proverbio judío que señala: "La puerta que se cierra no se abre fácilmente." Jesús dice: "La crisis está a las puertas, y viene con una severidad inexorable. Estén preparados para ella."

La lección. El pasaje presenta una parábola sobre la necesidad de estar preparados. La idea en la parábola de las diez jóvenes es la previsión o la importancia de estar listos. Las jóvenes ilustran la previsión y la prudencia

---

6. Jeremías, *The Parables of Jesus*, 51-52.

frente a un hecho que será imprevisto e inminente. No se sabe si el esposo venía a buscar a su esposa a la casa de sus padres o si la espera del esposo se realizaba en la nueva casa del matrimonio. Algunos manuscritos antiguos conservan el nombre de la esposa de la parábola e indican o insinúan una procesión desde la casa del padre de la novia hacia el nuevo hogar. Sea como fuere, la venida del esposo se podía producir en cualquier momento. No había forma de pasar las lámparas de una persona a otra. Esto nos enseña que el mérito de nuestros padres no puede ser transferido. Los católicos romanos llaman a esto supererogación, es decir, se trata de una acción ejecutada más allá o además de la obligación; es pagar o hacer más de lo debido en beneficio de alguien. No hay tal cosa como un banco en el cielo con un depósito de los méritos de gente buena al que podamos echar mano.

En la literatura rabínica, para describir al gozo se usaba la imagen del banquete. Una boda era una gran festividad en Palestina. El momento culminante era cuando el esposo venía a buscar a la esposa a la casa de su padre. Probablemente Mateo piensa en Cristo como el esposo que se tardó (v. 5) y todo el relato es una referencia a la *parousía*. Nótese el "entonces" en el v. 1 y la orden "manténganse despiertos" en el v. 13. El "entonces" es de Mateo y la orden "manténganse despiertos" fue agregada por la iglesia temprana, ya que no encaja con la parábola, puesto que todas las jóvenes, las insensatas y las prudentes, sucumbieron al sueño (v. 5). Lo malo no estuvo en esto, sino en que algunas no se proveyeron del aceite necesario antes de ponerse a dormir. Originalmente la parábola puede haber terminado en el v. 10, en cuyo caso la enseñanza sería: si no se hace la preparación a tiempo, será demasiado tarde para el reino de Dios, como le ocurrió a las jóvenes que no se prepararon para la fiesta. En los vv. 11-12 el esposo se transforma en el Juez celestial. Algún día será demasiado tarde para arrepentirse (He. 12.17). De allí la necesidad de "mantenerse despiertos" (v. 13). Este versículo está puesto aquí para relacionar la parábola con 24.42, pero acá no es apropiado.

Los labradores malvados (21.33-46)

Los tres Evangelios Sinópticos registran la parábola de los labradores malvados como una de las parábolas culminantes de Jesús (21.22-46;

Mr. 12.1-12; Lc. 20.9-19). La historia se presenta con un final tan acabado y un blanco tan claro (los líderes del pueblo judío del momento), que terminó precipitando los planes para arrestarlo y acusarlo, con miras a matarlo.

La parábola. Los vv. 33-46 consideran la parábola de los labradores o arrendatarios malvados. Esta parábola apunta también a condenar al pueblo escogido. "Escuchen otra parábola" indica que las tres parábolas de este capítulo 21 fueron dichas de manera seguida y al mismo auditorio. Más que una parábola se trata de una alegoría. El viñedo es Israel (Is. 5.1-2); el dueño es Dios; los labradores son los líderes religiosos de Israel; los siervos son los profetas; el hijo es Jesús el Mesías. Algunos dicen que no es alegoría, pero es necesario interpretarla así para relacionarla con la parábola siguiente (la de la fiesta o banquete de bodas, 22.1-14). La torre del v. 33 es una torre de vigilancia. Con el v. 39, Mateo aclara que Jesús murió fuera de Jerusalén (He. 13.2). En el v. 41 los mismos fariseos y sacerdotes se condenan. El v. 43 es omitido por Marcos y Lucas. Mateo está ansioso por mostrar a sus lectores que Jesús estaba interesado en el problema del rechazo del Mesías por parte de Israel y en el surgimiento del Nuevo Israel, la iglesia.

En un sentido bastante evidente, la parábola es una figura nítida de la historia de Israel, que se presenta como el viñedo del Señor, lo cual es una metáfora conocida del Antiguo Testamento (Is. 5.17; Sal. 80.8-19). Pero el giro en el relato es que, mientras que la historia normalmente se habría narrado de tal manera que Dios al final justificara a Israel y destruyera a todos sus enemigos externos que amenazaban su viñedo (como en el Sal. 80), Jesús la relata de manera que los verdaderos enemigos de Dios, el dueño del viñedo, son aquellos a quienes él ha confiado el cuidado de la viña, es decir, los líderes judíos. Y lo que es peor todavía, en su relato Jesús predice que el dueño quitará la viña de manos de los administradores originales y la confiará a un pueblo que produzca los frutos del reino" (v. 43). Este es el Nuevo Israel, que es la iglesia.

> **Christopher Wright:** "Aquí hay dos puntos importantes. Por una parte, Jesús señala el final del monopolio del pueblo judío sobre la viña de Dios; otros serán llamados a servir a Dios en su reino. Por otra parte, hay

> solo una viña, y el propósito de Dios es que dé fruto. Esa era la misión de Israel. Dios busca un pueblo que dé frutos de vidas vividas delante de él reflejando su carácter de justicia, integridad y compasión. Ese es el fruto que Israel no produjo (ver Is. 5.7), y que Dios ahora buscará de una compañía más amplia de 'labradores.' De manera que estos 'otros labradores,' señalando a los gentiles que Dios llamará, no serán destinados a algún otro viñedo con el consecuente abandono del viñedo original. No, el plan de Dios es para este uno y único viñedo: su pueblo. Lo que está ocurriendo es la extensión de su administración más allá de los 'labradores' judíos originales, al mundo más amplio de los gentiles, que cumplirán para Dios con el propósito original: los frutos del viñedo."[7]

La lección. Esta es una de las parábolas de interpretación más dificultosa, porque, como se indicó, no está claro si es una parábola o una alegoría. La parábola de los labradores malvados (Mt. 21.33-46; ver Mr. 12.1-9) es una de las más complicadas para su interpretación. Tiene muchos elementos alegóricos y preserva la última advertencia de Jesús al Sanedrín o Consejo de los judíos por su rechazo del Mesías (Mt. 21.23, 46). La parábola puede ser reflejo de una situación real, como puede haber sido el descontento de los campesinos en ese tiempo. Tiene un mensaje directo de juicio contra quienes Jesús la contó (vv. 45-46). Pero también es una síntesis de la historia de Israel a través de los siglos. De diversas maneras Dios en su gracia trató con su pueblo. De diversas maneras el pueblo en su desobediencia trató con los mensajeros que le fueron enviados (Mt. 23.37).

La parábola es también una autobiografía de Jesús. El hombre que la contó era su personaje central; y a pocos días de contarla, los hechos se hicieron realidad. Dios envió a su "hijo unigénito" a Israel, haciendo así su última apelación; y ellos lo mataron. No hay ninguna otra parábola que nos diga cómo concebía el Mesías el propósito de su muerte. No obstante, hay tres parábolas en miniatura (dichos) que de alguna manera nos introducen a este secreto. Los dichos son los siguientes. (1) El dicho sobre la copa: él estaba bebiendo la copa que nuestros pecados llenaron (Mr. 10.38; 14.36); (2) el dicho sobre el bautismo: él estaba soportando un bautismo

7. Wright, *La misión de Dios*, 675.

de sangre para que nosotros pudiésemos ser lavados en ella (Lc. 12.50; Mr. 10.38); y, (3) el dicho sobre el rescate: él estaba dando su vida "en rescate por muchos" (Mr. 10.45).

> **Hugh Martin:** "La parábola arroja una luz impresionante sobre la autoconciencia de Jesús y el reclamo implícito es tanto más conmovedor en razón de que ocurre casi incidentalmente en el curso del relato. La cita que sigue a la parábola es del Salmo 118 [vv. 22-23], considerado por los rabinos como aplicado al Mesías, y por lo tanto es en sí mismo una afirmación más de las pretensiones de Jesús. También es una advertencia dura a su audiencia de que ellos no van a deshacerse de él matándolo."[8]

Las ovejas y las cabras (25.31-46)

La parábola de las ovejas y las cabras se encuentra sólo en Mateo. Este relato más que una parábola es en parte una similitud, en parte una alegoría y en parte una pieza apocalíptica. El pasaje es una de las glorias supremas del Nuevo Testamento como literatura, y a pesar de señales de estilización y edición por parte del evangelista, contiene mucho del material que parece ser original de Jesús. El personaje que se destaca en el pasaje es el Hijo del hombre, que viene para administrar el juicio final. No obstante, esta función suya como juez no representa sino un aspecto del concepto total del Hijo del hombre.

> **Oscar Cullmann:** "En el importante pasaje relativo al juicio final hecho a las 'ovejas y los cabritos' (Mt. 25-31-46) es indudable que el juicio lo pronuncia el Hijo del hombre. Ocurre lo mismo en Marcos 8.38, donde a semejanza de los ángeles del judaísmo tardío, ejerce función de testigo, contra quienes de él se hubieren avergonzado. La atribución a Jesús del juicio (que en el Nuevo Testamento suele atribuirse también a Dios) está directamente relacionada con la noción del Hijo del hombre. ... La forma en que Jesús adoptó y transformó esta idea del juicio muestra lo que hay de nuevo en su concepción del Hijo del hombre. Habiendo aparecido como un hombre entre los hombres y, en esa condición, asumido

8. Martin, *The Parables of the Gospel*, 226.

> el papel del *Ebed Yahvé* [Siervo de *Yahvé*] es, a la vez, el Hijo del hombre que ha de juzgar al mundo; la idea del juicio recibe ahí un carácter nuevo y profundamente diferente, aun cuando se conserve el marco escatológico. Por una parte, el juicio está estrechamente vinculado a la obra expiatoria del Servidor de Dios; por otra, el veredicto a ser pronunciado por el Hijo del hombre, se basará en la actitud de los hombres hacia sus semejantes, en cuya persona Jesús, el Hijo del hombre está presente."[9]

La parábola. La parábola de las ovejas y las cabras integra el tercer bloque de enseñanzas de Jesús, que tiene que ver con el juicio final. ¿Qué es el juicio final? Se trata de la evaluación final de toda la humanidad sobre la base de sus obras, en ocasión del retorno de Cristo (25.31-32). Los malvados serán condenados por causa de sus malas acciones. La salvación es por gracia mediante la fe (Ef. 2.8), pero el juicio final no es un juicio de salvación o para decidir quién va a ser salvo o no. El juicio final pondrá a prueba qué es lo que los creyentes han hecho con sus vidas como redimidos (1 Co. 3.13-15). Algunos recibirán una recompensa (Lc. 19.16-19). Así, pues, si bien la salvación depende de lo que Cristo ha hecho, la recompensa de los creyentes está relacionada con el uso que estos hayan hecho de los dones y oportunidades que Dios les haya dado para el servicio.

Jesús presenta la parábola de las ovejas y las cabras para ilustrar las bases de este juicio final. La idea básica de la parábola es que Jesús señala un principio: en el juicio será posible caracterizar y diferenciar a los justos de los injustos. El principio es que la persona que tiene fe llevará los frutos de esa fe. Si no hay frutos tampoco hay fe. Dios juzga el fruto. La fe verdadera lleva irremediablemente fruto. La parábola identifica también a Jesús con los creyentes. Ningún otro pasaje de la enseñanza registrada de Jesús expresa tan elocuente y hermosamente el espíritu ético del Antiguo Testamento y del judaísmo.

Hay algunas notas a tomar en cuenta en relación con esa parábola. En v. 31 se presenta al Hijo del hombre como glorificado ("cuando... venga en su gloria"). En v. 32 se muestra que en Palestina había diferencias en los rebaños: las ovejas eran blancas y las cabras eran negras. En v. 34 la

---

9. Cullmann, *Cristología del Nuevo Testamento*, 184-185.

expresión "mi Padre" es característica del estilo de Mateo; y la frase "preparado para ustedes desde la creación del mundo" puede ser evidencia de que Mateo creía que algunos estaban predestinados para el reino (20.23), pero esto no es seguro. Los vv. 37-38 se refieren a la sorpresa de los justos, que es quizás el punto más conmovedor de esta parábola. En el v. 40, el Mesías se identifica completamente con los intereses y las necesidades de sus hermanos más pequeños.

En el v. 46 y el v. 41, el cuadro del "fuego eterno" (gr. *géenna*, infierno, el lugar de castigo y fuego eternos) es completamente convencional y repite las creencias tradicionales judías. La referencia parece ser al infierno, que es el lugar de la morada eterna para Satanás y sus ángeles. Este lugar es descrito en la Biblia con imágenes vívidas como un fuego eterno (18.8; 25.41; Jud. 7), tinieblas de afuera (8.12; 22.13; 25.30), estar perdido (Lc. 15.24, 32), perecer (Lc. 13.3, 5; Jn. 10.28; Ro. 2.12; 2 P. 2.12) y expresiones semejantes. Es imposible imaginar un estado de existencia que pueda ser descrito de tantas maneras diferentes. De todos modos, se trata claramente de un lugar que es horrible y que debe ser evitado a toda costa (Mr. 9.43). El v. 46 puede haber sido agregado por el evangelista.

> **Floyd V. Filson:** "Era la expectativa común de los primeros cristianos que todos los seres humanos, incluyendo los cristianos, debían confrontar el juicio divino en el día final. El mensaje cristiano básico anunciaba que el Señor resucitado actuaría por el Padre en ese juicio. Él tendría y ejercería la autoridad de pronunciar el juicio divino final sobre toda la humanidad. El cuadro pictórico del juicio en Mateo 25.31-46, una sección que muchos cristianos han tomado como un pasaje no cristológico, porque enseña sólo la bondad humana, indica que Jesús mismo pensaba de su obra como extendiéndose hasta ese juicio final. Es más, sus dichos sobre negar delante del Padre a aquellos que lo habían negado a él indican también que su palabra será decisiva en el fin (Mr. 8.38; Lc. 12.8-9). De modo que no sorprende que la iglesia temprana tomara esta nota de la enseñanza de Jesús y hablara de él como el agente autoritativo del juicio final del Padre (Hch. 10.42; 2 Co. 5.10)."[10]

---

10. Floyd V. Filson, *Jesus Christ the Risen Lord* (Nueva York y Nashville: Abingdon Press, 1956, 146.

La lección. ¿Cómo podemos interpretar esta parábola? La clave hermenéutica está en la frase "el más pequeño de mis hermanos" (vv. 40, 45). Estos dichos constituyen el clímax del pasaje y son paralelos a Mateo 10.40-42 y Marcos 9.37. La escena de un juicio se compuso probablemente para darle un marco vívido y dramático a estos dichos. ¿Quiénes son estos hermanos pequeños? Las posibilidades juegan entre los discípulos de Jesús o las personas en necesidad. En su versión original, muy probablemente Jesús se refirió a las personas en necesidad. La parábola es la respuesta de Jesús a la pregunta: ¿con qué criterio serán juzgados en el día del juicio aquellos que no han conocido a Cristo? La respuesta es: serán juzgados por las acciones de misericordia que hayan mostrado hacia los necesitados y marginados. En los pobres y destituidos somos confrontados con el Mesías escondido. Amarlos a ellos es amarlo a él. Si los paganos muestran un amor así, tendrán parte en el reino celestial, porque el único criterio salvífico es el amor. Esto es todo lo que Dios demanda (Mi. 6.8).

> **Martín Lutero:** "No sólo infringe el mandamiento quien hace el mal, sino quien pudiendo hacer el bien al prójimo al poder prevenirlo, protegerlo, defenderlo y salvarlo de cualquier daño y perjuicio corporales que pudieran sucederle, no lo hace. Porque, si dejas ir al desnudo, pudiendo cubrir su desnudez, lo has hecho morir de frío; si ves a alguien sufrir de hambre y no les das de comer, lo dejas morir de hambre. Del mismo modo, si ves a alguien condenado a morir o en otra situación igualmente extrema y no lo salvas, aunque supieras de los medios y caminos para hacerlo, tú lo mataste. De nada te ayudará si usas como pretexto afirmando que no contribuiste con ayuda, ni consejos, ni obra a ello, porque le retiraste el amor, lo privaste del bien, mediante el cual pudiera haber quedado con vida."[11]

Pocos pasajes muestran la mente de Jesús como lo hace éste. Ninguno enseña más claramente que quien tiene en su mano el destino de todos los seres humanos se preocupa de una manera tan profunda por el más insignificante, el último y el perdido. Este es el Mesías que adoramos. Él

11. Lutero, *Obras*, 5:74-75.

es el Dios lleno de misericordia por el que sufre injusticia y los que padecen opresión.

Las parábolas son el resultado de una campaña, cuyo paso final fue la entrega de Jesús en la cruz. Las parábolas iluminan las buenas nuevas con las que Jesús comenzó su ministerio, diciéndonos de qué manera viene y crece el reino de Dios. Las parábolas nos hablan de la gracia soberana del Padre quien trae el reino. Las parábolas sugieren algunas de las cualidades que Jesús espera que tengamos los ciudadanos del reino. Las parábolas nos introducen, en alguna medida, al significado de esa crisis suprema en la que Jesús, que encarnó en su propia persona la soberanía salvadora de Dios, fue a la muerte, con el propósito de que por ella se estableciera un nuevo pacto y el reino se abriera a todos los que creen.

> **A. M. Hunter:** "Lo que ocurrió es historia. El día de ajuste de cuentas vino y el juicio de Dios, contra el que Jesús les había advertido, cayó sobre el templo y el pueblo judío. Pero si el viejo Israel cayó de la gracia, el nuevo Israel nació. Por la muerte y resurrección de Cristo, el reino de Dios 'vino con poder' (Mr. 9.1; Ro. 1.4), el Espíritu Santo descendió sobre los expectantes seguidores de Jesús, y el nuevo pueblo de Dios, que es la iglesia de Cristo, salió del aposento alto, 'conquistando y para conquistar'."[12]

12. Hunter, *Interpreting the Parables*, 90-91.

UNIDAD SEIS

LAS ENSEÑANZAS DE JESÚS

Un antiguo proverbio chino reza así: "Si quieres una cosecha en un año, planta trigo; si quieres una cosecha en diez años, planta árboles; si quieres una cosecha en cien caños, planta seres humanos." Esta última fue la tarea que Jesús se propuso para buena parte de su ministerio terrenal. Él era el Maestro por excelencia, y como tal, su propósito era el de formar vidas humanas que pudieran continuar la obra por él iniciada. Con profundo amor, concentró sus mejores esfuerzos y su mayor atención en esta labor. Nuestro Maestro es único y singular. Su poder no tiene parangón. Es su personalidad la que nos desafía y es la grandeza de su amor la que nos impulsa.

El carácter único de Jesús como Maestro descansa sobre su autoridad, y esta es el resultado de su propia experiencia. Lo que él enseñaba no era el producto de sus especulaciones o del acopio bibliográfico. Él enseñaba lo que vivía. Por eso, su enseñanza era simple y clara, si bien profunda e infinita. Las verdades más importantes y aquellas por las que vale la pena vivir, son las que se pueden expresar en los términos más sencillos. Hoy podemos seguir aprendiendo de él, porque su palabra sigue apelándonos con claridad meridiana y nos hace comprensible su verdad.

No obstante, sobre todo, su autoridad en la enseñanza se fundaba en lo que él había recibido del Padre. La enseñanza de Jesús tenía raíces celestiales y su gran habilidad como Maestro consistía en hacer aterrizar esas verdades eternas en el terreno pantanoso de la realidad humana. Él no sólo enseñó sobre el evangelio y lo vivió, sino que él era el autor de ese evangelio que proclamaba. Por eso, sus discípulos llegaron a conocerlo como Maestro y Señor (Jn. 13.13-14), que eran títulos de dignidad utilizados en la conversación con los rabinos. Sin embargo, estos títulos expresaban una realidad fundamental, lo que él era de veras.

> **John R. W. Stott:** "Si el mismo Jesús, que enseñó con tanta autoridad, era el Hijo de Dios hecho carne, debemos acatar su autoridad y aceptar su enseñanza. Debemos dejar que sus opiniones conformen las nuestras, y que sus conceptos alimenten los nuestros, sin omitir ni siquiera aquellas enseñanzas que nos resultan incómodas o anacrónicas. … Jesús, además de ser Maestro, dijo que era Señor. Un maestro instruye a sus alumnos; quizá les ruegue acepten sus enseñanzas; no puede obligarlos a que las acepten, sin embargo, y mucho menos que las obedezcan. Con todo, Jesús como Señor ejercitó esta prerrogativa. … Él esperaba de sus discípulos nada menos que lealtad y amor supremos."[1]

1. John R. W. Stott, *Las controversias de Jesús* (Buenos Aires: Ediciones Certeza, 1975), 229-230.

CAPÍTULO 15

SU ENSEÑANZA SOBRE EL PECADO Y SUS DISCÍPULOS

15.1-20; 16.5-12; 17.24-27; 18.1-22; 19.1-12, 16-30; 20.20-28

Cuando uno lee los Evangelios Sinópticos, llama la atención el escaso uso de vocablos como "pecado" y "pecar." Marcos no utiliza el verbo pecar (gr. *hamartánō*) ni una sola vez, mientras que Mateo y Lucas lo usan en algunos pocos casos (ver 18.15; Lc. 17.3; 15.18, 21). En Mateo, el sustantivo "pecado" aparece cinco veces, en Marcos tres veces (Mr. 2.5-10), y en Lucas siete veces. Es de notar que, en cada caso, ya sea que se use el verbo o el sustantivo, ocurre en relación con la idea de perdón. Por el contrario, el vocablo "pecador" aparece varias veces, pero generalmente con el sentido que le daban los judíos al término, es decir, para referirse a una persona no religiosa o que no cumplía con los preceptos establecidos.

> **W. T. Conner:** "Posiblemente Jesús también estaba actuando sobre el principio de que un concepto adecuado del pecado de uno puede venir solamente al compararse con la bondad de Dios que salva del pecado. No es simplemente una consideración del pecado al contemplarlo en contraste con la justicia de Dios lo que conduce a un verdadero concepto del pecado y al abandono del mismo, sino más bien una

> consideración del pecado en contraste con la bondad de Dios revelada en el evangelio de gracia."[1]

En cuanto a los discípulos, es decir, aquellos cuyos pecados han sido perdonados, y ahora lo siguen y sirven, Jesús enseñó verdades maravillosas para ayudarlos a alcanzar el más pleno desarrollo personal y comunitario conforme a la voluntad perfecta de Dios. Jesús no dejó lugar a la improvisación cuando guio sus seguidores a andar por el camino trazado por él para una vida humana plenamente humana, conforme los valores del reino. No sólo enseñó a cada uno el camino de su salvación y plena realización personal (16.24-25), sino que puso un fuerte énfasis en cuanto al trato de los demás. Según Jesús, nadie debe tratar a sus semejantes con desprecio o desconsideración (5.21-26). Su advertencia fue que en el juicio seremos evaluados según la manera en que lo hemos tratado a él en representación de nuestros prójimos (25.25-46).

Respecto a lo último, Jesús estableció la Regla de Oro (7.12) como la pauta a seguir en las relaciones con los demás. Según este ideal, uno debería ir más allá del cumplimiento del Gran Mandamiento de amar al prójimo como uno se ama a sí mismo (22.37-40), y llegar a amar incluso a los enemigos o a las personas que nos parece no merecen nuestro amor (5.43-47). Esto es lo que más nos cuesta como discípulos de Jesús, pero es lo que más nos acerca a la perfección del Padre, que es nuestra meta moral y espiritual (5.48). Además, esta es la manera en que Dios trata a los seres humanos, a pesar de su pecado, y nosotros debemos hacer lo mismo. El carácter de Dios se presenta aquí como nuestro ideal y no deberíamos sentirnos satisfechos con nada menos que alcanzarlo.

SU ENSEÑANZA SOBRE EL PECADO (15.1-20; 16.5-12)

Jesús abordó el problema del pecado puntualizando varias cuestiones generales. (1) Afirmó que todos los seres humanos son pecadores (7.11).

1. W. T. Conner, *Las enseñanzas del Señor Jesús* (El Paso, TX: Casa Bautista de Publicaciones, 1975), 129-130.

Todas las personas tienen un elemento de maldad en ellas y ningún ser humano carece de pecados. (2) Señaló que el pecado es como una deuda, es decir, consiste en no cumplir con las obligaciones morales y espirituales que se tienen (6.12). El pecado es ese estado o condición en el cual uno ha fracasado en el cumplimiento de sus obligaciones para con Dios. (3) Mostró que en relación con el pecado hay varios grados de responsabilidad y culpabilidad, que deben ser tenidos en cuenta (11.20-24). Este grado está determinado por la luz y oportunidades que uno ha despreciado al pecar. (4) Denunció el peligro de pecar contra la luz del evangelio (12.24-42). Cuando la luz es suficiente, el pecado puede llegar a ser imperdonable, si confundimos el accionar redentor de Dios con las maniobras engañosas y destructivas de Satanás. (5) Diagnosticó que el pecado es una cuestión del corazón, es decir, del ser humano interior (12.35; 15.18-20). Es de un corazón malo de donde salen cosas malas. Con esto, Jesús enfatiza la naturaleza interna y espiritual del pecado: si el árbol es malo, el fruto será malo (7.16-18). (6) Destacó que el carácter de Dios es la pauta moral y espiritual a seguir, y que todo lo que cae por debajo de esa norma puede resultar en pecado (5.48).

Si el pecado es lo opuesto a la justicia, ¿cuáles son algunos de los conflictos que ayudan a identificarlo?

La tradición vs. la Palabra de Dios (15.1-6)

A lo largo del capítulo 15 vemos a Jesús confrontando una oposición creciente, y más directa y sistemática. La noticia de que Jesús estaba en la región de la llanura de Genesaret, al sudoeste de Capernaúm (14.34) hizo posible que "algunos fariseos y maestros de la ley que habían llegado de Jerusalén" se encontraran con él (v. 1). Los fariseos y los maestros de la Ley de Jerusalén se transformaron en los fiscales acusadores de Jesús. Se acercaban a él con cuestiones controversiales y con el firme propósito de hacerlo caer en una trampa. Ya hemos visto que las antítesis que Jesús plantea en el Sermón de la Montaña tenían la forma de una agudización de la Ley hasta sus últimas consecuencias, en contraste con la casuística de los maestros de la ley o escribas, que tenía tendencias evasivas y más laxas (19.4-12). El material en este capítulo no es muy diferente, si bien la forma es más precisa que la de una controversia, quizás bajo la influencia de los debates que ocurrían entre las sinagogas y las iglesias en tiempos de Mateo. Los primeros seis versículos plantean el escenario del primer debate. Nótese que estos hombres se acercaron a Jesús, venían de Jerusalén (v. 1), y tenían una pregunta (v. 2).

La tradición (vv. 1-2). La cuestión de lavarse las manos antes de comer puede parecernos trivial, además de traernos el recuerdo de nuestra infancia, cuando nuestras madres nos obligaban a hacerlo con celo casi farisaico. Sin embargo, en este caso no se trataba de un hábito higiénico necesario, sino de un rito ceremonial anacrónico y no siempre fácil de cumplir, al menos con el fanatismo con que lo hacían los fariseos. Esta delegación de veedores ceremoniales de Jerusalén, prueba que, para este tiempo, esta ciudad se había transformado en el cuartel general de la conspiración contra Jesús, con los fariseos a la cabeza. Estos judíos fundamentalistas, junto con los escribas pretendían ser los guardianes de la más rancia tradición religiosa jerosolimitana, es decir, "la tradición de los ancianos." Esta "tradición" (gr. *tēn parádosin*) consistía en las leyes ceremoniales que, desde tiempos antiguos, "los ancianos" (gr. *tōn presbutérōn*) habían transmitido de manera oral y que más tarde codificaron en lo que se conoció como la *Mishna*. No hay una sola ley en el Antiguo Testamento que ordene lavarse las manos antes de comer, pero los rabinos transformaron esta práctica higiénica en un rito religioso mandatorio, con connotaciones morales. El asunto de la limpieza de las manos era una "tradición de los ancianos," celosamente guardada por los fariseos. La práctica era obligatoria para los sacerdotes (Lv. 22.1-16), pero no para el común de los judíos, si bien los fariseos le habían dado fuerza de ley. Por eso, para ellos, el hecho de que los discípulos de Jesús comieran sin lavarse las manos era una violación enorme de la tradición. En realidad, para esta banda de inquisidores, no era tanto señalar la violación de un precepto ritual lo que les interesaba, sino acusar a Jesús de permitirlo y no asumir responsabilidad por ello.

La Palabra de Dios (vv. 3-6). Jesús responde al interrogante viciado de sus oponentes elevando el debate del nivel de las tradiciones rituales humanas al nivel de la Palabra de Dios y su voluntad. En v. 3, Jesús desafía el principio de la tradición oral de los fariseos y lo considera hipócrita por estar en conflicto con los mandamientos básicos de Dios. Fariseos y maestros de la Ley habían elevado tanto a la tradición de los ancianos, que habían dejado en un segundo plano a la Ley y a los Profetas (la Palabra de Dios). La respuesta de Jesús fue categórica. Comenzó diciéndoles: "¿Y por qué ustedes *también* …?" (gr. *Dia ti kai hūmeis*). NVI omite el vocablo "también" (gr. *kai hūmeis*), que aquí es importante, porque indica que Jesús admite que los discípulos habían transgredido las tradiciones rabínicas. Pero lejos de condenarlos, los vindica por hacerlo, con lo cual Jesús se pone en contra de la tradición de los ancianos. En otras palabras, los discípulos no se lavaron a las manos, no porque se olvidaron de hacerlo, sino que lo hicieron a propósito (es probable que Jesús mismo no se las lavó y que el ataque contra él fue indirecto, vía sus discípulos).

La respuesta de Jesús es una pregunta, que desnuda la gravedad de la condición moral y espiritual de sus oponentes: "¿Por qué ustedes quebrantan el mandamiento de Dios?" Según Jesús, ellos habían cambiado su obediencia a la Palabra de Dios por su sometimiento a la tradición de los ancianos. Los fariseos y escribas habían ilustrado su punto con algo que los discípulos dejaron de hacer ("lavarse las manos" antes de comer). Jesús ilustra su punto con lo que ellos quebrantan al no obedecer "el mandamiento de Dios" por seguir sus tradiciones. En efecto, había una tradición que decía que si una persona declaraba algo que poseía como "Corbán" (una ofrenda dedicada a Dios), quedaba libre de toda obligación de cumplir con el mandamiento de honrar a los padres, que es el único que viene acompañado de una promesa (Ef. 6.2). De esta manera, la tradición violaba el mandamiento de Dios, y quien así lo hacía, pretendía ser un religioso de alto nivel. Así, pues, Jesús muestra cómo la tradición puede hacer que una persona rompa con su relación con Dios y termine por desobedecer su Palabra.

La hipocresía vs. la autenticidad (15.7-9)

Los vv. 7-9 presentan una traducción libre de Isaías 29.13, basada en la LXX y arreglada para la comunidad judía helenista. Jesús fundamenta su crítica en la manera en que se hacían ofrendas votivas en el templo en lugar de cuidar de los padres (vv. 4-6), como ordenaba la Ley. Hay una alta cuota de sarcasmo en la aplicación directa que hace Jesús de la profecía de Isaías a estos seudo piadosos. Estos religiosos de papel (fariseos y maestros de la ley) eran culpables de una religión falsa, que se traducía en un doble crimen espiritual.

Honra hipócrita (vv. 7-8). Tomando las palabras del profeta, y modelándolas con cuidado, Jesús les da un golpe directo a sus conciencias al calificarlos de "hipócritas" (gr. *hupokritaí*). Es interesante que Jesús particulariza su interpretación y aplicación de la profecía ("profetizó de ustedes"), con lo cual la propia Palabra de Dios, que ellos habían quebrantado por seguir sus tradiciones humanas, es la que los condena. Ellos estaban muy lejos de Dios, si es que imaginaban que él podía estar complacido con la hipocresía y falta de autenticidad de su religiosidad de labios afuera. La realidad era que "su corazón está lejos de mí" (gr. *hē de kardía autōn pórrō apéjei ap' emoū*).

Adoración vana (v. 9). La adoración que ellos ofrecían era una adoración vacía de sentido, y la razón de ello era que "sus enseñanzas" no eran más que normas de fabricación humana. Jesús fue bien directo al señalar que las enseñanzas de la tradición de los ancianos no eran "más que reglas humanas" (gr. *didaskalías entálmata anthrōpōn*), o sea, preceptos o mandamientos de factura humana. Con esto, Jesús saca a la luz el conflicto permanente entre la relación divina y la religión humana. La primera es la iniciativa de Dios por relacionarse con el ser humano; la segunda es el esfuerzo humano por relacionarse con Dios. Como tal, la segunda está condicionada por las cosas externas, y, en consecuencia, fracasa en tocar lo esencial de la vida. La relación divina comienza con lo esencial en la vida, y desde ese centro avanza sobre las cosas externas. Ninguna persona se hace más espiritual o piadosa a partir de ejercicios carnales y humanos. La hipocresía religiosa es precisamente la expresión de la frustración que producen estos intentos vanos. Una espiritualidad que no nace y se alimenta de una auténtica relación personal con Dios termina colocando la máscara de una religiosidad falsa sobre el rostro del hipócrita.

La impureza vs. la limpieza (15.10-20)

En los vv. 10-20, Jesús considera el contraste entre la contaminación ritual frente a la contaminación real. Mateo hace de los vv. 1-20 una unidad cerrada al volver en el v. 20 a la pregunta que se levanta en el v. 2. La cuestión de la contaminación era muy seria para los ceremonialistas rabínicos. Existía una lista interminable de las cosas que contagiaban impureza. Sin embargo, lejos de traer una limpieza profunda, la religión hipócrita lo único que conseguía era tapar el cáncer interior.

La multitud (vv. 10-11). Después de algunos ejemplos de la manera en que con sus tradiciones los líderes religiosos judíos violaban la Ley, Jesús critica la cuestión del lavamiento de las manos sobre bases internas y morales (vv. 10-11). Nótese que, en este caso, Jesús se vuelve de su debate con los fariseos y se dirige a la multitud, a la que invita a acercarse. Es probable que la mayor parte de estas personas había oído el debate entre Jesús y los fariseos y los maestros de la ley. Pero ahora, el Maestro se dirige a ellos para asegurarse de que han escuchado bien y entendido mejor lo que él considera de suma importancia, es decir, su condena de una religiosidad meramente externa y la importancia de una relación con Dios "en espíritu y en verdad" (Jn. 4.24). En el v. 10, se usan los verbos "escuchar" y "entender" (gr. *akoúete kai suníete*), que técnicamente se aplican en las parábolas del capítulo 13. De esta manera, Jesús los invita a hacer una clara distinción entre la impureza y la limpieza, entre lo que de veras contamina y lo que no contamina.

En el v. 11, Jesús le declara a la multitud un gran principio de la ética del reino: "Lo que contamina a una persona no es lo que entra en la boca, sino lo que sale de ella." La impureza moral es lo que hace impura a la persona y la contamina. Esta es la razón por la que la hipocresía religiosa es peligrosa, puesto que tapa la raíz del problema. Con esto, Jesús va más allá de la tradición de los ancianos y virtualmente abroga las distinciones levíticas entre lo puro y lo impuro.

Los discípulos (vv. 12-14). Ahora son los discípulos los que se acercan, para expresar de manera indirecta su propia confusión, porque seguramente no estaban muy lejos de la multitud y de los fariseos en su manera de entender la verdadera religión. Por eso, les atribuyen a los fariseos el "escándalo" por las palabras de Jesús (v. 12). Ahora ¿qué fue lo que ofendió (gr. *eskandalísthēsan*) a los fariseos (y a la multitud y los discípulos)? ¿Fue lo que dijo Jesús o lo que implicó Jesús? ¿Fue que se ofendieron cuando los llamó "¡Hipócritas!" o porque Jesús los desnudó de su religiosidad falsa? Así, pues, Jesús da una doble respuesta al escándalo de su audiencia, y sube un cambio en el radicalismo de su denuncia. Primero, los fariseos no tienen una relación personal con Dios (no son "planta que mi Padre celestial haya plantado") y por eso serán "arrancados de raíz;" y, segundo, los fariseos "son guías ciegos" (un dicho proverbial en el Antiguo Testamento), y van a "caer en un hoyo" junto con sus seguidores (vv. 13-14).

Pedro (vv. 15-20). En v. 15, Pedro se refiere a lo que dijo Jesús, según el v. 11, en el formato de una parábola breve. No obstante, difícilmente se puede tomar al v. 11 como una parábola o un enigma. Más bien, parece que la interpretación de Jesús (lo que él implicó) fue lo que los ofendió (v. 13). Según este versículo, la referencia a "toda planta que mi Padre celestial no haya plantado" puede ser a personas (los elegidos en contraste con los incrédulos). Algunos piensan que aquí Jesús parece estar aplicando la sentencia a las regulaciones de los fariseos como no plantadas por Dios, y las liga con el dicho sobre los líderes ciegos (v. 14; Lc. 6.39; Ro. 2.19).

Sea como fuere, a Pedro no le quedó claro qué quiso decir Jesús, y de allí su pedido. La reacción de Jesús pone de manifiesto cierta frustración suya, en el sentido de que todos sus esfuerzos por ser claro y directo en su enseñanza parecían chocar con capas y capas de ideas retorcidas respecto a la verdadera ética y teología del reino, acumuladas en la mente de sus oyentes por siglos de tradiciones de factura humana. Fariseos, multitud y discípulos parecían compartir el mínimo común denominador de su falta de comprensión. Por eso, Jesús casi reta a sus discípulos tratándolos de "torpes" (gr. *asúnetoi*, que no entienden, insensatos, necios). En verdad, los discípulos se formaron en un ambiente farisaico y consideraban la religiosidad de éstos como un modelo a seguir. Todavía les faltaba la inteligencia o el discernimiento espiritual, que recibirían después de la resurrección, por la obra del Espíritu Santo (Lc. 24.31-32).

Jesús se ve forzado a ilustrar su punto con la repetición de una breve parábola o dicho en el que hace referencia al proceso natural de tragar, digerir y evacuar (v. 17), algo que ellos podían entender muy bien. Pero en el v. 18 traslada su lección de fisiología humana al plano ético y espiritual:

lo que sale por la boca (gr. *tou stómatos*) viene del corazón (gr. *kardías*). Si lo que sale es malo es porque el corazón (el ser interior humano) es malo, y esto es lo que "contamina a la persona." La lista de pecados del v. 19 es considerablemente más corta que la de Marcos, pero Mateo agrega "los falsos testimonios." Éstos, junto con las "calumnias" (gr. *blasfēmíai*, blasfemias), bien pueden tener para Mateo un sentido religioso más que ético. En definitiva, los fariseos con sus calumnias contra Jesús quedan peor parados (más sucios), que los discípulos con su actitud de no lavarse las manos antes de comer (v. 20).

La doctrina falsa vs. la doctrina verdadera (16.5-12)

Los vv. 5-12 presentan la conversación de Jesús con sus discípulos acerca de la levadura. En realidad, hay dos temas sobre la mesa. Uno tiene que ver con la referencia al pan y la provisión del mismo; y, el otro, tiene que ver con la metáfora de la levadura en relación con los fariseos y saduceos. Posiblemente haya una combinación de dos elementos de tradición unidos por una referencia común a la levadura del pan.

La confusión de los discípulos (vv. 5-10). Jesús les hizo una seria advertencia: "Tengan cuidado; eviten la levadura de los fariseos y de los saduceos." Con esto los alertaba de cierta corrupción, de algo que se desintegra y que en contacto con otras cosas produce un proceso de decadencia. Jesús los desafía a pensar, discernir, conocer y tomar nota de este peligro (gr. *horáō*, ver, mirar que, tener cuidado) y les dice: "¡Presten atención!" (gr. *proséjō*, prestar cuidadosa atención a, tener cuidado de, evitar). Como se ve, la advertencia es enfática y doble, y presupone un peligro serio en relación con la influencia de los fariseos y saduceos (v. 6). Pero los discípulos no lo entendieron así. Ellos pensaron (gr. *dialegízonto*, razonaron) que Jesús se refería a la provisión de pan que, en el apuro de la partida del otro lado del lago, se habían olvidado (v. 7). Evidentemente, los discípulos tenían la cabeza en otro lado mientras Jesús discutía con sus enemigos, y, a su vez, carecían de la fe necesaria en el poder y autoridad de Jesús, al manifestarse preocupados por unos pocos panes. Además, la confusión de ellos era absurda, primero, porque Jesús fue claro en su sentencia al señalar a los fariseos (representantes del tradicionalismo) y los saduceos (representantes del racionalismo); y, segundo, era claro que se refería a ellos a la luz de los debates que Jesús había tenido previamente con los miembros de estos dos grupos.

La corrupción de los fariseos y saduceos (vv. 11-12). Tres veces en todo este pasaje se hace referencia a "la levadura de los fariseos y de los saduceos." Jesús quería proteger a sus discípulos de lo que consideraba un grave peligro de corrupción y desintegración. La fe de sus seguidores tenía que vacunarse contra la religión de los enemigos más insidiosos de todos los tiempos. Jesús sabía muy bien que las dos cosas que más daño podían causar a la fe cristiana a lo largo del tiempo eran la adición de la tradición y la substracción de lo sobrenatural. Estos dos extremos se han manifestado a través de los siglos, en la esfera teológica, en la "levadura" del fundamentalismo y en la "levadura" del liberalismo. La primera está bien ilustrada por los fariseos; mientras que la segunda por los saduceos. Hoy no hay cristianos que lleven filacterias y repitan como loros credos que no viven. Pero sí hay muchos cristianos farisaicos que dicen: "Debes hacer esto (que Dios no ha ordenado, sino que son mandamientos de hombres), o no estarás haciendo lo que Dios ordena." Hay cristianos fundamentalistas que siguen discutiendo cuántos ángeles se pueden parar en la punta de un alfiler y que sostienen una teología seca y dogmática. También hay saduceos que quieren forzar su naturalismo, relativismo y liberalismo como autoridad por sobre la Palabra de Dios, y que hacen de la fe cristiana un mero asentimiento a ciertos principios éticos, pero niegan las grandes verdades bíblicas. Son aquellos cristianos que racionalizan la fe y rechazan todo lo que sea sobrenatural en la misma.

SU ENSEÑANZA SOBRE LOS DISCÍPULOS (17.24-27; 18.1-22; 19.1-12, 16-30; 20.20-28)

Después de la confesión de Pedro en Cesarea de Filipo (16.13-16), Jesús deja sus debates y controversias con los fariseos, los maestros de la ley y los saduceos, y se concentra en enseñarles a los discípulos acerca del reino y en prepararlos para los acontecimientos que pronto se precipitarían y terminarían con su muerte y resurrección (16.21). A continuación, consideraremos sus enseñanzas más importantes, especialmente aquellas que tienen que ver con ellos como seguidores de Jesús y futuros continuadores de su obra. ¿Cómo deben ser los discípulos de Jesús?

Deben ser buenos ciudadanos (17.24-27)

Los vv. 24-27 consideran la cuestión del pago del impuesto del templo en Capernaúm. Este impuesto consistía en dos dracmas (gr. *ta dídrajma*), que eran equivalentes a un denario, o sea, el salario de un obrero por un día de trabajo. Todo judío mayor de veinte años debía pagar este impuesto, que se destinaba al mantenimiento del templo en Jerusalén. Pero no era un impuesto obligatorio, como el que cobraban los publicanos para los romanos. El pago debía hacerse en el mes de Adar (marzo).

Los que cobraban el impuesto (v. 24). Los cobradores del impuesto del templo en Jerusalén, que hacían su cobro en Capernaúm, de alguna manera sabían que Jesús tenía una deuda impositiva. Por eso, estos funcionarios judíos, al servicio del templo, "se acercaron a Pedro," quien probablemente también tenía una deuda, a reclamar su pago por parte de Jesús (v. 24). Es probable que este impuesto ya había vencido hacía unos seis meses, en razón de que Jesús y sus discípulos habían estado fuera de Galilea la mayor parte de este tiempo. Además, el pago debía hacerse en moneda judía, que sólo se podía conseguir en el templo o con los cambistas autorizados (ver 21.12-13). Quizás por esto mismo, estos cobradores, generalmente corruptos, se acercaron a Pedro y no a Jesús ("¿Su maestro no paga el impuesto del templo?") Tal vez lo hicieron así esperando recibir alguna coima o pago "extra" de parte de un empresario como Pedro. Como de costumbre, Pedro se hace cargo de la situación y responde por Jesús, que probablemente tenía el hábito de pagar a tiempo (v. 25a).

Los que pagaban el impuesto (vv. 25-26). Aparentemente, los deudores eran Pedro y Jesús, pero no se atrevieron a encarar a Jesús con su legítima demanda. En la expresión "en la casa," nótese el artículo (gr. *tēn oikían*), lo que indicaría una casa particular y conocida, posiblemente propiedad de Pedro (ver 8.14). Allí, nuevamente, Jesús manifiesta su don de palabra de conocimiento (1 Co. 12.8) anticipándose con su pregunta a la preocupación de Pedro (v. 25b). Jesús parece querer complicar a su discípulo con su argumento, que encierra una verdad teológica profunda. Con su pequeña parábola, Jesús está diciendo: "Si yo soy el Rey, el Hijo de Dios, entonces estoy exceptuado de pagar el impuesto del templo de mi Padre, que, además, ustedes dedicaron como su casa." Las familias reales no pagan impuestos, sino que colectan tributos de los extranjeros o impuestos de sus súbditos. Si es así, entonces Jesús está afirmando aquí, de manera indirecta, su condición divina.

Un buen ciudadano paga los impuestos (v. 27). A pesar de que los que cobraban el impuesto del templo muy probablemente eran funcionarios corruptos, que se quedaban con una parte del mismo, Jesús se somete al reclamo de los cobradores, con el propósito de no "escandalizarlos" (gr. *skandalísōmen*), es decir, hacerlos caer en pecado (¿de calumnia, como los fariseos?) Jesús no quería dejar la impresión de que él y sus discípulos despreciaban al templo y su adoración. Lo que sí "escandaliza" todavía a muchos lectores de este Evangelio es la instrucción que Jesús le dio a Pedro para el pago del impuesto (v. 27b). Pedro era pescador y Jesús lo envía a obtener los recursos para pagar esta obligación con su propio trabajo, si bien no a gran escala, como solía hacerlo, sino con un anzuelo. Nuevamente, Jesús sorprende con su ejercicio del don de palabra de conocimiento, al señalar: "Saca el primer pez que pique; ábrele la boca y encontrarás una moneda."

La moneda en cuestión era un estatero (gr. *statēra*), que era equivalente a cuatro dracmas, es decir, Jesús pagó el doble de lo que debía (seguramente pagó por él y por Pedro). La acción descrita en el v. 27, si ocurrió, no está en sintonía con los otros milagros de Jesús. Su objeto fue proveer del dinero necesario para pagar un impuesto. La primera impresión es como que el milagro no tenía un propósito redentor o involucraba una bendición para un tercero, sino que satisfacía una necesidad personal. No obstante, Jesús, como buen ciudadano, se sometió a su obligación de pagar el estatero, pero lo hizo pensando en el bienestar de los demás. Este es el principio que encontramos en Pablo al hablar de la carne ofrecida a los ídolos ("para no escandalizar a esta gente," v. 27; 1 Co. 8.9-13). Por otro lado, Jesús no tomó el dinero de nadie y si bien encontrar un monto de dinero tan importante en la boca de un pez es algo raro (o imposible), el milagro está en que Jesús sabía puntillosamente lo que iba a ocurrir. Por cierto, si para algunos eruditos bíblicos lo ocurrido no fue un milagro, casi seguramente lo fue para Pedro y los cobradores del impuesto del templo.

Deben ser como niños (18.1-6)

Los discípulos habían estado discutiendo en el camino quién de ellos era el más importante, y quién tendría los lugares más altos cuando Jesús fuese rey. Esto es evidencia de que todavía pensaban en que Jesús gobernaría como un rey en Jerusalén. Quizás algunos de ellos se sentían celosos porque Jesús había escogido sólo a tres de ellos para ir con él al monte (17.1). Jesús les muestra quiénes son realmente los "grandes" en su reino. Según el Maestro, los verdaderamente grandes o importantes son los que sirven a otros con la candidez de un niño (18.1-6) y los que son capaces de perdonar (18.15-22).

En este capítulo, el evangelista ha reunido la enseñanza de Jesús relacionada más directamente con la conducta de los discípulos como miembros de la nueva sociedad creada por él, la comunidad mesiánica. En los vv. 1-9, Jesús discurre sobre la humildad. "En ese momento" (v. 1) es literalmente en aquella hora (gr. *en ekeínēi tēi hōra*). Jesús no contestó la pregunta de los discípulos directamente, pero atrajo su atención a las condiciones que tenían que satisfacer antes de llegar a ser sobresalientes (v. 3). Jesús nos enseña que los niños son el ejemplo más elocuente de humildad. Hay que destacar que Jesús dijo: "a menos que ustedes cambien" (es decir, si no se convierten) y "se vuelvan *como* niños" (es decir, semejantes a ellos en su humildad). Esto no significa caer en infantilismos ni asumir una conducta inmadura. "Este niño" (v. 4) no quiere decir ser como aquel niño en particular (para nosotros desconocido), sino llegar a ser una persona humilde como ilustraba aquel niño. "En mi nombre" (v. 5) es por mi amor y en mi lugar. Hacer pecar o tropezar (v. 6, ofender o escandalizar) es hacer algo que daña la conciencia de alguien, como en los vv. 8-9 ("te hace pecar"). Parece que el evangelista, mientras recuerda la enseñanza de Jesús acerca del pecado de ofender a otros, desea recordar a sus lectores lo que Jesús había dicho acerca de no ofenderse a sí mismo o tropezar uno mismo (vv. 8-9). En los vv. 1-6 hay dos cosas a notar.

La capacidad de ser como un niño. La disputa entre los discípulos giraba en torno a la cuestión de quién era el mayor con relación al reino que Jesús estaba instaurando. Los discípulos querían ostentar posiciones en las que recibieran la honra de los demás. Querían dar órdenes y tener poder sobre otros. Si podían hacer estas cosas, pensaban que llegarían a ser importantes y "grandes." Esto es lo que mucha gente piensa hoy. La enseñanza que necesitaban los discípulos, y que también nosotros necesitamos, está en Marcos 9.35 y más plenamente en Mateo 20.20-28.

Los niños son la mejor ilustración de la verdad que Jesús quiere mostrarnos. "Entrar al reino" es lo mismo que "recibir el reino" (Mr. 10.15), "entrar en la vida" (18.8), y "ser salvo" (19.25). Todas estas frases significan "vivir el tipo de vida más plena, gozosa y mejor." Según Jesús, podemos tener esta vida (como un don de Dios) si somos como los niños. "Hacerse como niño" significa ser como es un niño. Debemos ser tan confiados y dependientes de Dios, así como los niños confían y dependen de las personas mayores. Ellos saben que dependen de la bondad y conocimientos de otros. No se preocupan por el futuro, porque confían en que sus mayores tendrán cuidado de ellos. Los niños saben que conocen poco y desean aprender más. Así también, el reino de Dios es para aquellos que saben que son débiles, ignorantes, pecadores, y que aceptan agradecidos el perdón, la fortaleza y la orientación que Dios les ofrece (5.6; Ef. 2.8). Sin embargo, debemos reconocer que quienes ya no somos niños no siempre actuamos así. No nos gusta admitir que dependemos de Dios para todo lo que es bueno (Jn. 9.41b). De modo que necesitamos volvernos y ser como niños otra vez. Necesitamos "nacer de nuevo" (Jn. 3.3).

Así y todo, las demandas de Jesús, si bien son claras e inexcusables, no son de trámite fácil para cumplir. Ser como niño es una exigencia difícil de satisfacer en nuestros días. Básicamente lo que pide esta demanda es humildad, y éste es un producto que brilla por su ausencia en el mercado del mundo de las virtudes cristianas. Hace falta la humildad de un niño para aprender. El niño es consciente de su ignorancia e inexperiencia, por eso explora, experimenta, pregunta y aplica todo lo nuevo. Necesitamos de esa disponibilidad de ser enseñados y guiados por nuestro Maestro. Debemos reconocer que, si bien hemos llegado a una "mayoría de edad" en ciertas cosas, somos muy ignorantes en materia moral y espiritual. Pero también necesitamos la humildad de un niño para obedecer y aplicar lo aprendido. Pecamos cuando pretendemos saber mejor que el Señor lo que más conviene a nuestra vida y a su reino. Él tiene un propósito eterno, en el que hay lugar para nuestra vida.

El interés de Jesús por los niños.[2] Jesús consideró a los niños como los primeros herederos de la bendición de Dios. Con esto, él nos anima a no olvidarnos de los niños, así como él no se olvidó de los niños y les dio un lugar preferencial. Es interesante notar, con N. K. Davis, que "la literatura clásica no sabe nada de los niños, mientras que la literatura cristiana está llena de niños." Jesús revolucionó los conceptos sobre los niños y las actitudes acerca de ellos. Jesús tomó a los niños en sus brazos (Mr. 10.16a), los tocó, los sanó y les dio vida (Mt. 9.25), colocó sus manos sobre cada uno de ellos y los bendijo (Mt. 19.13, 15; Mr. 10.13), los usó como ejemplos en su enseñanza (Mt.18.2), y durante la semana previa a su muerte, fue reconfortado por las alabanzas de ellos Mt. 21.15-16).

Algunos de los dichos más sorprendentes de Jesús tienen que ver con niños, como los que están registrados en los capítulos 18 y 19 de Mateo. En cada caso, Jesús llamó a un niño y les dijo a sus discípulos verdades fundamentales, que debemos tener en cuenta. (1) Que a menos que los adultos cambiaran y se hicieran como niños no entrarían en el reino de Dios y mucho menos podían ser considerados grandes o importantes en ese reino. Una humildad como la de un niño es esencial (vv. 1-4). (2) Que quienquiera que reciba a un niño de estos en su nombre, lo recibe a él (v. 5). (3) Que quienquiera que haga que uno de estos pequeñitos que creen en él peque o tropiece, mejor le sería morirse (v. 6). (4) Que no debemos despreciar a ningún niño, porque en los cielos sus ángeles contemplan permanentemente el rostro de Dios el Padre (v. 10). (5) Que la voluntad de Dios es que ninguno de estos pequeños se pierda (v. 14). (6) Que los discípulos estaban totalmente equivocados en retar a la gente porque traían a sus pequeños a Jesús para que él los bendijese poniendo sus manos sobre ellos (19.13-15).

---

2. Descalzo, *Vida y misterio de Jesús de Nazaret*, 2:223-229.

Deben ser íntegros (18.7-9)

Este es uno de los desafíos más grandes de Jesús a sus discípulos. ¡Cuán difícil es para los cristianos vivir una vida tan íntegra como la del Señor! Nuevamente en estos versículos Jesús mide la grandeza de sus discípulos en función de su integridad.

Unas advertencias (v. 7). Frente a un desafío tan grande, no es extraño que se presenten piedras de tropiezo, trampas, dificultades e impedimentos que son inevitables y cuyo fin, lamentablemente, es incitar al pecado y crear las condiciones para el mismo. A la luz de esta realidad, Jesús lanza una doble advertencia introducida por una doble exclamación de lamento (gr. *ouai*). La primera advertencia está dirigida al mundo (gr. *tōi kósmōi*), al que advierte "por las cosas que hacen pecar a la gente." En este caso, el mundo, ese sistema de valores y estilos de vida que se opone a la perfecta voluntad de Dios, es el factor de tropiezo. La segunda advertencia está dirigida a las personas que "hacen pecar a los demás." En este caso, la piedra de tropiezo son individuos que provocan el pecado de otros y lo hacen a conciencia y arteramente. Puede ser que el mundo utilice a estas personas para hacer pecar a la gente, pero lo más probable es que Jesús esté pensando en dos fuentes posibles de agencias para el mal. De allí los dos ayes de lamento (no de condena) y las dos advertencias.

Unos consejos (vv. 8-9). En las advertencias, Jesús está hablando de ofensas que vienen de afuera del círculo de los discípulos, pero en estos versículos las ofensas son las que los discípulos mismos provocan sobre ellos, y que lastiman su integridad. En estos versículos encontramos un ejemplo de los dobletes típicos de Mateo (5.29-30), que ilustran el hecho de que Jesús solía repetir estos dichos radicales y exagerados muchas veces. Sea como fuere, la falta de integridad causa mucho daño a la persona afectada y a quienes lo rodean en la comunidad de fe.

> **William Barclay:** "Hay dos sentidos en los que este pasaje puede ser tomado. Puede ser tomado puramente en sentido personal. Puede estar diciendo que vale la pena cualquier sacrificio y cualquier auto renunciamiento para escapar del castigo de Dios. ... Pero también es posible que

> este pasaje no deba ser tomado tan personalmente, sino como en relación con la iglesia. Mateo ya ha usado este dicho de Jesús en un contexto diferente en 5.30. Aquí puede haber una diferencia. Todo el pasaje es acerca de los niños, y quizás especialmente acerca de los niños en la fe. Este pasaje puede estar diciendo: 'Si en tu iglesia hay alguien que es una mala influencia, si hay alguien que es un mal ejemplo para aquellos que son jóvenes en la fe, si hay alguien cuya vida y conducta está dañando al cuerpo de la iglesia, debe ser arrancado y echado fuera.' Este bien puede ser el significado. La iglesia es el Cuerpo de Cristo; si ese cuerpo va a ser saludable y salutífero, aquello que tiene en sí las semillas de una infección cancerosa y venenosa debe ser incluso removido quirúrgicamente."[3]

Deben ser inclusivos (18.10-14)

Estos versículos presentan la parábola de la oveja perdida. Desde los vv. 10-14 y hasta el final del capítulo, Mateo presenta material propio y se torna más específico en cuando a la vida comunitaria, quizás teniendo a la frase "que no falte la paz entre ustedes" (Mr. 9.50) como guía. Esta parábola es muy similar a la que presenta Lucas 15.1-7. Pero en Mateo se aplica no al ministerio de Jesús a los pecadores, sino al ministerio de la iglesia a sus miembros extraviados.

Inclusivos para amar al creyente marginado (v. 10). Jesús se refiere a estos creyentes como "estos pequeños" (gr. *tōn mikrōn*). La imagen no es la de niños de corta edad, sino de personas inmaduras en la fe. El vocablo puede tener también un sentido sociológico, como "de poca importancia," "insignificante" o "humilde." Sea como fuere, se trata de personas discriminadas y marginalizadas en la iglesia. Se las mantiene en las sombras y sólo cuentan como números. Para Jesús esto no es meramente un descuido involuntario, sino una acción condenable: "no menosprecien" (gr. *katafronēsēte*, despreciar, tratar con desprecio, mirar con desdén), con una actitud de superioridad. Jesús corrige este pecado con un argumento que llama la atención y no es fácil de interpretar: "en el cielo los ángeles de ellos contemplan siempre el rostro de mi Padre celestial." Jesús se refiere

---

3. Barclay, *The Gospel of Matthew*, 2:182-183.

a ángeles (gr. *ággeloi*) de alto rango ("contemplan siempre el rostro de mi Padre celestial"), que cuidan del más pequeño y humilde de los creyentes. De esta manera, Jesús presenta a estos ángeles guardianes como si fuesen sus "dobles espirituales." Los judíos creían que cada nación tenía un ángel guardián (Dn. 10.13, 20-21). Las siete iglesias de Apocalipsis 1.20 tienen un ángel cada una, más allá de cómo se interprete la expresión. Esto levanta la pregunta: ¿pensaba Jesús que cada creyente tiene un ángel especial que se presenta ante el trono de Dios para interceder por él/ella (ver Lc. 1.19)? Con esta expresión, ¿quiso Jesús decir simplemente que los ángeles se interesan por el bienestar de cada miembro del pueblo de Dios (He. 1.14)? Sea como fuere, lo cierto es que la frase nos llena de confianza y ánimo, al saber que el Padre tiene cuidado de todos nosotros, seamos fuertes o débiles, mientras confiemos en él.

Inclusivos para buscar al creyente alejado (vv. 12-14). El v. 11 posiblemente fue agregado con posterioridad y tomado quizás de Lc. 19.10. NVI lo pone como nota al pie. El uso que Mateo hace de la parábola de la oveja perdida es diferente del que hace Lucas (Lc. 15.4-7). Primero, porque como se vio, en su contexto se refiere a los "pequeños" como a los creyentes inmaduros o más nuevos, o también a cualquiera que no se destaca en la congregación. Segundo, las ovejas (gr. *próbata*) son descritas tres veces como "extraviadas" (vv. 12b y 13), un término muy importante para Mateo en su descripción de la apostasía (24.4-5, 11, 24). Tercero, Mateo evita el término gr. *metánoia* ("arrepentimiento"), que sí utiliza Lucas (15.7; 17.3-4), y que para él está ligado a la experiencia inicial de conversión. De este modo, Mateo considera la situación del creyente descarriado o engañado, el hermano que ha caído o está por caer, o al alejado de la comunidad de fe. Así, la parábola introduce a la perícopa o relato que sigue con sus regulaciones más específicas en cuanto a cómo manejar las cuestiones de disciplina en la iglesia. En v. 14 no está claro si la lectura es "mi Padre" o "el Padre de ustedes." De todos modos, es interesante que la frase tiene sentido con una u otra lectura.

Este pasaje es de vital importancia hoy para el conjunto de las iglesias evangélicas en América Latina. Me atrevo a afirmar que hoy hay más creyentes fuera de las iglesias que dentro. Es astronómica la cantidad de personas, inclusive pastores y líderes, que han salido de la comunión en sus congregaciones y reniegan no de su fe, sino de la iglesia como institución. Hay un desengaño generalizado que no para de crecer. En buena medida, esto se debe a liderazgos autoritarios, abusos de poder, exigencias legalistas y religiosas casi imposibles de cumplir, escándalos de todo tipo, falta de enseñanza bíblica y un adecuado adoctrinamiento, laxitud moral y espiritual, discriminación social y cultural, falta de oportunidades para servir, y la lista sigue. Urge tomar en serio la palabra de Jesús y darle expresión en la vida concreta de la comunidad de fe. Nótese que en la versión de Lucas (15.1-7) la respuesta positiva de un pecador arrepentido resulta en que, en el cielo, haya "más alegría," mientras que aquí en Mateo (v. 14), Jesús dice: "el Padre de ustedes que está en el cielo no quiere que se pierda ninguno de estos pequeños" (que son creyentes alejados del redil).

Deben ser perdonadores (18-15-17, 20-22)

Estos versículos consideran el caso del hermano que peca contra uno. En los vv. 15-35 se presentan algunas instrucciones para tratar bien al hermano que ha pecado contra nosotros. Los vv. 15-20 consideran cuestiones de disciplina eclesiástica. La cláusula "contra ti" (v. 15) no figura en el Códice Sinaítico ni en el Vaticano, dos importantes manuscritos del Nuevo Testamento. La mención de la "iglesia" (v. 17) levanta la pregunta: ¿cuándo se fundó la iglesia? La referencia a la iglesia (o congregación) parece ser un agregado posterior.

La capacidad de perdonar. Es posible que alguien esté junto a los seguidores del Mesías, pero que realmente no pertenezca al rebaño. Cuando se hace evidente que tal persona no pertenece al reino de Dios, la comunidad de los redimidos, actuando con responsabilidad y sin actitudes egoístas, debe considerarla como fuera de la comunión de los santos. Sin embargo, debe procederse con gran cuidado para no equivocarse. El Nuevo Israel, a diferencia del antiguo, no está bajo la Ley, sino bajo la gracia. Pero no por ello deja de ser una sociedad, y como tal, necesitada de someterse a reglas, que involucran el privilegio y el deber de "atar" y "desatar," es decir, de definir qué es lo que está permitido y lo que está prohibido. Los discípulos deben entender que sus decisiones jamás han de ser expresiones arbitrarias de las opiniones personales, sino convicciones que se han alcanzado después de la oración unida al Padre celestial. Sólo así tales resoluciones tendrán sanción eterna (vv. 18-20).

La comunidad mesiánica es, antes que nada, la comunidad de los redimidos. Debe su existencia al perdón redentor que Cristo hizo posible con su muerte. Es la comunidad de hombres y mujeres por quienes Cristo murió. En razón de esto, pesa sobre cada creyente un deber fundamental, del que jamás deben olvidarse ni cansarse, y que es el de perdonar como fueron perdonados. La sociedad de los redimidos carece de significado si aquellos que han sido perdonados de sus pecados por Dios son incapaces de perdonar a otros sus ofensas (vv. 21-22).

La posibilidad de perdonar. La capacidad de perdonar es imposible de ganar a menos que sea a partir de una actitud de sincera humildad. Es sorprendente la capacidad de los niños para perdonar. Su humildad es la base de esta disposición. La vida nos endurece e insensibiliza. Pero en Cristo se da el renacimiento que hace posible que el corazón de piedra se transforme en un corazón de carne, y que, en consecuencia, el perdón deje de ser un elemento extraño o imposible para la experiencia del creyente. En los vv. 19-20 el contraste no está entre dos o tres y muchos, sino entre uno, dos o tres. En el Nuevo Testamento no hay salvación en aislamiento. Dios no salva a una persona de manera solitaria o en exclusiva. Su salvación es una salvación que incorpora a la comunidad (1 Ti. 2.4). Estos son principios que hay que tener bien en claro para el ejercicio justo de la disciplina eclesiástica, que hoy brilla por su ausencia, pero que es sumamente necesaria.

> **Dietrich Bonhoeffer:** "Donde el espíritu de hermandad y servicio está ausente, difícilmente se pueda alcanzar el tercer nivel. Porque si un hermano cae en pecado abiertamente, ya sea de palabra o de hecho, la iglesia debe tener suficiente autoridad como para ejercer una acción disciplinaria formal contra él. … El método de aplicar esta disciplina ha de variar con cada caso individual, pero el propósito es constante, es decir, llevar al pecador al arrepentimiento y la reconciliación. Si el pecado es de tal especie que puede permanecer secreto entre usted y el pecador, no es usted quien debe divulgarlo, sino disciplinarlo en privado y llamarlo

> al arrepentimiento, y entonces 'habrás ganado a tu hermano.' Pero si no escucha y se mantiene empecinado, usted no deberá hacer público su pecado, sino elegir uno o dos testigos (18.15). Estos testigos son necesarios por dos razones. En primer lugar, se necesitan para establecer el hecho del pecado, es decir, si no se puede probar la acusación y es negada por el miembro de la congregación, deje el asunto en manos de Dios; se supone que los hermanos deben ser testigos, no inquisidores. Pero, en segundo lugar, se los necesita para comprobar la negación a arrepentirse de quien cometió el error. Lo secreto de la acción disciplinaria tiene como propósito ayudar al pecador a inclinarse al arrepentimiento. Pero si aún se niega a escuchar, o si su pecado ya es de dominio público en medio de toda la congregación, entonces, la congregación entera debe llamar al pecador a arrepentirse y exhortarlo (18.17; comp. 2 Ts. 3.14)."[4]

Deben ser intercesores (18.18-20)

La oración de intercesión es el gran recurso que tienen los discípulos y la iglesia para el cumplimiento de su ministerio en relación con otras personas. Es ese aspecto de la oración de petición en el que los creyentes hacen súplicas específicas a Dios a favor de ellos mismos, y especialmente a favor de otras personas o grupos. Generalmente, la expresión se refiere a la oración ofrecida en beneficio de otros por parte de un creyente. Estos versículos destacan tres grandes verdades en torno al ministerio de intercesión.

Atar y desatar (v. 18). Esta es la acción de la oración de intercesión. Los creyentes han recibido del Señor la autoridad para atar a Satanás y no permitirle operar en su tarea de robar, matar y destruir; y también han recibido la autoridad para desatar la bendición de Dios sobre las personas cautivas por el pecado. Nótese la repercusión de estas acciones, ya que tienen un impacto "en el cielo," es decir, involucran a Dios mismo en las mismas. Este ejercicio de atar y desatar tiene que ver también con la proclamación del evangelio del reino para salvación. Cuando el creyente en oración intercede por quienes no son todavía salvos y les anuncia el evangelio está

4. Bonhoeffer, *El costo del discipulado*, 332-333.

atando al diablo y el pecado en sus vidas y desatando el amor redentor de Dios, que los salva. Retener la oración y el testimonio significa dejar en cautiverio (atadas) a las personas, y esto con efectos eternos ("en el cielo"). Lo contrario también tiene efectos eternos y trae gloria a Dios. A la luz de 16.19, parece claro que la metáfora de atar y desatar tiene que ver con otra metáfora, que es la de entrar o no entrar en el reino de Dios ("las llaves del reino de los cielos").

Pedir y recibir (v. 19). Este es el poder de la oración de intercesión. Los creyentes han recibido del Señor el poder para pedir cosas que son o están en conformidad con la voluntad soberana del Padre, quien actúa cuando estos ruegos resultan del consenso de sus hijos. La unidad de los creyentes en oración es fundamental para que el poder de Dios se manifieste en plenitud (Hch. 1.14; 2.1-4). El acuerdo entre los discípulos ("se ponen de acuerdo," gr. *sumfōnēsōsin*) es fundamental para que la intercesión de ellos tenga respuesta (Mal. 3.16a). La palabra castellana "sinfonía" viene de este vocablo griego. No se trata de uniformidad (todos haciendo lo mismo), unanimidad (todos sintiendo lo mismo), unicidad (todos siendo exclusivistas), sino de unidad (todos participando de lo mismo), tal como Jesús mismo oró o intercedió (Jn. 17.21). Y esta participación común tiene que ser en la misión de proclamación del evangelio del reino.

Reunión y presencia (v. 20). Este es el resultado de la oración de intercesión. Los creyentes han recibido del Señor la promesa de su presencia real toda vez que se reúnen en su nombre. Esta es la Carta Magna o Constitución de la iglesia, y expresa dos verdades fundamentales. Primero, la realidad de la presencia del Señor con los suyos dondequiera que sea rompe con la idea de un lugar determinado para el encuentro de adoración con Dios. El lugar de adoración no es un templo, una catedral o una capilla, sino allí donde los creyentes se congregan en su nombre; así como la iglesia no es un edificio, sino la asamblea de los discípulos del Señor. Segundo, la reunión de los creyentes en el Espíritu de Cristo y en el nombre del Señor (gr. *eis to emon ónoma*) pone de manifiesto la realidad de que ellos son discípulos suyos.

Deben ser fieles (19.1-12)

Todo este pasaje discute la cuestión de la fidelidad. Los vv. 1-11 presentan la cuestión del divorcio, es decir, la ruptura de la fidelidad entre los esposos. Este es un pasaje difícil de interpretar. El v. 12 presenta un caso singular de fidelidad extrema al reino de los cielos, como es el de los que no se casan para dedicarse con mayor consagración a la tarea del reino.

La pregunta de los fariseos y la respuesta de Jesús (vv. 3-6). Los fariseos querían plantear a Jesús un dilema (v. 3). Su motivación era siniestra, porque querían "ponerlo a prueba" (gr. *peirázontes*, tentarlo). Quizás es por esto que la pregunta específica de los fariseos no es contestada inmediatamente. De todos modos, la cuestión del divorcio era un problema de todos los días también en aquellos tiempos y era tema de debate. De hecho, había dos escuelas rabínicas que tenían opiniones diferentes sobre el tema, especialmente sobre la interpretación de Deuteronomio 24.1. La escuela de Hillel, más liberal y popular, sostenía que Moisés permitió el divorcio sobre la base de la incompatibilidad de temperamento o la menor excusa, por cierto, en contra de la mujer. La escuela de Shammai, más estricta y menos popular, sostenía que había una sola causa para el divorcio y era la infidelidad.

La respuesta de Jesús es una pregunta (vv. 4-6). La contestación de Jesús es: "Si quieren decir 'por alguna causa válida,' mi respuesta es sí; si quieren decir 'por cualquier causa,' mi respuesta es no." Jesús les recuerda la verdad de que el propósito de la creación de los dos sexos fue la solidaridad, la continuidad y la felicidad de la raza humana y, que para lograr esto, el matrimonio debía tener como su fundamento la unión física (completa) del hombre y la mujer. Toda cosa que impida esto va en contra del plan de Dios. De esta manera, el argumento de Jesús se funda en el diseño divino original para la relación entre el hombre y la mujer en el marco del matrimonio. Con esto, Jesús va más allá de Hillel y Shammai, e incluso más allá de Moisés, y se remonta a la voluntad original del Creador ("en el principio"). Todo lo que se dijo desde entonces son meras opiniones humanas. El propósito divino para el ser humano fue: un hombre y una mujer unidos por Dios para siempre.

La objeción de los fariseos y la respuesta de Jesús (vv. 7-9). Entonces, los fariseos sacan otra pregunta (v. 7), que es más bien una objeción formulada en los términos de su propia disputa. Su pregunta apuntaba a saber por qué razón Moisés había ordenado lo que ordenó; cuáles eran los fundamentos de tal permiso. El "certificado de divorcio" (gr. *biblíon*) era un rollo de papiro o un documento de pergamino, que le garantizaba a la mujer repudiada cierta protección, pero le imponía restricciones a su conducta en relación con otros hombres. De hecho, la mujer no podía solicitar el divorcio.

La respuesta de Jesús se formula con una referencia histórica importante (vv. 8-9). En v. 8, Jesús dice que Moisés estaba en el propósito divino como Legislador, pero que fue por la pecaminosidad del ser humano que permitió el divorcio. La expresión que usó fue, literalmente, "por la dureza de su corazón" (gr. *pros tēn scklērokardían humōn*). La figura es la de un corazón seco (gr. *sklērós*), duro y obstinado. Pero Jesús apunta al ideal divino y permanente que viene desde "el principio" (gr. *ap' arhēs*). La voluntad original de Dios es unión y no separación, y esto no ha perdido su vigencia a pesar de las concesiones que él mismo permitió en razón de la obstinación humana. De modo que, el mandato original sigue en pie y nunca fue abrogado o superado. Con esto, Jesús se coloca muy por arriba del debate mezquino y sectario de los fariseos.

Además, Jesús asume la posición más conservadora al colocar una cláusula de excepción ("excepto en caso de infidelidad conyugal," gr. *mē epi porneíai*; ver 5.32), que puede ser fornicación o adulterio. Sólo Mateo registra esta cláusula de excepción, razón por la cual algunos eruditos la consideran una adición posterior, ya que no concuerda con el espíritu del contexto. Por otro lado, hay que distinguir entre casamiento (contrato humano y legal) y matrimonio (compromiso moral y de amor). No todos los casados están unidos por Dios (v. 6), pero un matrimonio ligado por amor y fortalecido por la fidelidad cumple con la voluntad original de Dios para el hombre y la mujer, y no va a tener motivos para divorciarse. De todos modos, Jesús aquí no está dando una ley, sino destacando cuál es el ideal divino de la relación matrimonial, es decir, un hombre y una mujer unidos por él en amor y para siempre. No obstante, él también reconoce que el hombre y la mujer siguen siendo las mismas criaturas caídas.

La opinión de los discípulos y la respuesta de Jesús (vv. 10-12). Como se ve, Jesús creía llegado el momento de aplicar el ideal del Génesis en materia de indisolubilidad matrimonial con toda su exigencia, tal como Dios soñó el matrimonio desde el principio. Los discípulos se dieron cuenta de este radicalismo y por eso se mostraron extrañados (v. 10). El ideal de Jesús estaba muy lejos de las opiniones de los fariseos, pero parecía ser demasiado alto para sus discípulos. La conclusión de ellos es que era "mejor no casarse" o, por lo menos, no convenía hacerlo.

La respuesta de Jesús debe haberles parecido extraña o por lo menos incomprensible (vv. 11-12). Según Jesús, Dios había tolerado hasta entonces el divorcio, teniendo en cuenta la dureza del corazón humano, pero ahora las personas contaban con un don extraordinario, gracias al cual podían intentar hacer realidad la utopía del Génesis (Gn. 2.24). Antes que esto, era necesario que utilizaran este don para "entender" la voluntad original de Dios ("sólo aquellos a quienes se les ha concedido entenderlo"). La expresión verbal "se les ha concedido" traduce el verbo gr. *dídōmi*, que es el mismo que se usa para referirse a los dones del Espíritu Santo (1 Co. 12.7-8; Stg. 1.5; 2 P. 3.15). Pablo, escribiendo a los corintios sobre el divorcio, les dirá enfáticamente que ésta y no otra es la enseñanza de Jesús (1 Co. 7.10-11). Está claro que para Jesús era necesario en la nueva ley tender seriamente al ideal matrimonial anticipado en el Génesis, según el cual el hombre y la mujer ya no son dos, sino un solo ser definitivamente.

Hoy, algunos intérpretes están por el divorcio sin más ni más. No obstante, el ideal del matrimonio monogámico permanente parece ser, sin duda, el principio que Jesús enseñó. Esta idea todavía apela a los sentimientos éticos más altos de nuestro tiempo. ¿Por qué la necesidad de normas detalladas para promover mejor el ideal? ¿Cuál es el menor de los males cuando este ideal ha sido violado y hecho imposible? Estas son preguntas que deben ser respondidas por la conciencia moral, la experiencia y el juicio práctico del presente.

Deben ser consagrados (19.12)

En el v. 10, los discípulos expresan la voz del perfeccionista o del asceta radical, pero Jesús les contesta con el v. 12 diciendo que el permanecer soltero también tiene su condición.

Ascetismo no es consagración. El ascetismo de los monjes y el celibato impuesto a los sacerdotes católicos romanos no es una solución para el problema del divorcio y mucho menos para sus posibles causantes (la fornicación y el adulterio). Todo lo contrario. En todo caso, la decisión de permanecer célibe tiene que ser tomada con libertad y por un motivo superior, como puede ser el reino de los cielos. De las tres posibilidades que menciona Jesús en el v. 12, esta última es la que él aprueba. Las otras dos están fuera del ejercicio responsable de la voluntad humana ("nacieron así" y "los hicieron así"). No obstante, más importante que el celibato (no unirse en matrimonio) es la consagración del discípulo que el mismo debe expresar. Así y todo, según Jesús, la decisión de no unirse en matrimonio como expresión de consagración es sólo para alguien que puede permanecer célibe. Sólo en este caso Jesús admite que lo haga. El apóstol Pablo va a agregar que lo haga, pero sólo si tiene el don de la gracia divina para ello (ver 1 Co. 7.7-9).

Castración no es consagración. La admonición de Jesús ha sido malinterpretada a lo largo de los siglos, al punto que muchos fieles creyentes se han castrado como expresión de su consagración al reino de Dios. La castración es una práctica que se inscribe en el marco más amplio de la esterilización, que es todo acto que tiende a producir en el hombre o la mujer una situación de esterilidad provocada libremente. Se llama castración si la esterilidad se obtiene amputando quirúrgicamente las glándulas genitales. La castración es una práctica antigua. El vocablo viene del sánscrito *ssastram* (cuchillo) y *ssasati* (cortar), y designa una operación que consiste esencialmente en suprimir los órganos genitales (testículos en el hombre y ovarios en la mujer). En la Biblia, el castrado o eunuco es un ser menguado, porque según el sentir de los antiguos, no solamente ha perdido la capacidad de reproducirse, sino también la energía y el vigor propio del hombre. La castración por motivos ascéticos aparece en los primeros siglos del cristianismo, cuando algunos la practicaron interpretando al pie de la letra la frase del v. 12. Así lo hicieron cristianos famosos como Orígenes de Alejandría, Abelardo y los *skoptzi* de Rusia y Rumania en el siglo XVIII. En la Biblia, se condena la castración del tipo que sea contra seres humanos y animales (Dt. 23.1; Lv. 22.24).

Deben ser generosos (19.16-30)

Los vv. 16-30 presentan la historia del joven rico y la enseñanza sobre el costo del discipulado. Este pasaje sobre el joven rico y la recompensa de los discípulos en Mateo presenta pequeñas, pero significativas diferencias con Marcos y Lucas. Este pasaje está en el mismo sentido que los anteriores.

La pesquisa del joven (vv. 16-24). El joven empezó mal su pesquisa sobre cómo tener vida eterna. Preguntó "¿Qué de bueno tengo que hacer?" en lugar de preguntar "¿Cómo debo ser?" es decir, ser obediente a la voluntad de Dios. En su respuesta, Jesús subraya esto y cambia el enfoque ético del joven del hacer al ser. En el v. 17 en vez de "¿Por qué me llamas bueno?" (RVR) algunos traducen "¿Por qué me preguntas sobre lo que es bueno?" (NVI; gr. *peri tou agathou*). En realidad, el joven tenía una idea bastante clara de lo que era bueno. Por lo menos, era capaz de asociar lo bueno con la vida eterna. No obstante, parece evidente que para él lo bueno consistía en cumplir con cuanto mandamiento existiera. La pregunta de este joven ("¿Cuáles?" v. 18) revela que quería asegurarse de tener la lista completa y no olvidarse de cumplir alguno, o que temía que hubiera algún mandamiento conocido que él no había cumplido.

Jesús está tratando de enfrentar al hombre con la realidad de la imposibilidad de cumplir todos los mandamientos mediante el esfuerzo humano o con las mejores intenciones. Nuevamente, su énfasis está en ser una persona buena más que en hacer cosas buenas. Marcos enfatiza los seis últimos mandamientos del Decálogo, es decir, la segunda tabla de la Ley. Mateo omite "no adulteres" y agrega "ama a tu prójimo como a ti mismo." Con esto, Jesús confronta al joven con su verdadero problema. Él había cumplido con todos los mandamientos, menos el más importante, que era amar al prójimo. Jesús le plantea esta necesidad y lo hace de la manera más radical posible para este hombre: "Vende lo que tienes y dáselo a los pobres." En otras palabras, el joven tenía que poner su dinero en las manos de Dios y administrarlo conforme a su voluntad, como expresión de amor al prójimo. "Ser perfecto" en v. 21 (gr. *téleios*, completo, perfecto, íntegro; maduro, bien desarrollado) no es ser mejor que otra persona, sino lograr la meta propuesta por Dios. Lamentablemente, esta persona descubrió que el poder de sus bienes era mayor que el de su deseo de cumplir con todos los mandamientos y ganar la vida eterna. En verdad, estaba más interesado en "tener muchas riquezas" en la tierra, que en tener "tesoro en el cielo." Y el seguir a Jesús dejándolo todo no parecía ser tan "bueno" como seguir con su religión de cumplimiento puntilloso de algunos mandamientos. Por eso, al oír el mensaje de Jesús "se fue triste." Quizás este no fue el fin del joven rico, pero sí es el final de este relato. El v. 24 no figura en los mejores manuscritos y probablemente es una glosa o interpretación marginal.

El desconcierto de los discípulos (vv. 25-26). Los judíos creían que la posesión de riquezas era una prueba del favor divino, y probablemente los discípulos compartían esta misma idea. Pero Jesús dice lo contrario (vv. 23-24), y de allí la pregunta de los discípulos en el v. 25, que "quedaron desconcertados" (gr. *exeplēssonto*), es decir, en shock o aturdidos. Jesús vio el desconcierto de ellos ("mirándolos fijamente," gr. *emblépsas*) y, frente a la pregunta de ellos ("¿Quién podrá salvarse?"), les contesta: "Humanamente, nadie." La salvación es algo totalmente imposible para los seres humanos, pero "para Dios todo es posible." Precisamente, la demostración más grande del poder de Dios es la salvación de los seres humanos pecadores (Ro. 1.16). Si no fuera por el poder de Dios, nadie podría salvarse.

El exabrupto de Pedro (vv. 27-30). Pedro asume una actitud egoísta en el v. 27 y hace una pregunta mercenaria: "¿Y qué ganamos con eso?" En el v. 28 Jesús contesta, pero no con un reto, sino que dice que, aunque tendrán cierta supremacía y recompensa, también habrá otros que gozarán de la vida eterna. Los últimos en entrar al reino recibirán la misma recompensa que los primeros (v. 29). En realidad, la mayor recompensa es la vida eterna, que es para todos por igual. Jesús ilustra esto con la parábola que sigue: la de los jornaleros en la viña (20.1-16).

Deben ser siervos (20.20-28)

La petición de una madre es el hecho que Mateo registra en 20.20-28. Se trató de la madre de Jacobo y Juan, los hijos de Zebedeo, que muy probablemente, junto con otras mujeres, acompañaba a Jesús en sus viajes. Es probable que lo que tenía en mente era lo que Jesús dijo en cuanto a que sus discípulos se sentarían "en doce tronos para gobernar a las doce tribus de Israel" (19.28) y quería un *upgrade* para sus hijos. Esta mujer sería Salomé, quizás una hermana de María, la madre de Jesús (Jn. 19.25). Si es así, lo que ella quería era aprovecharse de la relación de parentesco para obtener algún privilegio en el reino inaugurado por Jesús.

La necedad de Jacobo y Juan (vv. 20-21). Estos versículos presentan la ambición y necedad de Jacobo y de Juan. Según Mateo, su inmadurez fue doble: primero, porque no entendieron la naturaleza del reino de Dios; y, segundo, porque infantilmente recurrieron a su madre para gestionar por ellos su deseo. Frente a la inmadurez de estos discípulos y su pedido absurdo, Jesús responde con una gran paciencia. En Mateo la que pide es la madre; en Marcos (10.35) son Juan y Jacobo. La versión de Marcos es más correcta porque el pedido vino de los apóstoles, dado que luego los diez se enojaron contra ellos (v. 24). A pesar de la arbitrariedad del pedido de los hijos de Zebedeo, Jesús pregunta con amor: "¿Qué quieres?" Así nos trata siempre el Señor. Aun cuando estamos equivocados, él espera siempre lo mejor de nosotros y está dispuesto a respondernos. Jesús no repudia el pedido de sus discípulos, sino que lo corrige. Lo bueno de su pedido es que estos hombres creían que el reino había venido con Jesús y que era su reino ("en tu reino"). Lo malo de su pedido es que tenían un concepto equivocado de lo que era el reino de Dios. Su idea, como la de los judíos en general, era de carácter material y nacional. Es por esto que estos hombres no tenían ni idea de lo que estaban pidiendo. Su ignorancia competía con su auto confianza, y esto empañaba sus ojos para no ver la naturaleza del reino y la necesidad de ser siervos.

La naturaleza del reino (v. 22). Hay dos cosas aquí: ellos no entendieron la verdadera naturaleza del reino y no se contentaron con la promesa de Jesús de una recompensa final. Se sentían tan confiados, que se creían capaces de poder sufrir vergüenza y persecución por su amor. La "copa" (gr. *to potērion*) era considerada generalmente como conteniendo un líquido amargo y doloroso (Is. 51.17; Jn. 18.11, "trago amargo"). La RVR, siguiendo el *Textus Receptus*, agrega: "¿y ser bautizados con el bautismo con que yo soy bautizado?" El "bautismo" (o "las aguas," Is. 43.2) era considerado como algo peligroso (Lc. 12.50). Las dos palabras juntas ("trago amargo" y "bautismo") significan "sufrimiento y peligro." A menudo se nos anima a "ser como Jesús." Aquí hay una manera en la que todo cristiano puede ser como él mediante el sufrimiento voluntario (2 Co. 1.5; Col. 1.24; Mt. 10.25). En realidad, fue así para los hijos de Zebedeo: Santiago o Jacobo fue martirizado por Herodes Agripa I en Jerusalén (Hch. 12.2) y Juan sirvió al Maestro y más tarde fue enviado a Patmos en exilio (Ap. 1.9). Además, Jesús anticipa a sus discípulos su propia participación comprometida en sus sufrimientos redentores en el cumplimiento de su misión. Así, pues, frente al sufrimiento, hay dos tipos de expectativas. Jacobo y Juan tuvieron en ese momento el tipo equivocado, por eso dijeron "Sí, podemos," es decir, "No nos preocupamos: el sufrimiento no nos alcanzará." Una actitud correcta hubiera sido: "No nos preocupamos: el sufrimiento puede llegar, pero con la ayuda del Señor lo venceremos" (2 R. 6.16).

La necesidad de ser siervos (vv. 23-28). Jesús deja una gran enseñanza (v. 23). El significado de este versículo es: "Ustedes no pueden ser líderes en mi reino simplemente viniendo a mí en privado para pedirme algún puesto encumbrado. Dios ya ha planeado hace mucho que los lugares de liderazgo son para gente de un cierto tipo." La indignación de los otros diez discípulos contra los dos hermanos (v. 24) prueba que ellos también pensaban del reino de manera equivocada y que estaban muy lejos de entender la necesidad de ser siervos. La ansiedad acerca del lugar en el reino era una evidencia del mal entendimiento de Juan y Jacobo (y también de los diez) del sentido en el que el término "grandeza" debía ser aplicado a la "gloriosa compañía de los apóstoles." En el reino el término "grande" es para los que, inspirados por el ejemplo de Jesús, se dan en el servicio a los demás.

Aquí (v. 23b), Jesús dice dos cosas. Primero, Jesús dice: "No me corresponde concederlo." Esto no significa que él pensaba de sí mismo como inferior o menor que Dios el Padre. Jesús era plenamente Dios. Pero mientras estaba en la tierra, él era obediente a su Padre celestial (Mr. 13.32; Jn. 12.50b). Segundo, Jesús dice: "Eso ya lo ha decidido mi Padre." Esto no significa que desde la eternidad Dios ya determinó que algunos de nosotros fuésemos buenos cristianos y que arbitrariamente mandó a otros al infierno (1 Ti. 2.4). Todos nosotros somos libres para escoger ser el tipo de personas que Jesús describe en los versículos que siguen (vv. 25-28), pero es cierto que no todos nosotros decidiremos serlo. En estos versículos, Jesús explica de qué tipo o cómo son los discípulos que ocuparán esos puestos.

Nótese que Jesús no condena el deseo de "hacerse grande," porque esta es una ambición legítima. Hay personas "grandes" (gr. *megáloi*) tanto entre los cristianos como los paganos. El problema es querer hacerse grande para gobernar sobre los demás ("oprimir a los súbditos," gr. *katakurieúousin*) o hacerse los dictadores ("abusar de autoridad," gr. *katexousiázousin*). Lamentablemente, las iglesias en América Latina están plagadas de líderes a quienes les encanta mandonear y comandar a la gente y abusar de ellos. Sin embargo, según Jesús, la verdadera grandeza es la de ser siervo (gr. *diákonos*) y la manera de ser el primero es ser esclavo (gr. *doūlos*) de los demás. Él mismo es el modelo por excelencia de lo que enseña (v. 28).

CAPÍTULO 16

SU ENSEÑANZA SOBRE CUESTIONES CONTROVERSIALES Y LAS COSAS VENIDERAS

22.15-46; 24.1-25, 29-51

A lo largo de su ministerio, como bien registra este Evangelio, Jesús sostuvo varias controversias, especialmente con aquellos que eran sus opositores. Muchos de sus discursos públicos fueron debates con los líderes religiosos de los judíos. Sobre todo, ellos se oponían a las pretensiones de Jesús, que sostenía ser el Mesías, el Hijo de Dios o el Hijo del hombre, todas expresiones de gran fuerza mesiánica y que sugerían la idea de divinidad. Pero también se oponían al reconocimiento que la gente hacía de su persona a la luz de sus sanidades y milagros, como que era el Hijo de David o un profeta enviado por Dios. Algunas enseñanzas y prácticas de Jesús herían principios, dogmas o valores que ellos estimaban como supremos, como su respeto del día sábado, su sometimiento a varias leyes ceremoniales o su cumplimiento puntilloso de las tradiciones de los ancianos.

Sobre todas las cosas, lo que exponían las controversias de Jesús con sus opositores era su religiosidad hipócrita, su religión formal y estéril, su piedad superficial, su corrupción moral y su decadencia espiritual. Ellos ponían todo su énfasis en *hacer* cosas para agradar a Dios, mientras Jesús señalaba que lo más importante era *ser* un tipo particular de personas, caracterizadas por su obediencia fiel a su voluntad revelada. Otro elemento que se destaca en la lectura de este Evangelio es que, mientras Jesús tenía una visión del reino de Dios, sus opositores no podían levantar la mirada de la mezquindad de sus intereses personales o de sus compromisos sectarios como fariseos, saduceos, herodianos o maestros de la Ley. Este mismo sectarismo es el que ponía en evidencia un tercer factor en las controversias que era el fanatismo, el fundamentalismo y el dogmatismo de sus posturas frente a la actitud de Jesús, que era mucho más reconciliadora, inclusiva, pluralista, tolerante y saturada de aceptación y amor. Una cuarta cuestión a tener en cuenta es que mientras sus opositores buscaban la controversia con el propósito de tenderle trampas a Jesús y ver si lograban enredarlo en el debate, Jesús procuraba evitar la discusión vana, que era una pérdida de tiempo y lo distraía de su misión. La vocación de Jesús era más de procurar la unidad que de provocar la división, de reconciliar más que separar, de reunir más que desparramar, de salvar más que condenar.

En cuanto a las últimas cosas, Jesús cumplió su ministerio como Profeta anunciando las cosas venideras en relación con su reino. Su intención no fue la de trazar un mapa del futuro ni de hacer escatología pop. Más bien su propósito fue alentar la esperanza de sus seguidores en su glorioso retorno y animarlos a trabajar por su reino con una actitud vigilante durante el tiempo de espera. Al respecto, Jesús no ofrece todos los detalles que uno quisiera conocer, pero sí da los suficientes como para no ser tomados desprevenidos en día del fin. Lejos de impresionar a sus seguidores con temor y angustia, su cuadro de lo que vendrá anima a actuar en su nombre haciendo todo lo posible con su poder y autoridad para lograr que todas las naciones reciban el testimonio de su evangelio.

SU ENSEÑANZA SOBRE CUESTIONES CONTROVERSIALES (22.15-46)

Como cristianos, hoy tenemos que hacer frente a infinidad de cuestiones que están en pleno debate en el escenario público. Si hay algo que caracteriza a la cultura posmoderna es su relativismo, en el cual los meta relatos han caducado en su autoridad y la multiplicidad de verdades toca todas las esferas de la realidad. En los días de Jesús había un número de cuestiones que también formaban parte de la agenda de discusión pública, y Jesús se vio involucrado en la discusión de las mismas. Considerar algunas de ellas a la luz del registro de Mateo puede ayudarnos a ver el método de Jesús de hacerles frente y responder conforme a los valores del reino de Dios.

La cuestión de los impuestos (22.15-22)

Los vv. 15-46 presentan una serie de preguntas, mayormente formuladas por los dirigentes judíos con toda la intención de tenderle trampas a Jesús. Las tres preguntas de los líderes judíos, según todo este pasaje, muestran la variedad de los oponentes de Jesús. Tres cosas se destacan: (1) estos hombres no conocían a Jesús; (2) no entendían los problemas que ellos mismos le planteaban a Jesús; (3) el Señor los conocía muy bien y dominaba los problemas que le plantearon.

El problema (vv. 15-17). En relación con la primera pregunta, que tenía que ver con el pago de los impuestos al César, encontramos una de las cuestiones "calientes" en la Palestina del primer siglo. En este caso, quienes abordaron a Jesús con este problema fueron algunos discípulos de los fariseos y los herodianos (partidarios de Herodes; Mr. 3.6). Es extraño que los fariseos y los herodianos se unieran contra Jesús, ya que eran de ideas completamente opuestas, especialmente en materia política, y justamente la pregunta de ellos era de carácter político. No obstante, los representantes de esta coalición no eran jugadores de primera. Por lo menos, del lado de los fariseos, los que confrontaron a Jesús fueron "algunos de sus discípulos" (gr. *tous mathētas autōn*), mientras sus maestros, que ya habían sido derrotados en el debate sobre el divorcio (19.3-9), estaban detrás de las bambalinas. Nótese la adulación falsa de estos improvisados ("eres un hombre íntegro," v. 16), que evidentemente no conocían a Jesús y su capacidad de anticipar sus maniobras (v. 18).

¿Cuál era su problema? Querían la opinión de Jesús sobre una cuestión legal: la obligación de todo judío de pagar impuestos al César (gr. *Kaísaros*). Lo legal en cuestión no era conforme a la legislación romana, sino a la luz de la ley hebrea. La sutileza de la pregunta está en el dilema en el que pretendían poner a Jesús. Si él respondía "Sí, está permitido," entonces, según ellos, él no podía ser el Mesías prometido, porque él jamás consentiría en poner a su pueblo bajo tal yugo. Si, por el contrario, él decía "No, no está permitido," entonces ellos podían acusarlo de sedición contra Roma y hacer que fuera arrestado.

La propuesta (vv. 18-20). La contestación a la pregunta debía ser sí o no. No había términos medios. Además, si decía que "sí," los herodianos estarían de acuerdo, pero los fariseos echarían a la opinión popular en contra de Jesús. Si decía que "no" los fariseos estarían de acuerdo, pero sería acusado de sedición por los herodianos, que eran "oficialistas." Pero Jesús los sorprende haciéndoles una propuesta, que los dejó asombrados (v. 22). Les dice que no se trata de dar tributo a César o no, sino de devolver a César lo que es de él. Por eso pide que se le muestre "la moneda para el impuesto." Nótese que Jesús no muestra una moneda suya, que quizás no tenía, sino que se las pide a ellos. La moneda en cuestión era un denario de plata romano con la imagen del emperador y su nombre acuñados en el anverso (*Tiberius Kaisaros*). No era una moneda judía, porque no hubiera tenido una imagen acuñada (Éx. 20.4; Dt. 4.15-16).

Muy hábilmente, Jesús les pregunta: "¿De quién son esta imagen y esta inscripción?" De esta manera, Jesús los fuerza a responder quién era el que había acuñado la moneda y, en consecuencia, quién era su dueño. En otras palabras, la moneda era un medio de pago que era propiedad del Estado romano, mientras que los impuestos eran el pago de los habitantes del Imperio Romano por los servicios prestados por el mismo. Los judíos, a través del pago de sus impuestos, devolvían a Roma (le daban o devolvían al César, gr. *apódote*) los servicios que ésta les prestaba (*Pax*: la paz romana; *Lex*: el derecho romano; *Via*: las carreteras y vías de comunicación romanas; *Rex*: el orden institucional y el gobierno; *Ars*: la arquitectura y el arte romanos).

El principio (vv. 21-22). En su respuesta a los aprendices de fariseos y los herodianos, Jesús plantea un principio fundamental. Por un lado, Jesús distingue de esta manera entre lo sagrado y lo secular. El cristiano es responsable delante de Dios por ser ciudadano de ambas esferas. Por otro lado, Jesús reconoce el papel del Estado y las obligaciones hacia el mismo.

Él no es anarquista ni pretende aislar a sus seguidores del mundo y sus compromisos. Sin embargo, su reino no es de este mundo y está por sobre cualquier reino de este mundo. Los cristianos debemos estar en el mundo y cumplir con nuestras obligaciones ciudadanas, pero teniendo bien en claro que somos ciudadanos de un reino que está más allá de la historia y del lugar en el que habitamos.

La pregunta sobre la resurrección (22.23-33)

En este caso y en "ese mismo día," quienes se presentaron para presionar a Jesús y desarticular su autoridad fueron los saduceos, "que decían que no hay resurrección." Más específicamente, la pregunta de los saduceos tenía que ver con el matrimonio después de la resurrección, que para ellos era una fantasía teológica. Eran racionalistas en materia religiosa y también negaban la existencia de los ángeles y los espíritus (o demonios), es decir, se oponían a todo lo que les parecía ser sobrenatural.

El planteo (vv. 23-28). Los tres Sinópticos dicen que, seguido a la cuestión de los impuestos al César, los saduceos siguieron preguntando, pero sólo Mateo distingue que fue en "ese mismo día" (v. 23). El propósito de los saduceos era el de desacreditar a Jesús como teólogo (vv. 24-33). Comenzaron haciendo una cita rimbombante de un mandamiento específico dado por Moisés, conocido como la Ley del Levirato (Dt. 25.5-6; ver Gn. 38.8). Acto seguido, y como buenos abogados, plantearon un caso, que evidentemente no era real, sino una exageración inventada por ellos, y totalmente absurda y grotesca. Probablemente este mismo era el argumento que utilizaban en sus debates con los fariseos, que sí creían en la resurrección. Nótese el sarcasmo e ironía de la argumentación de ellos, que parecían estar muy seguros de ridiculizar toda creencia en la resurrección, que Jesús predicaba.

El principio (vv. 29-32). Al planteo de ellos, Jesús contesta señalando el principio de Dios, primero, en relación con el matrimonio entre un hombre y una mujer y, segundo, en relación con la resurrección de los muertos.

En relación con el matrimonio (vv. 29-30). Jesús denuncia el planteo de los saduceos diciendo que el mismo no es escritural, y, por lo tanto, ellos están equivocados, porque no es correcto circunscribir el poder de Dios. La respuesta de Jesús está fundada en el propósito original de Dios en el acto mismo de la creación del ser humano (Gn. 1.27-28). En el Edén hubo matrimonio, pero no casamiento; hubo unión matrimonial, pero no contrato matrimonial. De igual manera, en el cielo no existe el casamiento como contrato matrimonial, porque no habrá Ley. La obediencia a la voluntad de Dios será perfecta, es decir, será como la de los ángeles ("serán como los ángeles"). Que no haya casamiento en el cielo no quiere decir que no haya unión matrimonial, pues éste fue el propósito original de Dios en la creación, propósito que se frustró con el pecado humano, que hizo necesaria la ley del casamiento para evitar abusos (igual que con la ley del divorcio). En el contexto del mundo pecador, hombres y mujeres son unidos temporalmente por el rigor de la ley; en el contexto del reino de Dios, hombres y mujeres son unidos para siempre por el amor de Dios.

En relación con la resurrección de los muertos (vv. 31-32). Jesús vuelve a remitirse a las Escrituras, que evidentemente ellos desconocían. Para ellos el Pentateuco era la parte más importante de la Escritura y pensaban que Moisés no creía en la vida futura, es decir, negaban la resurrección y la vida eterna. Los fariseos creían en la resurrección y en la vida eterna, pero consideraban que en la vida futura no iba a haber matrimonio, porque al no haber muerte, la reproducción ya no sería necesaria. Jesús responde que todas estas ideas eran el resultado de una doble ignorancia: de las Escrituras y del poder de Dios (v. 29). Sobre todo, Jesús repite un credo oficial, que los saduceos aceptaban sin discusión: "Yo soy el Dios de Abraham, de Isaac y de Jacob" (Éx. 3.6). Pero utiliza la sentencia para demostrar su punto: que Dios "no es Dios de muertos, sino de vivos," con lo cual queda probada la resurrección de los muertos, desde la teología hebrea más ortodoxa. No es extraño que al oír esto, la gente se admirara de su doctrina (v. 33).

El interrogante sobre el mandamiento más importante (22.34-40)

Ante el fracaso de los aprendices de fariseos y herodianos (v. 22), y el más reciente de los saduceos (v. 33), a quienes dejó mudos, los fariseos "se reunieron" para tramar una estrategia más contundente y tenderle una trampa definitiva. En este caso, eligieron como su "campeón" a uno de su secta, que presumía de ser un "experto en la ley." El tema obvio para la trampa no podía ser otro que algo relacionado con la Ley de los judíos, es decir, ¿cuál es el mandamiento más importante de la ley?"

El mandamiento más importante (vv. 34-36). Parece ser que los fariseos también se sorprendieron de cómo Jesús dejó mudos a los escribas (v. 34), pero volvieron al ataque con la pregunta sobre el gran mandamiento o el mandamiento más importante de la Ley (vv. 35-36). La pregunta de ellos era un examen teológico, en la esperanza de que Jesús diera una respuesta no ortodoxa y así poder acusarlo de blasfemia. En Marcos (12.28-31), el énfasis no está en la respuesta de Jesús como en Mateo, sino en la aprobación del escriba o maestro de la ley. Lucas es casi totalmente distinto. Mateo sólo sugiere que el "experto en la ley, le tendió una trampa." No obstante, desde un punto de vista técnico, la pregunta del experto en la Ley tenía cierto sentido. Debe tenerse en cuenta que había 248 preceptos afirmativos, según los maestros de la Ley, tantos como las diferentes partes del cuerpo humano; y 365 preceptos negativos, tantos como los días del año, con lo cual había 613 mandamientos, o sea, el total de las letras hebreas del Decálogo.

En su respuesta, Jesús atraviesa esta maraña de regulaciones y se enfoca en el corazón del problema. La simpleza y contundencia de la respuesta de Jesús deja en claro que hay dos dimensiones éticas y espirituales que no se pueden separar: la vertical (el amor a Dios) y la horizontal (el amor al prójimo). Según Jesús, se puede resumir toda la Escritura en el acatamiento a estas dos dimensiones (v. 40).

> **Martín Lutero:** "Complacemos a Cristo dedicando nuestra vida entera con toda la diligencia posible solamente al servicio de nuestro prójimo. Abajo, abajo, dice Cristo; me encontrarás entre los pobres. Estás subiendo demasiado alto si no me buscas allí. Por eso, este alto mandamiento de amor debe ser escrito sobre las frentes de los pobres con letras de oro para que veamos y comprendamos qué cerca de nosotros está Cristo en la tierra."[1]

---

1. Citado en Deiros, ed., *Biblia Nueva Reforma*, 1512.

El mandato cultural (vv. 37-40). En misiología, hoy se denomina así al mandato de Jesús de preocuparse por la situación del prójimo. Se trata de la misión y ministerio de la iglesia según se expresa en su preocupación y compromiso social. Tiene que ver con la responsabilidad social cristiana. El mandato cultural está expresado en la bendición del Antiguo Testamento con la demanda que la acompaña (Gn. 1.28). Dominio no significa una dominación arbitraria, sino una mayordomía responsable de la creación. La humanidad es responsable delante de Dios por la administración de la creación, la cosecha de sus frutos y la preservación de sus criaturas y hábitat. La expresión del mandato cultural en el Nuevo Testamento se encuentra en las palaras de Jesús en respuesta a la pregunta de los fariseos sobre cuál es el gran mandamiento en la Ley.

El debate sobre el Cristo (22.41-46)

La cuarta serie de preguntas (vv. 41-46) es dada por Jesús mismo a los fariseos. Las preguntas de Jesús no tuvieron una respuesta adecuada (v. 46). Ellos tenían un concepto equivocado del Mesías y por eso no lo vieron en Jesús, quien declaró ser el Hijo de David, el Hijo de Dios y el único Señor. Para nosotros hoy, estas palabras de Jesús pueden parecernos como las más oscuras que él haya pronunciado jamás. Puede ser así, pero también es una de las declaraciones más importantes que él haya hecho. Si bien a primera vista no podemos aprehender todo su significado, no obstante, podemos ver la aureola de misterio y trascendencia que está en torno a ella. Leyendo los Evangelios uno puede descubrir cómo, una y otra vez, Jesús se rehusó a permitir que sus seguidores lo proclamaran como el Mesías hasta que les hubiera enseñado todo lo que el mesianismo suyo significaba. Las ideas que los discípulos tenían sobre el Mesías necesitaban de un cambio radical.

El título más común del Mesías era Hijo de David. Detrás de esto estaba la esperanza de que algún día vendría un príncipe descendiente de David, que haría pedazos a los enemigos de Israel, y conduciría al pueblo a la conquista de todas las naciones. Se pensaba del Mesías en términos nacionalistas, políticos y militares, con notas de poder y gran gloria. Estas palabras son otro intento, por parte de Jesús, de cambiar este concepto y expectativa, que sus propios discípulos parecían tener.

La pregunta de Jesús (vv. 41-45). Jesús les preguntó a los fariseos qué pensaban sobre el Mesías ("el Cristo," gr. *tou Jristoū*) y de quién sería hijo. Ellos respondieron, como Jesús sabía que lo harían, diciendo: "De David." Jesús, entonces, les citó el Salmo 110.1, que, según él asumía se refiere al Mesías: "Dijo el Señor a mi Señor: 'Siéntate a mi derecha, hasta que ponga a tus enemigos debajo de tus pies.'" Todos aceptaban a este versículo como mesiánico. El primer Señor es Dios, mientras que el segundo Señor es el Mesías. Pero, si el Mesías es hijo de David ¿cómo es que David llama Señor a su propio hijo?

El resultado claro del argumento es que no corresponde llamar hijo de David al Mesías. Él no es el hijo de David, sino que él es el Señor de David. Cuando Jesús curó a los dos ciegos de Jericó, estos lo llamaron "Hijo de David" (20.30). Cuando entró en Jerusalén, la multitud lo vitoreó como el Hijo de David (21.9). Jesús aquí está diciendo: "No es suficiente llamar al Mesías Hijo de David. No es suficiente pensar en él como un príncipe descendiente de David, un conquistador terrenal y un líder de ejércitos humanos. Ustedes deben ir más allá de esto en su comprensión del Mesías, porque él es el Señor de David."

¿Qué quiso decir Jesús con esto? Hay una sola cosa que él pudo significar, y es que la única descripción verdadera de él es como Hijo de Dios. El título tradicional de Hijo de David no es una expresión adecuada o de alcance mayor. Sólo Hijo de Dios puede serlo. Y, si esto es así, el mesianismo de Jesús no debe ser pensado en términos de una conquista davídica o un determinado proyecto histórico, sino en términos de un amor divino y sacrificial por toda la humanidad. Es en este punto donde Jesús hace su reclamo esencial. En él se cumplió la promesa de un Mesías, no de un gestor militar o político, que repetiría los grandes triunfos militares de David, sino del Hijo de Dios que demostraría el amor de Dios sobre su cruz.

El silencio de los fariseos (v. 46). Con estos argumentos, Jesús está apuntando al misterio de su Persona (su condición de ser totalmente divino y totalmente humano). Probablemente, los fariseos jamás se habían planteado antes esta posibilidad, y por eso no pudieron responder. Seguramente hubo pocos en aquel día que pudieron entender algo de lo mucho que Jesús quiso significar con sus palabras. Pero cuando Jesús lo dijo, aun los más duros de entender se estremecieron frente a la presencia del misterio eterno. Tuvieron el temeroso e incómodo sentimiento de que habían escuchado la voz de Dios y, por un momento, en ese hombre Jesús, pudieron contemplar el mismo rostro de Dios. Ahora, la pregunta de Jesús ("¿Qué piensan ustedes del Cristo?") cruza las barreras de los siglos y llega a nosotros hoy con la misma demanda de respuesta. Esta pregunta es para nosotros también y de la respuesta que demos a ella depende nuestra respuesta a otra pregunta fundamental, que es: ¿Qué vamos a hacer con Cristo?

SU ENSEÑANZA SOBRE LAS COSAS VENIDERAS (24.1-25, 29-51)

Estos versículos son los de más difícil interpretación en todo este Evangelio, y la diversidad de opiniones es asombrosa. Nuestra actitud hacia esta profecía del Señor debe estar determinada por nuestra actitud hacia las profecías del Antiguo Testamento. Respecto a esto, hay al menos tres posturas. Primero, están aquellos que señalan que en ellas tenemos registros auténticos de lo que los profetas enseñaron, pero que es posible observar imprecisiones, ya que anticiparon cosas que jamás habían ocurrido antes. Esto pone en cuestión el concepto de inspiración divina de las Escrituras. Segundo, están aquellos que consideran que las profecías no tenían que ver con un cumplimiento histórico literal en el viejo Israel, y que ahora deben aplicarse a cuestiones espirituales, que encuentran su cumplimiento en la historia de la iglesia cristiana. Esta es la actitud más popular hacia las profecías del Antiguo Testamento, pero esto no significa que sea la interpretación correcta. Además, este concepto no es de aplicación universal y causa confusión al tener que decidir si una profecía es literal o es espiritual. Tercero, están aquellos que afirman que todo lo que los profetas dijeron respecto a Israel y que todavía no se ha cumplido, se cumplirá literalmente en los días por venir. Esta es la actitud de aquellos que creen que no hay palabra en los escritos antiguos que no se vaya a cumplir y que no tenemos derecho a minimizar el significado de las declaraciones proféticas espiritualizándolas o vaciándolas de sentido.

En el comentario de este capítulo de Mateo vamos a aplicar el tercer criterio: la profecía de Jesús es literal y los eventos que anuncia son de cumplimiento histórico inexorable. Esto significa, por un lado, que Dios no ha abandonado del todo a Israel, pero, como claramente enseña Pablo, Dios ha corrido a este pueblo infiel del centro de su misión redentora en el mundo y ha colocado allí a la iglesia, el Nuevo Israel. No obstante, el pueblo de Israel será restaurado, pero en Cristo. Por otro lado, el Señor apunta a la responsabilidad presente de la iglesia; y, finalmente, considera el juicio final de las naciones.

Señales del fin del mundo (24.1-22)

Este capítulo da comienzo al largo quinto discurso de Jesús (24.1—26.2), que está dirigido a los discípulos. En él trata del fin del mundo y los acontecimientos futuros, y hace un resumen general de las últimas cosas que habrán de ocurrir hasta el fin del mundo. El pasaje tiene dos propósitos: enseñarnos que Jesús viene otra vez y que aunque se demore hay que estar listo para cuando él venga. La parte más larga del discurso (24.2-44) es una repetición de Marcos 13. La enseñanza de este pasaje es que el mundo, como está constituido ahora, llegará a un fin catastrófico, posiblemente poco después de escrito este Evangelio, según el evangelista. ¿Cuáles son estas señales?

La destrucción del templo (vv. 1-3). No es necesario detenerse mucho en los primeros tres versículos, en los que vemos los prolegómenos del discurso de Jesús y la ocasión en que lo presentó. Todos los discursos desde 21.23 habían sido pronunciados en el atrio del templo. Pero ahora Jesús decide salir de allí, después de su poderosa denuncia de los maestros de la ley y los fariseos (capítulo 23). Con esto, Jesús pone fin a su enseñanza pública. Totalmente fuera de sintonía con las emociones de su Maestro, los discípulos se acercan a él como turistas sorprendidos por la maravilla arquitectónica del templo de mármol blanco construido por Herodes el Grande, y que todavía no estaba terminado (Jn. 2.20). Jesús aprovecha la oportunidad para lanzar su primera profecía dramática: "No quedará piedra sobre piedra." En contraste con la impresión positiva de sus discípulos, Jesús les profetiza la destrucción total de ese edificio, que se había convertido en un ídolo para los judíos ("todo será destruido"). Así, pues, en los vv. 1-3, Jesús abre su discurso con una pregunta ("¿Ven todo esto?"), y luego afirma ("les aseguro") una profecía que apunta directamente al templo. La pregunta de Jesús (v. 2) y de los discípulos en el v. 3 son las disparadoras del discurso escatológico. Lejos de considerar esta catástrofe con satisfacción (v. 2), Jesús la contempla con dolor. En el v. 3. Mateo es más explícito que Marcos (13.4) al mencionar "tu venida" y "el fin del mundo." "Venida" (gr. *parousía*) se refiere a la visita de un monarca y aparece sólo en este capítulo (vv. 3, 27, 37, 39).

Saliendo del atrio del templo en dirección al este y cruzando el arroyo de Cedrón estaba el monte de los Olivos. Allí se dirigió Jesús con sus discípulos, quienes le plantearon los interrogantes más específicos que Jesús responde en este discurso: el tiempo de la destrucción del templo ("cuándo sucederá eso"); "la señal de su venida" (gr. *parousia*) y la señal "del fin del mundo" (gr. *sunteleías toū aiōnos*). Da la impresión como que los discípulos se asustaron, quizás porque pensaron que todo esto iba a ocurrir de inmediato y al mismo tiempo. Sin embargo, Jesús parece profetizar la destrucción del templo, que efectivamente ocurrió en el año 70, como símbolo o señal de su venida y del fin del mundo, que ocurrirían más tarde.

Jesús compartió el punto de vista de la historia que casi todos los judíos aceptaban y que llamamos escatológico. Jesús rechaza todo conocimiento específico del esquema exacto de los eventos que precederán el fin. Así, él acepta el punto de vista judío del mundo escatológico, pero sólo lo usa como un estímulo al esfuerzo moral y espiritual por parte de sus discípulos. El mundo está yendo hacia la crisis y el desastre, razón por la cual hay que velar y trabajar. El pasaje de los vv. 1-35 presenta una profecía detallada de su venida y del fin del mundo.

Los falsos Cristos (vv. 4-8). Los vv. 4-8, junto con vv. 15-22 y vv. 29-31, frecuentemente son llamados el "pequeño apocalipsis." Algunos de estos versículos pueden venir de una profecía dada allá por el año 40 d.C., cuando tanto judíos como cristianos temían que Calígula profanara el templo colocando allí una estatua suya. Los vv. 4-8 presentan las primeras señales del fin. La advertencia del v. 4 ("que nadie los engañe," gr. *hūmās planēsēi*) se debe al deseo que los cristianos tenían de ver "uno de los días del Hijo del hombre" (Lc. 17.22), y corre a lo largo de todo el discurso. La escatología ha sido una de las enseñanzas que más se han prestado al engaño por parte de maestros inescrupulosos, que han inventado todo tipo de esquemas para ganar poder sobre los creyentes (escatología pop o de ciencia ficción). Las palabras de Jesús en v. 5 probablemente fueron agregadas por el evangelista, pero señalan a uno de los problemas más serios que el cristianismo ha confrontado a través de los siglos, como es el surgimiento de falsos Cristos, que temerariamente predican, enseñan y actúan "en mi nombre" (gr. *epi tōi onómatí mou*).

Desde la perspectiva de Mateo (v. 6), no importa cuán terrible haya sido la guerra de los judíos contra los romanos, el fin todavía no había llegado. El lenguaje en este versículo es típicamente escatológico (2 Ts. 2.2). Dos cosas a notar aquí. Primero, todas las catástrofes tan temidas y que causan alarma son mayormente "rumores" destinados a producir precisamente eso, alarma. Segundo, Jesús es bien claro en señalar que, aun produciéndose estas tragedias, "no será todavía el fin" (gr. *all' oúpō estin to télos*). Los "dolores" del v. 8 son dolores de parto. La expresión es la misma que los judíos aplicaban al Mesías. Pero también puede referirse a los dolores previos a la muerte (Sal. 18.5; Hch. 2.24). Y Jesús dice que esta angustia es apenas el comienzo del proceso que lleva al fin.

La persecución y apostasía de los creyentes (vv. 9-12). El pasaje de los vv. 9-14 habla de persecución (gr. *thlīpsin*, aflicción, angustia, tribulación, situación difícil, sufrimiento; 13.21) y apostasía (habrá quienes se escandalizarán, gr. *skandalisthēsontai*). El v. 9 es un resumen de Marcos 13.9-13. Los cristianos llegarán a pensar de sí mismos como odiados por "todas las naciones" y la razón de este odio será porque actúan como representantes de Cristo ("por causa de mi nombre," gr. *dia to ónomá mou*). Con los vv. 10-12, Mateo desea mostrar que antes del retorno de Cristo muchos se apartarán en una amplia deserción de la causa cristiana. La frase "unos a otros se traicionarán y se odiarán" indica un cisma o una grieta grave entre cristianos. Parece evidente que los "falsos profetas" (gr. *pseudoprofētai*) ya estaban operando para cuando Mateo escribe su Evangelio (v. 11). Jesús ya había advertido a sus discípulos contra ellos en el Sermón de la Montaña (7.15). El v. 12 es un anticipo patético: la maldad (gr. *anomían*, maldad, desobediencia, pecado; de aquí viene la palabra castellana anomia) congelará (gr. *psugēsetai*, enfriará, morirá).

La proclamación global del evangelio del reino (vv. 13-14). Según el v. 13, serán salvos los que aguanten las pruebas del período en el que Mateo vive, cuando a pesar de la apostasía, el evangelio se predicará a todo el mundo habitado, como testimonio del amor de Dios (v. 14). El contexto de estos versículos es de señales antes del fin, de engaño, de guerras, de tribulación, de frialdad espiritual, de apostasía, de martirio, de falsos profetas, pero con una bellísima promesa en el v. 13: "el que se mantenga firme hasta el fin será salvo." Es en medio de este caos que se proclaman las buenas nuevas, "este evangelio del reino" (gr. *to euaggélion tēs basileías*). En el Evangelio de Mateo, el reino se presenta esencialmente como el dominio de Cristo, su reinado y control, su autoridad sobre la historia. Cristo inició este reinado durante su vida, pero obviamente su pueblo no lo ha experimentado todavía en forma plena. Esto vendrá después, al manifestarse su reinado en toda su plenitud. Por eso es correcto hablar en términos del "ya, pero todavía no" de su reino.

El evangelio de este reino está ligado con la proclamación de la Gran Comisión (28.16-20) y su práctica apostólica (Felipe en Hch. 8.12 y Pablo en Hch. 28.23). Además, Cristo y sus apóstoles experimentaron rechazo en esta proclamación (4.17; Hch. 28.28-31). No obstante, la proclamación salvífica del reino de Cristo no se reduce a una estrategia o programa evangelizador particular, y mucho menos tiene que ver con un conjunto de actividades de carácter religioso. La predicación del evangelio del reino tiene un alcance que supera a las mejores estrategias y programas humanos, porque se verifica "en todo el mundo" habitado (gr. *en hólēi tēi oikouménēi*)" y alcanza "a todas las naciones" (gr. *pāsin tois éthnesin*). Con esto, Jesús está queriendo significar que su mensaje saldrá de todas sus limitaciones geográficas e irá más allá de la cultura judía, para llegar a los últimos confines del globo terráqueo, impactando todas las esferas (políticas, económicas, sociales, culturales, étnicas y religiosas) del mundo habitado. El evangelio del reino no puede ser encajonado en una geografía o etnia particular. Es para todos.

Por otro lado, el "fin" (gr. *télos*) del cual habla Jesús se relaciona con el "fin" de los vv. 3 y 13, y la "venida" del v. 3. Probablemente, se refiere a la conclusión de la historia, que culmina con la segunda venida de Cristo. Para los primeros seguidores de Jesús, esto debe haber parecido como un sueño imposible, pero no lo es para nosotros. El evangelio del reino ya ha sido "predicado en todo el mundo" y "a todas las naciones" en más de una oportunidad. De hecho, Pablo declara en Colosenses 1.5b-6, que durante su propio tiempo el evangelio "estaba dando fruto y creciendo en todo el mundo." Además, hay suficientes testimonios históricos de esta realidad.

> **Guillermo D. Taylor:** "En resumen, nuestro pasaje declara, sin ambigüedad, que la proclama salvífica del menaje transformador de Cristo tiene que ser pregonada en todo el mundo, y cuando el soberano considere que esta meta se ha logrado, Cristo regresará. Mas, sin embargo, sí existe una relación entre la proclama global y el retorno de Cristo. Misteriosamente, o más bien, milagrosamente, Dios conecta históricamente el *jrónos* de la proclama y el *kairós* del retorno de Cristo."[2]

El horrible sacrilegio (vv. 15-22). Los vv. 15-22 tratan con dos eventos asociados o con uno como parte del otro: "el horrible sacrilegio" (o la abominación de la desolación) y la gran tribulación. Los eventos que se narran ocurren en Judea.

La abominación de la desolación (vv. 15-20). "Así que" (gr. *hótan oūn*) indica que los vv. 15-22 son una explicación adicional. Estos eventos no vienen después de los vv. 9-14, sino posiblemente antes y se trata de situaciones bien evidentes y observables en la dimensión espacio-temporal (cuando "vean," gr. *ídēte*). Es muy probable que Mateo mismo haya sido testigo de estos eventos. "En el lugar santo" se refiere a cualquier lugar santo, pues la guerra judía comenzó con la profanación de la sinagoga de Cesarea. El resultado de la profanación es la guerra (vv. 16-18). La frase "el horrible sacrilegio" (literalmente, "la abominación de la desolación," gr. *to bdélugma tēs erēmōseōs*) traduce una expresión que aparece en he. en Daniel 9.27; 11.31 y 12.11. Hay dos maneras de entender esta referencia al horrible sacrilegio o la abominación de la desolación.

---

2. Guillermo D. Taylor, "La inminencia escatológica y las misiones," en *Las misiones latinas para el siglo XXI*, ed. por COMIBAM Internacional (Miami: Editorial Unilit, 1997), 50.

Por un lado, se lo puede entender como un hecho histórico (pasado). Históricamente, la expresión se refiere a la profanación del templo llevada a cabo por Antíoco Epífanes (Antíoco IV), rey de Siria, en el año 168 a.C. El sacrilegio consistió en que este monarca levantó un altar pagano y colocó la estatua de Zeus dentro de los recintos sagrados en el templo de Jerusalén (ver 1 Macabeos 1.54, 59; 6.7; 2 Macabeos 6.1-13). En razón de que el emperador Calígula, en el año 38 d.C., intentó erigir una estatua suya en el templo, se considera que éste es el acto de impiedad al que se refiere la expresión en 24.15 (Mr. 13.14). Pero la referencia a un ídolo o estatua erigidos en el templo no parece guardar relación con el contexto de este versículo, en el que la aparición de la abominación de la desolación es considerada como una primera indicación de un ataque inminente sobre Jerusalén por parte de un ejército, y como la señal para los habitantes de la región de Judea de que huyan inmediatamente a los montes vecinos (Lc. 21.20). La idea de la profanación del templo con idolatría y su destrucción por ejércitos paganos es confirmada por el historiador judío Flavio Josefo, quien señala que los romanos incendiaron el templo y ofrecieron sacrificios a sus estandartes colocados junto a la puerta oriental, cuando proclamaron a Tito Vespaciano como emperador. Esto ocurrió en el año 70. Los vv. 19-20 son una expresión de profundo dolor y lamento. El v. 20 parece indicar que la iglesia a la que Mateo escribe todavía guardaba el sábado judío.

Por otro lado, se lo puede entender como un hecho profético (futuro). Es más coherente considerar estas expresiones con un sentido profético. Esto es lo que probablemente hizo Jesús, quien utilizó la frase para referirse a un sacrilegio futuro en el templo de Jerusalén. En este sentido, la frase se referiría a la futura destrucción del templo en el año 70, a la manifestación profanadora del anticristo escatológico (2 Ts. 2.3-12), o a ambas cosas. Quienes sostienen lo último argumentan que la expresión posee una doble aplicación, dado que los elementos de la profecía de Jesús se extienden más allá de la destrucción llevada a cabo por los romanos en el año 70, y evidentemente parecen aludir a su segunda venida (24.29-30, 36-44).

La gran tribulación (vv. 21-22). La expresión se refiere a la época de angustia que anticipará a la segunda venida de Cristo (Ap. 7.14). Jesús advirtió que la gran tribulación sería tan intensa, que las calamidades casi diezmarían toda la vida en el planeta (Mr. 13.19, 24). Las palabras de Jesús en v. 29 pueden referirse a Daniel 12.1. Esta alusión sugiere el carácter escatológico de todo este pasaje sobre la gran tribulación. No obstante, no todos los intérpretes bíblicos son de la misma opinión sobre este evento futuro. La visión que uno tenga del milenio (Ap. 20.2-4) por lo general determina la interpretación del momento y la naturaleza de este período de intensa tribulación. Los posmilenialistas y los milenialistas consideran que la gran tribulación es un período breve e indefinido al final de esta era, y generalmente lo identifican con la rebelión de Gog y Magog (Ap. 20.8-9). Los premilenialistas dispensacionalistas identifican la tribulación con la semana setenta de la profecía de Daniel 9.27, un período de siete años cuya segunda mitad es la gran tribulación. El arrebatamiento de la iglesia precede a una tribulación de siete años, que va seguida de la segunda venida de Cristo. Los premilenialistas históricos (postribulacionistas) afirman que la tribulación es un período de gran angustia, que va a preceder inmediatamente al milenio y, por lo general, enseñan que tanto los creyentes como los incrédulos atravesarán este período. Como se ve, las interpretaciones del cómo y cuándo de la gran tribulación son muy diversas y dispares. En esencia, en el Nuevo Testamento se exhorta a los creyentes a concentrar su atención en Cristo y a fijar su esperanza en él, y no en los eventos en torno a su venida (1 Jn. 3.3). Quizás esto es lo que deberíamos hacer para entender mejor este pasaje y no contaminarlo con presuposiciones y construcciones teológicas humanas.

La venida del Hijo del hombre (24.23-25, 29-51)

El contenido de estos versículos parece ser específicamente escatológico y estar ligado a la segunda venida de Cristo. En estas palabras Jesús advierte, primero, del peligro de anuncios falsos en cuanto a su regreso en gloria, para luego describir con mayor detalle cómo será su venida. El objetivo de la advertencia y la caracterización de su venida nos ayuda a estar mejor preparados para recibirlo cuando el regrese.

Una falsa venida del Cristo (vv. 23-25). El pasaje de los vv. 23-25 es una advertencia ("se lo he dicho a ustedes de antemano," v. 25) contra una falsa *parousía* del Hijo del hombre. Los falsos profetas (v. 11) ya fueron denunciados por Jesús como engañadores, cuyas artimañas tienen como fin aprovecharse de la ingenuidad de los creyentes. Pero ahora la denuncia va contra falsos Cristos (gr. *pseudójristoi*), que prometen una salida fácil de los problemas y la tribulación. El nivel de ansiedad de la gente que está sufriendo y está confundida se expresa en el hecho de que se la pasan gritando "¡Allí está!" cuando estos falsos mesías surgen anunciando sus panaceas para los males públicos, sean políticos, religiosos, morales o espirituales. América Latina está plagada de todo tipo de mesías, que prometen salidas fáciles y milagrosas a las múltiples crisis que asolan al pueblo. "¡Miren, aquí está el Cristo (la solución)!" es la propuesta de más de un movimiento político y/o religioso en estos días.

Incluso, Jesús advierte que estos falsos Cristos y falsos profetas serán capaces de hacer "grandes señales y milagros" (gr. *sēmeīa megála kai térata*) con el fin de engañar a la gente (v. 24), y si es posible también "a los elegidos" (gr. *tous eklektoús*). En esta frase Jesús utiliza dos de las tres palabras usadas con más frecuencia en el Nuevo Testamento para referirse a eventos sobrenaturales (Jn. 4.48; Hch. 2.22; 4.30; 2 Co. 12.12; He. 2.4). "Señales" (gr. *sēmeīa*) son signos del propósito redentor de Dios; "milagros" (gr. *térata*) son acciones maravillosas o prodigios; la tercera palabra es "poderes" (gr. *dúnameis*) e indica obras poderosas. Es interesante notar que, contra lo que algunos líderes religiosos piensan hoy, "señales y milagros" no son pruebas suficientes del poder de Dios, ya que los falsos profetas (charlatanes) y los falsos Cristos (mesías falsos) son capaces de obrar con gran eficiencia estos portentos, al punto que esperan con ellos poder engañar a los creyentes, lo que no es posible ("de ser posible," gr. *ei dunatón*).

> **Martín Lutero:** "Un ministro de Dios debe ser un 'siervo bueno y fiel' (Mt. 25.21, 23). El que no se esfuerza por ser lo primero, es decir, un siervo prudente, llega a ser un ídolo, un perezoso, una persona indigna del honroso título de 'siervo de Dios.' Así, los que con una mal entendida humildad tratando de llevarse bien con todo el mundo en todo, y aspiran a ser populares entre sus feligreses, necesariamente pierden la autoridad que como regentes debieran poseer, y la familiaridad engendrará el desprecio."[3]

---

3. Citado en Deiros, ed., *Biblia Nueva Reforma*, 1517.

La verdadera venida del Cristo (vv. 29-51). Aquí Jesús retoma el tema de la gran tribulación y anticipa los fenómenos que ocurrirán con anterioridad a su venida usando un vocabulario de fuertes tonos apocalípticos. No es aconsejable tomar estas descripciones poéticas del pasaje de Isaías 13.10 y 34.4 de manera literal, así como seguramente Pedro no entendió literalmente la profecía de Joel 2.38-32 en su discurso el día de Pentecostés (Hch. 2.17-21). Hay que tener mucho cuidado cuando se interpretan pasajes de profecía apocalíptica, de modo de no transformar el testimonio de la Escritura en escatología pop o en mera ciencia ficción. De todos modos, el pasaje nos ofrece algunas pistas para entender cómo será el día del glorioso retorno de nuestro Señor.

Será un evento posterior a la tribulación (v. 29). Ya sea que se trate de un período específico de tribulación, según las diversas variantes del dispensacionalismo, o de un tiempo de pruebas y conflictos para los creyentes con anterioridad al tiempo de su retorno. El adverbio "inmediatamente" (gr. *euthéōs*) no ayuda mucho a la interpretación. Esta palabra, común en el Evangelio de Marcos como el adverbio *euthús* (en seguida, al instante; luego, después) presenta problemas si uno enfatiza el elemento temporal. El problema es cuánto tiempo pasa entre "la tribulación de aquellos días" y las catástrofes cósmicas que se describen a continuación. Es probable que Jesús usó la expresión, pero no con un sentido temporal, sino indicando una secuencia. Juan parece hacer lo mismo en Apocalipsis 1.1, cuando dice que la revelación que él registró en su libro es "lo que sin demora tiene que suceder."

Será un evento notorio (vv. 30-31). Estos versículos destacan varios elementos que describen a este evento como algo notorio, es decir, que no pasa desapercibido. Primero, será un fenómeno celestial. "La señal del Hijo del hombre aparecerá en el cielo" (v. 30a). Se han elaborado las más diversas teorías sobre esta frase (gr. *to sēmeīon toū huioū toū anthrōpou en ouranōi*). Puede ser una referencia a Daniel 7.13-14, en cuyo caso, la señal sería Cristo mismo. Esto estaría confirmado por lo que dice la segunda mitad del versículo ("verán al Hijo del hombre," ver 16.27; 26.64). Muchas veces los judíos habían pedido este tipo de señal (12.38; 16.1;

Jn. 2.18). Segundo, será un fenómeno terrenal. "Se angustiarán todas las razas de la tierra." La *parousía* será evidente para todos los seres humanos sin discriminación alguna e impactará a todos por igual, a todos los pueblos del mundo. Tercero, será un fenómeno visual. "Verán al Hijo del hombre venir sobre las nubes del cielo." El verbo "verán" (gr. *ópsontai*) es ver con los ojos físicos (Ap. 1.7), no con la imaginación o en visión. Hasta no hace mucho tiempo parecía ridículo pensar en un fenómeno visual que pudiera ser visto por toda la humanidad alrededor del globo al mismo tiempo. Hoy esto ocurre con la transmisión de un mundial de fútbol o la entrega de los premios Oscar. ¡Cuánto más visible globalmente puede ser el retorno glorioso de Cristo! Indudablemente, un evento de tal magnitud estará en las pantallas de todo el mundo. Cuarto, será un fenómeno apoteótico. "Con poder y gran gloria" (gr. *meta dunámeōs kai dóxēs pollēs*). Nubes, poder y gloria son indicaciones de que Cristo es exaltado en los cielos y vindicado por las potencias celestiales. Pero en la apoteosis de su venida, Cristo pasa a ser vindicado en la tierra por los seres humanos que son testigos de su retorno.

Quinto, será un fenómeno audible. "Al sonido de la gran trompeta mandará a sus ángeles." Esta trompeta (gr. *sálpigx*) es la que despierta a los fieles de la muerte. No se menciona a los malvados, cuyo poder temporal junto con el poder de la muerte son tragados por la vida de los elegidos en Cristo, que son convocados a reunirse desde los cuatro puntos cardinales. Este pasaje es apocalíptico e indica que esta "gran trompeta" es también una clarinada que convoca a las huestes celestiales ("mandará a sus ángeles"), como ocurría con el pueblo en el antiguo Israel, a marchar a la batalla final, que resultará en el establecimiento definitivo del reino de Cristo (Ap. 11.15). A su vez, esta trompeta estridente anuncia la victoria del Rey y proclama el triunfo final de Cristo y su reino (Is. 27.13). Sexto, será un fenómeno cósmico. "Reunirán de los cuatro vientos a los elegidos, de un extremo al otro del cielo." Esta será la reunión de creyentes más numerosa y espectacular de todas. Las grandes concentraciones de cristianos, especialmente en la segunda mitad del siglo XX, son un pálido anticipo de este encuentro de los elegidos con su Señor, en un escenario que ya no es la tierra, sino que ocupa un espacio que va "de un extremo al otro del cielo." Esto ya es muy difícil de imaginar.

Será un evento inminente (vv. 32-35). Los vv. 32-33 presentan la parábola de la higuera (gr. *tēs sukēs*). El ejemplo de la higuera hace referencia a un árbol común en Palestina. Su germinación era un signo seguro de la primavera. La expresión "está cerca" (gr. *eggús estin*, v. 33) no aclara si es "él" (Cristo) el que está cerca o "ello" (los acontecimientos mencionados). El original puede haberse referido al fin del mundo o a la condenación de Jerusalén. En este sentido, "todas estas cosas" (gr. *pánta taũta*) serían las señales previamente mencionadas.

Según los vv. 34-35, el tiempo exacto de estos eventos es impredecible. Probablemente, Mateo creía que el fin vendría antes que todos los que habían conocido a Jesús hubieran muerto (v. 34). El dicho puede ser genuino, pero su fuerza exacta es incierta. La pregunta clave para entender este texto es: ¿a qué se refiere Jesús al hablar de "esta generación" (gr. *hē genea haútē*)? Se han dado diversas interpretaciones a estas palabras. La cierto es que Jesús utiliza un elemento que es propio de la profecía, como es el cumplimiento múltiple de la misma, es decir, el significado profético puede unificar en un mismo pasaje dos momentos de cumplimiento diferente. Un ejemplo de esto se encuentra en la profecía de Joel, que se cumplió en parte el día de Pentecostés (Hch. 2), pero que esperamos tenga un cumplimiento completo en el futuro. De esta manera, aspectos de la profecía de Jesús se cumplieron con la destrucción de Jerusalén y el templo, y muchos otros tendrán su cumplimiento con la *parousía*. Muchas personas de "su generación," cuando Jesús pronunció estas palabras, estuvieron presentes cuando la ciudad fue demolida por los romanos en el año 70. Pero también es posible que el Señor se esté refiriendo a su segunda venida y el fin del mundo. En el primer caso (la destrucción de Jerusalén), el cumplimiento sería literal. En el Antiguo Testamento se calculaba que una generación cubría cuarenta años, con lo cual llegamos al año 70. En el segundo caso, debe entenderse la expresión en sentido profético.

En esta dirección, la primera generación ("esta generación," gr. *hē genea haútē*) puede referirse a una raza o a un sector particular de la población, en este caso, los judíos, con lo cual los eventos terminales anunciados no ocurrirían antes que sucediese todo lo predicho de manera profética y en lenguaje apocalíptico. Otros sugieren que la referencia es a la raza humana en general o a "este tipo de generación" o tipo de personas (generación incrédula y dura de corazón o buena en espíritu). También puede referirse a una generación o tipo de discípulos que vivan durante el momento histórico en que ocurran los eventos futuros ligados a la *parousía*. Otra opción interpretativa dice que cuando las señales del fin se cumplan, el fin vendrá relativamente rápido, es decir, durante esa generación.

Será un evento repentino (vv. 36-41). Nótese que Jesús afirmó que "nadie lo sabe" acerca del "día y la hora" de estos acontecimientos. Ni siquiera los ángeles, ni él sino "sólo el Padre." La expresión "el Padre" (v. 36) está formulada en términos del pensamiento cristiano posterior, pero la idea puede llegar hasta Jesús mismo. Nótese también que Jesús se refiere con precisión al "día y la hora," y no a un período de tiempo más amplio (semana, mes, estación, año, lustro o década). De modo que, si bien no podemos poner una fecha para el evento, sí podemos tener una idea bastante aproximada del momento en que puede ocurrir. La metáfora de la higuera afirma esto (vv. 32-33). Hoy podemos decir que en un tiempo así, como el que se describe, el Señor regresará. Por eso, debemos estar siempre preparados, porque en verdad, él puede regresar en cualquier momento. Así que, mientras Jesús afirma que se desconocen el día y la hora, el pasaje que va de 24.37—25.13 enseña sobre la necesidad de estar preparados para la venida del Señor.

Los vv. 36-41 advierten que muchos serán tomados desprevenidos. En las tradiciones judías se creía que los milagros de Moisés se repetirían en la edad mesiánica y que la vida venidera sería como en el Jardín del Edén. De aquí que se pensara que el juicio sería como en los días de Noé (v. 37). En esos días, no había nada de malo en comer y beber; lo malo estaba en que esto los absorbía y no prestaron atención al juicio divino inminente y repentino.

Será un evento que requiere vigilancia (vv. 42-44). Por tratarse de un evento inminente y repentino es necesario velar y estar preparado (vv. 42-44). Esta es la fuerza de las advertencias de Jesús. En el v. 43 es interesante notar el tiempo pasado de la acción (en griego), lo cual indica que Jesús está hablando de un hecho ocurrido recientemente y conocido por todos. En el v. 44 el dicho original de Jesús se refería a la catástrofe del v. 39 y no a la gozosa venida del Hijo del hombre. La parábola breve del v. 43 parece el final de un relato de la vida real. Probablemente había ocurrido un robo, del que todo el mundo estaba hablando. A la luz de este hecho dramático y tomando ventaja del mismo para atraer la atención de sus oyentes, Jesús dice: "Aprendan de la desgracia del vecino o a ustedes les puede ocurrir lo mismo." Jesús parece estar pensando en el tiempo de tensión inaugurado por el clímax de su ministerio. Este es un tiempo que sobrevendría sobre ellos repentinamente, como el diluvio sobre los antediluvianos (Lc. 17.26-27). Jesús quería que estuviesen preparados para ello. Más tarde, cuando el retorno del Señor parecía demorarse, la iglesia utilizó la misma parábola para exhortar a la vigilancia (1 Ts. 5.2).

Será un evento de juicio (vv. 45-51). Los vv. 45-51 hablan de los siervos fieles e infieles. Jesús es claro en distinguir entre el siervo bueno y el malo, o los siervos fieles e infieles. Es característico de Mateo que concluya toda esta sección escatológica no con un esquema apocalíptico, sino con un énfasis en la calidad moral del juicio de Dios. Probablemente, Jesús contó la parábola en contra de los sumos sacerdotes y de otros líderes judíos. Hay que cumplir fielmente las tareas que nos han sido confiadas y debemos estar listos para dar cuenta. En el v. 51, si tomamos literalmente la palabra gr. *dijotomēsei* (cortarlo en pedazos o partirlo al medio o en dos), la parábola se cambia en una alegoría del juicio final. En síntesis, la parábola es una advertencia a los líderes de la iglesia a ser fieles en el tiempo antes del retorno de Cristo en gloria. La primera aplicación de la parábola fue a los líderes de Israel (especialmente los escribas). La fidelidad de ellos es colocada bajo juicio y el juez es Dios. Como custodios de la revelación divina, los maestros de la Ley la amortiguaron y distorsionaron debajo de una masa de reglas y regulaciones puntillosas y sin sentido. La "carga" del legalismo resultante parecía estar más orientada a alejar a las personas del reino, que a introducirlas a él (Lc.11.52; Mt. 23.13). Cuando Jesús dijo: "Vengan a mí todos ustedes que están cansados y agobiados" (Mt. 11.28), posiblemente estaba pensando en esta carga. El cumplimiento de todas las regulaciones que se hicieron sobre la Ley era simplemente imposible.

UNIDAD SIETE

LA MISIÓN DE JESÚS

El término misión en esta Unidad tiene que ver con la presencia y el testimonio de Jesús, según está registrado en las páginas del Evangelio según Mateo. El término misión deriva de la palabra latina *mittere* (que es la raíz de varias palabras castellanas: per-mitir; e-mitir; re-mitir, etc.), que significa enviar. Esto nos lleva a pensar que la misión de Jesús tiene un sentido básico de encarnación y servicio en el mundo, con el objetivo de reconciliar a la humanidad consigo mismo y redimirla. En ese sentido, la misión de Jesús está ligada estrechamente a los hitos fundamentales en su vida y ministerio, que constituyen los eventos salvíficos principales: la encarnación de Jesús, su muerte en la cruz, su resurrección al tercer día, su ascensión, el derramamiento del Espíritu Santo en Pentecostés y la *parousía*.

El primero de ellos es la encarnación de Jesús. Todos los Evangelios Sinópticos y especialmente Juan comienzan su relato de la misión de Jesús con el hecho primordial e histórico de la encarnación de Jesús. La irrupción redentora de Dios en la historia humana ocurrió en un determinado espacio y tiempo, y se conjugó en un ser humano particular llamado Jesús de Nazaret. Todos los hechos salvíficos posteriores tienen en la encarnación su raíz esencial: "Y el Verbo se hizo hombre y habitó entre nosotros" (Jn. 1.14). En el lenguaje de Mateo: "El nacimiento de Jesús, el Cristo, fue así..." La misión de Jesús el Cristo tuvo como escenario este mundo, si bien por su carácter lo trasciende.

El segundo es la muerte de Jesús en la cruz. Este hecho es lo esencial del evangelio. Jesús mismo lo definió en términos claros: "el Hijo del hombre no vino para que le sirvan, sino para servir y para dar su vida en rescate por muchos" (20.28; Mr. 10.45). Para Mateo, Cristo era el nuevo lugar de expiación, que reemplazó al templo, y el nuevo sacrificio que reemplazó al cordero pascual. Los que lo aceptan como Salvador reciben el perdón de pecados. Sin embargo, la muerte de Jesús en la cruz no debe aislarse de su vida y ministerio. De hecho, casi todo el Evangelio de Mateo apunta a la historia de la pasión. La *kenosis* de Jesús (del gr. *kenós*, vacío), su auto vaciamiento y humillación, comenzó desde el momento mismo de su nacimiento.

El tercero es su resurrección al tercer día. Debe tenerse presente que no puede haber resurrección si no hay una muerte previa, y la muerte adquiere carácter redentor si es seguida por la resurrección. La muerte de Jesús en la cruz no tiene sentido sin la resurrección, así como la resurrección requería de su muerte. Sin embargo, la cruz y la resurrección no están en equilibrio en cuanto a la misión de Jesús, ya que la segunda tiene ascendencia y victoria sobre la primera. Es porque él resucitó que la fe en su obra expiatoria en la cruz tiene sentido. Así como la cruz fue su máxima expresión de amor por nosotros, su resurrección es su máxima nota de esperanza para nosotros.

El cuarto es la ascensión de Jesús. Este hecho redentor es, primordialmente, el símbolo de la entronización del Cristo crucificado y resucitado, quien ahora reina como Rey. Nuevamente, él ascendió a los cielos porque primero resucitó y antes fue crucificado. Sin cruz y sin tumba vacía, la ascensión es pura fantasía. Es desde la perspectiva del reinado presente de Cristo a la diestra del Padre, que miramos hacia atrás a su muerte y resurrección, y hacia adelante a la consumación de todas las cosas.

El quinto es el derramamiento del Espíritu Santo en Pentecostés. Jesús llevó a cabo su ministerio en el poder del Espíritu Santo (Lc. 4.18-19), y les prometió a sus discípulos ese mismo poder (Hch. 1.8). Esto último se concretó de manera particular el día de Pentecostés (Hch. 2.4). El mismo Espíritu, que llenó a Jesús de denuedo (Mr. 8.32; Jn. 11.14; gr. *parrēsía*, confianza, firmeza, entereza) frente a la adversidad y la oposición, y de poder y autoridad para cumplir con su misión, es el Espíritu que Jesús da a sus seguidores para el cumplimiento de la suya en el mundo.

El sexto es la segunda venida de Jesús. El futuro no estaba ausente en Jesús y en el cumplimiento de su misión. Es más, él interpretaba y actuaba en el presente, conforme a las promesas del pasado, pero desde el futuro. El establecimiento de su reino era su meta, con lo cual el futuro tenía para él la primacía. Su misión en este mundo tuvo y tiene sentido en razón de que el Cristo resucitado tiene un futuro, y ese futuro ya involucra a todos los seres humanos. El reino de Dios ya ha tenido victoria en todas las etapas previas de la misión de Jesús, pero el objetivo futuro ya está cumplido, si bien todavía no se ven todos sus resultados. Es por esto que la visión del reinado final de Dios, de justicia y paz, sirve como un imán poderoso, no porque el presente esté vacío, sino precisamente porque el futuro de Dios ya lo ha invadido en Cristo.

Más de la mitad del Evangelio de Mateo está enfocada en considerar la misión de Jesús. De la enorme cantidad de material dedicada a tocar esta cuestión, la mayor parte está relacionada con su misión tal como se cumplió a través de su muerte y resurrección, si bien los otros eventos redentores también son registrados. En los próximos capítulos nos detendremos para considerar el testimonio del evangelista sobre estos hechos redentores fundamentales.

CAPÍTULO 17

JESÚS EN CAMINO A SU MISIÓN

16.1-4, 21-28; 17.1-13, 22-23; 20.17-19; 21.23-27

El Evangelio de Mateo es mayormente un texto misionero. Da la impresión como que una visión misionera fue lo que motivó a Mateo a escribir su Evangelio. De allí que es fácil seguir las huellas de Jesús en el cumplimiento de su misión a la luz de sus páginas. Para fundamentar sus conclusiones, el evangelista cita directa o indirectamente las profecías del Antiguo Testamento. El propósito, pues, es probar que Jesús es el Mesías y, que como tal, cumple con las Escrituras. Así, entonces, Mateo usa el Antiguo Testamento como testimonio contra los teólogos de sus días (fariseos y maestros de la Ley) y contra su manera de entender y aplicar las Escrituras.

Por otro lado, Mateo es el más judío de todos los Evangelios. Sin embargo, es el evangelista que más enfáticamente destaca la misión de Jesús entre los gentiles. En otras palabras, tal parece como que Mateo está más interesado en Jesús y su misión, que en los destinatarios de la misma. Hay muchos eruditos que están de acuerdo en considerar que todo el Evangelio apunta hacia los versículos finales del mismo (28.19-20), en los que la misión redentora ya completada pasa a ser la misión de la iglesia redimida. Es como si todos los hilos del tejido de Mateo, desde el capítulo 1 en adelante convergen allí. Especialmente, la segunda mitad del Evangelio es clara en señalar la manera precipitada y con un dramatismo creciente con la que Jesús se aproxima a los eventos culminantes de su misión terrenal:

su muerte y su resurrección. Es por esto que resulta adecuado titular a este capítulo de nuestro comentario: "Jesús en camino a su misión."

> **David J. Bosch:** "El Evangelio de Mateo maneja un subparadigma bastante singular e importante respecto a la interpretación y la experiencia de la misión por parte de la iglesia primitiva. Sin embargo, en los círculos misioneros (especial pero no exclusivamente en el protestantismo) la gran prioridad dada al significado y la interpretación de la llamada 'Gran Comisión' que aparece al final del Evangelio (28.16-20) ha opacado lamentablemente una buena parte de la discusión sobre el aporte misiológico de Mateo. ... El primer Evangelio es, en esencia, un texto misionero. La visión misionera fue la que impulsó a Mateo a escribir su Evangelio. No emprendió tal proyecto con el fin de componer una 'vida de Jesús,' sino con el ánimo de proveer una guía a una comunidad en crisis sobre cómo debía comprender su llamado y misión."[1]

EL CARÁCTER DE SU MISIÓN (16.1-4)

En este párrafo, vemos el último aproximamiento de sus opositores a Jesús, antes que rompiera con ellos, la nación y las multitudes, y se dedicara a sus propios discípulos y a prepararse para el cumplimiento de su misión redentora. En este párrafo encontramos su última respuesta a los intentos de los líderes judíos de atraparlo durante este período de pruebas. De aquí en adelante, su relación con los fariseos, saduceos, herodianos y maestros de la Ley va a ser la de un juez, y su mensaje uno de denuncia de sus pecados e hipocresía. Ya no va a tratar con ellos salvo, directa o indirectamente, para enfatizar la condenación en que habían caído como nación por rechazarlo a él y a su misión.

La asociación de los críticos (16.1)

Lo primero que muestra este párrafo es la coalición de la oposición, en este caso, integrada por "los fariseos y los saduceos." Esta es la primera

---

1. David J. Bosch, *Misión en transformación: cambios de paradigma en la teología de la misión* (Grand Rapids, MI: Libros Desafío, 2000), 81, 83.

vez que tenemos esta combinación de dos partidos que eran archienemigos entre sí. Pero odiaban a Jesús más que lo que se odiaban entre ellos mismos. Estos hombres se acercaron para tentarlo y ponerlo a prueba pidiéndole que mostrara "una señal del cielo" (gr. *sēmeīon ek toū ouranoū*). Esta actitud y acción fue constante a lo largo del ministerio de Jesús por parte de estos líderes sectarios (12.38-39; 16.1, 3-4; 24.3; Mr. 8.11-12; 13.4; Lc. 11.16, 29; 21.7; 23.8; Jn. 2.18; 4.48; 6.2, 26, 30; 7.31; 9.16; 11.47; 12.37). Sin embargo, a pesar de su coincidencia de propósito, cada uno de ellos pertenecía a partidos muy diferentes.

Los fariseos y los saduceos (v. 1a). Los fariseos eran los ritualistas o tradicionalistas de aquel tiempo. Constituían el grupo más numeroso y de mayor importancia entre las sectas o partidos de los judíos. El historiador Flavio Josefo indica que en su tiempo ascendían a más de 6.000. Controlaban las sinagogas y ejercían un estricto control sobre el pueblo en general. Creían en Dios, en la obra del Espíritu Santo, en la pureza y santidad de Dios, en los ángeles y demonios, y en la resurrección y la vida eterna. No obstante, su espiritualidad era pura hipocresía. Su religiosidad era formal y legalista. Su teología era fundamentalista y carente de toda gracia y amor hacia el prójimo. "Fariseos" significa "los separados," con lo cual afirmaban su actitud de mantenerse aislados de las masas y de consagrarse al estudio e interpretación de la Ley. No obstante, eran misioneros y procuraban ganar prosélitos para su secta (Mt. 23.15). Se oponían a Jesús básicamente porque él no aceptaba la interpretación que ellos hacían de la ley oral.

Los saduceos eran los racionalistas o liberales teológicos de aquel tiempo. Eran aristocráticos en su manera de ser, y su partido era el de los ricos y de las familias de los sumos sacerdotes. Generalmente, pertenecían a los sectores mejor educados, e incluso, el sumo sacerdote era saduceo. Estaban a cargo del templo, del servicio en el mismo y de las concesiones comerciales. Afirmaban ser descendientes del sumo sacerdote Sadoc, de los días de Salomón. Se oponían a los fariseos porque no creían en los espíritus, ni en ángeles, ni en la resurrección, ni en recompensas y castigos después de la muerte. Negaban todos los elementos sobrenaturales de la religión, que para ellos no era otra cosa que un mero código ético. El deber religioso consistía en ser fiel a ciertos principios altos y nobles, pero sin ningún tipo de relación con lo trascendente. Defendían las costumbres del pasado. Se oponían a la ley oral y sólo aceptaban el Pentateuco como autoridad definitiva. Eran materialistas y no creían que Dios se interesara en la conducta de la gente, que, por otro lado, tenía total libertad de acción. Tenían peso político y apoyaban al gobierno de turno. Su principal interés era su posición social, su bienestar económico y su poder político.

No había trato alguno entre estos dos grupos sectarios, que se discriminaban unos a otros. Pero se asociaron en contra de Jesús, a quien los fariseos consideraban blasfemo, porque barría con la tradición; y, los saduceos lo estimaban como irracional, porque insistía sobre cosas espirituales y sobrenaturales. El propósito de su estratagema era perverso: querían tenderle una trampa ("ponerlo a prueba," gr. *peirázontes*).

La prueba contra Jesús (v. 1b). Esta coalición de opuestos se acercó a Jesús con el objetivo de "ponerlo a prueba." Esto consistía en pedirle "una señal del cielo." El énfasis debe ser puesto en las palabras "del cielo" (gr. *ek toū ouranoū*). Los fariseos enseñaban que los demonios y los dioses falsos podían dar señales de la tierra, pero consideraban que las señales del cielo eran prueba definitiva de la obra de Dios. Los saduceos no creían en ninguna de estas cosas, pero estaban dispuestos a considerar como auténtico algo que los dejara sin respuestas o explicaciones racionales. Para ellos, todos los milagros y sanidades de Jesús podían explicarse racionalmente, porque estaban todos relacionados con situaciones humanas o terrenales, y podían ser el resultado de leyes del universo que todavía no se conocían. En realidad, el mínimo común denominador de su asociación ilícita fue, precisamente, que ambos grupos querían "ponerlo a prueba." En verdad, ellos no creían que él les daría una señal del cielo. Lo que querían hacer era colocarlo en una situación en que quedara en ridículo o demostrar que, en realidad, él obraba con el poder de Beelzebú (12.24; Mr. 3.22).

La respuesta de Jesús (16.2-4)

Según algunos eruditos, los vv. 2-3 parecen ser una interpolación posterior y no muy genuina al texto original. De hecho, son omitidos en algunos manuscritos tempranos importantes tales como el Códice Sinaítico, el Códice Vaticano y la versión Siríaca Antigua. Además, la situación climática que se describe no se corresponde con el clima en Palestina. No obstante, se los puede admitir si se los interpreta como una expresión irónica de Jesús en su respuesta a la demanda arbitraria de sus oponentes. En otras palabras, ¡Jesús no está dando aquí el reporte del tiempo en un noticiero de la televisión!

La señal del cielo (vv. 2-3). No era la primera vez que sus enemigos le pedían una señal. Fariseos y maestros de la Ley ya lo habían hecho antes (12.38). Pero ahora, fariseos y saduceos reclamaban una "señal del cielo." ¿Qué querían decir con esto? Quizás, como Satanás en las tentaciones (4.5-6), pretendían que Jesús montara un espectáculo insuperable, que produjera fenómenos cósmicos asombrosos como algunos apocalipsis judíos anticipaban que haría el Mesías, que se presentara como un extraterrestre de origen desconocido (Jn. 7.27b), se comportara como el más grande de los taumaturgos (Jn. 7.31) o provocara fenómenos cósmicos fantásticos como detener el sol, ensombrecer la luna o provocar truenos y rayos.

Sin embargo, Jesús no satisface la provocación de ellos y les responde con una metáfora muy sencilla: el color del cielo al atardecer o a la mañana señala cuál será el tiempo. La imagen era parte de un dicho popular, que ha llegado de una u otra manera hasta nosotros a través de muy diversas culturas. Un viejo dicho italiano, muy popular en Argentina, dice: *Rosso di sera; bel tempo si spera; nube a pecorelle, pioggia a catenelle*." Estos hombres podían ser expertos meteorólogos populares, pero no eran capaces de discernir "las señales de los tiempos" (gr. *ta sēmeia tōn kairōn*). Fariseos y saduceos eran incapaces de entender el momento crucial que estaban viviendo; eran ciegos y sordos para discernir (gr. *diakrínein*, juzgar, evaluar; reconocer, discernir; distinguir) la situación como el escenario de la intervención directa de Dios en la historia humana.

La realidad de la tierra (v. 4). Estas palabras son las mismas que en 12.39, excepto por la expresión "del profeta." Los críticos de Jesús se acercaron pidiendo una señal del cielo, pero Jesús los interpeló mostrándoles la realidad de la tierra: ellos eran parte de una "generación malvada y adúltera." Ellos vinieron para criticar a Jesús, pero quedaron criticados; se acercaron para juzgarlo, y salieron juzgados. Él conocía muy bien la medida de su incapacidad, así como el grado de su maldad. Se consideraban expertos en la observación y el juicio de las cosas terrenales, pero demostraron ser unos ignorantes crónicos en la percepción de las cosas celestiales. La realidad de su pecado en la tierra no les permitía ver la realidad de la señal del cielo, que era Jesús. Precisamente, su misión consistía en mostrar la presencia del reino de los cielos a través de su proclamación y enseñanza del evangelio del reino, de las diversas sanidades y milagros que hacía, y del combate victorioso contra el reino de las tinieblas y su príncipe.

EL PROGRAMA DE SU MISIÓN (16.21-28)

Si hay algo que sorprende al leer sobre Jesús y la manera en que llevó a cabo su misión, es que no hubo improvisación alguna en el desarrollo de su ministerio. Cada paso se presenta con una articulación perfecta, que lleva al siguiente y lo eleva. De hecho, las palabras con las que comienza este párrafo indican un nuevo comienzo en la misión del Rey. "Desde entonces comenzó Jesús a ..." (gr. *apo tóte ērxato*), y sigue una agenda precisa de acciones redentoras, hasta culminar con su resurrección. Tres cuestiones se pueden ver en estos versículos.

El anunció de Jesús (16.21)

Aquél fue el momento apropiado para dar a conocer el secreto más grande en cuanto a su propia muerte. Nos encontramos a escasos seis meses de su muerte en la cruz. Los discípulos necesitaban ser preparados para esta crisis inminente. La gran confesión que hizo Pedro (v. 16) de alguna manera preparó el escenario para esta revelación progresiva de los detalles de su muerte redentora.

La predicción. En el v. 21, Jesús predice su sufrimiento, muerte y resurrección, es decir, los hechos históricos fundamentales de la historia de la salvación. Este párrafo describe la naturaleza del mesianismo de Jesús, y es su primer anuncio en relación con su muerte. Después de la confesión de Pedro, Jesús comenzó a declararse más abiertamente como el Mesías. Era necesario que él muriera y por eso retó a Pedro y lo hizo en el mismo tono que cuando estuvo en el desierto bajo las tentaciones de Satanás. Él debía llevar la cruz y lo mismo sus discípulos. Él los había preparado, se les había revelado como el Mesías, y ahora les estaba anticipando lo que habría de ocurrir.

El significado. En este versículo, Jesús explica que el Mesías es alguien que sufrirá y morirá antes de reinar, y que sus seguidores deben estar dispuestos a correr esa misma suerte. Esta condición de su mesianazgo significaba que: (1) era la voluntad de su Padre que la humanidad fuese salvada por medio de los sufrimientos del Mesías; (2) las Escrituras (el Antiguo Testamento) así lo habían dicho repetidas veces (Is. 53; Lc. 24.46). Con esto, Jesús no quería decir que había un poder llamado "destino," que era más fuerte que Dios y que lo haría sufrir. Tal poder no existe. De modo que cuando le tocó sufrir, él no se sorprendió. No obstante, esto era totalmente novedoso para sus interlocutores. Ningún judío había enseñado jamás que el Mesías sufriría y moriría. Lo consideraban como un conquistador victorioso e invencible. Es cierto que pasajes como Isaías 53 habían hablado del "Siervo de Dios" que sufriría por otros, pero nadie pensaba que este Siervo y el Mesías eran la misma persona. Por eso, les parecía sin sentido lo que Jesús estaba enseñando: (1) que los dos personajes bíblicos eran la misma persona; (2) que era en razón de su sufrimiento que él era el Mesías. Su gran conquista y victoria vendría después de su muerte y resurrección.

La reacción de Pedro (16.22)

La reacción de Pedro fue una manifestación elocuente del hecho palmario de que los conflictos individuales muchas veces son reflejos de la guerra espiritual que se desenvuelve a nivel cósmico. Su actitud de apartar al Señor y reprenderlo, suena muy parecida a lo que pretendió hacer Satanás con Jesús, cuando estando este solo en el desierto lo sometió a tentación (4.1).

La reconvención. Tan chocante resultó lo que dijo Jesús sobre lo que le esperaba (v. 21), que Pedro le reconvino ("¡De ninguna manera, Señor! ¡Esto no te sucederá jamás!"). Pedro actuó de esta manera ("lo llevó aparte," gr. *proslabómenos auton ho Pétros*, lo tomó consigo) como si tuviera alguna autoridad. De hecho, actuó no sólo con cierta familiaridad y atrevimiento, sino como si tuviese algún derecho propio para hacerlo, quizás porque todavía se sentía como un héroe teológico después de su confesión (vv. 16-17). Lo cierto es que, con su actitud, Pedro estaba tentando a Jesús a escapar de su sufrimiento, lo cual terminaba siendo una contradicción respecto a lo que él había confesado bien ("Tú eres el Cristo"). El mismo hombre que lo había confesado bajo la revelación divina, ahora se le estaba oponiendo bajo una revelación satánica. Es por eso que Jesús lo reprendió. Así como el v. 21 pone de manifiesto el antagonismo que Jesús sufriría de parte de "los ancianos, de los jefes de los sacerdotes y de los maestros de la ley," este versículo muestra el antagonismo interno dentro del grupo de sus discípulos más cercanos. Si los primeros lo quisieron llevar a Jesús a la cruz, uno de sus discípulos, Pedro, quiso alejarlo de ella.

La realidad. Ambos antagonismos (el de sus opositores y el de Pedro) coinciden en un punto, que Jesús muy inteligentemente subrayó: el contraste que hay entre "las cosas de Dios" y "las de los hombres" (v. 23b). Bastó que Jesús comenzara a exponer el plan de Dios para su misión mesiánica, que Pedro saltó para oponerse al mismo. Las "cosas de Dios" habían determinado salvar al mundo mediante la muerte del Mesías, pero "las de los hombres" tenían otro plan de salvación. Jesús entendía la voluntad de Dios como salvación por medio de la cruz, pero Pedro proponía una salvación sin cruz. Las cosas de Dios son el camino de la cruz, que termina en la victoria de la resurrección. Las cosas de los hombres son el camino del egoísmo, que termina en la derrota de la muerte segunda.

La reprensión de Jesús (16.23-28).

Aparentemente, Pedro arrastró a Jesús fuera del grupo y comenzó a reprenderlo. Pero Jesús "se volvió a él" (gr. *ho de strafeis*) en una acción rápida y fulminante, y dio una orden típica de la expulsión de un demonio: "¡Aléjate de mí, Satanás!" Este pasaje levanta preguntas sobre cuestiones que es necesario aclarar.

¿Reprensión a Pedro o a Satanás? (v. 23). La contradicción evidente entre el deseo y casi orden de Pedro respecto de lo que Jesús estaba convencido era la voluntad de su Padre celestial, lo llevó a reprender severamente a

Pedro como si estuviera demonizado. En otras palabras, Jesús reprendió y echó fuera al demonio que estaba hablando a través de Pedro ("¡Aléjate de mí, Satanás!"). La actitud de Jesús es la misma que la que puso de manifiesto, según su propio testimonio personal, en ocasión de las tentaciones del desierto (4.10). Mateo es el único Evangelio Sinóptico que es claro en describir el hecho como una confrontación espiritual y como un acto de liberación espiritual. En otras palabras, cuando Jesús dice lo que dice, no se está dirigiendo a Pedro, sino al espíritu maligno que estaba controlando lo que él decía. De allí que lo llame "Satanás."

En razón de que era un ser humano real y completo, Jesús fue tentado durante toda su vida terrenal. Satanás quiso forzarlo a pecar, y si era posible, llevarlo a compromisos espirituales más profundos por la obra demoníaca, como son las ataduras y la opresión. Pero no logró siquiera el primer paso porque Jesús reaccionó a tiempo a las tentaciones y en todos los casos, como en éste, reprendió a Satanás. Nuevamente, nótese que la reprensión fue contra Satanás y no contra Pedro. El discípulo de Jesús ni siquiera era consciente de lo que decía.

De todos modos, Pedro no carecía de responsabilidad por su reacción ante el anuncio de Jesús. Muy probablemente, Pedro pensaba que Jesús estaba delirando o viviendo una fantasía mesiánica, y que había que ayudarlo a poner sus pies sobre la realidad. Seguramente Pedro también pensaba que él sabía más que Jesús, y que era oportuno darle buenos consejos a su líder y maestro. La manera de pensar de Pedro era humana y no respondía a la voluntad divina (Is. 55.8-9). Por eso, Pedro quería que Jesús salvara (liberara), pero sin sufrimiento. Esta es una de las grandes diferencias entre los planes del ser humano (y Satanás) y los de Dios. Dios sabe que la gente sólo puede ser salva por el ministerio de aquellos que están dispuestos a sufrir por ellos. Jesús sabía muy bien que tenía que morir para salvar a la humanidad. No era suficiente con enseñarles buena conducta y sanarlos de sus dolencias, hacer muchos milagros y sorprenderlos con señales maravillosas.

¿Salvar la vida o perder la vida? (vv. 24-26). En estos versículos, Jesús replantea los términos del discipulado cristiano. Según él, el discipulado no comienza con admirar a Jesús, amarlo, querer imitarlo, dejarse enseñar por él o seguirlo. En realidad, el primer paso es "negarse a sí mismo;" y, el segundo es "tomar su cruz;" y, recién el tercero es "seguirlo." Lo primero es mucho más que auto negación o anular el yo personal, como un sacrificio por y para Cristo. Sacrificarse de esta manera por él no tiene sentido y no es lo que él demanda. Sí él espera que sometamos nuestro yo personal a su señorío y le permitamos a él ocupar el trono de nuestra vida, al punto de poder decir, con el apóstol Pablo: "ya no vivo yo, sino que Cristo vive en mí" (Gá. 2.20b). Lo segundo significa ser partícipes de los sufrimientos y de la muerte de Cristo, de modo que estamos dispuestos a ser obedientes y fieles a él hasta la muerte. Como también afirmaba Pablo: "He sido crucificado con Cristo" (Gá. 2.20a). Lo tercero es seguirlo en cada paso en la vida a través de un servicio fructífero en su nombre, confiando en su poder. Como señala el apóstol: "Lo que ahora vivo en el cuerpo, lo vivo por la fe en el Hijo de Dios, quien me amó y dio su vida por mí" (Gá. 2.20c). Estos tres pasos son los que deben caracterizar al verdadero discípulo de Jesús, y cuando se toman, el discípulo encuentra la vida plena y con propósito que el Señor le promete.

¿Recompensa celestial o terrenal? (v. 27). Según Jesús, hay una recompensa, pero ésta no se da indiscriminadamente. La recompensa se entrega después de un juicio, es decir, es el resultado de una evaluación que tendrá lugar en ocasión del regreso glorioso del Hijo del hombre con sus ángeles. Nótese que esta evaluación, lo mismo que la recompensa, no es colectiva ni masiva, sino personal ("a cada persona," gr. *hekástō*, cada uno). Además, nótese que el criterio en esta evaluación para la recompensa no es una prueba de ortodoxia, de pulcritud ética, de acumulación de méritos religiosos, de fidelidad institucional o de afiliación a determinada denominación o secta. El criterio tiene que ver con acciones concretas ("según lo que haya hecho," gr. *katá tēn prāxin autoū*). No obstante, no se trata de hacer "buenas obras" o cualquier cosa para ganar el premio. El vocablo griego *prāxis* significa lo que uno hace, obra o acciona, pero con base en un propósito u objetivo específico. En este caso, se refiere a lo que se ha hecho para el reino de Dios, es decir, el grado de participación del discípulo en el proyecto redentor de Dios para la humanidad o su identificación personal con la misión de Jesús.

¿Pentecostés o la Segunda Venida? (v. 28). La frase "Les aseguro que algunos de los aquí presentes no sufrirán la muerte sin antes haber visto al Hijo del hombre llegar en su reino" (v. 28) ha dado lugar a muchas discusiones. Las respuestas que se han dado pasan por la transfiguración, la resurrección de Jesús, el gran día de Pentecostés, la destrucción de Jerusalén, la segunda venida y el juicio. La versión de Marcos ("sin antes haber visto el reino de Dios llegar con poder," Mr. 9.1), probablemente se refiere al triple evento de la Pascua, la Ascensión y el Pentecostés, eventos redentores que inauguraron la era cristiana. Mateo seguramente se refiere a la Segunda Venida. Más allá de una respuesta precisa a la dificultad hermenéutica que plantean las palabras de Jesús, parece claro que él estaba seguro de su victoria final, lo cual podía ser tipificado y simbolizado de varias maneras. El simbolismo escatológico y apocalíptico que emplea Jesús aquí no es el que predomina en su enseñanza. Él lo utilizó ocasionalmente para ilustrar el triunfo del reino, y no para establecer una enseñanza o doctrina particular sobre el mismo. El reino de Dios ya estaba en los corazones de las personas, pero habría momentos culminantes y de consumación.

LA CONFIRMACIÓN DE SU MISIÓN (17.1-13)

Los vv. 1-13 narran la impresionante experiencia de la transfiguración de Jesús. Este incidente es una de las dos grandes cimas que forman la vertiente de la narrativa de los Evangelios Sinópticos: la confesión de Pedro y la preparación de los Doce; y la transfiguración de Jesús, que debía dar fuerza y aliento al Señor, que iba camino a morir en la cruz. De todos modos, no es fácil saber qué es lo que ocurrió exactamente en ese evento. Pero sí es posible subrayar algunos aspectos interesantes y llamativos del mismo.

El escenario de la transfiguración (17.1)

Había pasado casi una semana desde que Jesús les había anticipado a sus discípulos que él tenía que sufrir y morir, y que ellos mismos debían también estar preparados para pasar por una experiencia de dolor y aflicción (Mr. 8.31-35). Jesús no utilizó un lenguaje esquivo ni metafórico para expresar estas circunstancias, sino que habló "con toda claridad"

(Mr. 8.32). A fin de que tanto él como sus discípulos pudieran ofrecerse en obediencia a Dios y pudieran orar en procura de dirección y fortaleza, Jesús se fue con tres de ellos a un lugar donde pudiesen estar solos.

El lugar y el tiempo (v. 1a). En cuanto al tiempo, Mateo dice "seis días después" que Pedro lo confesara como el Cristo y que él predijera su muerte (16.13-28). Lucas dice "unos ocho días después" (Lc. 9.28). Los más probable es que fue una semana después. Jesús toma consigo (gr. *paralambánein*) a tres de sus discípulos y los lleva a "una montaña alta," que muy probablemente fue el monte Hermón, ubicado un poco al norte de Cesarea de Filipo y fuera de Palestina. Esto recuerda a Moisés subiendo a la montaña sagrada llevando consigo a Aarón, Nadab y Abiú (Éx. 24.1). No obstante, el lugar y el tiempo no son lo más importante, sino el hecho de que fue en ese lugar y en ese momento que la vida humana de Jesús alcanzó su coronación y gloria. El proceso de la vida humana de Jesús se puede resumir en tres palabras: inocencia, santidad y gloria. Inocencia es la condición primigenia de la naturaleza humana, no sólo porque no ha pecado, sino porque está y permanece sin pecado. Así fue Jesús como ser humano. Santidad es la condición de alguien que le ha dicho "no" al pecado, como Jesús todas las veces que fue tentado, y que se consagró a servir exclusivamente al Padre. Gloria es la condición de manifestar la misma naturaleza de Dios, quien es perfecto, a los ojos humanos. Esto último es lo que ocurrió en la montaña de la transfiguración: Jesús se metamorfoseó a la vista de sus discípulos y ellos vieron la gloria de Dios brillando a través de Jesús.

Los testigos (v. 1b). El texto destaca a Pedro, a Jacobo y a Juan, miembros del grupo íntimo de discípulos de Jesús, como aquellos a quienes él "llevó aparte." Estos tres eran probablemente quienes habían alcanzado una comprensión mayor de sus enseñanzas. Con anterioridad, en el caso de la niña muerta (Mr. 5.37) y, más tarde, en el jardín de Getsemaní, Jesús hizo lo mismo (26.37). El testimonio de Pedro, personaje importante en todo el episodio, fue registrado más tarde por Marcos, su discípulo, y a través de éste por Mateo, que lo sigue como fuente. El testimonio de Juan también es importante, porque escribió un Evangelio, pero llama la atención que no registre este episodio. En cuanto a Jacobo, no tuvo tiempo de registrar nada debido a su muerte temprana en manos de Herodes (Hch. 12.2). Esto significa que dependemos de lo dicho por Pedro para conocer lo que realmente ocurrió en el monte de la transfiguración. Esto es interesante, pues este mismo Pedro, testigo de la gloria de la transfiguración, fue el mismo Pedro que confesó a Jesús como el Cristo y que luego se opuso a que actuara como tal.

Los acontecimientos en la transfiguración (17.2-8)

Jesús y tres de sus discípulos escalaron uno de los faldeos del monte Hermón, que es la montaña más alta de toda la región y la única que mantiene nieve durante todo el año en su cumbre. En el lugar al que llegaron, Jesús y sus discípulos pudieron encontrar quietud y soledad. Mientras estaban orando, el Señor "se transfiguró en presencia de ellos" y probablemente los discípulos tuvieron una visión colectiva.

Jesús se transfiguró (v. 2). El verbo gr. *metamorfóomai* significa transformarse, cambiar de apariencia. Los tres Evangelios Sinópticos registran esta experiencia (17.1-3; Mr. 9.2-13; Lc. 9.28-36), en la que los discípulos de Jesús vieron (fue "en presencia de ellos," gr. *émprosthen autōn*) una manifestación del aspecto de Jesús diferente de la normal. El verbo griego es el mismo que se usa para los casos de metamorfosis en la mitología griega. La idea básica es la de un cambio (gr. *meta*) de forma (gr. *morfē*), en el que la esencia de lo que cambia sigue la misma, pero la forma en que se manifiesta es diferente (ver Ro. 12.2; comp. 1 Co. 7.31 y 16.12). En la teología cristiana se ha dejado de lado el término metamorfosis en razón de sus implicaciones paganas, y se ha escogido el término latino *transfiguratus est*, que ha pasado a todas las lenguas. Las evidencias del cambio, según los testigos, fueron que "su rostro resplandeció como el sol, y su ropa se volvió blanca como la luz." Debe notarse que el resplandor del rostro de Jesús fue diferente del de Moisés (Éx. 34.29), ya que el de éste era un reflejo de la gloria divina, pero el de Jesús era la gloria divina misma, que brillaba "como el sol." Además, en el caso de Jesús, también su ropa parecía como una nube de luz.

Moisés y Elías aparecieron (v. 3). Los tres discípulos estaban todavía absortos contemplando la imagen transfigurada del Señor, cuando en visión lo vieron acompañado por lo que a ellos les pareció eran Moisés y Elías conversando con Jesús. Según el v. 9, la transfiguración fue una visión que tuvieron los discípulos. ¿Cómo supieron que los dos personajes que hablaban con el Señor eran Moisés y Elías? Puede ser que Jesús se los haya dicho, o que ellos se presentaron. También puede ser que todo el relato es una visión y no un hecho real, que posteriormente fue interpretada de manera simbólica. De hecho, la apocalíptica judía anticipaba que Moisés y Elías reaparecerían. Además, ambos líderes tuvieron muertes singulares: de Moisés nunca se supo dónde estaba sepultado (Dt. 34.6) y Elías fue llevado al cielo (2 R. 2.11). La presencia de Moisés y Elías en la visión sugiere la superioridad de Jesús sobre la Ley y los profetas. Para los lectores judíos de Mateo esto era muy importante, ya que es interesante que cuando vino la nube luminosa, Moisés y Elías (Ley y profetas) se fueron y Jesús quedó solo.

Pedro quiso quedarse (v. 4). Para los discípulos esta experiencia fue muy significativa, pues Jesús los llevó con él para que la compartieran. Llama la atención que los tres, simples pescadores, experimentaron exactamente lo mismo. No obstante, Pedro quería quedarse a adorar (quería hacer un albergue improvisado para los tres personajes de la visión), pero tuvo que aprender que en el reino hay que unir dos funciones importantes, que son la adoración y el servicio. Los que estaban en el valle en ese momento no podían curar a un muchacho endemoniado. Habían obrado (servido), pero no habían orado (adorado). Pedro, a la inversa, había adorado, pero no estaba haciendo nada por el endemoniado que estaba abajo. "A Dios orando y con el mazo dando" es la fórmula que mejor define la misión en el reino.

Una voz habló (v. 5). La experiencia llegó a su punto culminante cuando todos oyeron una voz, que decía: "Este es mi Hijo amado; estoy muy complacido con él. ¡Escúchenlo!" Y de pronto, la visión terminó. Lo ocurrido parece haber tenido importancia para Jesús y los discípulos. Para Jesús, la experiencia era importante a fin de prepararlo para su muerte (Lc. 9.31). Pero, en realidad, la voz desde la nube luminosa que los envolvió (gr.

epeskíasen; ver Lc. 1.35; Hch. 5.15) estaba dirigida a los discípulos más que a Jesús. El mensaje de la voz tuvo tres puntos. Primero: "Este es (gr. *houtós estin*) mi Hijo amado." En ocasión del bautismo de Jesús (3.17) estas palabras fueron dirigidas a Jesús, pero ahora desde la nube se dirigen a los discípulos acerca de Jesús, a quien se lo presenta con su título más exaltado: Hijo de Dios. Segundo: "Estoy muy complacido con él." Nuevamente se repite la segunda parte de la declaración bautismal, pero para que la oigan los discípulos. Tercero: "¡Escúchenlo!" El imperativo (gr. *akoúete autoū*) es oportuno porque lo que Jesús tenía que decir en este momento no era muy halagüeño. En estos días, todo lo que Jesús hablaba tenía que ver con su muerte. De allí que estas palabras fueron también una suerte de reprensión para Pedro, que quería hacer del lugar una "montaña de oración" al estilo coreano y evitar así el drama del sufrimiento y la muerte.

Los discípulos se aterrorizaron (vv. 6-8). La manifestación visible y audible de la gloria divina siempre espanta a los humanos. Los discípulos se quedaron asombrados y asustados al ver a Jesús con su ropa resplandeciente, y al ver en visión cómo se les aparecieron Moisés y Elías, y más tarde al experimentar a "una nube luminosa" que los envolvió y de la que salió una voz con un mensaje tan trascendente. La expresión "se postraron sobre su rostro" (gr. *épesan epi prósōpon autōn*) describe un fenómeno físico, registrado en muchos casos bíblicos y a lo largo de la historia del testimonio cristiano, que ocasionalmente ocurre frente a una fuerte manifestación divina. En tiempos más recientes se ha discutido mucho sobre la autenticidad de las "caídas" bajo el poder del Espíritu Santo. Experiencias como las de la montaña alta de la transfiguración pueden ayudar a su comprensión. El verbo *píptō* significa caer, caerse; postrarse, caer de rodillas (en actitud de adoración). Una traducción literal de la frase bíblica puede ser "se cayeron de cara" al suelo.

Llama la atención la actitud de Jesús al ver a sus discípulos caídos en el suelo: "Jesús se acercó a ellos y los tocó" (gr. *kai hapsámenos autōn*). Impresiona la ternura de su actitud hacia sus discípulos en este momento de alto tenor emocional. El contacto de Jesús disipó el temor y confusión, los trajo de vuelta a la realidad, y sus palabras los llenaron de ánimo: "Levántense. No tengan miedo."

Cuando ellos "alzaron la vista" todo lo que vieron fue a Jesús a su lado. Seguramente que su ropa ya no brillaba ni su rostro resplandecía, pero era él, el mismo Jesús con quien habían ascendido hasta ese lugar. Tampoco estaban Moisés y Elías, que seguramente se fueron con la nube luminosa de la visión. Pero lo que habían vivido era lo suficientemente fuerte, como para que ninguno de ellos lo olvidara jamás.

Las secuelas de la transfiguración (17.9-13)

El evento de la transfiguración tuvo una importancia particular para Jesús y para sus discípulos. El hecho de que los tres hombres habían visto y oído lo mismo en visión era de por sí un gran milagro, digno de ser recordado por siempre. ¿Qué significó esta experiencia única para Jesús y sus discípulos?

Para Jesús (vv. 9, 11-12). Para Jesús fue una preparación para su muerte (Lc. 9.31). La experiencia fue una confirmación para Jesús de que la estación terminal del peregrinaje que estaba llevando a cabo era su muerte seguida por la resurrección. Es por esto que advirtió a sus discípulos: "No le cuenten a nadie lo que han visto hasta que el Hijo del hombre resucite." Este fue el foco y el propósito de su transfiguración. El fenómeno no fue para exhibir a Moisés y Elías, sino para confirmarlo a él en su misión. Los discípulos se quedaron fijados con la presencia de Elías más que con la confirmación de la misión mesiánica de Jesús. De allí que, mientras bajaban de la montaña, Jesús les aclarara el significado de la presencia de estos personajes, especialmente de Elías. Jesús les interpreta la presencia de Elías y lo identifica con Juan el Bautista, probablemente teniendo en mente Malaquías 3.24 y 4.5. Es interesante señalar que fueron los discípulos los que llegaron a la conclusión de que Jesús se estaba refiriendo a Juan el Bautista en este caso (v. 12). Para los tres discípulos, este fue un interesante ejercicio teológico.

Para los discípulos (vv. 10, 13). Para los discípulos, la transfiguración fue una revelación asombrosa de quién era Jesús. En poco tiempo, ellos supieron que él era el Cristo (según el fenómeno de su transfiguración), que él era superior a la Ley y los profetas (según la visión de su conversación con ellos), que él era el Hijo de Dios (según la voz de la nube luminosa), que él era el Hijo del hombre (según las propias palabras de Jesús). De esta manera, la experiencia de la transfiguración resultó para ellos en una clase magistral de teología. La clase se desarrolló mientras bajaban de la montaña y le contaban a Jesús el contenido de la visión y se sorprendían en el hecho inexplicable de que la experiencia de cada uno coincidía con la de los otros dos en los detalles. Entre estas cosas sublimes, también aprendieron de Jesús que, en el camino de su misión, estaba confirmado que su fin sería su muerte redentora y su resurrección gloriosa.

EL CORAZÓN DE SU MISIÓN (17.22-23; 20.17-19)

En los capítulos 16 al 20, Jesús predice tres veces su muerte y resurrección. La primera vez fue después de la confesión de Pedro (16.21-28); la segunda fue en el camino a Galilea después de la transfiguración (17.22-23); y, esta tercera ocurrió en el camino de Galilea a Jerusalén (20.17-19). La primera predicción ya fue considerada más arriba, y ahora prestaremos atención a las otras dos.

Jesús predice su muerte y resurrección por segunda vez (17.22-23)

La ocasión (v. 22a). El texto indica que Jesús y sus discípulos estaban reunidos (gr. *sustrefoménōn*) en Galilea. Habían salido de los dominios de Herodes Antipas (según Marcos, lo hicieron en secreto, porque "Jesús no quería que nadie lo supiera," 9.30b) y llegaron a Capernaúm, en lo que sería su última visita. Evidentemente, era una reunión íntima, probablemente en la casa de Pedro allí. Da la impresión como que Jesús está reuniendo a los suyos (no sólo a los Doce) en grupos, en preparación para el viaje a Jerusalén, en peregrinación para celebrar la Pascua. El contexto y ambiente eran propicios para que Jesús alertara a sus seguidores de lo que vendría de manera inminente: su muerte y resurrección. Jesús quería que sus discípulos estuviesen preparados para estos eventos inevitables y que eran el corazón de su misión.

La predicción (vv. 22b-23a). No fue ésta la primera predicción de su muerte y resurrección (ver 16.21-28). Pero sí esta es la primera vez en que Jesús anuncia que "va a ser entregado en manos de los hombres," es decir, traicionado. El verbo griego aquí es *paradothēsomai*, que en el futuro pasivo significa ser arrestado; traicionar, entregar para ser condenado a muerte. Quizás fue esta revelación la que provocó la profunda tristeza que los embargó (v. 23b). A la luz de tremendo anuncio, la buena noticia de que resucitaría al tercer día pasó a un segundo plano. Y no es para menos, porque Jesús no ahorró en detalles en cuanto a lo que ocurriría.

El resultado (v. 23b). El texto dice que los discípulos "se entristecieron mucho" (gr. *kai elupēsethēsan sfódra*). El anuncio del arresto, condena y muerte del Mesías los sumió en una tristeza muy profunda. En buena medida, esto se debió a que no prestaron atención a la segunda mitad de la predicción, que hablaba de su resurrección al tercer día. Esto es lo que pasa toda vez que no predicamos un evangelio completo. Cuando esto ocurre, la buena noticia se transforma en una mala noticia. La obra redentora de Cristo no es sólo su muerte en la cruz, sino también su tumba vacía. Ambas acciones redentoras deben ser mantenidas en equilibrio teológico, como las dos alas de un avión, para que lejos de una tristeza profunda el resultado sea una gozosa y completa salvación.

Jesús predice su muerte y resurrección por tercera vez (20.17-19)

En los vv. 17-19 encontramos la tercera predicción de la muerte y resurrección de Cristo. Jesús anticipa nuevamente las tres experiencias más destacadas que le esperan en Jerusalén: su trato en manos de las autoridades judías y gentiles (romanos), su crucifixión y su resurrección. Esta tercera predicción es introducida por Jesús con la frase solemne: "Ahora vamos rumbo a Jerusalén." Este pasaje es un anuncio breve, formulado en oraciones simples. Jesús presenta las etapas del próximo camino de sus sufrimientos. Los Doce aparecen como meros oyentes. La fuente es Marcos 10.32-34, pero Mateo la abrevió y le introdujo ligeras modificaciones. Los cambios respecto a Marcos son fáciles de entender como la redacción y edición propias de Mateo.

El anuncio (vv. 17-18a). El v. 17 marca el comienzo de la parte final de Mateo 19—20. Jesús va en camino hacia Jerusalén, su destino final. Lo que en 16.21 era un mero anuncio, ahora se está tornando en una dramática realidad. El final está cerca. Jesús toma aparte a los Doce y les hace un anuncio patético. Su anuncio del próximo camino del Hijo del hombre hacia la muerte y la resurrección forma parte de la instrucción que Jesús les quiere dar a los discípulos. Sus adversarios judíos y la gente del pueblo aparentemente no saben nada de lo que está ocurriendo en este viaje. Es de notar que, a diferencia de Marcos 10.32-34, el narrador se interesa sólo por Jesús y no por los discípulos. El único tema es su próximo camino, su peregrinaje hacia la muerte. Pero este camino es parte del plan de Dios que él vino a cumplir.

El destino (v. 18b-19). El anticipo de Jesús que sería "entregado" a sus opositores no era tan dramático a la luz de las experiencias que ya habían vivido. Pero "Ellos lo condenarán a muerte" y todo lo que sigue (burla, azotes, crucifixión) era terrorífico. No obstante, estas palabras expresan la firmeza de Jesús en su peregrinaje hacia el cumplimiento del corazón de su misión. Marcos nos dice que los discípulos tenían miedo, y quizás éste es el motivo de la tercera profecía (Mr. 10.32-34), que aparentemente Jesús compartió sólo con los Doce. En general, parece que los discípulos sólo tenían en mente el hecho de que subían rumbo a Jerusalén para celebrar la Pascua juntos. Incluso estarían dispuestos a volver a experimentar una oposición dura de parte de los líderes religiosos judíos. No obstante, había un clima de temor entre ellos, que era resultado de no tener todavía muy en claro lo que allí le esperaba a Jesús, y también a ellos. Por esto mismo, el Hijo del hombre "tomó aparte" (gr. *parélaben ... kat' idían*) a los Doce, para asegurarse de que por lo menos ellos tuvieran una idea más clara de lo que estaba por acontecer. Él estaba pasando por una dura lucha interior (Mr. 10.32) y quería que de alguna manera sus discípulos lo comprendieran en su angustia. Pero queda la impresión que, a esta altura de los acontecimientos, ellos estaban más preocupados por ellos mismos que por Jesús.

LA AUTORIDAD PARA SU MISIÓN (21.23-27)

Jesús ahora no se encuentra fuera de Palestina ni en la región más cosmopolita de Galilea, sino en el corazón mismo del mundo judío, Jerusalén, y en el centro de su religión, el templo. En ocasiones anteriores, él tuvo que enfrentar a sus enemigos, pero en campos de batalla distantes de su fortaleza. En este caso, Jesús está en el mero nido de las víboras que había denunciado en Galilea (12.34). Para peor, a medida que los ataques furibundos de los fariseos, los saduceos y los maestros de la Ley se incrementaban, Jesús reiteró con más fuerza su acusación (23.33) contra sus enemigos.

El contexto (21.23a)

Debemos recordar que Jesús entró a Jerusalén, limpió el templo expulsando a los comerciantes y cambistas, y ahora regresa al otro día después de una vigilia reposada cerca de Betania. Todos estos eventos ocurrieron en dos o tres días y en cada uno de ellos hubo una demostración clara de su autoridad. Con esa misma autoridad Jesús se sienta en el templo (ahora limpio) a enseñar, y la gente se amontona para escucharlo. Pero allí estaban también sus enemigos, que ya habían decidido eliminarlo de cualquier manera posible. Así, pues, mientras enseñaba a la multitud, "se acercaron los jefes de los sacerdotes y los ancianos del pueblo." El templo era su casa y su presencia allí era permanente. Ese era su territorio de autoridad y poder. Ellos eran los miembros del Consejo de los judíos o Sanedrín, su máxima autoridad en materia civil y religiosa. Jesús allí era un intruso. De modo que cuando "se acercaron" con sus preguntas, no lo hicieron por curiosidad como participantes del auditorio de Jesús, sino como auditores o inquisidores, en representación de la religión oficial del templo, para interrogarlo en cuanto al punto más álgido en cuestión, que era su autoridad para enseñar lo que estaba enseñando. Se suponía que, en el templo, ellos eran la autoridad, y nunca se la habían delegado a Jesús ni lo habían autorizado a enseñar. Pero ahora ellos interpretan que Jesús parece estar cuestionando la autoridad de ellos, que por largos años nadie se había atrevido a cuestionar.

Las preguntas (21.23b)

Los dirigentes judíos se sintieron amenazados por las enseñanzas de Jesús, y le hicieron dos preguntas sobre la autoridad que él tenía para el cumplimiento de su misión. Tenían todo el derecho de interrumpir a Jesús en su enseñanza y levantar estos interrogantes, dado que se consideraban la suprema autoridad en material civil y religiosa para los judíos, y se encontraban en territorio propio, es decir, el templo.

Primera pregunta: "¿Con qué autoridad haces esto?" Con este interrogante, los líderes judíos no están negando que Jesús enseñaba con autoridad, sino que están inquiriendo acerca de la naturaleza de la misma. ¿Era una autoridad humana, producto de sus estudios, sabiduría o conocimientos? ¿Era una autoridad espiritual, resultado de alguna revelación divina, una visión celestial, o una inspiración profética? ¿Era la base de su autoridad de carácter político, social, económico o religioso? Esta pregunta suena lógica, pero evidentemente no era lo que más los preocupaba. Por eso, hicieron una segunda pregunta.

Segunda pregunta: "¿Quién te dio esa autoridad?" La presencia de Jesús en el templo enseñando al pueblo no había sido el resultado de una decisión de ellos. Jesús no les había perdido permiso a ellos, como autoridades supremas, para hacer lo que estaba haciendo. Es más, todavía resonaban las palabras de Jesús al echar a los comerciantes y cambistas del atrio del templo, palabras que para ellos fueron extremadamente perturbadoras: "*Mi casa* será llamada casa de oración" (v. 13). ¿Con qué autoridad este nazareno denominaba como casa suya un edificio que era reconocido como casa de Dios y casa de ellos como autoridades religiosas? La respuesta que Jesús diera a esta pregunta podía eventualmente justificar su arresto por blasfemia y llevarlo a juicio, con lo cual se podría poner fin a su misión.

Las respuestas (21.24-27)

Jesús formula una contra-pregunta al estilo de las disputas en la antigüedad, y hace depender su respuesta de la contestación que den sus interlocutores. La pregunta tiene que ver con el origen de la autoridad de Juan Bautista. Jesús pone a los adversarios ante la alternativa: ¿esa autoridad viene de Dios o es meramente humana? Los lectores del Evangelio tienen clara la respuesta, porque ya saben que Juan Bautista no sólo fue el precursor de Jesús que anunció su venida (3.11-12; 11.3), sino que forma parte del reino por él anunciado (11.12-12) y también anunciado por Jesús mismo (3.2; 4.17), y quien en definitiva sufrió el mismo destino que padeció Jesús (11.18-19; 14.3-11; 17.12). Juan y Jesús están profundamente relacionados el uno al otro en el Evangelio de Mateo, porque su autoridad tiene el mismo origen. No obstante, este relato, en común con muchos otros, ha sufrido una interpretación muy superficial. Es necesario penetrar más profundamente en el espíritu del mismo.

Primera respuesta (vv. 24-26). La primera respuesta de Jesús es una pregunta bien específica, acompañada de una promesa, que es la de contestar al primer interrogante de ellos en cuanto al carácter de su autoridad. Específicamente, lo que Jesús les pregunta es sobre el origen del bautismo de Juan (gr. *to báptisma to Iōánnou*), es decir, cuál era la naturaleza y origen de ese bautismo, que fue el bautismo con el que él mismo fue bautizado. En su interrogante, Jesús combina las dos preguntas de los líderes judíos y las aplica al bautismo de Juan. A diferencia de lo que hacía Jesús, que respondía a los interrogantes de sus enemigos de manera inmediata y sorprendía con sus respuestas, estos eruditos bíblicos y encumbrados religiosos, la crema del templo, tuvieron que hacer una consulta para discutir qué respuesta darle a Jesús. El v. 25b dice que "ellos se pusieron a discutir entre sí" (gr. *dielogízonto*, pensar, reflexionar, considerar; discutir; preguntarse). El tiempo verbal (imperfecto) indica una tarea inútil y sin sentido. Nótese el carácter puramente especulativo de estos teólogos. No estaban reflexionando teológicamente de manera responsable en procura de la verdad, sino tratando de encontrar argumentos que no los comprometieran. En verdad, estos hombres se encontraban frente a un dilema insalvable. El texto es bien claro en describirlo. Seguramente con vergüenza y humillación, no les quedó más remedio que reconocer lo último que jamás habían estado dispuestos a reconocer: "No lo sabemos" (gr. *Ouk oídamen*). Estos "sabelotodo" quedaron expuestos en su hipocresía y falsedad con su respuesta a la primera y única pregunta de Jesús.

Segunda respuesta (v. 27). La segunda respuesta de Jesús fue contundente y los dejó mudos: "Yo tampoco les voy a decir con qué autoridad hago esto." Nótese que Jesús interrumpe así la inquisición y no responde a la segunda pregunta de ellos, que en verdad era la más importante: "¿Quién te dio esa autoridad?" En un sentido indirecto, de todos modos, Jesús respondió a este interrogante al preguntar si el ministerio de Juan procedía del cielo o de la tierra. Así como había quedado claro que la autoridad de su precursor, Juan el Bautista, había sido dada por Dios, la de él, por ser el Hijo del hombre anunciado, también venía de la misma fuente. La autoridad de Jesús estaba estrechamente relacionada con la de Juan su predecesor.

CAPÍTULO 18

JESÚS EN JERUSALÉN Y BETANIA

21.1-17; 23.1-39; 26.1-13

Estos pasajes nos introducen al último acto en el drama de la vida de Jesús. Se estaba celebrando la fiesta de la Pascua y Jerusalén, junto con toda la región aledaña, estaba invadida por peregrinos. Treinta años más tarde, un gobernador romano iba a tomar un censo de los corderos sacrificados en Jerusalén en ocasión de estas celebraciones y se iba a encontrar con que el número no bajaba del cuarto de millón. La cifra indudablemente es exagerada, porque la reglamentación de la Pascua establecía que cada cordero debía ser el sacrificio equivalente a diez personas. Si estos números fuesen correctos, esto significa que, para la Pascua, Jerusalén contaba con una multitud de no menos de 2.500.000 personas, lo cual parece absurdo. De todos modos, es probable que, en ocasión de la festividad, la ciudad recibiera a más de 100.000 peregrinos.

La Ley establecía que todo varón judío adulto que viviera en un radio de unos 30 Km. de Jerusalén debía concurrir a esta ciudad para la fiesta. Pero no sólo venían los judíos de Palestina, sino también aquellos que se encontraban en la diáspora, es decir, de todos los rincones del mundo conocido, que no querían perder la más grande de todas las festividades religiosas nacionales.

JESÚS ENTRA TRIUNFAL A JERUSALÉN (21.1-11)

Jesús y los suyos están ante Jerusalén, la meta de su viaje final. Jerusalén es la ciudad santa de Israel y a la vez la ciudad de su pasión (16.21-20; 20.17-18). La aldea de Betfagué está situada, según la tradición rabínica, dentro del distrito urbano, a un kilómetro aproximadamente de la ciudad, en la ladera del monte de los Olivos. Ahora Jesús se hace cargo de la situación, de modo que todo lo que ocurre se produce por orden suya. Esta orden indica también que todo lo que va a ocurrir, él lo sabe de antemano, de modo milagroso (palabra de ciencia o de conocimiento) y no por haber llegado a un acuerdo con el dueño de la burra, que evidentemente era un conocido suyo. Jesús prevé incluso una posible y comprensible objeción del dueño de los dos animales. Para tranquilizarlo basta indicarle que el "Señor," al que un día estarán sometidos el cielo y la tierra (28.18), los necesita. El dueño terminará por enviar los animales. Nótese que Jesús reclama aquí un bien ajeno, así como un rey solicita los bienes de sus súbditos. Para los lectores está claro que Jesús mostrará su majestad en el episodio que sigue.

El evento

Los vv. 1-11 narran la entrada triunfal de Jesús en Jerusalén, que también se registra en los otros Evangelios (Mr. 11.1-11; Lc. 19.29-44 y Jn. 12.12-19). Jesús ingresó a la ciudad por el este, habiendo descendido a través de Perea y evitado así Samaria, como se suponía debía hacer un buen judío. Mateo no menciona a Samaria, salvo en 10.5. Pasó por el monte de los Olivos, que era importante en la escatología judía, por ser el lugar donde aparecería el Mesías y el lugar de la resurrección universal (27.52-53). Jesús mismo hizo los arreglos para su entrada, que fue pública y evidente, además de provocativa (capítulos 21—23). Mateo sigue a Marcos en el relato, pero salta algunos detalles en cuanto al burrito (Mr. 11.4-5) y sólo registra la orden de Jesús (vv. 2-3). El "Señor" puede ser Jesús o Dios. La cita del Antiguo Testamento es de Zacarías 9.9 con palabras introductorias de Isaías 62.11, y está basada en el texto hebreo y su paralelismo característico ("en un burro, en un burrito"). Sobre la frase "sobre los cuales se sentó Jesús" y el uso del plural, se puede decir que la expresión se refiere al animal y a los mantos que le pusieron encima. Mateo no menciona las ramas de palma (Jn. 12.13), que corresponderían mejor con la fiesta de los Tabernáculos o Enramadas, con sus procesiones y hosannas, o con la Janucá (he. *Hanukkah*) o fiesta por la reedificación del templo (1 Macabeos 13.51). La segunda llevaría naturalmente a la purificación del templo, mientras que la primera encaja bien en la conexión entre los Tabernáculos y las expectativas mesiánicas.

En los vv. 9 y 15, la exclamación "hosanna" viene del Salmo 118.25-26, que era parte del así llamado *Hallel* (Sal. 113—118), y se cantaba en la fiesta de los Tabernáculos y en Janucá, así como en la Pascua (26.30). El he. *hosia* significa ayuda o auxilio, y el sufijo *na* indica una súplica sincera. "*Hosia na*, Señor" significa "Oh, Señor, ayuda" o "Oh, amado Señor, auxílianos." De la misma voz *hosia* deriva el nombre Jesús, que en he. significa auxiliador o salvador (Mt. 1.21). *Hosia*, Jesús y Josué suenan casi igual en he. Josué es el mismo nombre que Jesús. En Mateo "hosanna" se ha transformado en un grito litúrgico de gozo y parece haber perdido su significado hebreo original de "¡Salva ahora!" Según el v. 11, Jesús fue seguido por una multitud entusiasta, mayormente de Galilea. Lo aclamaron como Jesús el profeta de Nazaret, y él va al templo y lleva a cabo de inmediato su segunda purificación (vv. 12-17).

El significado

Uno de los elementos más llamativos de todo el evento dramático de la entrada triunfal de Jesús a Jerusalén, es la atmósfera de alegría que saturó el ambiente. Al cumplimiento de la palabra profética, que anunciaba que el Mesías entraría a la ciudad santa montado sobre un burrito, se sumaba el hecho majestuoso del advenimiento victorioso del Rey esperado. Y todo esto, dentro del marco de por sí sumamente festivo que rodeaba a la celebración de la Pascua. Miles y miles de peregrinos se apiñaban en las calles de Jerusalén, con gran expectativa por la celebración religiosa más importante del calendario judío. El clima era de gran alegría. Todo era fiesta. Todo el mundo estaba dispuesto a exteriorizar de manera expansiva su gozo, y tanto más, si había motivos para ello.

Jesús no podía haber escogido un mejor momento para entrar a la gran ciudad. La gente estaba preñada de expectativas mesiánicas y lista para recibir con alegría desbordante al Mesías prometido. Tal como Jesús lo planeó y anticipó, la multitud numerosa lo recibió como a un rey.

Arrojaron sus mantos en el camino delante de él, como correspondía a un monarca triunfante. Y cortaron ramas de palmeras para improvisarle una alfombra de honor y menearlas como expresión de un saludo honroso.

A estos gestos, sumaron sus voces, que lo saludaron como a todo peregrino que venía a la fiesta: "¡Bendito el que viene en el nombre del Señor!" (Sal. 118.26). Pero en su aclamación, agregaron otras voces muy especiales: "¡Hosanna al Hijo de David!" y "¡Hosanna en las alturas!" Estas expresiones tienen un significado muy singular. *Hosanna* significa "salva ahora", y era el clamor de ayuda que el pueblo en una situación de desesperación dirigía a su rey o a Dios. Esta aclamación del pueblo es una cita del Salmo 118.25: "Señor, ¡danos la salvación! Señor, ¡concédenos la victoria!" La frase "Hosanna al hijo de David" es de carácter específicamente mesiánico, es decir, se refiere al Mesías; mientras que la frase "Hosanna en las alturas" significa algo así como: "Que los ángeles que están en las alturas de los cielos clamen también a Dios, Salva ahora."

Sea como fuere, estas exclamaciones fueron hechas por un pueblo oprimido y desesperado, pero que estalló en alegría al pensar de Jesús como el Mesías triunfante que hacía su ingreso a la ciudad santa de Jerusalén, tal como lo anticipaban las Escrituras. El grado de emoción era explosivo. El texto dice que "cuando Jesús entró en Jerusalén, toda la ciudad se conmovió." El nivel de expectativa estaba al rojo vivo. Todo el mundo se preguntaba excitado acerca de Jesús: "¿Quién es éste?" Y el entusiasmo crecía a medida que se iba configurando una respuesta de corte marcadamente mesiánico: "Este es el profeta Jesús, de Nazaret de Galilea" (v. 11).

La alegría y los decibeles de la aclamación popular alcanzaron su punto máximo cuando más tarde Jesús entró en el templo. Después de echar fuera a todos los mercanchifles y desbaratar sus negocios profanos, Jesús procedió a sanar a todos los enfermos. Y mientras ciegos y cojos eran sanados en medio de un clima de asombro popular, y de celos y envidia de parte de los principales sacerdotes y los escribas, un grupo numeroso de niños y jovencitos lo aclamaban a gritos pelados, diciendo otra vez: "¡Hosanna al Hijo de David!" Si la entrada del Mesías Jesús a la ciudad provocó alegría, mucha más alegría trajo su entrada al templo y su acción salvadora en la vida de las personas. Cuando al atardecer Jesús salió de la ciudad para descansar en casa de sus amigos de Betania, todavía quedaban en las callejuelas de

Jerusalén niños, jóvenes y adultos que reían, danzaban, cantaban y celebraban en alabanza, por el hecho de que Dios se había acordado de ellos en su opresión y miseria, y había enviado a su Mesías a traer salvación. El primer domingo de ramos fue un tiempo de fiesta y de gran alegría.

Los resultados

Jesús no podía haber escogido un momento más dramático para hacer su entrada triunfal en Jerusalén. Ahora, este episodio, lleno de tanta excitación y exaltación, ¿fue meramente un desafío a las autoridades religiosas judías, o simplemente fue, como él había dicho, una oportunidad buscada para ser entregado en manos de sus verdugos? En otras palabras, la entrada triunfal de Jesús en Jerusalén ¿fue verdaderamente un triunfo? Esta pregunta tiene dos respuestas negativas y una positiva.

La entrada no fue triunfal para Jerusalén. La ciudad estaba de fiesta. La Pascua era la primera de las tres fiestas más grandes en el calendario litúrgico de Israel, y conmemoraba la liberación de Egipto y la iniciación de la cosecha. Se celebraba en la primavera. La fiesta tradicional apagaba con su ruido mundano la fiesta de Jesús con los suyos. No era aquella la mejor preparación para recibir a un Rey, cuyo reino no es de este mundo. Por eso, no entendiendo el carácter del reino del Señor, la gente lo recibió como a un general conquistador con una apoteosis (vv. 8-9). Luego, cuando Jesús no satisfizo sus esperanzas mundanas, lo rechazaron y terminaron por demandar su crucifixión. Notemos que Jerusalén ya había rechazado a Jesús. Lo hizo porque Jesús se oponía a sus errores (23.37) y denunciaba su hipocresía. Jesús estaba en contra de su orgullo y vanidad (Lc. 19.41-44) y denunciaba abiertamente su pecado (Lc. 21.20-22).

La entrada no fue triunfal para muchos que lo seguían. ¿Quiénes lo seguían? Era una multitud de personas, y las multitudes son siempre iguales. Para las multitudes es lo mismo seguir a un muñeco en un corso de Carnaval que seguir a la imagen de Cristo en una peregrinación de Semana Santa. Las multitudes son capaces de gritar "¡Hosanna!" y de clamar "¡Crucifícalo!" Además, las multitudes son falsas en sus creencias y carecen de convicciones. No todos los que van detrás de un santo en una procesión creen en su poder de intercesión, como no todos los que salen a la calle con una Biblia debajo del brazo la leen y la obedecen. No todos los que siguen a Jesús son sus discípulos, ni los que le dicen "Señor, Señor" entrarán en el reino de los cielos (7.21).

En realidad, cabe preguntarse por qué lo seguían. Muchos seguían a Jesús por mera curiosidad. Esperaban siempre una "señal" de su parte (Jn. 6.30). En verdad, Jesús ha tenido siempre más espectadores que seguidores. Muchos seguían a Jesús por interés (Jn. 6.26). Sus ojos no podían elevarse de las cosas de la tierra, para ver en Jesús las cosas de los cielos. Como decía Crisóstomo: "Los seres humanos están clavados a los intereses de esta vida." Muchos seguían a Jesús por maldad. Esperaban la ocasión para desprestigiarlo (Lc. 6.11), o que diera un paso en falso para poder acusarlo en un juicio y condenarlo (16.1; 22.15; Lc. 11.53-54; 20.19-20). Estas personas malvadas buscaban una oportunidad para matarlo (12.14; 26.3-4; 27.1; Jn. 5.16; 12.13; Lc. 19.47).

La entrada sólo fue triunfal para un número de seguidores. Primero, fue triunfal para aquellos que lo habían acompañado desde lejos y habían compartido con él las fatigas del camino. En ocasión de la Semana Santa son muchos los que acuden a los templos a cantar "¡Hosanna!" Pero no son estos los que gozan del agrado y triunfo del Señor. Los que más gozan de la bendición de Dios son aquellos que hacen de cada semana de su vida una Semana Santa. Segundo, fue triunfal también para los que quisieron servirlo con amor y usaron sus ropas para tenderlas para comodidad de Jesús (vv. 6-7). La fe auténtica no se revela en la gritería, la exaltación o la excitación de un momento. Mucha gente también tendió "sus mantos sobre el camino" y cortaron "ramas de los árboles y las esparcían en el camino." Pero se trató de una actitud momentánea, hipócrita y vacía. La fe auténtica se revela en el servicio humilde y constante al Señor. Los discípulos actuaron con obediencia y humildad, movidos por su sincero amor al Señor. Esta es la actitud que Dios espera de sus hijos. Por eso, para ellos, la entrada sí fue triunfal. Tercero, fue triunfal para los que, llenos de júbilo y de fe, lo aclamaron como el Mesías y el Salvador del mundo. Todo el pueblo esperaba a un Mesías. Esto había sido anunciado por los profetas. Pero ellos tenían una esperanza errada en cuanto al Mesías y no comprendieron el carácter de su misión. Muy pocos reconocieron en Jesús al Hijo de Dios. Incluso esto era algo que a los propios discípulos de Jesús les costaba entender (Jn. 14.8-9). La confesión de Pedro fue como un rayo de luz (16.13-16), pero no fue suficiente a la hora de la prueba definitiva. No obstante, salvo Judas, con el tiempo los discípulos llegaron a comprender el carácter mesiánico de Jesús. Cuarto, fue triunfal para los que lo amaban y habían abierto sus corazones para que Cristo entrase en ellos. Sólo alguien que ha recibido a Cristo en su vida puede comprender el triunfo de la cruz (1 Co. 1.18), o, como se la ha llamado, "la paradójica victoria de la cruz."

JESÚS LIMPIA EL TEMPLO DE JERUSALÉN (21.12-17)

Jesús se hace presente en el templo de Jerusalén. Este incidente ocurrió inmediatamente después de la entrada triunfal de Jesús a la ciudad. Tan pronto como ingresó a la ciudad, Jesús fue derecho al templo. La fiesta de la Pascua estaba por comenzar, de modo que había miles de peregrinos en la ciudad y en el templo. Jesús se indignó al ver la condición en que se encontraba el lugar sagrado: sucio material, moral y espiritualmente. El pueblo había corrompido el verdadero carácter y significado del templo, sin tomar en cuenta que, sobre todas las cosas, era el lugar de la presencia de Dios en medio de su pueblo.

> **Ulrich Luz:** "Sobre el sentido de la expulsión de cambistas y mercaderes del templo por Jesús hay un fuerte e interminable debate en la investigación. El debate no se refiere al sentido de la expulsión del templo en Mateo o en otro Evangelio Sinóptico, sino al sentido de este suceso en la vida de Jesús. Hoy se admite generalmente que el pasaje reseña algo que marcó realmente la vida de Jesús. Pero se discute cómo sucedió en concreto y la intención de Jesús en su comportamiento. Hay dos opiniones encontradas: (1) Algunos consideran la expulsión del templo una acción política de gran alcance, que luego fue escamoteada por los evangelistas. (2) Otros conjeturan una acción-señal profética de Jesús, cuyo sentido es objeto, a su vez, de diferentes interpretaciones."[1]

---

1. Luz, *El Evangelio según San Mateo*, 3:248.

El relato del hecho

El relato de la señal profética de Jesús en su acción de limpieza del templo aparece en los tres Sinópticos (21.12-17; Mr. 11.15-17; Lc. 19.45-46). Mateo omite algunos de los detalles de Marcos (11.15-19), especialmente 11.16 y la referencia a los gentiles en la cita de Isaías 56.7. La erudición más reciente comparte un amplio acuerdo en que la acción de Jesús en el templo fue mucho más que una "limpieza." Más bien fue una señal profética que predecía la inminente destrucción del templo mismo.[2] Con seguridad, este fue el primer cargo por el que las autoridades judías buscaron la muerte de Jesús. No obstante, Jesús vinculo su acción con dos pasajes de las Escrituras que clarifican su acción y hablan de su significado más amplio. Su cita de Jeremías 7.11 sobre el templo como "cueva de ladrones" viene del famoso sermón de Jeremías en el primer templo, prediciendo su destrucción a manos del Señor mismo a causa de la impertinente maldad de quienes seguían afirmando que adoraban a Dios allí, cuando sus prácticas eran idolátricas. Su otra cita de Isaías 56.7 acerca de la intención de Dios de que su casa debía ser "llamada casa de oración" (Marcos agrega "para todas las naciones," 11.17) muestra que lo que Jesús tenía en mente no era simplemente un juicio sobre el sistema presente del templo, sino también esa visión profética más amplia acerca del significado universal de la presencia del Señor en Israel. Su acción fue el anuncio de la hora del juicio sobre el templo y sus líderes, y el anuncio de la hora de salvación para las naciones, las que, de aquí en adelante, en forma independiente del templo, adorarán al Dios de Israel.[3]

Además, para Jesús, la limpieza del templo es simplemente una epifanía majestuosa y no una reivindicación del lugar de adoración para los gentiles en el templo (cf. Mal. 3.1-5). Nótese que Jesús sigue rodeado de una multitud que lo vitorea. La referencia a diversas sanidades (v. 14) fortalece la nota mesiánica. La cita del Salmo 8.2 en v. 16 viene de la LXX, "alabanza," mientras que el TM dice "fortaleza." Durante la fiesta de la Pascua (v. 17), muchos peregrinos tenían que alojarse fuera de la ciudad, que estaba atestada de gente.

---

2. Ver N. T. Wright, *Jesus and the Victory of God* (Londres: S.P.C.K., 1996), 405-428.
3. Eckhard J. Schnabel, *Early Christian Mission*, vol. 1: *Jesus and the Twelve* (Downers Grove, Ill.: InterVarsity Press; Leicester, RU.: Inter-Varsity Press, 2004), 341-342.

La aplicación del hecho

Hay cuatro lecciones que podemos aprender en cuanto a la voluntad de Dios en relación con el templo o lugar en que se le adora; y, por extensión, en cuanto al creyente como templo vivo del Señor (1 Co. 3.16-17).

Dios quiere un templo de pureza (v. 12). Notemos, por un lado, la falta de pureza. ¿Con qué se encontró Jesús apenas entró al templo? El lugar en cuestión era el atrio o patio de los gentiles, que era el único lugar en el que los gentiles podían acercarse al templo. El lugar era el camino más corto para llegar al centro de la ciudad, es decir, era la arteria más transitada en toda la ciudad. El lugar era ideal para hacer negocios de todo tipo, tanto los relacionados con las ofrendas (cambio de dinero) como con los sacrificios (palomas). En lugar de pureza, el lugar estaba lleno de pecado. Notemos, por otro lado, la demanda de pureza. La reacción de Jesús parece ser muy drástica y desproporcionada. Echó a los comerciantes y volcó las mesas. La demanda de Jesús es radical: él demanda una pureza total (Mt. 5.48). Notemos, además, la vivencia de la pureza. Ninguno de nosotros es puro ni puede vivir una vida de pureza perfecta. El pecado en nuestra vida es una realidad que no podemos negar ni ocultar, a menos que seamos hipócritas. La contradicción entre el ideal de una vida pura y la realidad del pecado siempre presente es abrumadora (Ro. 7.21-24). Pero, lo que nosotros no podemos hacer lo hace el Señor por nosotros (Ro. 7.25). Cristo puede hacer en nosotros lo que nosotros no podemos (Fil. 4.14). La pureza viene como resultado de un acto de consagración. Las cosas consagradas son tenidas como puras y están dedicadas a ser utilizadas sólo con fines sagrados (como un templo dedicado al Señor o nuestro cuerpo consagrado a él). Los vehículos del gobierno son "para uso oficial exclusivo." Nosotros deberíamos rotular nuestro cuerpo "para uso divino exclusivo." Esto nos ayudará a ser puros y vivir en pureza.

Dios quiere un templo de plegarias (v. 13). El templo en Jerusalén era esencialmente una "casa de oración." Fue consagrado como el único lugar en el que los gentiles se podían acercar a Dios en oración (Is. 56.6-7). La oración a Dios es la actividad religiosa más universal de todas. Dios no discrimina a nadie que ora a él sinceramente. El templo en Jerusalén debía ser una expresión de esta universalidad de la presencia divina en el marco de la oración. Es por esto que, nuestra vida, como templo de Dios, debe ser una vida de oración.

¿Qué es la oración para nosotros? No son pocos los que responderían que es tratar de agradar a Dios con algunas palabras de alabanza; contarle cosas que él ya conoce; bombardearlo con pedidos; insistirle en que nos bendiga; procurar calmar su ira con muchas palabras para que no nos castigue. Pero la oración no es nada de esto. No es informarle a Dios de nuestros problemas o necesidades, porque él lo sabe todo. Orar es reconocer el verdadero valor de Dios en nuestras vidas. La oración es más que simplemente comunicarse con Dios—es adorarle. Por qué y cómo oras revela la medida de tu comprensión y fe en Dios. Por eso, la verdadera esencia de la oración es la sumisión total. El problema que muchos de nosotros tenemos es que sólo queremos la bendición de Dios, pero no estamos dispuestos a rendir nuestras vidas a él en obediencia. Le pedimos que nos bendiga, pero no queremos que interfiera en nuestras decisiones e ignoramos sus demandas sobre nosotros. No nos ajustamos a él. Solemos decir que "La oración cambia las cosas." Pero es mejor decir "La oración me cambia a mí." No oramos para cambiar las cosas o cambiar a Dios, sino para ser cambiados nosotros. ¿Qué cambios está produciendo tu oración en tu vida?

Dios quiere un templo de poder (vv. 14-15). La presencia de Jesús es presencia de poder. Al enterarse que Jesús estaba en el templo, las personas en necesidad se acercaron. Los ciegos y cojos vinieron a él y fueron sanados. Notemos que Jesús hizo estas cosas maravillosas en el templo. El templo fue el escenario de la manifestación del poder divino que operaba en Jesús. Tanto en el Tabernáculo como en el templo de Jerusalén, Dios manifestó su glorioso poder en múltiples oportunidades. Nuestra vida debe ser el escenario y el canal para la demostración del poder de Dios. Si el Dios todopoderoso mora en nosotros, cada uno de nosotros ha recibido poder y autoridad para actuar en su nombre para la salvación, sanidad y liberación de quienes nos rodean. Dios quiere demostrar su poder a través de nosotros, porque somos templos del Espíritu Santo, que mora plenamente en nosotros.

Nuestra vida debe ser la residencia y expresión de su poder. Sin embargo, esto no siempre es así: ¿Por qué? ¿Por qué nuestras oraciones no tienen respuesta? ¿Por qué nuestro testimonio es impotente? ¿Por qué Satanás y sus demonios más de una vez se salen con la suya? ¿Por qué no podemos hacer cosas maravillosas? La respuesta es muy simple: porque caemos en el mismo error que cometieron los jefes de los sacerdotes y los maestros de la ley. Hemos convertido al templo del Espíritu Santo "en una cueva de ladrones." Hemos hecho de nuestras vidas instrumentos para la satisfacción egoísta de nuestros apetitos e intereses. Nos hemos olvidado de que Dios es el único residente en su templo y lo hemos llenado de todo tipo de basura y dioses falsos. Es necesario que volvamos a entronizar al Señor en nuestro ser interior y le permitamos llenar este templo con las orlas de su manto (Is. 6.1).

Dios quiere un templo de pasión (vv. 15-16). La presencia de Jesús en el templo despertó una pasión santa. Al ver a Jesús en el templo, los niños que allí estaban estallaron en gritos en el recinto sagrado. ¿Qué hacían estos niños en el templo? No es extraño que los niños hayan aclamado a los gritos a Jesús, ya que él los amó profundamente y declaró que de ellos es el reino de los cielos. Debemos ser como estos niños en nuestra fe y gritar a viva voz que Jesús es el Mesías, el Cristo de Dios. La presencia de Jesús en nuestra vida debe despertar una pasión santa. Los niños alabaron al Señor con una alabanza perfecta: ¿cómo lo estamos haciendo nosotros? El templo es un lugar para alabar y adorar a Dios por lo que él es y por lo que él hace. Pero la alabanza no es algo que debamos guardar adentro nuestro, sino que debe ser gritada y manifiesta al mundo. Como templos de Dios debemos transformarnos en propaladores con una acústica perfecta, que proclamen que Cristo es el Rey y Señor, y nuestro mensaje debe ser notorio a todo el mundo. Dios espera que cada uno de nosotros, como templos suyos, vivamos una vida de pureza, llenos de poder y plegarias, y movidos a adorarle con una pasión comprometida.

JESÚS DENUNCIA A LOS LÍDERES DE JERUSALÉN (23.1-39)

Es muy probable que en todo este capítulo Mateo esté registrando material que fue presentado por Jesús en ocasiones diferentes, pero siempre contra los fariseos y maestros de la ley. Lo peor en cuanto a estos líderes religiosos es que, al apegarse a la tradición de los ancianos, habían hecho de los códigos morales y espirituales verdaderos laberintos imposibles de transitar. El resultado más inmediato de esta frustración por no poder soportar una carga tan pesada era la hipocresía moral y religiosa. El principio universal de "Haz lo que yo digo, pero no lo que yo hago" se había generalizado, y ellos eran sus primeros maestros en este proceso. Cabe señalar que no todos los fariseos y maestros de la ley caían bajo la denuncia de Jesús. Al igual que lo que ocurre hoy con los cristianos, los había buenos y malos, sinceros e hipócritas, bien intencionados y mal intencionados. Es a los segundos que la denuncia de Jesús se dirige.

Jesús denuncia a los maestros de la ley y a los fariseos (23.1-12)

Este largo capítulo se presenta como dirigido "a la gente y a sus discípulos." Los maestros de la ley y los fariseos aparecen como actores secundarios del drama o, en todo caso, como ilustraciones de cómo no deben ser las personas si van a vivir conforme a la voluntad de Dios. En su denuncia, Jesús no está atacando la religiosidad de estas personas, sino su hipocresía religiosa; no critica su celo religioso, sino su fanatismo religioso; no se lamenta de su doctrina conservadora, sino de su fundamentalismo obtuso; no se burla de su rigorismo ético, sino de su exceso de legalismo y literalismo; no se duele de su cuidado por cumplir con la Ley, sino de su falta de amor, misericordia y sentido común cuando lo hacen. Este será el último discurso público de Jesús registrado por Mateo, quien parece mirar a Jesús el Mesías como una especie de segundo y más grande Moisés, que denuncia severamente los pecados de los líderes del pueblo, pero que termina por manifestar el dolor de su amor frustrado.

La religión tradicional (vv. 2-3). Jesús comienza destacando que la tarea de los maestros de la ley (escribas) y los fariseos era buena y sus palabras debían ser respetadas, aun cuando la conducta de algunos de ellos era inconsistente con su enseñanza. Estos hombres eran los responsables de interpretar las leyes atribuidas a Moisés, es decir, se sentaban en la cátedra de Moises (gr. *epi tēs Mōuséōs kathédras ekáthisan*). Ellos eran los herederos de la autoridad de Moisés en lo que hacía a la interpretación y aplicación de la Ley, que era la base de la vida civil y religiosa del pueblo. Sus pronunciamientos no tenían apelación y eran de cumplimiento obligatorio. No obstante, no legislaban lo que se les ocurría, sino que estaban regidos por la tradición de los ancianos, es decir, la manera en que la Ley había sido entendida y aplicada a lo largo de los siglos, incluyendo innumerables adherencias y contradicciones. El conjunto de estas interpretaciones de la Ley constituía la religión tradicional de los judíos.

Llama la atención que Jesús no condenó este tipo de religión, pero sí a quienes la representaban. El tradicionalismo no era malo en sí, pero muchos de los tradicionalistas sí lo eran, porque no practicaban lo que decían creer. Como maestros ocupaban un lugar de autoridad y lo que enseñaban podía ser muy bueno, pero había que ser cuidadoso en no seguir su pésimo ejemplo. Por eso, Jesús recomendó a sus discípulos, respecto a la enseñanza de los líderes religiosos: "deben obedecerlos y hacer todo lo que les digan" (v. 3a). Pero denunció severamente a los representantes de esta religión tradicional, cuando dijo: "No hagan lo que hacen ellos, porque no practican lo que predican" (v. 3b). La enseñanza podía ser buena, pero las obras ("no practican," gr. *mē poieīte*) eran malas. En otras palabras, no practiquen lo que ellos practican.

La religión falsa (vv. 4-7). Jesús aprieta su argumento una vuelta más y termina por demostrar que la religión tradicional de algunos maestros de la ley y fariseos terminaba por ser una religión falsa. En su fundamentalismo hipócrita y su legalismo obtuso, ataban "cargas pesadas" y las ponían sobre "la espalda de los demás," pero ellos mismos no estaban dispuestos "a mover ni un dedo para llevarlas" (v. 4). Esta última frase es un proverbio muy gráfico, que describe a alguien levantando el dedo índice y dando órdenes, pero no haciendo nada. Estos líderes eran como capataces de la religión, pero no obreros útiles de la misma. De esta manera, estos líderes llegaron a ser los opresores de la humanidad cuando entraron en los detalles meticulosos de la Ley y no fueron buenos guías para el pueblo (v. 4). Todas sus acciones y enseñanzas estaban centradas en ellos mismos, y en ganar el favor del pueblo e incrementar su prestigio (v. 5). Se decoraban como grandes religiosos, pero eran miserables moral y espiritualmente. Todo lo que hacían era "para que la gente los vea" (gr. *pros to theathēnai toīs anthrōpois*; ver 6.1). Ellos pensaban que la ostentación de los símbolos y artefactos religiosos los hacía más religiosos. Filacterias grandes, borlas vistosas, lugares de honor, primeros asientos y saludos formales eran lo máximo para estos pigmeos morales. La religión falsa se caracteriza por mucho espectáculo religioso y poca obediencia a Dios. Hoy se ve algo de esto en aquellos líderes que, al igual que los de antaño, a quienes les encantaba que los llamaran "Rabí" (v. 7), se hacen llamar "Doctores" cuando no lo son, "Reverendo" cuando no lo merecen, o "Apóstol" cuando no han recibido de Dios ni el don ni el ministerio apostólico.

La religión verdadera (vv. 8-12). Según algunos eruditos, los vv. 8-10 fueron agregados con posterioridad, porque no se dirigen a los escribas y fariseos, sino a los discípulos. La religión verdadera no es cuestión de títulos humanos (Rabí, padre, maestro, pastor, reverendo, apóstol, siervo ungido, etc.) sino que es, en esencia, una relación interior e invisible entre el alma humana y Dios, que tiene su expresión exterior y debe ser natural y anónima. En verdad, en la religión verdadera hay un solo Padre, y es Dios; hay un solo Maestro, y es Cristo. Y los demás, somos todos hermanos. La sentencia de los vv. 11-12 plantea una severa admonición a los cristianos de todos los tiempos, que sinceramente aspiran a vivir y testificar de una religión verdadera. Todos los esfuerzos y aspiraciones de los fariseos se concentraban en vestirse y actuar de tal manera que pudieran atraer la atención de los demás sobre sí mismos. Por el contrario, toda la preocupación de los cristianos debe ser la de negarse y humillarse a sí mismos, de tal manera que, si las personas ven sus buenas obras, puedan glorificar no a ellos, sino a su Padre que está en el cielo. Cualquier religión que promueve o termina en ostentación y orgullo es una religión falsa. La religión verdadera se manifiesta en un servicio humilde y en una humildad obediente.

Jesús se duele por los maestros de la ley y los fariseos (23.13-36)

En los vv. 13-36, Jesús pronuncia una serie de "ayes" (gr. *ouai*) sobre los fariseos y escribas. Los ocho "ayes" deben ser reducidos a siete, ya que el del v. 14 no figura en los mejores manuscritos (ver NVI, nota al pie). Quizás Mateo originalmente puso siete por el simbolismo del número. Además, hay en el pasaje una referencia al infierno, que vale la pena considerar (v. 33).

¿Qué son los ayes? (vv. 13-32). Estas exclamaciones, que generalmente son más expresión de pena o lástima que de maldición, aquí funcionan como graves denuncias de juicio. En Lucas 6.20-26, la expresión "¡Ay de ustedes!" parece estar en contraste con "Dichosos ustedes." Colocar en contraste estas lamentaciones con las bienaventuranzas deja buenas lecciones. Si bien Jesús parece sonar amenazante en sus conmiseraciones, no parece estar emitiendo un juicio final sobre sus enemigos, como sí es el caso de las ciudades no arrepentidas (11.21). Por otro lado, estos "ayes" están bien en línea con la tradición profética (ls. 5.8-24; 10.1-11; Hab. 2.6-20; Am. 5.16—6.11; Ap. 9.12; 11.14; 18.10, 16, 19). La serie de denuncias se van incrementando en su gravedad y el perfil de los denunciados se presenta cada vez más oscuro.

El primer "ay" tiene que ver con la hipocresía (v. 13). La hipocresía de los maestros de la ley y los fariseos se expresó de muchas maneras, sobre todo, porque no aceptaban la oferta de Dios hecha por Jesús e insistían en las obras meritorias. Esta primera denuncia es un ataque general a estos seudo-religiosos, que no sólo yerran en esos puntos concretos, sino que bloquean el acceso de las personas al reino de los cielos. El "ay" profético que Jesús pronuncia no es el "ay" del lamento por una situación triste, sino el del anuncio de un castigo que viene sobre los hipócritas. Esta denuncia de "hipócritas" Mateo la repite seis veces; estos hombres son los enemigos de Jesús y, a la vez, son los representantes principales de la mayoría del pueblo de Israel que no creyó en él como su Mesías.

El segundo "ay" tiene que ver con el proselitismo (v. 15). En el caso de los escribas, ellos querían imponer su sistema exclusivista en las sinagogas liberales. El resultado era que los convertidos tendían a pervertirse tanto como ellos mismos (v. 15). Esta segunda denuncia amplía la primera, al señalar que los mismos maestros de la ley y fariseos que bloqueaban el reino de los cielos, recorrían el mundo entero para ganar a un solo prosélito, que luego se convertía en un "merecedor del infierno." Ambas denuncias apuntan a la relación de los escribas y fariseos con otras personas y su salvación. Esto los hacía todavía más responsables, porque no sólo ponían en riesgo su propia entrada al reino, sino que asociaban a otros en la misma condenación. No hay constancia de que los letrados o fariseos hicieran grandes viajes de misión en aquella época, como los apóstoles del cristianismo temprano. De allí que la expresión, al igual que otras en este contexto, parece ser más bien una hipérbole o exageración para descalificar el proselitismo farisaico. Sea como fuere, estos líderes hipócritas eran capaces de remover cielo y tierra ("recorrer tierra y mar") con tal de ganar adeptos para su causa.

El tercer "ay" tiene que ver con el juramento (vv. 16-22). Siguen tres denuncias que atacan la *Halaká* de los escribas y fariseos: juramentos, diezmos y limpieza.[4] Las acusaciones no son aquí tan duras, pues en los tres casos no se discute la praxis de los adversarios como tal, si bien esa praxis omite lo que es

Esencial y se queda con lo secundario. Tal era el caso de la legislación sobre los juramentos, que se denuncia en el tercer "ay." La diferenciación entre los juramentos que obligaban y los que no, era un reconocimiento erróneo de Dios como el Creador y Gobernador del universo (v. 22). En el v. 16, Jesús acusa a estas personas (omite "maestros de la ley y fariseos, ¡hipócritas!") de ser "guías ciegos" (gr. *hodēgoi tufloi*). Estos religiosos, con sus normas sobre el dinero que se consagraba al tesoro del templo,

---

4. En el judaísmo, la *Halaká* se refiere a todas las leyes y disposiciones desarrolladas desde tiempos bíblicos para regular el culto y la vida diaria del pueblo judío. A diferencia de las leyes escritas en la *Torá*, la *Halaká* representa una tradición oral. Esto es lo que en los Evangelios se denomina como "la tradición de los ancianos." Esas leyes fueron transmitidas de generación en generación antes de ser puestas por escrito en los siglos I al III d.C. en la compilación llamada la Mishná, que se convirtió en la base del Talmud.

escamoteaban un precepto claro del Decálogo como era el mandato de honrar a los padres. La ceguera de ellos era espiritual (9.27-31; 11.5; 12.22-24; 15.31; 20.29-34; 21.14). Los fariseos ya habían rechazado dos veces la curación de los ciegos físicos (9.34; 12.24; ver 21.15-16), pero ahora también parecen rechazar la posibilidad de la curación de su ceguera espiritual. Lo grave de esto es que en su pecado también asociaban a otros: no sólo eran "ciegos insensatos" (vv. 17, 19, 26), sino que también eran "guías de ciegos" (vv. 16, 24). Mantenían a las personas en su ceguera, contra lo que ellos pretendían ser: "guías de ciegos," en especial de los paganos. Son, por tanto, el polo opuesto del único Maestro, Jesús, que sana la ceguera física y libra de la ceguera espiritual.

El cuarto "ay" tiene que ver con el diezmo (vv. 23-24). La falta de sentido de proporción entre lo importante y lo ficticio o efímero es lo que aquí se denuncia. El diezmo o la décima parte de algo era una práctica común entre los judíos (Lc. 18.12), y Jesús mismo parece haberla aprobado. Lo que Jesús condena aquí no es el diezmo, sino la actitud de los fariseos que lo practicaban de manera legalista y se olvidaban de la misericordia. Jesús plantea un agudo contraste entre el diezmo de hierbas de jardín (especias) y el descuido de lo principal de la Ley. La Biblia sólo habla del diezmo de "todo producto del campo, ya sea grano de los sembrados o fruto de los árboles" (Lv. 27.30), esto incluye trigo, vino y aceite (Dt. 14.22-23). Pero la *Mishná* establece, en cambio, la norma de que todo lo que se cultiva, se cosecha, se guarda y luego se come debe ser diezmado. Esto incluye las plantas como la menta, el anís y el comino. Las tres hierbas mencionadas en el texto figuran como ejemplos de plantas aromáticas, que estaban sujetas en general al impuesto del diezmo, pero no son en absoluto especialmente diminutas.

Ulrich Luz: "El endurecimiento respecto a los preceptos bíblicos obedeció también a que se añadieron diversos diezmos bíblicos: el diezmo de levitas y sacerdotes (Nm. 18.21-32; cf. Neh. 10.37-39), el diezmo deuteronómico o segundo diezmo, que debían consumir o pagar los israelitas durante las fiestas de peregrinación en Jerusalén (Dt. 14.22-27), y el diezmo de los pobres, a tributar dos veces en un ciclo de años sabáticos

(Dt. 14.28-29; 26.12-13). Los diezmos servían, así, para el mantenimiento de los levitas y sacerdotes, y eran a la vez la principal fuente de ingresos de la ciudad santa de Jerusalén. Detrás del diezmo hay una doble creencia, importante para todos los israelitas: la Ley, de un lado, y el templo y su culto, de otro, son fundamentales para todo Israel. Los diezmos eran algo Importante también para los fariseos; pero éstos no eran, al parecer, maximalistas en este punto. Una cuestión muy distinta es, naturalmente, hasta qué punto se pagaba realmente el diezmo."[5]

El quinto "ay" tiene que ver con la limpieza (vv. 25-26). La atención escrupulosa a lo exterior de la religión es lo que Jesús condena aquí. Jesús acusa a los escribas y fariseos de limpiar las copas y los platos por afuera, mientras que por dentro están llenos de robo y de desenfreno. La distinción entre el interior y el exterior de los vasos era algo conocido para quienes estaban familiarizados con las normas higiénicas de los escribas de la época. Los rabinos distinguían la cara interna y la cara externa de los vasos, para que en caso de impureza externa no hubiera que desechar el contenido. Pero Jesús no trata con la mera pureza ritual. La denuncia del v. 25c hace un viraje muy característico: "Por dentro están llenos de robo y de desenfreno." La idea es que las copas y los platos están sucios porque contienen los bienes robados a los pobres. Los propietarios de estos vasos y platos, los ricos y poderosos, no pueden dominarse y en su desenfreno lo meten todo en sus barrigas (y sus bolsas). En esto consiste la verdadera impureza de la "cara interna" que denuncia Jesús. Así, pues, la denuncia es de carácter ético y tiene que ver con la pureza interior. La limpieza exterior no vale para nada, si no hay primero una auténtica limpieza interior.

El sexto "ay" tiene que ver con la apariencia (vv. 27-28). La sexta y séptima denuncias contienen las acusaciones básicas, que no dejan ya ningún margen de justificación a los denunciados, ya que éstos no son lo que aparentan ser. La sexta denuncia enlaza aquí con el antagonismo de "fuera" y "dentro" o "exterior" e "interior" de la quinta, y lo completa. Ahora no les queda ya nada bueno a los maestros de la ley y los fariseos, que según los

---

5. Luz, *El Evangelio según San Mateo*, 429.

vv. 23-26 observaban al menos el precepto de los diezmos y las normas de pureza ritual. Esta sexta denuncia apunta a un conformismo religioso exterior, con apariencia de una vida espiritual activa. En vez de heredar lo mejor, ellos heredaron lo peor de sus antepasados. No obstante, en la versión mateana, el símil de los sepulcros se emplea exactamente en sentido inverso al de los vasos y los platos, ya que lo limpio está por fuera ("sepulcros blanqueados") y lo sucio por dentro ("están llenos de huesos de muertos y de podredumbre"). Así, los escribas y fariseos no se parecen a los sepulcros no detectables, sino a los "sepulcros blanqueados." Para los griegos y los judíos era costumbre pintar y adornar los sepulcros para honrar a los difuntos. La apariencia "hermosa" de un sepulcro pintado y decorado, no puede anular la podredumbre horrible que hay adentro del mismo. La "impresión de ser justos" de estos falsos religiosos no es suficiente para tapar la corrupción de su "hipocresía y maldad."

El séptimo "ay" tiene que ver con la falsedad (vv. 29-32). La séptima denuncia, igualmente severa, incluye el pasado. La "ilegitimidad" de los maestros de la ley se manifiesta en que ellos son los verdaderos descendientes de los asesinos de los profetas. Los lectores no saben aún por qué lo son. El texto presenta aquí un espacio en blanco que lo transciende. Lo llenará el dicho amenazador de los vv. 34-36, que aparece ligado a la séptima denuncia con varias palabras claves. El pago sería la destrucción de Jerusalén (Estas no son palabras de venganza, sino de lamento. Era una verdad dicha con amor. Lucas dice que Jesús dijo esto con lágrimas en sus ojos (Lc. 19.41). Él podía haberlos protegido de la ira que vendría, pero ellos no quisieron.

> **Ulrich Luz:** "La denuncia presupone la idea deuteronomística del asesinato de los profetas: Israel persiguió siempre y dio muerte a sus profetas. Esta idea aparece difundida en la tradición de Jesús (Mr.12.1-9; Lc. 13.31-33). ... Las "Vidas de profetas" de la época dan numerosos nombres de profetas que murieron mártires. La denuncia presupone, además, que eran conocidos los sepulcros de estos profetas y de otros personajes religiosos, y que tales sepulcros mantenían, para muchos, la memoria de los grandes profetas de Israel. Lo sabemos por numerosos

> testimonios literarios y arqueológicos de la época de los últimos macabeos y de la época herodiana. Con la construcción de esos sepulcros, una aristocracia acomodada podía demostrar fácilmente su religiosidad y su sentimiento nacional. La culpa de los letrados y fariseos consiste, pues, primariamente en sus obras actuales y no en el modo de comportarse con el pasado. La denuncia sólo se hace comprensible presuponiendo este trasfondo de experiencias."[6]

¿Qué es el infierno? (vv.33-36). La "condenación del infierno" es el castigo futuro que aguarda a los impíos. Es la pérdida de todo bien, sea físico o espiritual (10.28). Es la miseria de una vida mala desterrada de la presencia de Dios y de la comunidad de los santos (Ro. 6.23). Según la teología bíblica tradicional, es vivir bajo la maldición de Dios por toda la eternidad. Los impíos al morir entran en un estado de conciencia de sufrimiento, que la resurrección y el juicio final sólo aumentan y transforman en permanente. La Biblia afirma la realidad de recompensas y castigos futuros (Lc. 12.47-48; Ro. 2.5-6; 2 Co. 5.10; 11.15; 2 Ti. 4.14; Ap. 2.23; 18.5-6). El castigo futuro de los impíos en el infierno excluye toda posibilidad de restauración. La doctrina del Purgatorio no es bíblica. No hay posibilidad de salvación después de la muerte (He. 9.27). Además, el castigo futuro de los impíos será eterno (Ap. 20.10). Cada vez que la Biblia se refiere a esta condición usa la palabra gr. *aión* o *aiónios*, que es eterno. Así como la vida y la bendición de los santos no tendrán fin, de igual modo la vida de sufrimiento de los impíos no tendrá fin. La realidad del infierno suscita también otras preguntas.

¿Cómo es el infierno? El castigo eterno no necesariamente consiste en tormentos físicos. Puede ser un sufrimiento interno y espiritual. En virtud de las leyes naturales, el pecador no arrepentido cosecha lo que ha sembrado (Gá. 6.7-8). El dolor y el sufrimiento del infierno no necesariamente son causados por Dios. Estos pueden resultar del sentido de perdición, de separación de Dios y de las acusaciones de la conciencia. El castigo eterno no implica necesariamente una sucesión interminable de sufrimientos. El infierno no significa una secuencia de tormentos que no tiene fin. Así

---

6. *Ibid.*, 444-445.

como la eternidad de Dios no es mera infinitud, de la misma manera no estaremos sujetos por siempre a la ley del tiempo.

¿Cómo describe la Biblia al infierno? El infierno o estado final de los impíos es descrito de diversas maneras: fuego eterno (25.41); pozo del abismo (Ap. 9.2, 11); oscuridad de afuera (8.12); tormento (Ap. 14.10-11); castigo eterno (25.46); día de la ira (Ro. 2.5); segunda muerte (Ap. 21.8); destrucción eterna (2 Ts. 1.9); juicio eterno (Mr. 3.29). Debemos ser cuidadosos en la manera en que interpretamos las metáforas bíblicas, que básicamente están construidas en base a experiencias terrenales y temporales.

¿Quiénes irán al infierno? Según el relato de Mateo (25.41), primero, el diablo (el "fuego eterno" fue "preparado para el diablo"). El infierno fue preparado por Dios para él. Si el ser humano va al infierno es por propia decisión y elección, al rechazar el amor de Dios. El diablo se va al infierno, pero no quiere irse solo. Por eso, incita a los seres humanos al pecado y es él quien los manda al infierno (Lc. 12.5). Luego, van al infierno los ángeles rebeldes ("y sus ángeles;" ver 2 P. 2.4; Jud. 6). Estos ángeles rebeldes son aquellos que se identifican con la oposición del diablo a Dios y que integran sus huestes. Estos seres van al infierno también por propia decisión al rechazar el amor de Dios y al no querer estar en su presencia debido a su orgullo y ambición de poder. Finalmente, van al infierno todos los pecadores no arrepentidos y desobedientes que rechazan la bondad de Dios, su tolerancia y su paciencia. Son personas que de este lado de la eternidad se han mostrado obstinados y empedernidos en hacer todo lo contrario a la voluntad revelada de Dios (Ro. 2.1-6).

JESÚS SE LAMENTA POR JERUSALÉN (23.37-39)

En la vida de todo ser humano y nación llega un momento en el que, en la lucha entre la verdad y la mentira, debe tomarse una decisión. Esta opción por el camino bueno o el camino malo es ineludible y crucial. Un momento así había llegado a la nación de Judea y ésta había fracasado en la prueba al no tomar la decisión correcta. Al igual que Babilonia en la antigüedad, la nación judía había sido pesada en la balanza y había sido hallada en falta. Lo que podía haber sido el momento más grande de su historia se transformó en su hora más terrible. Después de infinitas oportunidades, Dios les estaba dando la última y la más grande al enviarles al Mesías Jesús. Pero lo rechazaron en forma terminante y final, y lo único que quedó fue el pronunciamiento de un juicio, un juicio que no fue expresado con los tonos ásperos de la ira, sino con los suspiros de un corazón quebrantado.

En un sentido muy real, el juicio pronunciado por Jesús sobre Jerusalén marca el fin de una era en la historia universal. Esto no significó el fin de la historia misma. Pero sí anunció el fin de una nación, en lo que hace al propósito de Dios para ella. Según las propias palabras de Jesús, el reino de Dios fue tomado de esta nación y fue dado a otro pueblo de su propia elección (Mt. 21.43). Siempre es doloroso y patético ver morir a una nación o colapsar a una ciudad. Y éste es el pensamiento que está detrás de las palabras de dolor de Jesús sobre Jerusalén. Hay tres cosas que notar en sus palabras.

El sentimiento (23.37a)

El profundo sentimiento de Jesús por la ciudad está expresado dramáticamente en su clamor: "¡Jerusalén! ¡Jerusalén!" Jesús tenía el corazón roto al ver a su propia nación morirse. Su sentimiento es de un profundo dolor. La nación de Jesús había sido una nación escogida por Dios. Era una nación que había sido elegida como nación sacerdotal y profética para acercar a otras naciones a Dios. Pero en alguna parte y en algún momento, Israel había perdido su camino y vocación (1 S. 8.19-20). Con esto, Israel perdió su sentido de propósito: comenzó a buscar poder económico, político y militar para sí misma, en lugar de dedicarse a compartir el mensaje de Dios con las naciones paganas. En lugar de guiar a otras naciones a Dios, permitieron que las naciones paganas los apartaran de Dios. Repetidas veces, Dios les envió mensajeros para hacerlos volver al propósito divino. Pero ellos no sólo que no respondieron, sino que, como dice Jesús, "matas a los profetas y apedreas a los que se te envían" (v. 37a). De este modo, esta nación que fue bendecida por Dios de manera singular se encontraba ahora al borde de la destrucción. No es de extrañar que Jesús expresara profundamente sus sentimientos lamentándose "¡Jerusalén! ¡Jerusalén!"

El suspiro (23.37b)

De los labios de Jesús sale un suspiro que casi suena como un gemido: "¡Cuántas veces quise juntar a tus hijos, como la gallina junta sus polluelos debajo de sus alas, y no quisiste!"

Notemos el cuadro. El cuadro es el de una gallina que ve que se acerca una tormenta y desesperadamente llama a sus pollitos para que se refugien debajo de sus alas. Jesús veía que se acercaba una gran tormenta para su propio pueblo judío. La rebelión de los judíos contra el Imperio Romano estaba instalada en Jerusalén; el camino de la subversión armada era el único camino que se contemplaba. Varias veces Jesús se había ofrecido como el Mesías espiritual para su nación, pero ellos lo rechazaron porque esperaban un Mesías político y militar. Cuando vieron que Jesús no tomaba una espada, rechazaron el camino de la paz y la justicia que él les ofreció y lo crucificaron, y en su lugar escogieron a Barrabás, un líder subversivo y violento. Finalmente, en el año 70, Jerusalén y toda Palestina fue arrasada por los ejércitos de Tito Vespaciano, y la nación de Israel desapareció de la historia.

Notemos la advertencia. Jesús ve la tormenta que está amenazando a cada nación de la tierra y al mundo entero, y suspira porque quiere salvarnos. Pero el mundo entero persiste en rechazar a Jesús y su camino. Si seguimos con esta actitud de rebeldía y desobediencia, lo único que podemos esperar es la muerte de nuestra nación y la aniquilación de nuestro mundo. Cada una de las fuerzas que destruyeron al Imperio Romano está en operación en nuestra nación y en el mundo. Eduardo Gibbon, en su conocida obra *Decadencia y caída del Imperio Romano*, enumera cinco cosas como causas de esta caída. (1) La inmoralidad sexual, el divorcio y la decadencia de la familia. (2) Impuestos abusivos y corrupción, mientras los funcionarios romanos continuaban gastando de los fondos públicos a discreción. (3) Hedonismo y deseo de éxito fácil, que llevó a todo tipo de perversiones y frivolidad. (4) Carrera armamentista sin prestar atención a los elementos destructivos dentro de las fronteras de la propia nación. (5) Decadencia de la religión con su consiguiente olvido de los valores espirituales y morales. La tormenta se está gestando y Jesús sigue llamándonos desesperadamente para que nos cobijemos debajo de sus alas protectoras, pero parece que estamos sordos a su llamado.

La soledad (23.38)

Con profundo dolor, Jesús profetiza sobre la ciudad amada. Sus palabras son terribles, cuando dice: "La casa de ustedes va a quedar abandonada."

¿Qué significan estas palabras? Es interesante notar que en los mejores manuscritos de este versículo y en el pasaje paralelo de Lucas 13.35, la palabra "abandonada" (gr. *érēmos*) no aparece. Así que, Jesús está diciendo: "La casa de ustedes va a quedar ..." En otras palabras, Dios sacará su mano protectora de ella y quedaremos librados a nuestra propia suerte. Si como nación queremos vivir como se nos da la gana y olvidándonos de Dios, llegará el momento en que Dios se olvidará de nosotros. El comienzo del pecado es el olvido de Dios; el fin del pecado es que Dios se olvida de nosotros: y esto es cierto en relación con el individuo como con la nación. Romanos 1 nos ilustra esta realidad: tres veces se repite "Dios los entregó" (vv. 24, 26, 28). La misericordia de Dios es paciente, pero llega un momento en que su ira irrumpe contra aquellos que persisten en desafiarlo. Puede ser en un evento catastrófico en el que la nación cae en un día, o a través de un largo proceso de decadencia, en el que el poder preservador de Dios es quitado.

¿Qué seriedad tienen estas palabras? Para quienes las escucharon por primera vez, quizás les parecieron una tontería y por eso cayeron en oídos sordos. Incluso sus propios discípulos no entendieron su profecía de juicio sobre Jerusalén (24.1). Por eso, Jesús les respondió con las palabras de 24.2. Apenas pasó una generación, cuando su palabra se cumplió. ¿Cometeremos nosotros la misma necedad de hacer oídos sordos al clamor de Jesús, que quiere ser nuestro único Señor y Salvador? ¿En quién está puesta nuestra confianza y esperanza? El Señor nos está llamando a arrepentirnos como pueblo, y a volver a él con fe y obediencia.

El silencio (23.39)

Como consecuencia del rechazo del Mesías de Dios por parte de la ciudad y la gente de su templo, y en razón de que ellos abandonaron a su Salvador, la presencia salvadora del Señor sería quitada de la ciudad y de su templo. As+i, pues, en este versículo, Jesús profetiza un gran silencio en Jerusalén y su templo. Este silencio se manifestaría de dos maneras.

Por un lado, en pocos años la ciudad sería totalmente destruida por los romanos, no quedaría piedra sobre piedra de su templo y continuaría así por mucho tiempo. Por otro lado, él mismo desaparecería de la vista de sus interlocutores en el templo a los pocos días ("ya no volverán a verme"). No obstante, este silencio en Jerusalén y el templo finalizaría con un evento glorioso que tendría a Jesús mismo como el centro y protagonista principal: su segunda venida. El silencio en Jerusalén y el templo duraría "hasta que digan: '¡Bendito el que viene en el nombre del Señor!'" (Sal. 118.26)

JESÚS CONOCE LA CONSPIRACIÓN DE JERUSALÉN (26.1-5)

Los últimos tres capítulos de Mateo nos introducen a los últimos episodios en la misión del Rey. En estos pasajes, la pasión de Dios y la pasión de los seres humanos entran en conflicto y en comunión. Esto parece una contradicción, pero es una verdad que recorre la historia de la salvación. Jesús ha demostrado su autoridad y poder en la esfera material, mental y moral, como el único Rey que demanda lealtad a su reinado. Y ahora vamos a verlo moviéndose a través de esas escenas que tanto han confundido y asombrado a sus discípulos. En estos versículos vemos al Rey acercarse a su pasión. Jesús cierra todo un largo ministerio de enseñanza popular y se enfoca en sus discípulos para anticiparles de manera clara que en tan sólo dos días va a ser crucificado. Mientras que él les está compartiendo esto, el Consejo de los judíos, con todos sus miembros, está reunido en algún lado conspirando en su contra.

Hay un punto de unidad y uno de diferencia entre las dos escenas que presenta este pasaje. El Consejo o Sanedrín era una corte religiosa oficial, y en esta ocasión se reunieron en plenario en el palacio de Caifás, el sumo sacerdote. Se trataba del cónclave de todos los enemigos de Jesús, que se pusieron de acuerdo en arrestarlo y matarlo, pero no durante la fiesta. En el otro escenario, Jesús les dice a sus discípulos que en dos días va a ser entregado y crucificado. Ellos dijeron "No durante la fiesta" (v. 5); él dijo "Durante la fiesta" (v. 2). La determinación de los líderes judíos y la determinación de Jesús coincidieron en cuanto a su muerte, pero discreparon en cuanto al tiempo.

El anuncio a los discípulos (26.1-2)

En los vv. 1-2 se presenta un resumen y profecía del arresto de Jesús, y dan inicio a la quinta parte del Evangelio de Mateo, que trata con la muerte y resurrección de Jesús. No obstante, estos eventos salvíficos fundamentales no podían ocurrir sin que, primero, Jesús completara las etapas anteriores de su misión, entre ellas, su enseñanza. Por eso, el pasaje comienza diciendo: "Después de exponer todas estas cosas." Fue necesario que Jesús completara su enseñanza y dijera su última palabra sobre su muerte y resurrección, antes de que se precipitaran estos acontecimientos anunciados. En este momento, cuando hace este tercer anuncio, Jesús se encuentra al umbral de los acontecimientos de su pasión, que se precipitarán con una velocidad asombrosa.

Al cruzar este umbral se perciben dos fuerzas que se mueven en dirección inexorable hacia la muerte de Jesús. Nadie mejor que Pedro entendió esto más tarde, cuando en su discurso de Pentecostés y ante la multitud y las autoridades judías, declaró: "Jesús de Nazaret fue un hombre acreditado por Dios ante ustedes con milagros, señales y prodigios, los cuales realizó Dios entre ustedes por medio de él, como bien lo saben. Éste fue entregado según el determinado propósito y el previo conocimiento de Dios; y por medio de gente malvada, ustedes lo mataron, clavándolo en la cruz" (Hch. 2.22-23).

En estas palabras, Pedro reconoció dos cosas. Primero, "fue entregado según el determinado propósito y el previo conocimiento de Dios." Este es un lado de la historia, el lado espiritual y celestial de la muerte de Jesús. Segundo, "por medio de gente malvada, ustedes lo mataron, clavándolo en la cruz." Este es el lado histórico y humano de la crucifixión de Jesús. Aquí, en un misterio que casi nos abruma, podemos ver al Dios santo y a los hombres malvados trabajando juntos hacia la misma meta: la cruz de Cristo.

La conspiración contra Jesús (26.3-5)

Los vv. 3-5 ilustran el complot de los líderes judíos contra Jesús. Mateo piensa en una reunión de todo el Sanedrín o Consejo (2.4; 16.21) o al menos de un número importante de sus miembros. No obstante, una vez más, ellos no son los personajes más importantes de esta escena, sino

Jesús, que va camino a ser crucificado. Los miembros del Consejo también se movían hacia el mismo final trágico; ellos también iban peregrinando con su conspiración hacia la cruz. Es allí donde habría de producirse el encuentro final, y lo que ellos estaban procurando era lograrlo de manera "oficial" y "legal." Querían matarlo, pero en el marco de la Ley, su Ley, y en el tiempo y lugar más oportuno. Para ello, lo único que tenían que evitar era hacerlo "durante la fiesta." El temor que tenían era un posible amotinamiento del pueblo en razón de la popularidad de Jesús. La palabra "alboroto" o "motín" ("no sea que se amotine el pueblo," gr. *hína mē tótubos génētai en tōi laōi*) es usada por Flavio Josefo para referirse a las insurrecciones sangrientas del primer siglo en Palestina. Por otro lado, los líderes judíos no querían arrestar a Jesús y matarlo durante la fiesta precisamente para no provocar una represión de los romanos.

De esta manera, la gracia y la maldad se movían en la misma dirección: la gracia en la persona del Cordero de Dios, que iba a ser inmolado en la cruz; la maldad en la persona de los líderes del pueblo, que querían matarlo en la cruz. Cuando contemplamos estas dos escenas, la de Jesús en medio de sus discípulos y la de los líderes en medio del palacio del sumo sacerdote, las vemos tan distantes como el cielo y el infierno, como el amor y la malicia, como la justicia y la injusticia, tan clara como una acción auténtica y tan tenebrosa como la peor de las mentiras. No obstante, ambas se movían en la misma dirección, si bien el Señor sería quien ganaría la victoria final y definitiva.

JESÚS ES UNGIDO FUERA DE JERUSALÉN (26.6-13)

Este episodio de la cena en Betania, posiblemente está fuera de contexto cronológico aquí, a la luz de la evidencia interna. En Mateo, el relato se abre con una indicación cronológica precisa dada por Jesús mismo ("faltan dos días para la Pascua," v. 2). Pero en el Evangelio de Juan, el episodio comienza con otra indicación temporal: "Seis días antes de la Pascua" (Jn. 12.1). Esto significa que muy probablemente el episodio de la cena ocurrió cuatro días antes de que Jesús les dijera a sus discípulos que en dos días iba a ser arrestado y crucificado. En su registro, Mateo destaca dos gestos muy significativos.

El gesto de María (26.6-7)

El pasaje de los vv. 6-13 presenta el ungimiento de Jesús en Betania en casa de Simón el leproso, quien muy probablemente había sido curado de su enfermedad por Jesús y que ahora le estaba ofreciendo un banquete para honrarlo. Todo en esa noche se hizo con el fin de honrar y reconocer a Jesús. No obstante, en torno a este banquete se han tejido las teorías más disparatadas. El nombre Simón (gr. *Símōnos*) era muy común en aquel tiempo (Lc. 7.36-47). Algunos dicen que podía haber sido el padre o marido de Marta, que la casa sería la de ella dado que era la que servía (Jn. 12.2). Otros identifican a María de Betania con la mujer pecadora de Lucas 7 y a Simón como el dueño de casa (Lc. 7.36-50). Aun otros piensan que se trata de María Magdalena. No hay manera de llegar a una conclusión segura y definitiva. Por otro lado, poco importa este detalle.

Más importante es el gesto de esta mujer, que tomó un frasco de alabastro, (una piedra semipreciosa de color blanco o amarillo pálido, proveniente de Egipto), lleno de un "perfume muy caro" (gr. *múrou barutímou*). Un frasco así era un regalo digno para ser obsequiado a un rey. Fue uno de los cinco regalos enviados por el rey Cambises de Persia al rey de Etiopía.[7] Posiblemente, Jesús estaba cruzado de piernas en el suelo o recostado sobre un diván, y de aquí que le resultara fácil a la mujer derramar el ungüento sobre su cabeza (v. 7; Mr. 14.3). Juan señala que fue sobre sus pies (Jn. 12.3). Puede haber sido sobre ambos ya que el verbo "derramar" (gr. *katajéō*) significa derramar sobre.

Con su acción, María fue un instrumento de gracia y expresión de un amor agradecido al Señor. Todo su gesto se ilumina con la luz del amor de María hacia el Maestro. El ungimiento de ella a Jesús fue más allá de su muerte, ya que ella pensó en su "sepultura" (v. 12). Esta mujer se acercó más íntimamente al corazón de Jesús que cualquier otra persona antes de la experiencia de Pentecostés. Cuando trajo su frasco de alabastro y derramó sobre la cabeza de Jesús su perfume, le ofreció lo más caro y precioso que ella tenía, su amor.

---

7. Heródoto, *Historias*, 3.20.

El gesto de los discípulos (26.8.9)

Es posible que los vv. 9-11 pertenezcan a un estado posterior de la tradición, en el que las iglesias palestinas ya habían desarrollado una profunda sensibilidad social a la luz de las circunstancias. En la versión juanina de este episodio, quien levantó una protesta fue Judas Iscariote (Jn. 12.1-6). Juan agrega detalles al gesto del traidor, que de todos modos fue asentido por los demás discípulos. Sea quien sea que haya levantado la voz en desacuerdo con el gesto de María, lo importante es que lo consideraba como "desperdicio" (gr. *hē apōleia hautē*), algo sin más valor que una muestra de amor sentimental y meloso, que no servía para nada útil. Por cierto, que estas palabras le deben haber partido en dos el corazón a María, quien quizás estaba sacrificando años de trabajo y ahorro para poder comprar un perfume tan caro. Sobre su cotización, Marcos dice que valía "muchísimo dinero" (Mr. 14.5, gr. *hepánō dēnaríōn triakosíōn*, más de trescientos denarios), mientras que Mateo sólo dice que el dinero era "mucho" (gr. *polloū*).

Con su acción, los discípulos y Judas fueron un instrumento de pecado y expresión de un egoísmo insensible y una sensibilidad social falsa. Todo su gesto se enturbia con las sombras del egoísmo de los discípulos que estaban más atentos a sus propios intereses, que a las necesidades de los demás y el propósito de Jesús. El egoísmo de ellos no les permitía siquiera entender el sentido de su muerte. Los discípulos y Judas, con su indignación, demostraron una increíble incompetencia apostólica. Su argumento de generosidad hacia los pobres era, en realidad, la peluca de su hipocresía, para cubrir la calvicie de su conciencia moral y espiritual entenebrecida. Con este gesto, todos se mostraban tan traidores como Judas Iscariote frente a los valores del reino que Jesús proclamaba.

El gesto de Jesús (26.10-13)

Lo primero que sorprende es su declaración en forma de pregunta: "¿Por qué molestan a esta mujer?" Esto sorprende porque en los escritores y pensadores griegos esta frase está ausente. Nadie mostraba el menor respeto o consideración hacia las mujeres, que eran tenidas como objetos sexuales y sólo buenas para tener hijos. Con su pregunta, Jesús se está poniendo del lado de María y de todas las mujeres de todos los tiempos y lugares, para defender su condición de ser humano y valorar su contribución al reino de

Dios. ¡Qué buena pregunta es ésta para tantos líderes religiosos que niegan a la mujer un lugar en el ministerio cristiano, la desvalorizan frente al varón, no la toman en cuenta en la toma de decisiones, ni estiman el aporte único y sustancial que puede hacer a la comunidad humana!

Lo segundo que sorprende es su propia evaluación del gesto de la mujer, al que considera como "una obra hermosa conmigo." ¡Cuántas "obras hermosas" se pierden en el cuerpo de Cristo, que es la iglesia, por no darles a las mujeres el lugar que les corresponde y que Jesús les otorgó! El Espíritu Santo que mora en ellas es el mismo que mora plenamente en los varones, y los dones que el Señor ha repartido no las excluyen. No obstante, las iglesias están llenas de Judas Iscariote y discípulos carnales que protestan toda vez que una mujer quiere servir al Señor con los dones que él le ha dado, y le niegan toda oportunidad para hacerlo.

Lo tercero que sorprende es la interpretación que Jesús hace del gesto de la mujer, al decir: "lo hizo a fin de prepararme para la sepultura" (gr. *pros to entafiasai me*). Tal parece ser como que María fue la única que entendió lo que Jesús había dicho una y otra vez acerca de su próxima muerte y resurrección. En este sentido, ¡María fue la primera teóloga cristiana! Los discípulos estaban demasiado encerrados en su propia noción de un reino político, que fracasaron totalmente en entender a Jesús mientras iba camino a su muerte y sepultura. No así María, quien dramatizó de manera anticipada lo que más tarde harían José de Arimatea y Nicodemo (Jn. 19.40) con el cuerpo de Jesús antes de sepultarlo. María fue vindicada por Jesús y su gesto noble continúa siendo un ejemplo, no sólo para las discípulas mujeres, sino también para los varones. Este es el sentido de las palabras finales de Jesús: "se contará también, en memoria de esta mujer, lo que ella hizo."

Lo cuarto que sorprende es la convicción de Jesús en cuanto a su muerte, sepultura y resurrección, que se manifiesta en torno a este gesto de la mujer. En todo el pasaje Jesús habla con seguridad. Nótense sus expresiones: "consciente de ello" (v. 10, gr. *gnous de ho Iēsoūs*); "les aseguro" (v. 13, gr. *amēn légō humīn*). Además, en v. 12, Jesús da a entender que ser ungido como rey sobre Israel en esos días era casi una segura condena a muerte. Jesús está caminando por un camino que no tiene retorno. El vocablo "evangelio" (v. 13) es usado por Marcos ocho veces; Lucas y Juan no lo usan y Mateo lo usa en otros cuatro pasajes (4.3; 9.35; 11.5; 24.14).

CAPÍTULO 19

JESÚS EN SUS ÚLTIMAS HORAS

26.14-46, 69-75; 27.1-10

Los pasajes que consideraremos en este capítulo tienen que ver con las últimas horas de vida de Jesús. El Señor va caminando rápidamente hacia la terminación de su vida. Y aquí se encuentra la raíz del patetismo de estas últimas horas, porque lo terrible no es la llegada de la muerte, sino la terminación de la vida. Jesús sabe que tiene que entregar su vida para poder redimir a la humanidad de sus pecados. Pero esto no sólo significa morir y hacerlo como resultado de sufrimientos extremos, sino también abandonar las profundas experiencias humanas de limitaciones enormes, pero de alegrías grandiosas; de dolores profundos, pero de satisfacciones inmensas; de luchas encarnizadas, pero de victorias asombrosas.

Jesús confrontó y pasó sus últimas horas desde la plenitud de su humanidad. Y precisamente certificó su condición de ser humano total al vivir este tiempo como cualquier ser humano y quizás con una intensidad superlativa. Es así como tuvo que sobrellevar la traición de uno de sus discípulos escogidos por él (Judas Iscariote), pero disfrutó de la comunión de la cena pascual con los otros once. Tuvo que digerir la negación de su discípulo de mayor confianza (Pedro), pero recibió la confirmación de su Padre celestial en cuanto a su misión redentora. Tuvo que soportar el trato que le dieron como a un criminal, pero no perdió su dignidad ni su autoridad se melló. Tuvo que pasar por el juicio de judíos y gentiles, pero se mantuvo firme en su compromiso de dar su vida en rescate por muchos. Tuvo que sufrir la burla de sus torturadores que se mofaban de él como un pretendido rey y le colocaron una corona de espinas, pero demostró ser el Rey de reyes y Señor de señores al dejarse crucificar por ellos. Es, pues, en estas últimas horas donde la magnitud de su persona y la grandeza de su espíritu se potencian, y Jesús se muestra en todo su esplendor y autoridad, poder y gracia.

LA TRAICIÓN A JESÚS (26.14-16; 27.1-10)

El imperio de las tinieblas ya se había puesto de manifiesto en la actitud de Judas Iscariote frente a la ofrenda generosa de María durante la cena en Betania, en casa de Simón llamado el Leproso (26.8-9; ver Jn. 12.4-6). Su egoísmo y ambición desmedida lo estaban llevando poco a poco a precipitarse en el peor de los pecados: la traición al Señor. Esto ocurrió al comienzo de la Pascua y fue la antesala de varias otras traiciones y negaciones de Jesús, que pasaron a ser parte de su sufrimiento redentor para la salvación de la humanidad (Is. 53.3).

Judas traiciona a Jesús (26.14-16; 27.1-10)

Jesús sabía de antemano que su discípulo Judas lo iba a traicionar. Lo sabía por ejercer plenamente el don de palabra de ciencia o de conocimiento y el don profético (1 Co. 12.9), pero también lo sabía porque así lo anticipaban las profecías del Antiguo Testamento (Zac. 11.12-13; Jer. 18.18; 32.6-15).

El acuerdo (vv. 14-16). Según estos versículos, Judas acuerda traicionar a Jesús. Los vv. 14-16 presentan el convenio que hizo Judas Iscariote con los enemigos de Jesús. Este discípulo acuerda en vender o traicionar a Jesús a cambio de "treinta monedas de plata" (gr. *triákonta argúria*). Indudablemente él fue el responsable del arresto de Jesús. Y lo hizo de la manera más traicionera que uno pueda imaginar, no sólo porque vendió a Jesús por dinero, sino porque a pesar de ser un discípulo cercano de él, estuvo dispuesto a hacerlo. El uso del pronombre "yo" (gr. *egō*) en la frase "yo les entrego a Jesús" es como si dijera: "Yo, a pesar de ser uno de sus discípulos, estoy dispuesto a entregarlo a ustedes si me dan lo suficiente." Los jefes de los sacerdotes, entonces, según la costumbre, pesaron el metal (las monedas eran siclos de plata, una medida de peso) con una balanza, y se lo dieron. Este era el monto que debía pagar el dueño de un toro que corneaba a un esclavo ajeno (Éx. 21.32), y era el equivalente al precio de un esclavo en el mercado en aquel entonces. Este fue el precio que se pagó por la vida de Jesús, cuya muerte liberó del pecado a toda la humanidad.

El motivo (v. 15a). ¿Qué motivos tuvo para hacer esto? Si Judas recibió dinero, probablemente fue porque las autoridades desearon "atar la carga" por tales medios, sellar el acuerdo de traición y entrega, y obligar a Judas a cumplir con su compromiso. En ámbitos judiciales siempre se procura tener claridad en cuanto a las motivaciones que un criminal pueda haber tenido para cometer su delito. En el caso de Judas no es tan claro concluir cuál fue el motivo que lo llevó a cometer tremendo acto de traición. Se han sugerido cuatro posibilidades.

(1) Judas era un hombre ambicioso y prisionero de su apetencia por el dinero. Lo primero que preguntó a los jefes de los sacerdotes fue: "¿Cuánto me dan?" (v. 15). Este es también el diagnóstico que de él hace Juan, refiriéndose a su actitud frente a la ofrenda de María. Para él, el derramamiento del perfume significaba "muchísimo dinero," que se podía haber dado "a los pobres." En realidad, según Juan, él "dijo esto, no porque se interesaba por los pobres sino porque era un ladrón y, como tenía a su cargo la bolsa del dinero acostumbraba robarse lo que echaban en ella" (Jn. 12.6).

(2) Judas era un discípulo con una idea equivocada de quién era Jesús como el Mesías. Creía en él como tal, pero su idea era la de la mayoría del pueblo, y pensaba que, de alguna manera, Jesús se iba a manifestar con todo poder, contratacaría a las autoridades judías elitistas y a las fuerzas romanas de ocupación, y establecería un reino político, donde él bien podía ser el ministro de hacienda o finanzas públicas. En otras palabras, Judas no creía que Jesús iba a morir.

(3) Judas era un discípulo frustrado porque, a pesar de haber visto a Jesús hacer cosas maravillosas y enseñar con gran autoridad, no estaba resultando el héroe que él esperaba que fuera. Quizás pensó que tenía que darle una mano a Jesús y ponerlo en una situación extrema para que actuara en consecuencia. Su desilusión por Jesús se transformó en desprecio, y ésto en odio. Pensando que la de Jesús era una causa perdida, trató de sacar el mejor partido de la situación, entregándolo a cambio de dinero.

(4) Judas siguió a Jesús, pero sin entregarle su corazón (todo su ser interior). Su relación con Jesús no llegó a ser tan profunda e íntima como para que el Señor lo guardara de las acechanzas del diablo. Esta vulnerabilidad espiritual fue bien aprovechada por el enemigo, que tomó posesión de él (de su alma) y lo manejó como un títere llevándolo a cometer su traición. Quizás esta fue la razón por la que no reaccionó a las varias advertencias de Jesús, y por la que lo entregó con un beso. Una vez logrado esto, el diablo le cobró su cuenta a Judas, matándolo, a pesar de su arrepentimiento, que a mi juicio fue sincero (27.1-10). Es muy probable que todos estos motivos se hayan combinado para resultar en su traición a Jesús.

El suicidio (27.1-10). "Muy de mañana" (gr. *prōías*) se puso en marcha la maquinaria programada para terminar con la vida de Jesús. "Todos" (gr. *pántes*) los líderes se reunieron y "tomaron la decisión de condenar a muerte a Jesús" (v. 1). De esta manera, ratificaron el juicio ilegal de la noche anterior (Mr. 15.1; Lc. 22.66-71). Lucas ofrece mayores detalles sobre esta segunda sesión. Según el v. 2, Jesús fue atado como si fuese un criminal que podía escapar, y se lo llevaron y entregaron a Pilato. La acción fue de carácter oficial por parte del Consejo de los judíos. No se hace mención de lo ocurrido la noche anterior y las expresiones son las ya usadas en 12.14 y 22.15.

En los vv. 3-10 se narra la muerte de Judas Iscariote. Con esto, el autor parece entender que la decisión del Consejo o Sanedrín fue crucial para la decisión de Judas ("vio que habían condenado a Jesús," v. 3). Es probable que Judas haya sido testigo de todo este proceso, y cuando los líderes judíos entregaron a Jesús a las autoridades romanas cayó en la cuenta de la gravedad de lo que estaba ocurriendo. Quizás él no imaginaba que los judíos iban a llegar tan lejos o que Jesús se dejara atar y tratar como un criminal sin mover un dedo. La impresión sobre él de esta imagen de Jesús trasladado y manipulado como un delincuente, mientras mantenía una actitud totalmente pasiva, fue muy fuerte. El golpe lo llevó, primero, a sentir "remordimiento" (gr. *metamelētheis*, de *metamélomai*, arrepentirse, sentir pesar o remordimiento; cambiar de idea; 21.30). Segundo, Judas trató de romper el acuerdo con el Consejo y les "devolvió las treinta monedas de plata." Tercero, confesó que lo que había hecho era un pecado, y lo dijo en público y en detalle, afirmando la inocencia de Jesús y la culpabilidad de sus jueces corruptos: "He pecado porque he entregado sangre inocente" (v. 4). Cuarto, actuó en conformidad con su arrepentimiento y confesión, y procuró restaurar el mal hecho ("arrojó el dinero en el santuario y salió de allí" (v. 5). Hasta aquí, en verdad, Judas hizo lo mismo que Pedro haría más tarde, después de negar a Jesús tres veces con maldiciones (vv. 69-75). La única diferencia es que Judas no esperó a ser restaurado por Jesús, como ocurrió con Pedro, y "fue y se ahorcó."

Las evaluaciones de esta acción son numerosas y diversas, y quizás lo que tenemos aquí es un drama de final abierto. Cada uno debe juzgar a Judas con la misericordia con la que seguramente Jesús lo juzga, y no con la crueldad e injusticia con la que los líderes judíos lo corrompieron y con la que Satanás le quitó la vida (ver comentario más arriba sobre 26.14-16).

Mientras Judas se arrepentía de lo que había hecho, los religiosos del templo incrementaban su impiedad e hipocresía (v. 6). Las treinta piezas de plata les quemaban en las manos en razón de sus conciencias culpables, y había que encontrarles un destino inmundo, sin tomar en cuenta que habían salido de sus bolsillos inmundos para corromper a Judas. Así decidieron comprar un terreno llamado Campo del Alfarero (vv. 7-10). Mateo liga el presente ("se le ha llamado Campo de Sangre hasta el día de hoy") con el pasado ("se cumplió lo dicho por el profeta Jeremías"), para fundamentar que lo ocurrido estaba dentro de los planes de Dios ("como me ordenó el Señor").

La cita en el v. 9 viene de Zacarías 11.12-13 (v. 15) con ciertas alusiones a Jeremías 18.2-3 y 32.6-15, y esto le sirve a Mateo para sintetizar la comprensión que tenía la iglesia del papel de Judas en el proceso de la pasión: recibió una paga por su traición (Mr. 14.11; v. 15); lo que hizo fue en cumplimiento de las Escrituras (Mr. 14.21; Mt. 26.24; Hch 1.16); y su muerte violenta estuvo relacionada con un cementerio llamado Campo de Sangre (Hch. 1.5-20). Lamentablemente, desde entonces y según el juicio de los humanos, Judas ha sido excluido por definición de toda posibilidad de salvación. ¿Será tan severo el juicio de Dios? ¿Es la traición de Judas el pecado imperdonable?

La última cena de Jesús (26.17-30)

El pasaje de los vv. 17-35 presenta todo lo relacionado con la última cena de Jesús con sus discípulos. Jesús deseaba comer la Pascua (gr. *fageīn to pásja*) con sus discípulos. En realidad, había dos fiestas en una, la de la Pascua y la de los Panes sin levadura. Los nombres se usaban de manera indistinta. En este caso, parece que la referencia es a la cena pascual. La pregunta de los discípulos (v. 17b) tiene que ver con la preparación para este evento fundamental en la tradición de Israel. Nuevamente Jesús sorprende con su ejercicio del don de palabra de conocimiento (1 Co. 12.9), al darle a sus discípulos indicaciones precisas en cuanto al dueño de la casa donde iban a celebrar esta cena (v. 18). Es probable que Jesús les haya dado el nombre de este "cierto hombre." Marcos 14.13 y Lucas 22.10 lo describen como una persona que llevaba un cántaro de agua. La casa en cuestión puede haber sido la de María, la madre de Juan Marcos, lugar donde probablemente más tarde ocurrió el Pentecostés.

La preparación (vv. 17-19). Estos versículos tienen que ver con la preparación para comer la cena pascual. El primer día de la fiesta de los Panes sin levadura, significa el 15 de *nissan*, que comenzaba en el atardecer del día 14. Esta fecha está en conflicto con Juan, que dice que la crucifixión tuvo lugar el 14 de *nissan*. La mayoría de los eruditos dicen que la fecha de Juan es la correcta. Los que siguen son algunos de sus argumentos en contra de los Sinópticos: (1) Las autoridades no querían tener problemas durante la fiesta. (2) Es extraño que los miembros del Sanedrín, Jesús y sus seguidores tuvieran tanta actividad en esa noche santa. (3) El Talmud contiene una tradición que dice que Jesús sufrió en la tarde de la Pascua. (4) La mayoría de las características de la Pascua no son mencionadas en el relato de los Sinópticos. Hay quienes identifican el día de la crucifixión de Jesús como el día viernes 7 de abril del año 30 d.C.—esto es correcto si los judíos de Jerusalén seguían el calendario babilónico para fechar la Pascua. Según los vv. 18-19 Jesús tenía amigos de confianza en la ciudad (Mr. 14.13-16). Mateo agrega "mi tiempo está cerca" (v. 18) como una profecía de la crucifixión.

La conversación (vv. 20-25). La cena comenzó a la manera tradicional, después de las 18:00 hs., una vez bajado el sol ("al anochecer," gr. *ofías*). Los comensales (Jesús y los Doce) estaban recostados sobre almohadones, apoyados sobre su brazo izquierdo y con el derecho libre para tomar los alimentos. El cordero pascual ya estaba preparado y debía ser comido en su totalidad (Éx. 12.4, 43), de modo que había comida de sobra. Jesús interrumpe la quietud de la mesa con una frase explosiva y enfática: "Les aseguro que uno de ustedes me va a traicionar" (v. 21b). Los discípulos ya habían tenido pruebas suficientes de que Jesús ejercía su don de palabra de conocimiento con precisión superlativa. No había lugar a ningún tipo de especulación. No es extraño, pues, que todos se entristecieran y comenzaran a preguntar con desesperación, aun sabiéndose inocentes: "¿Acaso seré yo, Señor?" Es probable que Judas guardara silencio, porque si hubo alguien que sintió el golpe directo al corazón, ése fue él. La pregunta de los once presuponía una respuesta negativa, pues estaba precedida por una cláusula negativa (gr. *mēti egō eimi*, "¿No soy yo, verdad?") Entonces Jesús da una pista, que no es nada clara: "El que mete la mano conmigo en el plato" (gr. *ho embápsas met' emoū*). En realidad, todos estaban mojando el pan en el plato, ya que no había cubiertos. Pero la conciencia de Judas lo apuntaba a él, quien no pudiendo resistir las palabras de Jesús, terminó por ser el último en preguntar: "¿Acaso seré yo, Rabí?" Nótese que mientras todos usaron el apelativo "Señor," Judas dijo "Rabí." Quizás aquí esté la diferencia abismal entre él y los once. A pesar de todas sus falencias y pecados, los segundos seguían confiando en Jesús como su Señor, mientras que, para Judas, él no pasaba de ser un Maestro de lindas verdades. La respuesta de Jesús fue demoledora: "Tú lo has dicho" gr. *ofías*. Es probable que los once ni siquiera se hayan dado cuenta de esto, pero para Judas fue razón suficiente para retirarse de la cena (Jn. 13.30-31a).

Mateo omite las alusiones al Salmo 41.9 (Mr. 14.18). En todo lo demás, Mateo sigue a Marcos y agrega una respuesta directa ("Tú lo has dicho," v. 25) a la pregunta de los discípulos en cuanto a quién entregaría a Jesús ("¿Acaso seré yo, Señor?" v. 22) y particularmente a la pregunta de Judas Iscariote ("¿Acaso seré yo, Rabí?"). La traducción literal del arameo al griego significa "Sí," pero también puede significar "Tú lo dices, no yo" (cf. v. 64 y 27.11).

La celebración (vv. 26-30). En estos versículos, Jesús instituye la Cena del Señor. El nombre más temprano de este rito fue Eucaristía ("acción de gracias") en razón de que Jesús "dio gracias" (gr. *eujaristēsas*) antes de ofrecer la copa a sus discípulos (v. 27). Las palabras de institución en Mateo siguen estrechamente a Marcos 14.22-24, pero son más simétricas y transforman la frase descriptiva en Marcos 14.23b en un mandamiento, es decir, se han desarrollado como una fórmula litúrgica con el agregado de "para el perdón de pecados," una fórmula que falta en 3.2, donde Marcos y Lucas la mencionan en relación con el bautismo de Juan (Mr. 1.4; Lc. 3.3). Para Mateo el perdón de los pecados estaba ligado al "nuevo pacto" (RVR) a través de Cristo (v. 28; 6.11-12). El v. 29 arroja luz sobre la naturaleza de la Eucaristía y su uso repetido en la iglesia a la que escribe Mateo. Esta comida era un anticipo del banquete mesiánico que Jesús celebraría en su reino, y Mateo agrega "con ustedes" (ver 5.6; 8.11; Lc. 22.29-30, donde el banquete es combinado con los tronos de los apóstoles; ver 19.28). "Hasta el día" enfatiza el intervalo que media entre el ahora y la Parousía. La Pascua era seguida por el canto de la segunda parte del así llamado *Hallel* (Sal. 115—118).

Hay cinco cosas que debemos recordar en cuanto a este evento. Primero, es un acto de conmemoración. Jesús dijo: "Hagan esto en memoria de mí" (Lc. 22.19). Segundo, es un acto de comunión. Jesús invitó a todos sus discípulos a participar del mismo: "Tomen y coman … Beban de ella todos ustedes" (vv. 26-27). Tercero, es un acto de convenio. Jesús lo caracterizó como "un nuevo pacto" en su sangre (Lc. 22.20). Cuarto es un acto de celebración. Como tal, involucra una bendición ("tomó pan y lo bendijo"), acción de gracias ("dio gracias"), participación ("se lo dio a sus discípulos … se la ofreció"), esperanza (v. 29) y alabanza (v. 30). Quinto, es un acto de comunicación del evangelio: "Esto es mi sangre … que es derramada por muchos para el perdón de pecados."

LA NEGACIÓN DE JESÚS (26.31-35, 69-75)

Si Judas quedó marcado en la historia por su traición a Jesús, Pedro es el arquetipo de la negación a Jesús. No obstante, el final de su acción desleal fue diferente del de Judas. Pedro supo esperar hasta ser restaurado por Jesús y vivió para contar su experiencia de ser perdonado y colocado de nuevo en el camino de la misión del reino.

Jesús predice la negación de Pedro (26.31-35)

La expresión "esa misma noche" (gr. *tóte*) es una indicación temporal enfática que señala al hecho que lo que predijo Jesús lo dijo en el contexto de la cena pascual. Esta segunda predicción fue tan dramática como la primera en cuanto a la traición de Judas: "todos ustedes me abandonarán." En los vv. 31-32, la predicción de la dispersión de los discípulos es reforzada por la cita algo adaptada de Zacarías 13.7. El v. 32 parece interrumpir la secuencia entre los vv. 31 y 33, porque, si bien es una tercera predicción, su carácter es totalmente diferente y esperanzador.

La promesa de Pedro (vv. 33, 35). En el v. 33, vemos a Pedro prometiendo, de manera egoísta y presuntuosa, no ser motivo de escándalo (gr. *egō oudépote skandalisthēsomai*). Con esto, el impulsivo Pedro se olvidó de la propia profecía de Jesús en cuanto a su resurrección y de la prometida reunión en Galilea (v. 32). Tampoco lo había impresionado la profecía de Zacarías citada por Jesús (v. 31). De alguna manera, se colocó por encima de los demás ("aunque todos te abandonen"), ignorando que él era tan débil como todos, incluido Judas. Incluso, se atrevió a desconocer la advertencia de Jesús y negarla, diciendo algo que de ninguna manera podría cumplir. Primero, porque no iba a estar dispuesto a acompañar a Jesús en su martirio, al igual que los demás discípulos (v, 56b); y, segundo, porque no era la voluntad de Dios que muriera todavía, ya que Jesús le había encomendado una misión que todavía no había cumplido (16.18-19), al igual que los demás discípulos (28.19-20).

La afirmación de Jesús (v. 34). Ante el exabrupto de Pedro, Jesús especifica más la cuestión y da detalles precisos de lo que ocurriría poniendo un fuerte énfasis: "Te aseguro que esta misma noche" (gr. *Amēn légō soi hóti en taútēi tēi nukti*). Nuevamente Jesús usa palabra de conocimiento con gran precisión. Así, en el v. 34 Jesús anuncia la triple negación de Pedro "antes de que cante el gallo" ("un gallo," Mr. 14.30), temprano en la madrugada. La señal de la traición sería inconfundible, porque, en general, los judíos no permitían la presencia de gallos en la ciudad. Pedro era uno de los discípulos más destacados de Jesús. Pero no aceptó la palabra de su Señor, y lejos de humillarse procurando ser fortalecido por él, redobló la apuesta: "Aunque tenga que morir contigo, jamás te negaré" (v. 35). No fue difícil para los demás contagiarse de tremenda infatuación, aunque más no fuese para no quedar atrás, y "dijeron lo mismo." Pedro fue el primero y arrastró en su necedad a todos los demás.

Pedro figura en primer lugar en las cuatro listas de los discípulos de Jesús (Mt. 10.2; Mr. 3.16; Lc. 6.14; Hch. 1.13). Esto no es casualidad, sino que nos indica la posición destacada que ocupó en el grupo apostólico. Según los Evangelios, Pedro había dejado todo para seguir a Jesús, y cuando éste preguntó: "¿Quién dicen que soy yo?" él contestó: "Tú eres el Cristo, el Hijo del Dios viviente" (16.16), exponiendo así una de las declaraciones teológicas más profundas de todo el Nuevo Testamento. Los primeros capítulos del libro de los Hechos lo presentan como el personaje principal y el Nuevo Testamento registra dos cartas atribuidas a él con un contenido muy profundo.

Pedro niega a Jesús (26.69-75)

A pesar de ser un personaje tan destacado, Pedro no era perfecto, pues descubrimos en él la debilidad humana. Muchas veces se equivocó y en una ocasión llegó al extremo de negar al Señor. Generalmente, es éste el episodio más recordado de su vida. Así, pues, en los vv. 69-75 encontramos la negación de Pedro, que Mateo relata con más balance y progreso dramático que Marcos. La referencia a su acento galileo (v. 73) se hace más explícita, y Mateo retiene el carácter inmediato de las acciones (como hace Marcos) por razones de dramatismo (v. 74). Ahora, la derrota espiritual de Pedro no fue repentina, sino que siguió un lento proceso. Todos estos versículos de Mateo 26, desde el v. 31 en adelante, nos muestran el desarrollo de su fracaso espiritual. ¿Cuáles fueron los pasos que dio Pedro y que lo llevaron al colmo de su negación de Jesús?

El primer paso: confiar demasiado en sí mismo (v. 33). Por un lado, esto significa menospreciar la palabra de Jesús, es decir, la palabra de Dios. Pedro no prestó atención a la advertencia de Jesús y tuvo en poco la sentencia de la propia Escritura (v. 31). La Palabra de Dios siempre nos advierte severamente (1 Co. 10.12). Debemos oír sus advertencias y velar rogando al Señor que nos ayude a permanecer firmes (1 P. 5.8-9). Por otro lado, esto significa subestimar a los demás (v. 33). Pedro se comparó con sus compañeros considerándose superior a ellos (Pr. 29.23). Goliat cometió el mismo error cuando, lleno de orgullo y jactancia, subestimó al joven David y fue vencido. En el conflicto espiritual, el primer paso que conduce a la derrota es la soberbia (Pr. 16.18). Además, esto significa caer en la mentira (v. 35a). Pedro llegó a una exageración, que rayaba en la mentira, para satisfacer su yo infatuado. El pez que uno pesca siempre es más grande que el del vecino. Finalmente, esto significa ser motivo de tropiezo a los demás (v. 35b). No sólo que pecó él, sino que hizo pecar a los demás con su mal ejemplo. Ser de tropiezo a los demás es un pecado grave, según la Biblia (Lc. 17.1).

El segundo paso: descuidar la oración (vv. 40-42). Siguiendo el drama de los discípulos, los encontramos ahora en el Getsemaní. Jesús se retira a orar. Pedro, Jacobo y Juan están cerca. Mientras Jesús ora, ellos duermen. Dejar de orar es un paso hacia la derrota espiritual. Es así, porque la oración es un mandato divino (1 Cr. 16.11). Daniel oraba tres veces por día (Dn. 6.10), y los cristianos no podemos hacer menos que esto. Además, la oración es agradable a Dios (Ap. 8.3). Lutero oraba tres horas por día y se lamentaba por no poder hacerlo por más tiempo. La oración es una necesidad (Lc. 18.1) más que una obligación. Necesitamos de la oración para vencer la tentación (v. 41) y para conocer la voluntad de Dios (v. 42). La oración es también el gran recurso frente a las pruebas He. 4.16).

El tercer paso: depender de las armas carnales (v. 51). Juan 18.10 dice que, en el momento del arresto de Jesús, Pedro sacó su espada. Pedro creía firmemente en el reino de Dios y no podía aceptar que su Rey fuese arrestado o muriese (16.21-22). Al igual que los otros Sinópticos, Mateo oculta el nombre de Pedro, probablemente por cuestiones de prudencia dado que, para cuando él escribe, quizás el apóstol todavía vivía. Juan, que escribe hacia fines del primer siglo, lo menciona por nombre. La espada en cuestión era una de las dos que llevaban los discípulos (Lc. 22.38). Es posible que la intención de Pedro no haya sido la de cortarle una oreja al siervo del sumo sacerdote, sino cortarle el cuello. Si lo hubiera logrado, habría matado al hombre, quien según Juan se llamaba Malco, probablemente alguien que llegó a ser cristiano conocido en las iglesias a las que escribe este apóstol. Las armas carnales no pueden extender el reino de Dios y ayudar a Jesús en su obra redentora. El método de Dios no es éste (Zac. 4.6). El uso de las armas carnales en la lucha espiritual es un paso importante hacia la derrota (2 Co. 10.4).

El cuarto paso: seguir de lejos a Jesús (vv. 56b, 58a). Una vez arrestado Jesús, todo el envalentonamiento de sus discípulos se hizo humo … y ellos también. El cuadro que pinta Mateo es vergonzoso y lamentable: "Entonces todos los discípulos lo abandonaron y huyeron" (v. 56b). No obstante, hay algo positivo en la actitud inmediata de Pedro: "Pedro lo siguió de lejos" (v. 58a). Por cierto, lo hizo bien consciente del enorme riesgo que corría y seguramente lo hizo de manera sigilosa. Pero, de todos modos, fue el único que se atrevió a seguir a Jesús. ¿Quién de nosotros lo hubiera hecho en esas circunstancias? Pero también hay algo negativo en su actitud, porque siguió a Jesús de lejos dejándolo solo. A partir de su arresto, Jesús no contó con el apoyo de nadie ni con el consuelo de la presencia de las personas a las que más amaba y a las que les había dado todo. ¿Hay creyentes así en nuestra iglesia?

El quinto paso: quedarse con los enemigos de Jesús (v. 58b). Pedro hizo todo lo opuesto al varón bienaventurado del Salmo 1.1. Pedro siguió el consejo de los malvados, se detuvo en la senda de los pecadores, y cultivó la amistad de los blasfemos (vv. 57-58). Peor todavía, no mostró la más mínima sensibilidad y solidaridad hacia Jesús. Se "sentó con los guardias," tratando de pasar desapercibido, para estar al tanto de las noticias: "para ver en qué terminaba aquello" (gr. *ideīn to télos*). Tuvo el coraje de no caer en pánico y de seguir a Jesús hasta llegar a su lugar de juicio, con lo que demostró ser más corajudo que el resto de los discípulos, pero no lo suficientemente valiente como para hacer lo que prometió: "Aunque tenga que morir contigo, jamás te negaré." Así, pues, prefirió la compañía de los "guardias" antes que hacerle compañía a Jesús. Como creyentes estamos en el mundo, pero no somos del mundo (Jn. 17.15-16). Cristo solía asociarse con los pecadores, pero con el fin de salvarlos. Podemos ser amigos de quienes no son creyentes, pero con el fin de ganarlos para Cristo, y no "para ver en qué terminaba aquello." La Biblia nos exhorta a no quedarnos con los enemigos de Cristo (2 Co. 6.14-17).

El sexto paso: negar toda relación con Jesús (v. 74). En el relato de la caída de Pedro, el último paso fue su negación total de Jesús. No sólo que, tal como Jesús lo había anticipado, lo negó tres veces, sino que la última vez lo hizo como si estuviese demonizado: "comenzó a echarse maldiciones, y les juró" (gr. *tóte ērxato katathematízein kai omnúein*). Repitió su negación con el adicional de insultos para probar que estaba diciendo la verdad en lugar de la mentira que todos sabían que estaba diciendo. Con cada negación se fue alejando más y más de la gracia del Señor, y también de su propia dignidad personal, porque terminó por insultarse a sí mismo (gr. *katathematízein*). En su excitación desesperada terminó por perder la compostura y quedó totalmente expuesto ante los demás. El apóstol que fue capaz de declarar a Jesús como "el Cristo, el Hijo del Dios viviente" (16.16), ahora lo declara simplemente como "ese hombre" (gr. *ton ánthrōpon*) y dice que no lo conoce. En ese preciso momento, "cantó un gallo" y este canto fue como un cachetazo sobre su rostro, que lo hizo volver en sí. Nosotros corremos el mismo peligro (1 Co. 16.13). Pedro se arrepintió de lo que hizo (v. 75) y Jesús lo perdonó. El Señor nos ofrece la misma oportunidad hoy.

LA ORACIÓN DE JESÚS (26.36-46)

En los vv. 36-46 encontramos a Jesús en Getsemaní y el registro de su agonía y oración. El relato está galvanizado de emoción y nos introduce profundamente en el ser interior de Jesús. La narración es tan vívida que sólo se explica como el resultado del testimonio de un testigo oculto, que bien puede ser el jovencito, que siguió semidesnudo a Jesús desde la casa de la última cena en Jerusalén hasta el Getsemaní, y fue también testigo de su arresto (Mr. 14.50-52). Muy probablemente se trataba de Juan Marcos, el hijo de María.

El lugar (26.36)

El lugar que escogió Jesús para retirarse con sus discípulos después de la cena pascual fue un jardín conocido por el nombre de Getsemaní. Este nombre significa "lagar de olivo" y era un huerto cercado ubicado fuera de la ciudad de Jerusalén, al otro lado del arroyo de Cedrón y a un costado del monte de los Olivos (26.36-56; Mr. 13.32-52; Lc. 22.39-53; Jn. 18.1-14). Allí, Jesús les pidió a sus discípulos que lo acompañaran en su vigilia de preparación espiritual para lo que sabía que ocurriría en las próximas horas. Él necesitaba orar y pasar por aquella hora de agonía interior, y este huerto silencioso y solitario parecía ser el lugar más adecuado. Pero Jesús no quería hacer esta vigilia angustiosa solo. Muy probablemente, no era la primera vez que Jesús visitaba este jardín con sus discípulos. De hecho, Judas Iscariote, que esa noche guió a los enemigos de Jesús a este jardín, donde lo arrestaron para ser juzgado, conocía muy bien el lugar.

La compañía (26.37a, 40-41, 43, 45-46)

El grupo de los tres (Pedro y los hijos de Zebedeo, 17.1-8) aparece cerca de Jesús en este momento de angustia y Pedro parece ser su líder (v. 40; 17.4). Los otros ocho discípulos, posiblemente se quedaron a las puertas del jardín montando guardia para que nada ni nadie interrumpiera a Jesús en este momento de quietud, y también descansando después de un día muy agitado ("Siéntense aquí"). Jesús llevó consigo a Pedro, Jacobo y Juan, y les indicó: "Quédense aquí y manténganse despiertos conmigo." Estos tres habían estado con él en la montaña de la transfiguración, y ahora Jesús quiere que lo acompañen en el valle tenebroso de la angustia. El grupo de los ocho terminó rendido por el sueño, y los tres escogidos tampoco pudieron quedarse despiertos. Es decir, todos se durmieron. El único que estaba bien despierto era Judas, el traidor.

La situación (26.37b-38)

Mateo sigue a Marcos cuidadosamente, pero suaviza su lenguaje. "Comenzó a sentirse triste y angustiado" (v. 37) fueron apenas unas de las varias emociones que lo asaltaron (Marcos agrega "comenzó a sentir temor," 14.33). El lenguaje de Marcos es más dramático e intenso que el de Mateo: "se postró en tierra" (literalmente, "se tiró al piso," Mr. 14.35, gr. imperfecto, acción repetida); "se postró sobre su rostro" (literalmente, "cayó sobre su rostro," Mt. 26.39, gr. aoristo, acción puntual). La angustia de Jesús se tornó severa. La expresión en griego (*adēmoneīn*) es de etimología incierta. El adjetivo *adēmos* igual a *apodēmos* significa "no en casa," "lejos del hogar." La idea es de una inquietud intensa, de una preocupación profunda ("afligido," Fil. 2.26), que crea un estado de agitación emocional insufrible y de gran incertidumbre. A esto se agregó una gran tristeza (gr. *lupeīsthai*). Marcos 14.33 agrega: "comenzó a sentir temor y tristeza." Como pudo, Jesús compartió este estado de ánimo con los tres de manera dramática: "Es tal la angustia que me invade, que me siento morir."

La oración (26.39, 42, 44)

En estas condiciones, Jesús se alejó un poco de los tres, se tiró al piso y comenzó a orar. Evidentemente, no quería que sus discípulos más cercanos lo vieran en este estado desesperante y necesitaba transitarlo solo en compañía de su Padre celestial. La "copa" o "trago amargo" (gr. *to potērion toūto*) que menciona en su oración es metáfora de su muerte inminente. Jesús ya había usado esta imagen (20.22), pero ahora había llegado el momento de beberla hasta la última gota, y esto significaba que debía llegar hasta la cruz, si es que iba a cumplir con la voluntad del Padre. Evidentemente, Satanás lo estaba atacando con todas sus fuerzas para impedir que esto ocurriera y él pudiera cumplir con su misión redentora. Estos versículos describen uno de los episodios más encarnizados de la guerra espiritual contra las fuerzas del maligno. Jesús va a salir victorioso de este combate y preparado para enfrentar la batalla definitiva sobre la cruz.

Pero sus discípulos, tanto los ocho como especialmente los tres que debían acompañarlo en vigilia en estas horas angustiosas, no estaban lo suficientemente fortalecidos para superar con victoria este conflicto. La razón que da el propio Jesús es "El cuerpo es débil." Los tres estaban cansados (Jesús también) y "se les cerraban los ojos de sueño" (quizás a Jesús también). Tenían buena disposición espiritual ("el espíritu está dispuesto"), pero carecían del poder espiritual que sostuvo a Jesús en la prueba. "Tentación" (gr. *peirasmón*) en el v. 41 es "prueba" o "asalto del enemigo" (6.13). Esto queda claro por el dicho sobre el espíritu dispuesto y el cuerpo débil, que no puede resistir esos ataques. El relato básico presenta a Jesús solo y abandonado incluso por sus discípulos más íntimos. Pero Dios todavía está con él (ver 27.46). La experiencia en Getsemaní se describe como una victoria sobre la tentación, más que como el fortalecimiento a través de la oración (como en Lc. 22.31-34).

EL JUICIO A JESÚS (26.47-68; 27.11-31)

Estos pasajes nos presentan a Jesús ante la justicia humana. Después de orar al Padre, Jesús se muestra listo para afrontar todo lo que viene. Él sabía en detalle todo lo que le esperaba, así que, además de tener que soportar la enorme carga de la angustia propia, tenía que cargar con la incapacidad de sus discípulos de entender lo crucial de cada minuto que estaban viviendo. De hecho, los que estaban de guardia en la puerta del jardín estaban tan dormidos que ni se percataron de la turba que ingresaba con Judas para atrapar a Jesús. Con claridad y por última vez, Jesús les anticipó a sus discípulos lo que ocurriría de inmediato ("Miren, se acerca la hora, y el Hijo del hombre va a ser entregado en manos de pecadores," v. 45), pero ellos parecían estar todavía sumergidos en su sueño. Otra vez es Jesús quien tiene que tomar la iniciativa: "¡Levántense! ¡Vámonos! ¡Ahí viene el que me traiciona!"

El arresto de Jesús (26.47-56)

Los vv. 47-56 se refieren a la entrega y arresto de Jesús. Después de su tiempo de prueba y oración, del que salió victorioso, Jesús estaba plenamente preparado para confrontar su pasión. Él ya sabía muy bien lo que iba a ocurrir en los próximos minutos, cuando apareciera su discípulo Judas acompañado por una turba a arrestarlo. El arresto no lo tomó por sorpresa.

Judas y su traición (vv. 47-50). Fue un momento galvanizado por la emoción cuando Jesús se encontró cara a cara con su discípulo Judas, acompañado de una horda de mercenarios de todos los colores ("una gran turba armada con espadas y palos"). Se trataba de soldados de la fortaleza Antonia (Jn. 18.3) y de la policía del templo (Lc. 22.52). Judas es descrito como "uno de los doce" en todos los Sinópticos (Mr. 14.43; Lc. 22.47). Para besar a Jesús, Judas tuvo que acercarse a él, y lo hizo saludándolo como si nada pasara ("¡Rabí!"). Entonces "lo besó," lo cual era una manera común de saludar, solo que lo hizo intensamente (gr. *katefílēsen*). Las palabras de Jesús a Judas son extrañas. La imagen total de Jesús en el relato de la pasión según Mateo sugiere una expresión majestuosa: "Amigo, haz aquello para lo cual has venido" (cf. Jn. 13.27) en lugar de una pregunta. La frase es de difícil traducción e interpretación. Jesús sabía muy bien para qué venía Judas.

Pedro y su espada (vv. 51-54). La acción intempestiva de uno de sus discípulos (v. 51) complicó todavía más la situación. Mateo oculta el nombre de Pedro, pero Juan dice que fue él quien sacó la espada (Jn. 18.10), que era un cuchillo largo que se usaba en relación con la cena pascual. Jesús le ordenó a Pedro regresar la espada a su vaina, porque evidentemente no había entendido la enseñanza de Jesús (Lc. 22.38; Mt. 5.39; cf. Jn. 18.36). El proverbio de Jesús es de validez universal y atraviesa todos los tiempos. Es oportuno recordar aquí las palabras de Martín Lutero: "Yo no quiero que recurran a las armas ni a la matanza para defender el evangelio. Por la palabra fue vencido el mundo; por la palabra se ha salvado la iglesia; y por la palabra deberá ser reformada. … No quiero otro protector sino a Cristo."[1]

En el v. 52, Mateo no menciona la curación del siervo (como en Lucas y Juan), pero agrega la frase de Jesús sobre la espada y su derecho a convocar a las legiones angélicas. Una legión romana en tiempos de Augusto contaba con 6.100 soldados de infantería y 726 de caballería. Pero Jesús ve más de doce legiones ("batallones," gr. *legiōnas*) de ángeles bajo sus órdenes (ver 2 R. 6.17). Jesús está bien seguro de cuál es su misión después de su victoria en Getsemaní. El cumplimiento de la profecía dada en 26.31 (v.

1. Citado en Deiros, ed., *Biblia Nueva Reforma*, 1522.

54) requiere que esta gente lo arreste de esta manera, en lugar de haberlo hecho en el templo, donde él estuvo cada día (v. 55).

Jesús y su entrega (vv. 55-56). Llama la atención en todo este pasaje la manera en que Jesús interpreta lo que está ocurriendo como cumplimiento de lo anticipado por las Escrituras. Mateo, quizás más y mejor que cualquier otro evangelista captó esta interpretación y redactó su historia de los acontecimientos ligados a la pasión de Jesús probablemente bien en conformidad con ella. A su vez, es muy probable que ésta era también la interpretación de la iglesia temprana, es decir, la convicción de que las Escrituras concernientes a Cristo tenían un *télos*, un propósito que se estaba cumpliendo en detalle (Lc. 22.37). El relato de la pasión había sido anticipado por los profetas: "El Hijo del hombre se irá tal como está escrito de él" (Mr. 14.21; ver Lc. 24.25-27, 44; Hch. 3.18, 24). Todo lo que estaba ocurriendo, incluso los detalles minúsculos del drama de la pasión, era "según el determinado propósito y el previo conocimiento de Dios" (Hch. 2.23). En Mateo 26.53-54, Jesús mismo afirma esto, y en los vv. 55-56 les dice a quienes habían venido con espadas y palos a arrestarlo: "Todo esto ha sucedido para que se cumpla lo que escribieron los profetas." Los detalles vívidos de la entrega de Jesús demostraron el principio de que todo lo que se había escrito de él se estaba cumpliendo (Lc. 22.37). Parece ser que también para los discípulos esto era así, ya que, ante la reiteración de la palabra sobre el cumplimiento de las Escrituras, lo abandonaron y huyeron ("entonces," gr. *toũto*), v. 56). De hecho, esto también cumplió con las profecías (Is. 53.3, 8; Sal. 88.8; Jer. 10.19-20).

El juicio judío a Jesús (26.57-68)

Todo interrogatorio y juicio es motivo de gran angustia, especialmente para quien está acusado de un delito, y tanto más cuando el supuesto criminal es inocente. Nótese que Jesús no tiene un abogado defensor más que él mismo.

Jesús ante el Consejo (vv. 57-61). En los vv. 57-68 encontramos a Jesús frente al sumo sacerdote Caifás y el Consejo de los judíos. El enfoque del proceso del juicio de Jesús en los Sinópticos es diferente del de Juan. En

Mateo el énfasis cae sobre el procedimiento formal del Consejo, que no siempre actuó conforme a la ley vigente (por ejemplo, el trámite del juicio debía hacerse de día y no de noche; debía hacerse en dos días consecutivos y con interrogatorios privados a los testigos). El relato deja en claro el apuro en todo el procedimiento y la responsabilidad que le cupo a los líderes judíos en la muerte de Jesús. Las autoridades judías arrestaron a Jesús de manera improvisada, porque no tenían todavía armada la causa. Querían su muerte, pero todavía no estaba claro con qué acusación lo lograrían, y mucho menos contaban con pruebas auténticas como para acusarlo. De allí la necesidad urgente de conseguir testigos y pruebas falsas (v. 59), probablemente pagándoles una coima.

Al no poder conseguir siquiera una prueba falsa, apelaron a "muchos falsos testigos," pero evidentemente los testimonios de ellos eran tan contradictorios y absurdos, que carecían de todo valor en un juicio más o menos serio. Los vv. 60-61 parecen sugerir que los dos testigos que se mencionan no dieron un testimonio falso, sino que informaron de una profecía que Mateo reconoce como verdad. De todos modos, no se trataba de un delito consumado, sino de la palabra de una persona, que bien podía pasar por un excéntrico o loco. Además, en su profecía, Jesús no se estaba refiriendo al templo de Herodes, sino al templo de su propio cuerpo (Jn. 2.19), que ellos se habían confabulado en destruir. La referencia a la resurrección estaba en armonía con la creencia de los fariseos en la misma. Condenar a Jesús por tener esta esperanza era condenarse a ellos mismos. Y, como si esto fuera poco, los dos testigos presentados ni siquiera estaban de acuerdo en su testimonio (Mr. 14.59).

Jesús y su declaración (vv. 62-64). A esta altura, los jueces de Jesús se dieron cuenta que su única posibilidad de incriminarlo era lograr lo que ya habían intentado en infinidad de oportunidades, es decir, que Jesús se incriminara a sí mismo diciendo algo condenable de manera sumaria. Es por esto que le hicieron unas preguntas directas sobre su identidad escatológica (vv. 62-63). Estas preguntas se hicieron no por falta de un testimonio categórico, sino debido al silencio de Jesús, un elemento destacado en los relatos de la pasión (Is. 53.7). La expresión "el Cristo, el Hijo de Dios" (v. 63b) parece ser más el lenguaje de la iglesia que el de los líderes judíos en ese momento ("el Hijo del Bendito," Mr.14.61). La solemnidad de Caifás no es más que una dramatización hecha a propósito ("Te ordeno en el nombre del Dios viviente") para elevar el nivel del interrogatorio y destacar la gravedad de la acusación. ¡Que absurdo increíble! Un ser humano, que se considera mediador entre Dios y los seres humanos, pretende interrogar en "nombre de Dios" nada menos que al "Hijo de Dios" en cuanto a su identidad como Mesías. Jesús, que estaba en la corte bajo juramento, con su silencio respondió afirmativamente a las primeras dos preguntas (v. 62b; el que calla, otorga). Pero ahora responde de manera indirecta, con un giro que lo convierte a Caifás en el confesor de la verdad: "Tú lo has dicho" (gr. *su eipas*), que es una respuesta afirmativa.

Tanto Mateo como Lucas evitan la respuesta tajante y directa de Jesús (v. 64), como sí lo hace Marcos: "Sí, yo soy" (gr. *eimi*, Mr. 14.62). Da la impresión como que Mateo piensa que Jesús quería evitar identificarse con el Mesías delante de los líderes judíos, pero sí quería colocar más énfasis en él como el Hijo del hombre entronizado (Sal. 110.1). Pero esto no es todo lo que Jesús le dijo a Caifás. Según Jesús, viene el día en que él será el juez de Caifás "sentado a la derecha del Todopoderoso." La expresión "de ahora en adelante" se refiere a la situación de la iglesia con el Hijo del hombre como Señor y Rey, y hace de la segunda parte de la cita de Daniel 7.13 una frase diferente, que predice su Parousía a su debido tiempo.

Jesús ante su condena (vv. 65-68). Las autoridades judías ya no necesitaban de otra evidencia que las propias palabras de Jesús para condenarlo como blasfemo. Jesús se había incriminado por hablar blasfemias (gr. *eblasfēmēsen*), al decir que él era el Mesías, el Hijo de Dios. En realidad, no era blasfemo que el Mesías declarara ser quien era, pero ellos no consideraban a Jesús como el Mesías que esperaban. Para Jesús, ya no había vuelta atrás, y lo único que tenía por delante era una muerte segura: "Merece la muerte." El único problema que le quedaba a sus jueces para resolver era quién iba a matarlo, ya que ellos no podían hacerlo por orden de los romanos. Según la Ley judía, la muerte era el castigo debido por la blasfemia (Lv. 24.15). No obstante, de manera cobarde, algunos miembros del Consejo aprovecharon la oportunidad para descargar su odio contra Jesús, escupiéndole en el rostro, dándole puñetazos y abofeteándolo con burlas contra su pretensión de ser el Cristo. Todos estos gestos fueron humillantes y junto al veredicto falso, el comienzo de una serie de tormentos que Jesús padeció antes de llegar a la cruz. Los vv. 67-68 (27.27-31) presuponen que cubrieron su rostro como dice Marcos. Mateo agrega "Cristo" y esto no es inconsistente con la respuesta evasiva dada por Jesús. Naturalmente Jesús era el Mesías, pero fue juzgado como un Mesías falso.

El juicio gentil a Jesús (27.11-31)

El juicio de las autoridades judías no fue el único al que fue sometido el Señor. De las manos del Consejo o Sanedrín, Jesús fue pasado a la jurisdicción de las autoridades romanas, en este caso, el gobernador o procurador Poncio Pilato.

Jesús ante Pilato (vv. 11-26). Los vv. 11-26 consideran la relación de Jesús con Pilato. A diferencia del relato en Juan 18.33-37, Jesús nunca estuvo solo con Pilato. La escena que se describe en este párrafo presenta dos cambios muy importantes en la relación de Jesús con Pilato.

Un cambio de carátula: de blasfemia religiosa a subversión política (vv. 11-23). Delante del gobernador, cambia la carátula del expediente criminal de Jesús, de blasfemia religiosa por llamarse "el Cristo, el Hijo de Dios" (26.63-66) a subversión política por llamarse "el rey de los judíos" (v. 11). En ambos casos Jesús responde lo mismo: "Tú lo dices," y luego guarda completo silencio (vv. 12-14; cf. Jn. 18.34). El enfoque político se hace más agudo con la elección entre Jesús y Barrabás (vv. 15-23). El segundo era un líder subversivo (Mr. 15.7), es decir, estaba bajo el mismo tipo de acusación que Jesús. No era un criminal, sino un fanático. En el v. 17, Mateo enfatiza la alternativa entre los dos. En el v. 18 Mateo pone menos énfasis que Marcos en los celos o envidia de los jefes de los sacerdotes y ancianos judíos.

Un cambio de actitud: de defender la inocencia a lavarse las manos (vv. 19, 24-26). Hay dos incidentes que sólo relata Mateo: el sueño de la mujer de Pilato (v. 19), que lo consideraba "justo" (inocente) y la famosa actitud de

Pilato de lavarse las manos (v. 24), echando la responsabilidad de la muerte de Jesús sobre los hombros de los líderes judíos. Con esto, Mateo al igual que los otros evangelistas, afirma que los judíos fueron los que crucificaron a su propio Mesías (Hch. 3.13-15). Desde entonces, "lavarse las manos" significa eludir la responsabilidad. Cuatro cosas a notar en esta actitud.

Primero, esta actitud es expresión de cobardía. Pilato demostró ser un cobarde. No quería condenar a Jesús, e intentó varios recursos para liberarlo. Pero en el momento decisivo, no tuvo el valor de contrariar a los exaltados judíos. Optó por ceder a las presiones de los líderes religiosos por temor a perder su posición de poder. Prefirió perder su dignidad y honor, antes de arriesgar su cargo político. ¿No hay personas así hoy? Estos son los que con su indiferencia y cuidado egoísta dejan que los inocentes sufran injustamente, mientras los culpables salen airosos. Son los que crucifican al prójimo con su silencio cobarde y su letanía incesante de "Yo no me meto" o "Yo me lavo las manos."

Segundo, esta actitud es expresión de irresponsabilidad. Pilato sabía muy bien lo que estaba en juego en el juicio contra Jesús. Él sabía que por envidia le habían entregado (27.8). Él sabía que su deber como funcionario era actuar conforme a la ley romana. Más de una vez había repetido en actos públicos: *Fiat iustitia, ruat caelum*: "Sea hecha justicia, aunque caigan los cielos." Pero no juzgó a Jesús conforme a la ley, sino según la gritería de la gente. La ley cedió a otros intereses. Pilato tiene muchos seguidores en estos días. Son los que tienen la responsabilidad de hacer prevalecer el derecho, pero lo pervierten. Son los corruptos que se lavan las manos frente al dolor de los oprimidos y el clamor de los pobres.

Tercero, esta actitud es expresión de injusticia. En el juicio contra Jesús, Pilato cometió la más grande injusticia. Aparte de ser objetable la formalidad del juicio, todo el proceso fue injusto. El cargo fundamental del Consejo o Sanedrín fue de blasfemia, porque Jesús decía ser el Hijo de Dios (Mr. 14.61-63). El carácter religioso de esta acusación no tenía peso en el tribunal romano. Era necesario levantar un cargo político. Por eso, acusaron a Jesús de pretender ser rey y de no pagar los impuestos (Lc. 23.1-2). Los líderes judíos usaron la mentira, para condenar a Jesús. Presentaron testigos falsos (Mr. 14.55-56), y presionaron con la multitud (27.20). Pilato sabía todo esto. Pilato era bien consciente de que el juicio contra Jesús se le había ido de las manos. Pilato estaba convencido de la inocencia de Jesús (Lc. 23.22). Sin embargo, condenó a Jesús a la muerte (1 P. 3.18).

Cuarto, esta actitud es expresión de culpabilidad. Pilato condenó al Inocente porque él era culpable. Es evidente que no quería condenar a Jesús. Pero se vio presionado por los líderes religiosos, que lo amenazaron con denunciarlo al César. Tenían motivos para denunciarlo: mala conducta, corrupción, violencia, abuso de poder. Consciente de sus culpas pasadas, no le quedó otra alternativa que lavarse las manos, añadiendo así un pecado más a su conciencia (v. 24). ¡Cuántas personas hoy rechazan a Jesús no tanto por incredulidad, sino por culpabilidad! No quieren admitir a Jesús como Salvador y Señor, porque esto significa reconocer que son pecadores y están perdidos. No quieren recibir a Jesús como Salvador y Señor, porque esto significa renunciar al yo orgulloso y obedecer a Jesús en todo. Prefieren morir en sus delitos y pecados, y no tomar la cruz de Cristo cada día, para vivir por él.

Jesús ante los soldados (vv. 27-31). Los vv. 27-31 abren el relato de la crucifixión y sepultura de Jesús, mostrando cómo él fue coronado de espinas. La burla de los miembros del Consejo judío (26.67-68) fue un anticipo de la misma burla por parte de los soldados romanos. Pilato lo entregó a Jesús a ellos para que lo crucificaran, y ellos lo llevaron al pretorio (el palacio donde residía el gobernador). Allí, mientras preparaban el acto de la ejecución por crucifixión, los soldados ("toda la tropa") escarnecieron una vez más a Jesús. Lo humillaron quitándole la ropa y poniéndole un manto de color púrpura. Este manto era usado por soldados, oficiales militares, magistrados, reyes y emperadores (2 Macabeos 12.35; Josefo, *Antigüedades*, 5.1.10) y era indicación de autoridad. De manera que Mateo presenta el motivo de realeza, con tono sarcástico por parte de los soldados, con la imagen de un "manto de color escarlata," "una corona de espinas" y "en la mano derecha le pusieron una caña" (a modo de cetro). Después de escarnecerlo, escupirlo y golpearlo, lo despojaron de sus atributos reales, salvo la corona de espinas (v. 31).

CAPÍTULO 20

JESÚS EN SU MUERTE Y RESURRECCIÓN

27.32-66; 28.1-15

Los dos hechos claves en el relato evangélico de la obra redentora de Cristo a favor de la humanidad son su muerte y su resurrección (Hch. 3.15; 4.10; 10.39b-40; 17.3; Ro. 4.25; 6.5; 7.4; 8.34; 14.9; 2 Co. 5.15; 1 Ts. 4.14; etc.) Entre estos dos polos opuestos ocurrieron otros hechos, pero que adquieren significado en función de las experiencias extremas de las que Jesús fue protagonista en ocasión de su muerte redentora. En este sentido, la muerte de Jesús no fue como la de cualquier otro ser humano. Más allá de los factores físicos propios de la condición humana de Jesús, su muerte adquiere una dimensión trascendente precisamente por encontrarse entre su crucifixión y su resurrección.

La muerte por crucifixión es uno de los tormentos más crueles que inventó el ser humano. No había una muerte más terrible que la muerte por crucifixión en el mundo antiguo. Los propios romanos, que la popularizaron, la miraban con horror. La consideraban un castigo tan humillante, que la reservaban sólo para los esclavos y extranjeros, y en relación con delitos muy graves, como el homicidio, la traición o la sedición. Cicerón dice que era "la muerte más cruel y horripilante." Tácito dice que era "una muerte despreciable." Originalmente, la crucifixión fue un método de ejecución empleado en Persia. Posiblemente era usado porque, para los persas, la tierra era sagrada y ellos procuraban no contaminarla con el cuerpo de un criminal o un mal viviente. Es así que clavaban al reo sobre una cruz y lo dejaban morir allí. Luego, dejaban que las aves de rapiña y los buitres completaran el trabajo. Los habitantes de Cartago (fenicios) copiaron la práctica de la crucifixión a los persas, y los romanos la aprendieron de los cartaginenses. La crucifixión era usada como método de ejecución en Italia, pero sólo en el caso de esclavos o personas no romanas. Era inconcebible que un ciudadano romano muriera de esta manera. Cicerón dice: "Es un crimen para un ciudadano romano ser encadenado; es un crimen peor para él ser azotado; es casi un parricidio para él ser matado. ¿Qué diría si él es muerto sobre una cruz? Una acción tan nefanda como ésta es imposible de describir con palabras, pues no hay palabra adecuada para describirla."

La resurrección de Jesús, es decir, el levantamiento y transformación suya de su condición de muerto, para no volver a morir jamás, no sólo manifestó el gran poder de Dios de dar vida, sino que dio sentido a todos los hechos anteriores de los que él fue protagonista principal. Resurrección es más que resucitación, ya que la segunda significa que la persona vuelve a vivir después de estar muerta, pero para volver a morir más tarde. La persona resucitada no vuelve a morir (Ro. 6.9). Jesús resucitó al tercer día después de haber muerto, pero su nuevo cuerpo fue transformado. Ya no estuvo sujeto a las limitaciones de su vida terrenal anterior (Lc. 24.16, 31; Jn. 20.19). La resurrección de Jesús, después de su muerte expiatoria en la cruz, es central en la fe cristiana y su mensaje (1 Co. 15.14-19). Conforme las promesas de Dios, los creyentes también seremos resucitados, al igual que Jesús (1 Ts. 4.16; 1 Co. 15.42-57). Esta es nuestra esperanza y el corazón del evangelio que proclamamos. Así, pues, este Evangelio testifica que Jesús fue crucificado, muerto, sepultado, pero que al tercer día resucitó (ver la confesión cristiana en el Credo Apostólico).

LA CRUCIFIXIÓN (27.32-44)

Cuando Jesús nació, hacía varias décadas que los romanos estaban en Palestina. Y entre las varias cosas que éstos habían introducido allí figuraba también la crucifixión como instrumento de castigo para los revoltosos. Por eso, cuando Jesús fue condenado a muerte por las autoridades romanas, terminó muriendo en una cruz. Si lo hubieran matado los judíos seguramente habría muerto apedreado, pues la pena de muerte propia de los judíos era la lapidación, como vemos en el episodio de la adúltera a la que quisieron apedrear delante de Jesús (Jn. 8.5); o en las veces que buscaron apedrearlo a él mismo (Jn. 10.31; 11.8); o en cómo mataron a Esteban con piedras (Hch. 7.59).

La lapidación no era menos cruel que la crucifixión. No obstante, el procedimiento de la crucifixión era extremadamente cruel. Clavaban las manos de la víctima en la viga transversal y los pies en la viga vertical, mientras que el cuerpo descansaba sobre una estaca. La víctima podía tardar varios días en morir, pero a veces adelantaban la muerte quebrándole las piernas. La seguridad definitiva de la muerte resultaba al herir a la víctima con una lanza en el costado (Jn. 19.31-34). ¿Qué es lo que hacía tan terrible la crucifixión? El hecho de que el condenado moría después de una lenta y espantosa asfixia. En efecto, al tener el crucificado sus brazos estirados al máximo y en tensión, los músculos del pecho conservaban el aire viciado dentro de los pulmones y le impedían largarlo hacia afuera. Y de ese modo sufría el ahogo progresivo, es decir, experimentaba lo mismo que si lo hubieran ido estrangulando poco a poco. La crucifixión de Jesús fue el punto culminante de su vida y ministerio redentor (Mt. 20.19; 26.2; Mr. 16.6; Lc. 24.7, 20; Jn. 19.6, 10, 15, 20, 41).

Lo que hicieron los hombres (27.32-44)

Este pasaje considera la crucifixión y muerte de Jesús como un hecho trágico, que tuvo como protagonistas importantes a personas diversas.

Simón de Cirene (vv. 32-33). Para Mateo, Simón de Cirene (un pueblo de Libia, en el norte de África) es apenas un nombre ("un hombre de Cirene que se llamaba Simón"), pero parece que Marcos lo conocía mejor (Mr. 15.21). Puede ser que Simón haya sido africano y, por lo tanto, un hombre de color. Los soldados romanos que obligaron a Simón a llevar la cruz actuaron conforme a su derecho de exigir este tipo de servicio (5.41). El texto dice que "lo obligaron" (gr, ēggá*reusan*). La palabra es de origen persa y hace referencia a los portadores o cargadores (gr. *aggaros*). Indudablemente Jesús debería estar agotado e imposibilitado de seguir cargando con el madero. La "cruz" (gr. *stauron*) era el travesaño sobre el que se ataban o clavaban las manos del condenado, y que era fijado a un poste ya levantado en el Gólgota. Este lugar tenía la forma de una calavera, y de allí su nombre. El nombre Calvario viene del latín de la Vulgata (*Calvarieae locus*, lugar de la Calavera).

Los soldados romanos (vv. 34-38). Estos versículos describen varias acciones, todas ellas rutinarias e insensibles, que llevaron a cabo los soldados romanos. Para ellos, la crucifixión de Jesús era parte de una rutina bastante regular, que seguía ciertos procedimientos ya establecidos y regulados.

Primero, "le dieron a Jesús vino mezclado con hiel" (v. 34). Algunos manuscritos tardíos hablan de vinagre en lugar de vino. Estos soldados quisieron aliviar a Jesús de los dolores de la crucifixión y le ofrecieron una bebida sedante, que según Mateo era "vino mezclado con hiel" y según Marcos "vino mezclado con mirra" (Mr. 15.23). Sea como fuere, la mezcla actuaba como narcótico o estupefaciente. Se trataba de un líquido que se obtenía de un árbol y ayudaba a amortiguar el dolor (Pr. 31.6). El procedimiento era de rutina, pero evidenciaba algún grado de misericordia. ¿Por qué Jesús rechazó este calmante? Seguramente quería tener la mente lúcida para orar a su Padre tanto como fuese posible. Además, él se había propuesto vivir y sufrir como cualquier pobre ser humano (He. 2.9), y quería beber la copa plena y amarga (hiel) de la mano del Padre (Jn. 18.11).

Segundo, "lo crucificaron" (v. 35a). Mateo no da detalles de cómo lo crucificaron (tampoco se dan detalles sobre la crucifixión de los dos ladrones, v. 38). No obstante, sabemos que cuando un prisionero era crucificado, se seguía el siguiente procedimiento: primero, el madero que el condenado había arrastrado hasta el lugar de la ejecución era clavado a un madero más largo (unos 2,80 mt.), de modo que formaban una T. El condenado era acostado desnudo sobre la cruz y era atado o clavado a ella. Luego se clavaba un cartelito en el que se consignaba la causa de su sentencia (v. 37). Se levantaba la cruz con cuerdas y se dejaba caer el extremo inferior en un pozo. Este era el momento más doloroso. El prisionero era dejado allí hasta morir, colgando de sus manos y con la cabeza caída sobre su pecho. La muerte se producía por pérdida de sangre, dolor, agotamiento y básicamente asfixia o paro cardíaco. Así castigaban los romanos a los esclavos o a criminales violentos que no eran romanos. Jesús fue clavado a la cruz a las nueve de la mañana y murió después de estar colgado por unas seis horas.

Tercero, "repartieron su ropa echando suertes" (v. 35b). Los condenados eran crucificados desnudos, excepto por un taparrabo. Las ropas del criminal pasaban a ser propiedad de los soldados como una especie de compensación o propina. En realidad, no era mucho lo que podían apropiarse de Jesús, ya que la vestimenta más valiosa que tenía era su manto sin costura, que muy probablemente le había confeccionado su madre.

> **William Barclay:** "Todo judío se vestía con cinco prendas de vestir: sus zapatos, su turbante, su cinturón, su ropa interior y su manto exterior. De esta manera había cinco artículos de vestir y cuatro soldados. Los primeros cuatro artículos eran todos de un valor similar; pero el manto exterior era más valioso que todos los otros. Fue por el manto exterior de Jesús que los soldados echaron suertes, como nos dice Juan (Jn. 19.23-24). Cuando los soldados se dividieron las prendas, se sentaron en guardia hasta que llegara el fin. Así que en el Gólgota hubo un grupo de tres cruces, con el Hijo de Dios en el medio, y a cada lado un bandido. En verdad, él estuvo con los pecadores en su muerte."[1]

Cuarto, "se sentaron a vigilarlo" (v. 36). Los soldados lo vigilaron como si de alguna manera Jesús hubiese podido escapar de su lugar de sentencia y muerte. Esta actitud de vigilancia, de alguna manera, denuncia el temor de ellos de que en verdad Jesús podía actuar así en respuesta del desafío permanente de sus escarnecedores (incluidos ellos mismos) de que se bajara de la cruz (vv. 40, 42). También podía expresar el temor de

1. Barclay, *The Gospel of Matthew*, 2:367.

que algunos de sus seguidores intentaran rescatarlo antes de que muriera. Al fin y al cabo, al momento de su arresto, uno de sus discípulos más conspicuos (Simón Pedro) había desenvainado su espada para impedir tal acción y llegó a cortarle la oreja derecha a un siervo del sumo sacerdote (Jn. 18.10).

Quinto, "encima de su cabeza pusieron por escrito la causa de su condena" (v. 37). El cartelito o letrero (gr. *titlos*, título, Jn. 19.19) con la acusación a él (gr. *tēn aitían autoū*) registraba cuál era el crimen por el que el condenado estaba siendo crucificado. Generalmente, este letrero lo llevaba la víctima en sus manos o colgado alrededor del cuello mientras iba camino a su ejecución. Allí se lo clavaba sobre la cabeza del reo, para que todo el mundo lo viera y supiera por qué había sido crucificado. En el caso de Jesús, el cartelito consignaba su nombre ("JESÚS") y su lugar de origen ("DE NAZARET," según Jn. 19.19), y, sobre todo, la causa por la que era condenado ("REY DE LOS JUDÍOS"). Los cuatro Evangelios coinciden en esto último, si bien varían en los dos datos anteriores. Mateo y Lucas agregan un cuarto elemento, que opera como indicador de identificación ("ESTE ES"). La versión completa del letrero sería: "ESTE ES JESÚS DE NAZARET, EL REY DE LOS JUDIOS." Sólo Juan menciona que la leyenda fue escrita en tres idiomas (19.20), es decir, en latín para los romanos, en hebreo o arameo para los judíos y en griego para todo el mundo. Nótese que, finalmente, la causa de la crucifixión de Jesús fue de carácter político y no de carácter religioso.

Sexto, "con él crucificaron a dos bandidos" (v. 38). Todos los evangelistas registran que dos delincuentes fueron crucificados con Jesús, y que su cruz estaba en el medio, entre la de ellos dos. Estos bandidos (gr. *lēistaí*, ver Mr. 15.27) no eran ladrones (gr. *kléptēs*; Lucas habla de "criminales" o malhechores, gr. *kakoūrgoi*, 23.39), sino más bien insurgentes o subversivos (ver 26.55), quizás miembros de la banda de Barrabás en cuyo lugar Jesús había sido condenado. Es decir, Jesús fue crucificado como alguien que se oponía al régimen imperial romano (con su pretensión de ser rey y representar un reino), junto con otros dos subversivos radicalizados. Este hecho no fue circunstancial, sino que fue también en cumplimiento de las

Escrituras. Llama la atención que ninguno de los evangelistas señale esto, ya que la crucifixión de Jesús entre dos bandidos cumplió la profecía de Isaías 53.12: "y fue contado entre los transgresores."

Los que pasaban y otros (vv. 39-44). Estando crucificado, Jesús recibió la burla e injurias de casi todos los que lo rodeaban, como testigos de su tormento: "los que pasaban," "los jefes de los sacerdotes," "los maestros de la ley y los ancianos," "también lo insultaban los bandidos que estaban crucificados con él." Lucas agrega a esta lista a los soldados (Lc. 23.36-37). De todas las burlas e injurias, la más dolorosa fue: "Salvó a otros. . . ¡pero no puede salvarse a sí mismo!" (v. 42). A todos sus escarnecedores Jesús les pareció un fracaso, porque no se podía salvar a sí mismo. En consecuencia, no podía ser el Mesías que pretendía ser. Pero, 1 Corintios 1.23-27 demuestra la verdad de lo opuesto. Jesús es poderoso para salvarnos precisamente porque estuvo dispuesto a morir como un criminal. Los judíos no quisieron creer en él porque no se bajó de la cruz; nosotros creemos en él porque estuvo dispuesto a quedarse allí hasta su muerte.

Lo que Jesús no pudo hacer (27.42)

El Nuevo Testamento presenta con claridad a Jesús como alguien que tenía un poder infinito. Pero llegó un momento en su vida, en que los hombres demandaron de él que hiciese lo imposible, algo que él no podía hacer. Aquel que tenía poder y autoridad para convocar en su ayuda a doce legiones de ángeles era incapaz de acceder a la demanda de ellos. ¿Y cuál era esta demanda? La encontramos en el v. 42: "A otros salvó, a sí mismo no se puede salvar; si es el Rey de Israel, descienda ahora de la cruz, y creeremos en él." Sí, la única cosa que Jesús no pudo hacer fue precisamente "descender de la cruz," y fue así porque en esa cruz él estaba llevando a cabo la obra más poderosa de Dios.

La demanda. La demanda de todos sus escarnecedores es expresada a voz en cuello: "¡Que baje ahora de la cruz!" Esta demanda de sus escarnecedores levanta cuatro preguntas.

Primero, ¿de quiénes vino esta demanda? Mientras estaba colgando de la cruz, tres grupos de personas escarnecieron a Jesús. (1) La primera burla vino de la multitud de los que pasaban junto a la cruz y que "meneaban la cabeza y blasfemaban contra él" (vv. 39-40). El insulto de éstos era doble, porque era de palabra (gr. *eblasfēmoun*) y de gestos simbólicos, como mover la cabeza de lado a lado (gr. *kinoūntes tas kefalás*). Estos transeúntes anónimos miraban a Jesús como a alguien quebrado y liquidado, carente de todo valor y esperanza. A este primer grupo de escarnecedores los podemos calificar de pecadores ignorantes. (2) La demanda vino también de los jefes de los sacerdotes, los maestros de la Ley y los ancianos (v. 41-42). Por un lado, el escarnio de estos líderes religiosos judíos hacía referencia al nombre de Jesús ("Salvador"): "Salvó a otros, ¡pero no puede salvarse a sí mismo!" Por otro lado, su burla apuntaba a la intimidad de la relación de Jesús con su Padre celestial: "Él confía en Dios; pues que Dios lo libre ahora." A este grupo de escarnecedores los podemos calificar de pecadores religiosos. (3) La demanda vino, además, de los dos ladrones que estaban crucificados juntamente con él (v. 44). La ironía de estos bandidos o subversivos, que compartían con Jesús la misma condena y por la misma acusación pública, se hace todavía más patética al considerar el momento crucial en el que la estaban expresando. A estos dos escarnecedores los podemos calificar de pecadores condenados.

Segundo, ¿qué pedían todos ellos en su demanda? Todos ellos pedían lo mismo: que Jesús descendiera de la cruz ("¡Baja de la cruz!"). No fue ésta la primera vez que se escuchó este clamor, ni tampoco fue la última. Los incrédulos siempre han querido y demandado un Cristo sin cruz. Es interesante que este reclamo insistente también pretendía tener un cumplimiento inmediato, más allá de las circunstancias por las que estaba pasando Jesús. El texto en el v. 42 dice literalmente "Que baje *ahora* de la cruz" (gr. *katabátō nūn*). Pero, de igual modo, el "ahora" es una referencia irónica al hecho de que Jesús está clavado, inmóvil, débil y moribundo sobre una cruz, con la pretensión, como indicaba el cartel sobre su cabeza, de que él era Rey de los judíos. ¡A ver si ahora es capaz de hacer algo así como bajarse de la cruz en tales condiciones!

Tercero, ¿cuál era el fundamento de su demanda? Lo repitieron toda vez que le demandaron bajar de la cruz: "Si eres el Hijo de Dios." Nótese que este es el mismo argumento del diablo en su primera tentación a Jesús en el desierto de Judea: "Si eres el Hijo de Dios ..." (4.3). Por supuesto que en esta frase hay una alusión a las propias declaraciones de Jesús bajo juramento delante del Consejo de los judíos, cuando ante la pregunta solemne del sumo sacerdote ("Te ordeno en el nombre de Dios viviente que nos digas si eres el Cristo, el Hijo de Dios") él respondió: "Tú lo has dicho" (26.63b-64a).

Cuarto, ¿qué actitud se refleja en esta demanda? Por un lado, es la expresión de cierta inmadurez o infantilismo espiritual, especialmente por parte de las autoridades religiosas judías (los jefes de los sacerdotes, los maestros de la ley y los ancianos), de quienes se dice que se burlaban de él de la misma manera. El vocablo "burlarse" en v. 41 es el gr. *empaízontes* (combinación de *en* y *paízō*, que viene de *paīs*, niño). Estos personajes circunspectos y serios se comportaron como niños, a quienes les gusta molestarse y pegarse unos a otros en sus juegos, tal como ya lo habían hecho antes durante el juicio (26.67). Por otro lado, hay una actitud de esnobismo intelectual que, al igual que lo que ocurría con los griegos, considera a la cruz como "locura" o idiotez (1 Co. 1.23). Una religión basada en la redención por sangre afectaba su buen gusto estético e intelectual. También hay una actitud de indiferencia espiritual que, al igual que lo que ocurría con los judíos, considera a la cruz como "tropezadero" o distracción (1 Co. 1.23). Esta fue la actitud de la multitud que no se preocupó por lo que estaba ocurriendo en la cruz y pasaba de largo "meneando la cabeza" (v. 39).

Además, hay una actitud de interés personal que, al igual que lo que ocurrió con los bandidos junto a Jesús, considera la cruz como una oportunidad final y mágica de salvar el pellejo (v. 44). No les interesaba nada Jesús y su sufrimiento, sino simplemente lo presionaron para ver si quizás él podía salvarlos de morir. Hay también una actitud de complacencia social que, al igual que con los principales sacerdotes (saduceos) plutócratas asociados a los romanos, consideraban la cruz como el medio de deshacerse de Jesús, que amenazaba su posición de privilegio. Lo único que les interesaba era conservar el *status quo*. Finalmente, hay una actitud de frustración política o social que, al igual que los maestros de la Ley, fariseos y ancianos, considera la cruz como una contradicción a su idea de un Mesías militar y político, que conduce a su pueblo a la victoria contra los romanos. Alguien muriendo sobre una cruz romana no podía ser su Mesías.

Quinto, ¿qué revela esta demanda? Esta demanda revela la raíz de todo problema humano: el pecado. En ninguna otra parte la pecaminosidad humana se ve revelada tan claramente como en el Calvario. Si el pecado humano es tan terrible como para demandar tal muerte para una persona tan maravillosa, entonces verdaderamente es repulsivo. El hecho de que la maldad humana pudo llegar a tales extremos es evidencia de que el pecado humano no es un chiste. No obstante, el grito absurdo de la humanidad se sigue oyendo a través de los siglos: "¡Baja de la cruz!"

El dilema. Los testigos insensibles de la muerte de Jesús no sólo hicieron sus demandas en esa hora crucial, sino que también expresaron un dilema fundamental. Su reclamo dejaba esto en claro: "Que baje ahora de la cruz, y así creeremos en él." El dilema en cuestión tiene que ver con dos caminos de redención muy distintos.

El camino de Jesús. El camino de Jesús fue el camino de la cruz, porque su deseo es que la gente crea en él: durante todo su ministerio se esforzó para lograr esto. Pero sus palabras, milagros, señales y prodigios cayeron en corazones incrédulos, no dispuestos a confiar en él. El escogió cumplir su misión de ganar a todo el mundo para sí mismo y confirmar el derecho de Dios a la soberanía en los corazones de las personas y en la marcha de las naciones siguiendo el camino de la cruz. Sin embargo, el camino de la cruz no fue el único posible ni el único propuesto. Los evangelios registran la propuesta de dos caminos: el camino de Satanás y el camino de Dios. El primero demanda a un Cristo sin cruz; el segundo demanda a un Cristo sobre la cruz.

El camino de Satanás. El camino de Satanás es un camino triple. En primer lugar, Satanás le propuso a Jesús que se inclinara y lo adorara

(Mt. 4.8-9). Es decir, que Dios pactara con Satanás, reconociese sus reclamos de soberanía, y el mundo entonces aceptaría a Jesús. En segundo lugar, Satanás, a través de las multitudes judías después de la alimentación de los cinco mil, propuso que Jesús se olvidara de su misión espiritual y asumiera una misión política (Jn. 6.15). En esencia, esto consistía en cambiar la situación social sin cambiar la vida de las personas. En tercer lugar, Satanás, a través de Simón Pedro, le propuso a Jesús retirarse a una torre de marfil y salvar el pellejo evitando la cruz, y dejando a la humanidad librada a su propia suerte (Mt. 16.22; 17.4).

El camino de Satanás sigue tentando al cuerpo de Cristo. El mundo continúa diciéndole a la iglesia: "Hagamos un arreglo en relación con nuestra maldad y pecado, y aceptaremos a su Jesús." El mundo insiste: "Olvídense de su predicación de la cruz y gasten sus energías en conducir nuestras cruzadas sociales a favor de nuestros intereses personales. Olvídense de cambiar a las personas y dedíquense a cambiar la sociedad. Entonces creeremos en su Jesús." El problema es que la iglesia misma dice: "Vamos a retirarnos a nuestras torres de marfil de discusiones teológicas, instituciones decadentes, y ritualismos vacíos. Disfrutemos de nuestra religión, pero evitemos como sea el estigma de la cruz. Y entonces, sea que el mundo crea o no en nuestro Jesús, por lo menos no nos molestará."

El camino de Satanás es un camino de muerte. Hay muerte en cada una de estas propuestas: comprometernos con el mundo es ser absorbidos por él; retirarnos del mundo y sus necesidades es ignorarlo. Nuestro ministerio como iglesia a los seres humanos no debe tomar el desvío del activismo social, dejando la carretera del propósito eterno de Dios por los caminos laterales de los designios y proyectos humanos. Esto no significa que nuestro Señor no se interese por las necesidades sociales del ser humano, pero si tratamos el síntoma en lugar de la enfermedad vamos a perder al paciente. Jesús no nos propone cambiar a las personas mediante el cambio de la sociedad, sino cambiar a la sociedad mediante el cambio de las personas. Él ve a todos los seres humanos como pecadores necesitados de perdón y salvación: para obtener esta salvación, Jesús no promovió una cruzada social o política, sino que cargó con una cruz vergonzosa. La iglesia hoy debe hacer lo mismo. Jesús subió a la cruz como sacrificio y bajó de ella como Salvador. Sólo si nos atrevemos a seguir el camino del Calvario vamos a poder traer salvación y bendición a las personas.

El camino de Satanás es el camino de la perdición eterna. El grito "desciende de la cruz" era satánico, pero no porque Satanás no quería que Jesús muriese. De hecho, Satanás intentó matar a Jesús en muchas oportunidades: cuando nació (Mt. 2.16), al comenzar su ministerio en Nazaret (Lc. 4.29-30), con una tormenta (Mr. 4.37), en Getsemaní (Lc. 22.43-44), torturado por los soldados (Mt. 27.26). Satanás quería que Jesús muriese, pero no sobre una cruz. Por eso, su último intento fue mover a las personas alrededor de la cruz a gritar, "¡baja de la cruz!" ¿Por qué lo hizo? ¿Por qué Satanás quería matar a Jesús, pero no sobre una cruz? Porque la muerte de Jesús sobre la cruz era la manera por la cual Dios se propuso salvar al mundo perdido (Sal. 22; Is. 53). Esta es la razón por la que Jesús repetidas veces evitó situaciones de peligro y violencia diciendo que su "hora" no había llegado. Finalmente, les dijo a sus discípulos en Getsemaní: "Miren, se acerca la hora, y el Hijo del hombre va a ser entregado en manos de pecadores" (Mt. 26.45). Y él dio su vida sobre la cruz para salvar a todos los que confían en él y le reconocen como Señor de sus vidas. Pero Satanás sigue gritando: "¡Baja de la cruz!" porque él no quiere la salvación del ser humano, sino su perdición. Satanás sigue tentando a la iglesia y diciéndole: "Hagan cualquier cosa, pero no prediquen a Cristo muriendo sobre la cruz." La iglesia debe responderle: "Nosotros predicamos a Cristo crucificado. Este mensaje es motivo de tropiezo para los judíos, y es locura para los gentiles, pero para los que Dios ha llamado, lo mismo judíos que gentiles, Cristo es el poder de Dios y la sabiduría de Dios" (1 Co. 1.23-24).

La decisión. Frente a las demandas de sus burladores y el dilema que él mismo confrontaba, Jesús tomó la decisión de confiar en Dios. Sus propios escarnecedores terminaron por reconocer esto indirectamente, cuando dijeron: "Él confía en Dios" (v. 43). Sus provocadores y escarnecedores fueron los primeros en reconocer una gran verdad en la experiencia de Jesús: su confianza en el Padre y sus propósitos eternos. Por esto mismo, Jesús no quiso descender de la cruz. Físicamente podía haberlo hecho. Por empezar, podía haberla evitado, pero "Jesús se hizo el firme propósito de ir a Jerusalén" (Lc. 9.51), y él mismo declaró que nadie le quitaba la vida, sino que él la ponía por propia voluntad (Jn. 10.18). Sin embargo, Jesús no podía bajar de la cruz, a pesar de las demandas de la muchedumbre. ¿Por qué? La razón por la que él no podía descender de la cruz no era porque estaba amarrado a la cruz con sogas o clavos. La imposibilidad no era de carácter físico, sino espiritual. Él estaba retenido sobre la cruz por la voluntad de Dios. Los hombres se burlaron de él y lo insultaron, pero él se quedó sobre la cruz; ellos demandaron a un Cristo sin cruz, pero él murió crucificado porque ésa era la voluntad del Padre. Así como la cruz pone de manifiesto la brutalidad del pecado humano, también testifica de la profundidad del amor divino (Ro. 5.8).

LA MUERTE (27.45-56)

El juicio ante Pilato había ocurrido a las seis de la mañana, según la manera en que los romanos marcaban las horas del día. La crucifixión tuvo lugar a las nueve de la mañana ("hora tercera," Mr. 15.25) y "desde el mediodía (gr. *apo de héktēs hōras*, "desde la hora sexta") y hasta la media tarde" (gr. *héōs hōras enátēs*, las tres de la tarde u "hora novena") hubo oscuridad "sobre toda la tierra" (gr. *epi pāsan tēn gēn*). Esta precisión horaria afirma la autenticidad de Mateo como testigo de los acontecimientos ligados a la muerte de Jesús.

La realidad de su muerte (27.45-50)

Todos los Evangelios ofrecen detalles puntillosos que indican que Jesús, como ser humano, murió de una muerte real, si bien rodeada de fenómenos sorprendentes y con un significado trascendente.

Las tinieblas (v. 45). Se han dado infinidad de explicaciones a las tinieblas que hubo sobre "toda la tierra" desde el mediodía hasta la "media tarde" (las tres de la tarde, v. 45). La más frecuente es que hubo un eclipse (de lo cual no hay registros ni está probado), otra idea es que hubo una gran nube de polvo o de nubes oscuras sobre el lugar, lo cual no podría haber durado tanto tiempo sin disiparse con el viento (¡tres horas!). Hay un significado simbólico-espiritual posible si se toma en cuenta que Satanás está asociado con las tinieblas y su reino, y sus demonios son las "potestades que dominan este mundo de tinieblas" (Ef. 6.12). Quizás Mateo y los otros evangelistas están queriendo decir que, en ese momento crucial de la batalla final entre el Hijo de Dios y el reino de las tinieblas, la concentración de las fuerzas espirituales de maldad fue tan grande, que el fenómeno espiritual tuvo una expresión física ("la tierra quedó en oscuridad"). En definitiva, Jesús ya había anticipado en el momento de su arresto que esto ocurriría (Lc. 22.53).

El clamor (v. 46). Alrededor de las tres de la tarde, Jesús "gritó con fuerza" en arameo, su lengua materna (v. 46; Sal. 31.5, ver Lc. 23.46). La frase es una transliteración de las palabras del Salmo 22.1 en hebreo. Este es el único de los siete dichos o palabras de Jesús dados en la cruz que registran Marcos y Mateo. Los otros seis aparecen en Lucas y Juan. A su vez, esta es la única sentencia en lengua aramea en todo el Evangelio de Mateo, si bien aparecen algunas palabras aisladas (*amén*, *corbán*, *mammon*, *pasja*, *raca*, *Satán*, *Gólgota*). Este grito de desolación, al término de tres horas de oscuridad y suplicio, expresa la profundidad de la entrega de Jesús por amor a los seres humanos pecadores (Jn. 3.16). En la cruz, Dios trató a su Hijo como a un pecador, y en su santidad se alejó de él, pero al mismo tiempo en él nos mostró la grandeza de su amor redentor.

Es importante recordar dos cosas al interpretar estas palabras de Jesús ("Dios mío, Dios mío, ¿por qué me has desamparado"). Primero, sólo podemos entender muy poco de lo que estaba en la mente de Jesús al pronunciarlas. Y, segundo, él estaba padeciendo un gran dolor físico en el momento y su exclamación debe ser entendida a la luz de esa circunstancia. Sin embargo, sus palabras nos dicen algo sobre su sufrimiento. Él se hizo uno con toda la humanidad y asumió la culpa de todos los pecados humanos. Por esta razón se sintió separado del Dios santo, así como nos sentimos nosotros cuando pecamos. Pero había una diferencia entre Jesús y el resto de la humanidad: él no había pecado (2 Co. 5.21). Además, él sufrió en su espíritu mucho más que en su cuerpo. Hay personas que han soportado un dolor físico mucho más intensamente que él, pero nadie ha sufrido en su espíritu lo que él sufrió. Y esto nos muestra cuánto nos ama, puesto que estuvo dispuesto a sufrir así.

Los testigos (vv. 47-49). Llama la atención la insensibilidad de los que estaban como testigos alrededor de la cruz. Se comportaron como espectadores en un espectáculo público. Sus acciones ponen en evidencia su indiferencia y crueldad. Primero, interpretaron las palabras de Jesús en arameo como que estaba invocando a Elías (gr. *elōi, elōi*, por el he. *Elí Elí*, v. 47), para que viniera a salvarlo (v. 49). Estos espectadores bien pueden haber sido judíos. En tiempos de gran sensibilidad mesiánica como estos, el nombre de Elías aparecía una y otra vez, como bien destaca Mateo a lo largo de todo su Evangelio. Segundo, nunca faltan los voluntarios improvisados que, con buena o mala voluntad, pretenden tener una participación destacada en el espectáculo. Así, pues, "uno de ellos" (quizás uno de los soldados) salió corriendo en procura de darle a Jesús un trago de vinagre, un velado gesto de humanidad. Según el relato de Juan, parece claro que Jesús bebió del vinagre en la esponja, que le alcanzaron con una caña, y esto lo fortaleció como para exclamar sus palabras finales (Jn. 19.30).

El deceso (v. 50). Desde las nueve de la mañana en que Jesús fue clavado a la cruz hasta que falleció (a las tres de la tarde) pasaron seis horas. En realidad, el promedio de personas crucificadas podía sobrevivir el tormento de la cruz por más tiempo. Pero Jesús había sido seriamente torturado físicamente, a lo que se agregó el estrés emocional de sufrir como un inocente y la lucha espiritual contra el enemigo para no ceder a la tentación de evitar la muerte utilizando su autoridad y poder divinos. Dos gestos de Jesús se destacan en este versículo.

Jesús gritó con fuerza. Dice el texto: "volvió a gritar con fuerza." Si Jesús hubiese muerto después de su primera exclamación, hubiese expirado con una nota de derrota y angustia. Pero "volvió a gritar" y esta vez su grito fue un canto de victoria. Es interesante notar que su grito final figura en todos los Evangelios Sinópticos (Mr. 15.37; Lc. 23:46), y Juan registra lo que gritó: "Todo se ha cumplido" (gr. *tetélestai*; Jn. 19.30). Su obra expiatoria estaba terminada y su misión redentora estaba cumplida. Este fue el grito de un campeón triunfante; es el grito de alguien que ha completado su tarea; el grito de la persona que ha salido airosa después de una ardua lucha; el grito de un ser humano que ha pasado por los valles oscuros y ha alcanzado la plenitud de la luz, de alguien que ha sabido soportar una corona de espinas y ahora luce una corona de gloria. De esta manera, Jesús murió como un victorioso, con un grito de triunfo en sus labios.

Jesús entregó su espíritu. Mateo registra que, después de su grito fuerte, Jesús expiró ("entregó su espíritu." El grito fuerte puede haber sido el Salmo 31.5, tal como lo registra Lucas 23.46. Como se indicó más arriba la versión de Juan es diferente y más breve (Jn. 19.30). Es probable que Jesús haya dicho ambas cosas y en el orden indicado. Sea como fuere, él no murió por agotamiento y lentamente, sino que "entregó su espíritu" con un grito de victoria. Nótese que él dejó de vivir porque él quiso, cuando él quiso, y porque él quiso. Si bien los Evangelios presentan cierta diversidad en la expresión de la muerte de Jesús, todos coinciden en declarar que él fue quien decidió morir. Mateo 27.50 dice: "entregó su espíritu" (gr. *afēken to pneūma*); Marcos 15.37 y Lucas 23.46 dicen: "expiró" (gr. *exépneusen*); Juan 19.30 dice: "entregó el espíritu" (gr. *parédōken to pneūma*).

Las señales de su muerte (27.51-53)

La cortina del santuario (v. 51a). El velo del templo estaba entre el Lugar Santo y el Lugar Santísimo (Éx. 26.31-37). Los Evangelios no ofrecen una interpretación teológica de lo ocurrido (que sí se hace en He. 6.19; 9.12, 24; 10.19-22), y se limitan a describir el hecho. Para Mateo puede haber sido una señal de cómo el templo sería destruido por Jesús (26.61-62) o incluso de una nueva era en la que los gentiles serían miembros plenos del pueblo de Dios al tener acceso libre a él. Tanto Marcos (15.38) como Lucas (23.45) mencionan este hecho, que tiene que haber tomado estado público inmediatamente, y casi seguro fue relacionado con la muerte de Jesús. Más de un peregrino en Jerusalén, y quizás también los líderes religiosos de los judíos, deben haber pensado una vez más en las posibles consecuencias de haber llevado a Jesús a la muerte con tanta injusticia y crueldad.

El temblor (v. 51b). A diferencia de los otros evangelistas, Mateo liga la ruptura ("se rasgó en dos," gr. *esjísthē*) de la cortina del santuario del templo con un temblor ("la tierra tembló," gr. *hē gē eseísthē*), que fue lo suficientemente violento como para "partir las rocas." El historiador judío Flavio Josefo (*Guerras de los judíos*, 6.299) cuenta de un temblor en el templo antes de su destrucción, y el Talmud habla también de un temblor que ocurrió unos cuarenta años antes de la destrucción del templo en el año 70. Es probable que Mateo esté en lo cierto en relacionar este temblor con la ruptura de la cortina del santuario, porque esto último puede haber sido consecuencia de lo primero.

Los sepulcros se abrieron (vv. 52-53). Lo que Mateo dice en estos dos versículos es un verdadero dolor de cabeza para los intérpretes. Es probable que la apertura de algunos sepulcros también esté ligada al temblor ("se partieron las rocas"). Lo que no parece tener explicación alguna es que "muchos santos que habían muerto resucitaron" y, más todavía, "salieron de los sepulcros." No faltan quienes catalogan a estos hechos como leyendas, ya que sólo Mateo los menciona. Otros toman estas expresiones como simbólicas, es decir, metáforas de grandes verdades espirituales, en el sentido de que, por la muerte y resurrección de Jesús los santos del antiguo Israel, los profetas que anticiparon su venida, se unieron en una comunión estrecha con los creyentes del Nuevo Israel, al punto que, después de la resurrección de Jesús, él mismo "como primicias de los que durmieron" (1 Co. 15.20), y aquellos que fueron levantados en ocasión de su crucifixión aparecieron a muchos en la ciudad santa. En la misma línea de interpretación de este hecho como simbólico están quienes señalan que simplemente indica el triunfo de Jesús sobre la muerte. Al morir y volver a vivir, Jesús destruyó el poder de la tumba. En razón de su vida, muerte y resurrección, el sepulcro perdió su poder y la tumba ya no inspiró más terror, y la muerte dejó de ser una tragedia. Todos los creyentes sabemos que, porque él vive, nosotros también viviremos.

Así, pues, en los vv. 51-53, Mateo ofrece en exclusiva lo que bien puede haber sido una cristología temprana. La resurrección de los justos ("muchos santos") era esperada como uno de los grandes eventos del fin de los tiempos, y se esperaba que ocurriera en Jerusalén cuando el monte de los Olivos se partiera en dos. El terremoto asociado con la muerte de Jesús (ver 28.2) era la primera parte de este evento, mientras que la aparición de los santos muertos sería la segunda parte. El punto es claro: con Cristo ya ha comenzado la resurrección general, que va a ser continuada con la resurrección de los justos en ocasión de su regreso en gloria.

Los testigos de su muerte (27.54-56)

El centurión (v. 54). En el v. 54, el centurión romano es testigo de los eventos cósmicos que ocurren y esto lo mueve a una confesión de fe, la primera hecha por un gentil. La confesión del centurión al pie de la cruz (Mr. 15.39) es testimonio de la universalidad del evangelio. Es probable que Mateo (al igual que Marcos) quisiera poner una nota de ironía en su relato de la crucifixión, en un momento en el que, mientras los líderes de los judíos se negaban a reconocer la identidad de Jesús y estaban decididos a deshacerse de él, un representante de los gentiles exclama "éste era el Hijo de Dios." Si bien está claro que no podemos interpretar la afirmación como un repentino brote de iluminación trinitaria, y aunque probablemente el hombre quiso decir lo mismo que si hubiera descrito al emperador César como "hijo de Dios," sigue siendo significativo que un soldado romano, que le debía lealtad al César pudiera decir estas palabras de aquel hombre a quien acababa de clavar en la cruz. En este caso, un gentil reconoce la vedad acerca de un crucificado, mientras los líderes judíos la rechazan. Probablemente Juan transmite la misma ironía en su relato del intercambio entre Poncio Pilato y Jesús, y con las palabras que Pilato quiso inscribir más tarde sobre la cabeza del Señor. Incluso en forma de sarcasmo, los gentiles reconocían lo que los enemigos y crucificadores de Jesús negaban.

Las mujeres (vv. 55-56). Las mujeres dan continuidad al relato (ver v. 61; 28.1-10). Aquí, como en las listas de los Doce (10.2-4) y de los hermanos de Jesús (13.55), hay discrepancias entre los nombres de los hombres, presumiblemente discípulos, y estas mujeres que probablemente eran sus madres (Lc. 8.3; Jn. 19.25). Mateo destaca que se trataba de "muchas mujeres" (gr. *gunaîkes pollai*). Cuando casi todos los discípulos varones huyeron, ellas fueron las únicas que se mantuvieron fieles cerca de la cruz ("mirando de lejos"), y fueron las primeras a la puerta del sepulcro. Lucas dice que "todos los conocidos de Jesús, incluso las mujeres que lo habían seguido desde

Galilea," se mantuvieron a distancia (Lc. 23.49). Mateo da los nombres de tres mujeres: María Magdalena (Lc. 8.2; en el servicio, Mr. 15.40.41; en la crucifixión, Mr. 15.40; Jn 19.25; en la resurrección, Mt. 27.61; 28.1; Mr. 16.1, 9; Lc. 24.10; Jn. 20.1), María la madre de Jacobo el Menor y de José, esposa de Cleofas (Jn. 19.25; Mt. 27.61; 28.1; Mr. 15.40, 47), y la madre de los hijos de Zebedeo, o sea, Salomé (Mt. 20.20; Mr. 15.40). Estas mujeres no corrían ningún peligro pues la sociedad consideraba a las mujeres como nada, sin ningún valor político, económico, social o cultural. No obstante, en Jesús y por él fueron dignificadas, y en ocasión de su muerte y resurrección gozaron de privilegios únicos. Mateo no menciona a María, la madre de Jesús, que sí ocupa un lugar importante en el relato de Juan (Jn. 19.25-27).

LA SEPULTURA (27.57-66)

El proceso de sepultura del cuerpo muerto de Jesús siguió las puntillosas regulaciones establecidas según la tradición judía. La Ley no permitía que un cadáver quedara sin sepultar durante la noche (Dt. 21.22-23), y en el caso de Jesús esto era todavía más imperativo porque el día siguiente era sábado. Los romanos dejaban los cadáveres descomponiéndose, a menos que los familiares los reclamaran. La familia de Jesús no podía hacer esto porque eran todos galileos y carecían de una tumba en Jerusalén.

La sepultura de Jesús (27.57-61)

Los vv. 57-61 presentan la sepultura de Jesús. Mateo no tiene interés en presentar a José de Arimatea, como lo hace Marcos, Lucas y Juan (19.38-42), como un miembro honorable del Consejo judío (Lc. 23.50), que era favorable a Jesús, ya que no consintió con los planes de matarlo (Lc. 23-51). El v. 57 lo describe como un "hombre rico" y "discípulo de Jesús," que era dueño de una tumba en la vecindad. Él fue quien le reclamó a Pilato el cuerpo de Jesús, quien fue sepultado por sus discípulos, así como lo fue Juan el Bautista (14.12). Mateo no menciona el día de preparación (Mr. 15.42) ni el asombro de Pilato (15.44). Todo lo que dice es que José "tomó el cuerpo, lo envolvió en una sábana limpia y lo puso en un sepulcro nuevo de su propiedad." Nótese que el sepulcro era "nuevo" (v. 60), con lo cual se destaca la convicción de José en cuanto a la inocencia de Jesús, ya que, si era un criminal, la ley le prohibía volverlo a usar. Por otro lado, este fue un gesto de honra a Jesús por parte de un hombre rico. Además, el sepulcro era muy valioso, porque estaba "cavado en la roca." José demostró ser muy generoso, pero también muy valiente, porque actuó a favor de Jesús contra las decisiones del Consejo judío, de Pilato, y del populacho judío. Así es que pasó a la historia como el hombre que proveyó de una tumba a Jesús.

La guardia ante el sepulcro (27.62-66)

Los vv. 62-66 preparan la escena para 28.11-15 y ambos son pasajes exclusivos de Mateo. Es difícil imaginar que los líderes judíos se reunieran con Pilato el día sábado ("al día siguiente," el primer día de los panes sin levadura, v. 62), que había comenzado oficialmente a las 18:00 hs. del día viernes. De esta manera, los jefes de los sacerdotes y los fariseos quebrantaron el descanso del día sábado ... ¡y lo hicieron para reunirse con un gentil en la casa de un gentil! Estaban desesperados por terminar con Jesús, y especialmente ansiosos porque temían las profecías de Jesús en cuanto a su resurrección al tercer día. Por supuesto, esto no es lo que le dijeron a Pilato, sino que montaron un argumento mucho más lógico y aceptable para él: los discípulos de Jesús pueden venir al sepulcro a robar su cadáver para luego decir que resucitó. Ingenuamente pensaban que si Pilato ordenaba sellar el sepulcro y reforzar la guardia esto no ocurriría. Mateo precisamente registra esto como una tradición cristiana de carácter apologético, dirigida a refutar la crítica común entre los judíos de que el cadáver de Jesús había sido robado por sus discípulos (28.15). La respuesta de Pilato en el v. 65 es irónica y expresa su conocimiento de cuál sería el resultado final: si Jesús era quien decía ser, no había "piedra grande a la entrada del sepulcro," ni miles de sellos oficiales ni multitud de soldados de guardia, que pudieran impedirle volver a vivir y salir de su tumba. No hay sepulcro en el mundo que pueda encerrar al Señor resucitado.

LA RESURRECCIÓN (28.1-15)

La historia de la tumba vacía es el relato más conmovedor y poderoso que jamás se haya narrado. Casos de resucitación ha habido muchos a lo largo de la historia de la humanidad, y Jesús mismo fue el poder que operó más de uno. Pero su resurrección fue y sigue siendo única, porque él volvió a la vida para no morir jamás.

La resurrección de Jesús (28.1-10)

El relato que hace Mateo de la resurrección de Jesús sigue básicamente al de Marcos, más que al de Lucas o Juan. Las mujeres recibieron un mensaje angelical (v. 7), mientras que se les prometió una aparición en Galilea (26.32; v. 16), a diferencia de Lucas y Juan que centran los mensajes angélicos y las apariciones en Jerusalén. Los vv. 2-4 presentan una descripción elaborada de lo que ocurrió en ocasión de la resurrección, si bien no mencionan a Jesús. La descripción es insertada entre las mujeres que fueron "a ver el sepulcro" (v. 1) y la respuesta del ángel a su asombro (v. 5). En los vv. 5-8, el "ángel" ("un joven vestido con un manto blanco," Mr. 16.5) es el mismo ser celestial y poderoso de los vv. 2-4. Mateo no menciona a Pedro (como hace Mr. 16.7). En Marcos 16.8 las mujeres guardaron silencio sobre lo que vieron "porque tenían miedo;" en Mateo 28.8 salieron corriendo "a dar la noticia a los discípulos," asustadas pero muy alegres. Nótese que en vv. 9-10 Jesús llama "hermanos" a sus discípulos (12.49; 25.40).

El evento de la resurrección encierra un poderoso mensaje, que todavía tiene un valor extraordinario para quienes somos discípulos de Jesús. Primero, la resurrección de Jesús nos anima a confiar y no tener miedo: "No tengan miedo; sé que ustedes buscan a Jesús, el que fue crucificado. No está aquí" (vv. 5b-6a). Segundo, la resurrección de Jesús nos anima a creer y no dudar: "No está aquí, pues ha resucitado, tal como dijo. Vengan a ver el lugar donde lo pusieron" (v. 6). Tercero, la resurrección de Jesús nos anima a compartir y no callar: "Vayan pronto a decirles a sus discípulos: 'Él se ha levantado de entre los muertos" (v. 7a). Cuarto, la resurrección de Jesús nos anima a congregarnos y no descomprometernos: "Él va delante de ustedes a Galilea. Allí lo verán'" (v. 7b).

Quinto, la resurrección de Jesús nos anima a conocer y no ignorar el mensaje: "Ahora ya lo saben" (v. 7c). Sexto, la resurrección de Jesús nos anima a contentarnos y no asustarnos: "Así que las mujeres se alejaron a toda prisa del sepulcro, asustadas pero muy alegres" (v. 8). Cuando entendemos la resurrección de Jesús de estas maneras, entonces descubriremos que el Jesús resucitado nos sale al encuentro y nos saluda, lo cual nos permite a nosotros acercarnos a él, abrazarlo y adorarlo (v. 9).

El informe de los guardias (28.11-15)

Según la versión de Mateo, los soldados romanos no fueron a Pilato para informar de lo ocurrido, sino a las autoridades judías (vv. 11-15). Mateo hace esto para contrarrestar la acusación común de los judíos en sus días de que los discípulos habían robado el cadáver de Jesús. Sea como fuere, lo que se discutía no era si el sepulcro estaba vacío o no, sino cómo es que quedó vacío. El sepulcro vacío fue el argumento contundente de los primeros cristianos para defender y proclamar la resurrección física de Jesús. De esta manera, los planes siniestros de las autoridades judías quedaron totalmente frustrados y murieron con ellos, mientras los discípulos de Jesús, hace más de dos mil años que continuamos anunciando al mundo que él vive.

La misión de los discípulos (28.16-20)

Hay ciertas experiencias que han ejercido una influencia decisiva en la historia. La escena final que cierra el Evangelio de Mateo es de gran importancia. Jesús se encuentra rodeado de unos quinientos discípulos suyos en un monte de Galilea. Allí les habla aquellas palabras que desde hace mucho tiempo la iglesia ha consagrado con el título de "La Gran Comisión." Estas palabas han servido para inspirar a muchos a emprender grandes cosas para Dios en miles de oportunidades diferentes.

La convicción de Jesús (vv. 16-17). El evento que se registra en Mateo presenta una de las diez o más apariciones de Jesús después de su resurrección. Jesús mismo hizo los preparativos para este encuentro, que reunió a los once apóstoles junto con otros quinientos creyentes (1 Co. 15.6). En razón de que la resurrección de Jesús era ya un hecho bien establecido, el número de discípulos había aumentado considerablemente. Su actitud hacia Jesús también se había transformado. Ahora, al verle, "lo adoraron" (gr. *prosekúnēsan*). Este verbo es bastante fuerte y connota un profundo reconocimiento de la divinidad de Cristo. La plena certidumbre en cuanto a que Jesús se había levantado de los muertos fue algo que vino con el tiempo. Algunos discípulos oscilaban entre la fe plena y sus dudas. Jesús no los recriminó, sino que a ellos también les dio su palabra de desafío y comisión.

La afirmación de Jesús (v. 18). Estamos tan acostumbrados a leer y oír estas palabras, que no nos impresionan. En realidad, tenemos aquí una de las declaraciones más asombrosas que jamás se haya hecho. De haber sido hecha por otro, tal afirmación habría parecido presunción o locura. Pero no cuestionamos el derecho de Jesús de afirmar tal cosa de sí mismo. El Cristo resucitado tiene plena autoridad sobre el cielo y la tierra. La palabra "autoridad" (gr. *exousía*) encierra ciertas cuestiones significativas para nuestro Maestro y para nosotros.

> **George A. Buttrick:** "'Toda autoridad' significa el supremo derecho de nombrar para un cargo: en consecuencia, viene la gran comisión. Significa el derecho de demandar obediencia—en razón del amor derramado hasta la muerte, y ahora triunfante en el reino eterno. Significa el derecho de gobernar tanto en la tierra como en el cielo. La fe verdadera no es la que los seres humanos eligen, sino la que elige a los seres humanos. No es un vestido que podamos ponernos o quitarnos, sino una vida verdadera. Cristo alega ser el Señor de la vida."[2]

La confianza de Jesús (v. 19a). Aquí encontramos a Jesús planteando a sus discípulos un impostergable imperativo: "Vayan" (gr. *poreuthéntes*). Un poco de reflexión sobre esta escena nos impactará en cuanto a la confianza que Jesús tenía en el futuro de su reino. Nos encontramos aquí con un grupo de hombres y mujeres, sin armas ni estrategias, sin dinero o recursos materiales, sin organización o estructura institucional. Pero sí está el Señor resucitado con todo su poder y con un programa para conquistar al mundo para su reino. Él envía a la multitud de sus seguidores a manifestar la presencia de su reino a través de la proclamación del evangelio, la sanación de los enfermos y la liberación de los oprimidos por Satanás. Él

2. George A. Buttrick, "Exposition," en *The Gospel According to St. Matthew*, en *The Interpreter's Bible*, 12 vols. (Nashville, TN: Abingdon Press, 1951), 7:622.

envía a los embajadores de su reino (2 Co. 5.20) a representarlo con poder y autoridad en todas las esferas de la existencia humana, actuando con justicia, promoviendo la paz, proclamando la libertad, hablando la verdad y expresando su amor a todos los seres humanos.

La estrategia de Jesús (vv. 19b-20a). Sobre la base de la autoridad de Jesús y de su clara voluntad para ellos, sus seguidores fueron comisionados a ir y hacer discípulos "de todas las naciones" (gr. *pánta ta éthnē*). Llama la atención el destino al que son enviados los discípulos: "todas las naciones." Todos los Evangelios presentan esta comisión universal de Jesús (Mr. 16.15; Lc. 24.46-49; Jn. 20.21). Por eso, no es de sorprender que el Jesús resucitado haga explícitas las implicancias universales de su identidad como Mesías y su misión para con Israel y las naciones. El lenguaje de la Gran Comisión (especialmente en Mateo) está impregnado del vocabulario y los conceptos del pacto del Antiguo Testamento.[3] De esta manera, Jesús adopta él mismo la postura del Señor cósmico, *Yahweh*. Así también establece las condiciones para sus nuevos compañeros de pacto, que son el deber de hacer discípulos, bautizar y enseñar a las naciones. Y, luego, concluye con la gran promesa del pacto: su presencia personal hasta el fin. Ahora se quitan por completo las limitaciones del ministerio terrenal de Jesús y de los primeros viajes misioneros de los discípulos a las fronteras de Israel. El Mesías ha resucitado y las naciones deben escuchar el evangelio y ser llevadas al pacto por la fe y la obediencia (según Mateo) y por el arrepentimiento y el perdón (según Lucas).

Este es el programa mundial del cristianismo, y resume así la estrategia de Jesús para crear una humanidad nueva. En estos versículos se presentan tres palabras que nos hablan del método que debemos utilizar para lograr estos fines. (1) "Hagan discípulos" (gr. *mathēteúsate*) significa la evangelización en el sentido más pleno. Esto incluye más que campañas de evangelización o evangelización de masas. La mejor evangelización es la del contacto personal, el interés personal, la persuasión personal y el testimonio personal. (2)

---

3. Ver James LaGrand, *The Earliest Christian Mission to "All Nations" in the Light of Matthew Gospel* (Grand Rapids; MI: Eerdmans, 1995); y, Martin Goldsmith, *Matthew and Mission: The Gospel through Jewish Eyes* (Carlisle, RU: Paternoster, 2001).

"Bautizándolos" (gr. *baptízontes autous*)—en otras palabras, Jesús quiere decir exactamente lo que dice. La ordenanza del bautismo es de gran importancia, tanto para el creyente como para los demás. Es un símbolo que no puede ser descartado sin serias consecuencias. (3) "Enseñándoles" (gr. *didáskontes autous*) es parte del plan de Jesús para la conquista del mundo para su reino.

La promesa de Jesús (v. 20b). Hay muchas cosas que Jesús no prometió a sus seguidores que salían al mundo en su nombre. Pero sí nos prometió algo que es realmente necesario e imprescindible: "Y les aseguro que estaré con ustedes siempre" (gr. *kai idou egō meth' humōn aimi pásas tas hēméras*). ¡Él estará con nosotros! Él vive y camina con todo seguidor suyo que esté dedicado a obedecer su mandamiento en el mundo. ¡Su presencia es todo lo que necesitamos para cumplir con la misión que él nos ha asignado! De esta manera, se cumple el método divino, que siempre consiste en que, en los peores tiempos ocurren las mejores cosas. Las palabras registradas en los últimos versículos de este Evangelio de alguna manera fueron pronunciadas en los peores tiempos. Jesús dijo sus maravillosas palabras registradas en Mateo 28.16-20 en tiempos que parecían ser los peores de la historia. Eran tiempos de paganismo, crueldad y violencia; tiempos de totalitarismos y aparatos militares represivos. Eran tiempos de esclavitud y opresión; tiempos de divorcios y hogares destruidos; de lujuria y amor libre; de corrupción y mentira. Sin embargo, es en tiempos así cuando Dios tiene preparadas sus mejores cosas. Fue en estos "peores tiempos" que los primeros discípulos salieron a hacer las mejores cosas, conforme a la voluntad divina. Da la impresión como que, para ellos, cada cosa mala en el mundo era el impulso que ellos necesitaban para hacer lo bueno. Era, precisamente, porque se sentían viviendo en un mundo malo y sumido en las tinieblas, que aquellos creyentes estaban convencidos de que tenían que proclamar el mensaje de la luz del evangelio.

BIBLIOGRAFÍA

Aland, Barbara, Kurt Aland, Johannes Karavidopoulos, Carlo M. Martini, y Bruce M. Metzger. *The Greek New Testament.* 4ta. ed. Stuttgart: Deutsche Bibelgesellschaft, 2001.

Albright, William F. "The Names 'Nazareth' and 'Nazorean.'" *Journal of Biblical Literature* 65 (1946): 397-40.

Albright, W. F. y C. S. Mann. *Matthew.* En *The Anchor Bible.* Garden City, NY: Doubleday, 1982.

Alexander, Joseph A. *The Gospel According to Matthew.* Nueva York: Charles Scribner's Sons, 1861.

Allan, G. "He Shall Be Called a Nazirite?" *Expository Times* 95 (1983): 81-82.

Allen, Willoughby C. *A Critical and Exegetical Commentary on the Gospel According to St. Matthew.* En *The International Critical Commentary* Edimburgo: T. & T. Clark, 1957.

Allison, D. C. *The New Moses: A Matthean Typology.* Edimburgo: T. & T. Clark, 1993.

Argyle, A. W. *The Gospel According to Matthew.* Cambridge: Cambridge University Press, 1963.

Bacon, B. W. *Studies in Matthew.* Nueva York: Henry Holt, 1930.

Barclay, William. *The Gospel of Matthew.* 2 vols. Ed. rev. Filadelfia: The Westminster Press, 1975.

Barnhouse, Donald G. *His Own Received Him Not, but ...* Nueva York: Fleming H. Revell, 1933.

Bartina, S. "Y desde Egipto lo he proclamado hijo mío (Mt. 2.15; Os. 11.1)." *Estudios Bíblicos* 22 (1970): 157-160.

Batlle R., Agustín. *Jesús presente hoy en sus enseñanzas*. Santiago de Chile: Editorial y Librería El Sembrador, 1978.

Bauer, David R. *The Structure of Matthew's Gospel: A Study in Literary Design*. The Library of New Testament Studies 31. Sheffield, Inglaterra: Sheffield Academic Press, 1989.

Beare, F. W. *The Gospel According to Matthew: Translation, Introduction, and Commentary*. Peabody, MA: Hendrickson, 1987.

Beaton, R. "Messiah and Justice: A Key to Matthew's Use of Isaiah 42.1-4?" *Journal for the Study of the New Testament* 75 (1999): 5-23.

__________. *Isaiah's Christ in Matthew's Gospel*. Cambridge: Cambridge University Press, 2002.

Bernard, Thomas Dehaney. *El desarrollo doctrinal en el Nuevo Testamento*. México: Publicaciones de la Fuente, 1961.

Blomberg, Craig L. *Matthew: An Exegetical and Theological Exposition of Holy Scripture*. En *The New American Commentary*. Vol. 22. Nashville, TN: Broadman and Holman Publishers, 1992.

Boice, James Montgomery. *The Parables of Jesus*. Chicago: Moody Press, 1983.

Bonhoeffer, Dietrich. *El costo del discipulado: la dicotomía entre gracia barata y gracia sublime*. Buenos Aires: Editorial Peniel, 2017.

Bonilla, Plutarco. *Los milagros también son parábolas*. Miami: Editorial Caribe, 1978.

Bonnard, Pierre. *Evangelio según San Mateo*. Madrid: Ediciones Cristiandad, 1983.

Bornkamm, Günther, Gerhard Barth y Heinz J. Held. *Tradition and Interpretation in Matthew*. Londres: SCM Press, 2014.

Bover, José M. *El Evangelio de San Mateo*. Barcelona: Editorial Balmes, 1946.

Broadus, John A. *Comentario sobre el Evangelio según Mateo* (El Paso, TX: Casa Bautista de Publicaciones, s.f.

Brown, R. E., K. P. Donfried; J. A. Fitzmyer y J. Reumann. *María en el Nuevo Testamento.* Salamanca: Ediciones Sígueme, 1982.

Bruce, Alexander B. *The Training of the Twelve.* Grand Rapids, MI: Kregel Publications, 1976.

Bultmann, Rudolf. *Jesus and the Word.* Nueva York: Charles Scribner's Sons, 1958.

__________. *Teología del Nuevo Testamento.* Salamanca: Ediciones Sígueme, 1981.

Butler, B. C. *The Originality of St. Matthew: A Critique of the Two-Documents Hypothesis.* Cambridge: Cambridge University Press, 2011.

Calvin, John. *A Harmony of the Gospels: Matthew, Mark, and Luke.* Ed. por D. W. Torrance y T. F. Torrance. Grand Rapids, MI: Eerdmans, 1972.

Campbell Morgan, G. *The Crisis of the Christ.* Old Tappan, NJ: Fleming H. Revell, 1936.

Carballosa, Evis L. *Mateo: la revelación dela realeza de Cristo.* Grand Rapids, MI: Editorial Portavoz, 2007.

Carrillo Alday, Salvador. *El Evangelio según San Mateo.* Estella, Navarra: Editorial Verbo Divino, 2010.

Carson, David A. *Matthew.* En *The Expositor's Bible Commentary.* Vol. 8. Grand Rapids, MI: Zondervan, 1984.

Carter, Warren. *Mateo y los márgenes: una lectura sociopolítica y religiosa.* Estela, Navarra: Editorial Verbo Divino, 2007.

Castaño Fonseca, Adolfo M. *Evangelio de Marcos – Evangelio de Mateo.* Biblioteca Bíblica Básica 15. Estela, Navarra: Editorial Verbo Divino, 2010.

__________. *"Y abriendo la boca les enseñaba diciendo…": reflexiones en torno al Sermón de la Montaña (Mt. 5—7).* México: PPC Editorial, 2018.

Cerfaux, L. *Mensaje de las parábolas.* Madrid: Ediciones Fax, 1969.

Chapman, Dom John. *Matthew, Mark, and Luke: A Study in the Order and Interrelation of the Synoptic Gospels.* Ed. por John M. T. Barton. Londres: Longmans, Green, 1937.

Conner, W. T. *Las enseñanzas del Señor Jesús.* El Paso, TX.: Casa Bautista de Publicaciones, 1975.

Cope, Lamar. "The Death of John the Baptist in the Gospel of Matthew, or The Case of the Confusing Conjunction." *Catholic Biblical Quarterly* 38:4 (1976): 515-519.

__________. *Matthew: A Scribe Trained for the Kingdom of Heaven.* Washington: The Catholic Biblical Association of America, 1976.

Corley, Bruce C., ed. *Colloquy on New Testament Studies: A Time for Reappraisal and Fresh Approaches.* Macon, GA: Mercer, 1983.

Cox, G. E. P. *The Gospel According to St. Matthew: A Commentary.* Londres: Collier Books, 1962.

Dahl, Nils A. "Die Passionsgeschichte bei Matthäus." *New Testament Studies* 2 (1955-1956): 17-32.

Davis, W. D. y Dale C. Allison, Jr. *A Critical and Exegetical Commentary of the Gospel According to Saint Matthew.* En *The International Critical Commentary.* 3 vols. Edimburgo: T. & T. Clark, 1994.

De La Fuente, Tomás. *Jesús nos habla por medio de sus parábolas.* El Paso, TX: Casa Bautista de Publicaciones, 1978.

Descalzo, José Luis Martín. *Vida y misterio de Jesús de Nazaret.* Vol. 2: *El mensaje.* 6ta. ed. Salamanca: Ediciones Sígueme, 1988.

Dodd, C. H. *The Parables of the Kingdom.* Londres: Fontana Books, 1965.

Dods, Marcus. *The Parables of Our Lord.* Nueva York: Fleming H. Revell, s.f.

Donaldson, Terence L. *Jesus on the Mountain: A Study of Matthean Theology.* Sheffield: Journal for the Study of the Old Testament Press, 1985.

Driver, Juan. *Militantes para un mundo nuevo.* Barcelona: Ediciones Evangélicas Europeas, 1978.

Edersheim, Alfred. *The Life and Times of Jesus the Messiah.* 2 vols. Nueva York: Longmans, Green, 1903.

Ellis, P. F. *Matthew: His Mind and Message.* Collegeville, MN: Liturgical Press, 1974.

Enslin, Morton Scott. *The Literature of the Christian Movement*. Parte 3 de *Christian Beginnings*. Nueva York: Harper & Brothers Publishers, 1956.

Erdman, Charles R. *El Evangelio de Mateo: una exposición*. Grand Rapids, MI: 1974.

Fenton, John C. *The Gospel of St. Matthew*. En *The Penguin New Testament Commentary*. Londres: Penguin Books, 1964.

Fiedler, Peter. *Das Matthäusevangelium*. En *Theologischer Kommentar zum Neuen Testament*. Vol. 1. Stuttgart: Kohlhammer Verlag, 2006.

Filas, Francis L. *The Parables of Jesus: A Popular Explanation*. Nueva York: Macmillan, 1959.

Filson, Floyd V. A New Testament History. Londres: SCM Press, 1978.

__________. *The Gospel According to St. Matthew*. En *Black's New Testament Commentary*. Londres: Adam and Charles Black, 1971.

Findlay, J. Alexander. *Jesus and His Parables*. Londres: Epworth Press, 1957.

Flichy, Odile. *La Ley en el Evangelio de Mateo*. Cuaderno Bíblico 177. Estela, Navarra: Editorial Verbo Divino, 2017.

Foster, Rupert C. *Studies in the Life of Christ*. Grand Rapids, MI: Baker Book House, 1971.

France, Richard T. *Jesus the Radical: A Portrait of a Man*. Leicester, Inglaterra: Inter-Varsity Press, 1989.

__________. *Matthew: Evangelist and Teacher*. Downers Grove, IL: InterVarsity Press, 1998.

__________. *The Gospel of Matthew. En The New International Commentary on the New Testament*. Grand Rapids, MI: Eerdmans, 2007.

Frankemöller, Hubert. *Matthäus Kommentar*. 2 vols. Düsseldorf: Patmos Verlag, 1997.

__________. *Das Matthäusevangelium: neu übersetzt und kommentiert*. Stuttgart: Katholisch Bibelwerk, 2010.

Fumagalli, Anna. *Gesù crocifisso, straniero fino alla fine dei tempi: una lettura di Mt. 25.31-46 in chiave comunicativa*. Frankfurt: Verlag Peter Lang, 2000.

Gaebelein, Arno Clemens. *Gospel of Matthew*. Vol. 1. Wheaton, IL: Van Kampern Press, 1910.

Gaechter, Paul. *Das Matthäus-Evangelium*. Viena y Munich: Tyrolia Verlag, 1963.

García Fernández, Marta. *Mateo*. Guías de Lectura del Nuevo Testamento. Estela, Navarra: Editorial Verbo Divino, 2015.

Gatti, Nicoletta. *Perché il "piccolo" diventi "fratello": la pedagogia del dialogo nel cap. 18 di Matteo*. Roma: Pontificia Universidad Gregoriana, 2007.

Gibson, J. M. *The Gospel of St. Matthew*. 2da ed. Londres: Hodder and Stoughton, 1892.

Glasscock, Ed. *Matthew*. En *Moody Gospel Commentary*. Chicago, IL: Moody Press, 1997.

Glasser, Arthur F. *Announcing the Kingdom: The Story of God´s Mission in the Bible.* Grand Rapids: Baker Academic, 2003.

Glatzer, N. N. *Hillel el sabio: surgimiento del judaísmo clásico*. Buenos Aires: Editorial Paidós, 1963.

Gnanakan, Ken R. *Kingdom Concerns: A Biblical Exploration towards a Theology of Mission.* Ed. rev. Bangalore: Theological Book Trust, 1993.

González Faus, José Ignacio. *Acceso a Jesús.* Salamanca: Ediciones Sígueme, 1979.

__________. *Clamor del reino: estudio sobre los milagros de Jesús.* Salamanca: Ediciones Sígueme, 1982.

Goodspeed, Edgar J. *An Introduction to the New Testament*. Chicago: University of Chicago Press, 1958.

__________. *Matthew: Apostle and Evangelist*. Filadelfia y Toronto: John C. Winston, 1959.

Green, F. W. *The Gospel According to St. Matthew*. En *The Clarendon Bible*. 2da ed. Oxford, Inglaterra: Clarendon Press, 1945.

Green, H. Benedict. *The Gospel According to Matthew*. Oxford: University Press, 1980.

Grellert, Manfred, Bryant L. Myers y Thomas H. McAlpine, comp. *Al servicio del reino.* San José, Costa Rica: Visión Mundial Internacional, 1992.

Grilli, Massimo. *Comunità e missione: le direttive di Matteo*. Frankfurt: Verlag Peter Lang, 1992.

Grilli, Massimo y Cordula Langner. *Comentario al Evangelio de Mateo*. Estella, Navarra: Editorial Verbo Divino, 2011.

Grilli, Massimo y D. Dormeyer. *Palabra de Dios en lenguaje humano: lectura de Mt. 18 y Hch. 1—3 a partir de su instancia comunicativa*. Estella, Navarra: Editorial Verbo Divino, 2004.

Gundry, Robert H. *Matthew: A Commentary on His Handbook for a Mixed Church under Persecution*. Grand Rapids, MI: Eerdmans, 1994.

__________. *The Use of the Old Testament in St. Matthew's Gospel: With Special Reference to the Messianic Hope*. Leiden: E. J. Brill, 1967.

Guthrie, Donald. *New Testament Introduction*. Leicester, Inglaterra: Inter-Varsity Press, 1970.

Hagner, Donald A. *Matthew*. 2 vols. En *Word Biblical Commentary*. Dallas, TX: Word Book Publishers, 1993.

Hargreaves, John. *A Guide to the Parables*. Londres: S.P.C.K., 1975.

Hawthorne, Gerald F. *The Presence and the Power: The Significance of the Holy Spirit in the Life and Ministry of Jesus*. Dallas, TX: Word, 1991.

Hendriksen, William. *Comentario al Nuevo Testamento: Exposición del Evangelio según San Mateo*. Grand Rapids, MI: Libros Desafío, 2001.

Hill, David. *The Gospel of Matthew*. En *The New Century Bible Commentary*. Grand Rapids, MI: Eerdmans, 1982.

Hoskyns, Edwyn y Noel Davey. *El enigma del Nuevo Testamento*. Buenos Aires: Editorial La Aurora, 1971.

Hughes, R. Kent. *The Sermon on the Mount: The Message of the Kingdom*. Wheaton, IL: Crossway Books, 2001.

Hunter, A. M. *Design for Life: An Exposition of the Sermon on the Mount, its Making, its Exegesis and its Meaning*. Londres: SCM Press,1965.

__________. *Interpreting the Parables*. Londres: SCM. Press, 1966.

__________. *Introducing New Testament Theology*. Londres: SCM Press, 1966.

__________. *Introducing the New Testament*. Londres: SCM Press, 1980.

Ironside, Harry A. *Estudios sobre Mateo*. Barcelona: Editorial Clie, s.f.

Jeremias, Joachim. *Abba: El mensaje central del Nuevo Testamento*. Salamanca: Ediciones Sígueme, 1981.

__________. *Jerusalén en tiempos de Jesús: estudio económico y social del mundo del Nuevo Testamento.* 3ra ed. Madrid: Ediciones Cristiandad, 1985.

__________. *Las parábolas: interpretación de las parábolas*. Estella, Navarra: Editorial Verbo Divino, 1982.

Johnson, Sherman E. *The Gospel According to St. Matthew*. "Introduction" y "Exegesis." En *The Interpreter's Bible*, vol. 7. Nueva York y Nashville: Abingdon Press, 1951.

Keener, Craig S. *A Commentary on the Gospel of Matthew*. Grand Rapids, MI: Eerdmans, 1999.

Kilpatrick, G. D. *The Origins of the Gospel According to St. Matthew*. Oxford, Inglaterra: Clarendon Press, 1946.

Kim, J.-R. *"Perché io sono mite e umile di cuore" (Mt. 11.29): studio esegetico-teologico sull'umilità del Messia secondo Matteo*. Roma: Gregorian and Biblical Press, 2005.

Kingsbury, Jack Dean. *Matthew as Story*. 2da ed. Fortress Press, 1988.

Knox, J. *The Early Church and the Coming Great Church*. Nashville, TN: Abingdon Press, 1957.

Lange, Johann P. *The Gospels of St. Matthew and St. Mark.* 3 vols. Edimburgo: T.& T. Clark, 1862.

__________. *Matthew*. En *Commentary on the Holy Scriptures*. Grand Rapids, MI: Zondervan, n.f.

Lenski, Richard C. H. *The Interpretation of St. Matthew's Gospel*. Minneapolis, MN: Augsburg Publishing House, 1964.

Luz, Ulrich. *El Evangelio según San Mateo*. 4 vols. Biblioteca de Estudios Bíblicos. Salamanca: Ediciones Sígueme, 2003.

McClein. Alva J. *The Greatness of the Kingdom*. Grand Rapids, MI: Zondervan, 1959.

McCrown, Chester Charlton. "*ho tektōn.*" En *Studies in Early Christianity*. Ed. por Shirley Jackson Case. Nueva York y Londres: The Century Co., 1928.

McNeile, Alan H. *The Gospel According to St. Matthew*. En *Thornapple Commentaries*. Grand Rapids, MI: Baker Book House, 1980.

McQulkin, Robert C. "*Explícanos . . .*": *estudios en las parábolas del Señor*. San José, Costa Rica: Editorial Caribe, 1964.

Martin, Hugh. *The Parables of the Gospels and their Meaning for Today*. Londres: SCM Press, 1962.

Mello, Alberto. *Evangelo secondo Matteo: commento midrashico e narrativo*. Spiritualità Biblica. Magnano, Italia: Qiqajon, 1995.

Menken, Maarten J. J. *Mattthew's Bible: The Old Testament Text of the Evangelist*. Lovaina, Bélgica: Lovaina University Press, 2004.

Meruzzi, Mauro. *Lo sposo, le nozze e gli invitati: aspetti nuziali nella teología di Matteo*. Asis, Italia: Cittadella, 2008.

Michellini, Giulio. *Il sangue dell'alleanza e la salvezza dei peccatori: una nuova lettura di Mt. 26—27*. Analecta Gregoriana. Roma: Pontificio Istituto Biblico, 2010.

Míguez Bonino, José. *El mundo nuevo de Dios: estudios bíblicos sobre el Sermón del Monte*. Buenos Aires: Federación Mundial Cristiana de Estudiantes, 1955.

Montefiore, C. G. *The Synoptic Gospels*. 2 vols. 2da ed. Londres: Macmillan, 1927.

Morgan,G. Campbell. *The Gospel According to Matthew*. Nueva York: Fleming H. Revell, 1929.

Morris, Leon. *The Gospel According to Matthew*. En *The Pillar New Testament Commnentary*. Grand Rapids, MI: Eerdmans, 1992.

Neal, C. L. *Parábolas del evangelio y bosquejos de sermones*. El Paso, TX: Casa Bautista de Publicaciones, 1948.

Nicole, Roger. "Citas del Antiguo Testamento en el Nuevo Testamento." En *Diccionario de la teología práctica: hermenéutica*. Ed. por Rodolfo G. Turnbull. Grand Rapids, MI: Subcomisión Literatura Cristiana, 1976.

Oesterley, W. O. E. *The Gospel Parables in the Light of their Jewish Background*. Nueva York: Macmillan, 1938.

Pasala, Solomon. *The "Drama" of the Messiah in Matthew 8 and 9: A Study from a Communicative Perspective*. Frankfurt: Peter Lang Verlag, 2008.

Pentecost, J. Dwight. *El Sermón del Monte*. Grand Rapids, MI: Editorial Portavoz, 1981.

__________. *The Words and Works of Jesus Christ: A Study of the Life of Christ*. Grand Rapids: Zondervan, 1981.

Pérez Millos, Samuel. *Mateo*. 2 vols. Vigo, España: Biblioteca de Estudios Teológicos, 2005.

Pettingill, William L. *Estudios sencillos sobre Mateo*. Barcelona: Editorial Clie, 1986.

Pikaza Ibarrondo, Xabier. *Evangelio de Mateo: de Jesús a la Iglesia*. Estela, Navarra: Editorial Verbo Divino, 2017.

Plummer, Alfred. *An Exegetical Commentary on the Gospel According to St. Matthew*. En *Thornapple Commentaries*. Grand Rapids, MI: Baker Book House, 1982.

Richardson, Alan. *An Introduction to the Theology of the New Testament*. Londres: SCM Press, 1979.

Ríos, Asdrubal. *Evangelio según San Mateo*. En *Comentario Bíblico Continente Nuevo*. Miami: Editorial Unilit, 1994.

Rivas, Luis H. *Qué es un Evangelio*. Buenos Aires: Editorial Claretiana, 1981.

Robertson, Archibald Thomas. *Una armonía de los cuatro Evangelios*. El Paso, TX: Casa Bautista de Publicaciones, s.f.

__________. *Word Pictures of the New Testament*. Vol. 1: *The Gospel According to Matthew*. Nashville, TN: Broadman Press, 1930.

Robinson, T. H. *The Gospel of Matthew*. En *The Moffatt New Testament Commentary*. Nueva York: Doubleday, Doran, 1928.

Ropes, J. H. *The Synoptic Gospels*. Cambridge, MA: Harvard University Press, 1934.

Ryle, J. C. *Los Evangelios explicados*. Vol. 1: *San Mateo*. Nueva York: Sociedad Americana de Tratados, s.f.

Sakr, Michel. *Le Sèvére Sauveur: lectura pragmatiue de sept "Oùaí" dans Mt. 23.13-36.* Frankfurt: Peter Lang Verlag, 2005.

Sánchez Navarro, L. *La enseñanza de la montaña: comentario contextual a Mateo 5—7.* Estella, Navarra: Editorial Verbo Divino, 2005.

Schmid, Josef. *El Evangelio según San Mateo.* En *Comentario a la Sagrada Escritura.* Vol. 92. Barcelona: Editorial Herder, 1981.

Schnackenburg, Rudolf. *The Moral Teaching of the New Testament.* Londres: Herder and Herder, 1967.

Schweitzer, Albert. *The Psychiatric Study of Jesus: Exposition and Criticism.* Boston: The Beacon Press, 1948.

Scott, E. F. *The Literature of the New Testament.* Nueva York: Columbia University Press, 1963.

Senior, D. *The Passion Narrative According to Matthew: A Redactional Study.* Lovaina, Bélgica: Leuven University Press, 1975.

Simon, Marcel. *Las sectas judías en el tiempo de Jesús.* Buenos Aires: EUDEBA, 1962.

Sowell, Sidney M. *Las parábolas de Jesús.* Buenos Aires: Junta de Publicaciones de la Convención Evangélica Bautista, 1947.

Stagg, Frank. *Teología del Nuevo Testamento.* El Paso, TX: Casa Bautista de Publicaciones, 1976.

Stegemann, Ekkehard W. y Wolfgang Stegemann. *Historia social del cristianismo primitivo: los inicios en el judaísmo y las comunidades cristianas.* Estela, Navarra: Editorial Verbo Divino, 2008.

Stonehouse, N. B. *The Witness of Matthew and Mark to Christ.* Londres: Tyndale Press, 1944.

Stott, John R. W. *El Sermón del Monte.* 3ra. ed. Buenos Aires: Certeza Unida, 2007.

__________. *Las controversias de Jesús.* Buenos Aires: Ediciones Certeza, 1975.

Tasker, R. V. G. *The Gospel According to St. Matthew: An Introduction and Commentary.* En *The Tyndale New Testament Commentaries.* Londres: The Tyndale Press, 1963.

Toussaint, Stanley D. *Behold the King: A Study of Matthew*. Grand Rapids, MI: Kregel Publications, 1980.

Trench, Richard C. *Notas sobre las parábolas de nuestro Señor.* Grand Rapids, MI: Subcomisión de Literatura Cristiana, 1987.

Van Engen, Charles, Dean S. Gilliland y Paul Pierson, eds. *The Good News of the Kingdom: Mission Theology for the Third Millennium.* Maryknoll, N.Y.: Orbis Books, 1993.

Vidal Manzanares, César. *El primer Evangelio: el Documento Q*. Barcelona: Editorial Planeta, 1993.

Vijver, Enrique, *et al. Las parábolas del reino*. Buenos Aires: Ediciones La Aurora, 1988.

Vos, Geerhardus. *The Teaching of Jesus Concerning the Kingdom of God and the Church*. Phillipsburg, NJ: Presbyterian and Reformed, 1972.

Weber. Stuart K. *Matthew*. En *Holman New Testament Commentary*. Nashville, TN: Broadman and Holman Publishers, 2000.

Wenham, David. *The Parables of Jesus: Pictures of Revolution*. Londres: Hodder & Stoughton, 1989.

Whale, J. S. *Christian Doctrine.* Londres: Fontana Books, 1965.

Yoder, John Howard. *The Politics of Jesus*. Grand Rapids, MI: Eerdmans, 1985.

ACERCA DEL AUTOR

Dr. Pablo A. Deiros es un destacado pastor, maestro, conferencista y escritor argentino. Ha servido como pastor y docente por casi cincuenta años. Ha servido como profesor y rector en el Seminario Internacional Teológico Bautista (Buenos Aires, Argentina) por más de 45 años. Ha enseñado como Profesor de Historia de la Misión en la Escuela de Estudios Interculturales del Seminario Teológico Fuller (Pasadena, California) por once años, y como Profesor "Juan A. Mackay" de Cristianismo Mundial en el Seminario Teológico de Princeton (New Jersey), además de varias otras universidades y seminarios en Estados Unidos, Europa, Asia y América Latina. Es autor de más de setenta libros publicados, mayormente en los campos de historia del cristianismo global, misiología y pastoral, y estudios bíblicos. Integra la Junta Global de la Sociedad Bíblica Internacional (Biblica). Está casado con Norma H. Calafate, es padre de tres hijos mayores, y abuelo de siete nietos.

ÍNDICE DE PASAJES CITADOS

TRANSCRIPCIÓN DE LETRAS GRIEGAS

α	a
β	b
γ	g
δ	d
ε	e
ζ	z
η	ē
θ	th
ι	i
κ	k
λ	l
μ	m
ν	n
ξ	x
ο	o
π	p
ρ	r
ς	s
σ	s
τ	t
υ	u
φ	f
χ	j
ψ	ps
ω	ō

Esperamos que este libro
haya sido de tu agrado.
Para información o comentarios,
comunícate con nosotros.

Muchas gracias.